DAS KÖLNER PRIESTERSEMINAR IM 19. UND 20. JAHRHUNDERT

Festschrift zur Feier des 250jährigen Bestehens
am 29. Juni 1988

Studien zur Kölner Kirchengeschichte
Herausgegeben vom Historischen Archiv des Erzbistums Köln

23. Band

DAS KÖLNER PRIESTERSEMINAR IM 19. UND 20. JAHRHUNDERT

Festschrift zur Feier des 250jährigen Bestehens
am 29. Juni 1988

HERAUSGEGEBEN VON
NORBERT TRIPPEN

1988
VERLAG FRANZ SCHMITT · SIEGBURG

CIP-Titelaufnahme der Deutschen Bibliothek

Das **Kölner Priesterseminar im 19. und 20. Jahrhundert:**
Festschrift zur Feier des 250jährigen Bestehens am 29. Juni 1988
/ hrsg. von Norbert Trippen. – Siegburg: Schmitt, 1988
(Studien zur Kölner Kirchengeschichte; Bd. 23)
ISBN 3-87710-134-8
NE: Trippen, Norbert [Hrsg.]; Erzbischöfliches Priesterseminar <Köln>; GT

Druck: Druckerei J. P. Bachem, Köln
ISBN 3-87710-134-8

Zum Titelbild: Muttergottes mit dem Veilchen

Öl auf Holz. Stephan Lochner. Um oder nach 1440. In der Franzosenzeit (um 1800) zum Schutz gegen Entführung durch Übermalung in eine barocke Sitzfigur umgewandelt. Um 1850 im Priesterseminar duch den Religionslehrer Dr. Vosen „aus der Verkommenheit" ans Licht gebracht, 1853 durch Antoine Brasseur restauriert, 1854 dem Erzbischöflichen Diözesanmuseum in Köln als Leihgabe überlassen.

VORWORT DES HERAUSGEBERS

Ein Priesterseminar ist seiner Zweckbestimmung nach auf Zukunft ausgerichtet: Es soll die nachwachsenden Priester eines Bistums geistlich, theologisch und pastoral für ihren künftigen Dienst vorbereiten. Besonders ein Pastoralseminar wird – bei selbstverständlicher Verwurzelung in der Glaubensüberlieferung der Kirche – sich mit der geistlichen und pastoralen Situation in Gegenwart und Zukunft befassen müssen.

Doch macht das einen Blick in die eigene Geschichte nicht überflüssig. Im Gegenteil: Die Beobachtung, wie Priesterbild und Priesterbildung sich unter dem Einfluß der jeweiligen Zeitverhältnisse gewandelt haben, wie Verantwortliche und kritische Zeitzeugen stets das Unvollkommene und Ungenügende der Priesterbildung ihrer Zeit empfunden haben, macht uns angesichts der Veränderungen der letzten 25 Jahre gelassen. Die zeitlos gültige, nicht mehr reformbedürftige Gestalt der Priesterbildung wird von der Geschichte als Utopie erwiesen.

Ein doppelter Anlaß war der Grund, sich im Hinblick auf das Jahr 1988 mit der Geschichte des Kölner Priesterseminars zu befassen: Am 29. Juni 1988 jährt sich zum 250. Male der Tag, an dem – nach zwei kurzlebigen Versuchen im 17. Jahrhundert – das Kölner Priesterseminar auf dem Domhof seine Tätigkeit aufnahm. Da das Seminar auch die Zeit nach der französischen Revolution überdauerte und als „Seminarium Aquisgranense" bis zur Wiedererrichtung des Erzbistums Köln 1825 fortbestand, ist es die einzige institutionelle Klammer zwischen altem und neuem Erzbistum Köln über die Zeit des französischen Bistums Aachen hinweg.

Wenige Wochen nach dem Gedenktag des 250jährigen Bestehens des Seminars jährt sich am 21. Juli 1988 zum 100. Mal der Todestag des bedeutendsten Kölner Seminar-Professors, des Dogmatikers Matthias Joseph Scheeben. Erst in neuester Zeit erhob die dogmengeschichtliche Forschung die Bedeutung Scheebens, der sein gesamtes Priester- und Forscherleben am Kölner Seminar verbracht hat, für die Theologie des 19. und 20. Jahrhunderts.

Die Geschichte des Kölner Priesterseminars ist kein ganz unberührtes Gelände. 1929, zur Einweihung des Bensberger Seminargebäudes, legte Ernst Reckers eine „Geschichte des Kölner Priesterseminars bis zum Untergang der alten Erzdiözese" vor. Aufgrund ihrer soliden Quellenbasis dürfte sie für die Zeit bis 1801 auch in Zukunft unüberholbar bleiben. Reckers konnte auf ein heute im Historischen Archiv des Erzbistums Köln aufbewahrtes Manuskript von Karl Unkel „Geschichte des Erzbischöflichen Priesterseminars in Köln" zurückgreifen, das der 1914 als Pfarrer von Alfter Verstorbene in den neunziger Jahren des vorigen Jahrhunderts erarbeitet hat und das mit der Wiedereröffnung des Seminars nach dem Kulturkampf 1886 endet. Bei der Beantwortung eines Frageschemas für eine kanonische Visitation des Seminars schrieb der damalige Seminarpräses Ludwigs am 28. Juni 1897[1]: „Eine im Manuskript nahezu fertiggestellte ‚Geschichte des Erzbischöflichen Priesterseminars in Köln' beabsichtigt der Pfarrer Karl Unkel von Cornelimünster drucken zu lassen. Ob indes die Veröffentlichung in der gegenwärtigen Zeit ratsam erscheint, dürfte zu erwägen sein." Die Erzbischöfe Fischer und von Hartmann waren nicht der Meinung, was in der Zeit der Modernismuskrise sowohl innerkirchliche wie kirchenpolitische Gründe haben mochte. Die Seminargeschichte des 19. Jahrhunderts barg in nicht unerheblichem Maße Konfliktstoff, den anzurühren am Anfang unseres Jahrhunderts nicht opportun war.

Zur Qualität der Unkelschen Arbeit schreibt Reckers 1929 (was heute noch gelten kann)[2]: „Es wird stets Unkels Verdienst bleiben, den ersten Stein zu einer Geschichte des Kölner Priesterseminars gelegt zu haben. Mit emsigem Eifer und großer Sorgfalt ging er den Quellen zur Seminargeschichte nach und sammelte so dankenswerter Weise eine Fülle von Nachrichten." Was Reckers 1929 für sich schreibt, gilt auch für meine nachfolgenden Beiträge zur Seminargeschichte des 19. Jahrhunderts: „Auf manche Quelle würde der Verfasser *dieser* Arbeit nicht so bald gestoßen sein, wenn Unkel sie nicht verzeichnet hätte." Andererseits bleibt anzumerken: Unkels Quellenbasis ist unvollständig. Für das 19. Jahrhundert fehlt der staatliche Strang ganz. Auch war er – wie Reckers bereits feststellt – von der Auswertung der Quellen überfordert und in engen Anschauungen befangen. Dennoch ist die Leistung Unkels hoch anzuerkennen. Nach der Vernichtung mancher Archivalien während des II. Weltkrieges ist Unkels Arbeit für nicht wenige Nachrichten der einzige Beleg.

Für die Seminargeschichte des 20. Jahrhunderts sind eine „Seniorenchronik" für die Jahre 1921–1936 und eine (Regenten-)„Seminarchronik" für die Jahre 1929–1968 neben Aussagen überlebender Zeitzeugen eine willkommene Ergänzung des Archivmaterials.

Die Erforschung der Theologie Matthias Joseph Scheebens hat erst in diesem Jahrhundert begonnen. Scheebens Nachfolger am Seminar, Carl Feckes, hat nicht unerheblich dazu beigetragen. Der Bonner Dogmatiker Wilhelm Breuning hat neuerdings drei seiner Schüler zu Dissertationen über Scheebens Trinitätslehre, Gnadenlehre und Eucharistielehre angeregt. Karl-Heinz Minz, Hans Gasper und Franz-Josef Bode waren bereit, die Ergebnisse ihrer Forschungen für diese Festschrift zur Verfügung zu stellen.

Besonderen Dank schuldet der Herausgeber den Autoren, die mit erheblichen Mühen neben ihren beruflichen Verpflichtungen einen Beitrag erstellt haben, aber auch älteren Mitbrüdern, die zu Auskünften über den von ihnen erlebten Abschnitt der Seminargeschichte bereit waren. Ein erhebliches Verdienst am Gelingen des Wer-

---

1 Historisches Archiv des Erzbistums Köln, Kabinettsregistratur, 8 A 1.1,3

2 Ernst Reckers, Geschichte des Kölner Priesterseminars bis zum Untergang der alten Erzdiözese, Köln 1929, S. VI f.; dort auch die weiteren Zitate.

kes kommt Herrn Professor Dr. Toni Diederich und seinen Mitabeitern am Historischen Archiv des Erzbistums Köln zu. Den Orts- und Personenindex hat Herr Josef van Elten erstellt. Das an Geschichte reiche, aber auch seiner Geschichte bewußte Erzbistum Köln hat durch einen Druckkostenzuschuß die Herausgabe des Buches ermöglicht.

Das erste Exemplar dieser Festschrift sollte im Rahmen eines Festaktes zum 250jährigen Bestehen des Seminars dem Kölner Erzbischof, Joseph Kardinal Höffner, überreicht werden. Seinem Andenken soll sie in Dankbarkeit gewidmet sein.

Köln, am 1. Januar 1988

Norbert Trippen

INHALT

Erster Teil

Die Unterkünfte des Priesterseminars während zweieinhalb Jahrhunderten

Von der Glashütte zur funktionalen Vierflügelanlage

Von Gisbert Knopp

1. Vorläufige Unterkunft in dem Gebäude einer ehemaligen Glasschmelze

Langwierig und zugleich bescheiden, wie die Anfänge der Institution selbst, gestaltete sich auch ihre erste Unterbringung. Noch vor der offiziellen Gründung des Seminars[1] hatte man 1735 auf Betreiben des äußerst rührigen Seminarökonoms und dann zweiten Regens Johann Christoph Joseph Rensing ein dem Domkapitel gehörendes Haus an der Ostseite des Domhofes angemietet. Nach einer hier seit 1694 betriebenen Glasschmelze hatte es den Namen „Glashütte“. Im Sommer 1736 war es für die Zwecke des Seminars hergerichtet, als der Rat der Stadt Köln Einspruch gegen die Einrichtung einer weiteren, neuen geistlichen Gemeinschaft erhob mit der Drohung, das Vorhaben zu hintertreiben. Das Ganze ist durchaus als willkommene Gelegenheit des Rates zu werten, den Kurfürst-Erzbischof wieder einmal die Territorialhoheit der Freien Reichsstadt fühlen zu lassen. Ein schließlich in Wien erwirkter Reichshofratsbeschluß verschaffte 1739 der Institution die legitime Grundlage, wobei freilich im prozessualen Sprachgebrauch die Bezeichnungen „Restauration“ und „Renovation“ an die Stelle von „Einrichtung“ getreten waren. Über den Umbau der Glashütte zum Seminargebäude, die Raumaufteilung und die daraus resultierenden Wohnverhältnisse der zunächst vier, dann etwa zwölf Alumnen, schweigen die Quellen.

2. Erfolgreiche Suche nach einem eigenen Gebäude
Das Seminarium Clementinum am Domhof

Mit dem Verlangen, das Seminar zu einer Bildungsstätte für möglichst alle Weihekandidaten zu machen, ging zwangsläufig der Gedanke an ein größeres, dazu eigenes Gebäude einher. Allerdings mußte der 1741 unternommene Versuch des Erzbischofs Clemens August, die nötige finanzielle Fundierung über eine dem gesamten Klerus auferlegte Zwangsumlage, die zudem noch in erster Linie zur Wiederherstellung der Befestigungen von Rheinberg und Kaiserswerth dienen sollte, sicherzustellen, am erbitterten Widerstand des Sekundarklerus scheitern, der dann im Gegenzug den Oberhirten zu einer auch vom Konzil geforderten eigenen beispielhaften Tat ermunterte.

Ebenso wenig Erfolg war auch dem Versuch beschieden, die Supprimierung des Antoniterklosters zugunsten des Seminars in Rom voranzutreiben. In dieser Situation kam das Schicksal den verzweifelt nach einem Bauplatz innerhalb der Immunität

[1] Die fundiertesten Darstellungen der Geschichte des Seminars allgemein, wie auch der beiden ersten Gebäude bis zur Übersiedlung nach Bensberg sind 1. von dem späteren Pfarrer von Alfter Karl Unkel (gest. 1914); seine „Geschichte des erzbischöflichen Priesterseminars in Köln“: Manuskript im Historischen Archiv des Erzbistums Köln (zit. HAEK) schließt mit dem Jahre 1886; 2. von dem Rendanten des Collegium Albertinum Dr. theol. Ernst Reckers „Geschichte des Kölner Priesterseminars bis zum Untergang der alten Erzdiözese“, Köln 1929. Zuletzt zusammenfassend: Eduard Hegel, Das Erzbistum Köln zwischen Barock und Aufklärung ... 1688–1814 (=Eduard Hegel [Hrsg.], Geschichte des Erzbistums Köln, Bd. 4), Köln 1979, S. 183–188. – Sie bilden die Grundlage für die folgenden Ausführungen

Suchenden hilfreich entgegen: Im Jahre 1743 vernichtete ein Feuer große Teile der unmittelbar an der Südseite des Domchores gelegenen, ehemaligen bischöflichen Pfalzkapelle St. Johannis in curia, dann Pfarrkirche St. Johann Evangelist mitsamt dem Pfarrhaus[2]. Dieser Umstand ließ wie von selbst den Gedanken an eine Vereinigung der Pfarrei und des Oratoriums, dem die Kirche durch Erzbischof Ferdinand inkorporiert war, mit dem Seminar aufkommen[3]. Das Seminar sollte aus eigenen Mitteln die Kirche wiederherstellen, daneben anstelle des sogenannten Genneper-Hofes ein entsprechend großes Seminargebäude errichten und durch Eintritt des Seminarvorstandes in das Oratorium diese Institution neu beleben[4]. Der Plan fand schließlich auch beim Erzbischof Zustimmung. Zur Finanzierung des Unternehmens wollte man die dem Seminar gestifteten Kapitalien in Angriff nehmen. Immerhin tröstlich war, daß von der Kirche Fundamente und die Seitenmauern mit dem Chor Wiederverwendung finden konnten. Der Seminarregens Rensing nahm – wie es insbesondere bei Ordensleuten keine Seltenheit war – persönlich die umfangreichen Baugeschäfte in die Hand, wobei er von einem Seminaristen als „Bauinspektor" unterstützt wurde.

In sechs umfangreichen Heften waren die Rechnungen zum Bau von Kirche und Seminar nebst Erweiterungsbau für die Zeit vom 1. 10. 1744 bis 7. 1. 1757 zusammengestellt[5]. Von besonderem Interesse ist die Eintragung „2 da april 1749 Dno Architecto Levalier, qui diversas Ideas seu Delineationes fecit ad usum aedificii Ecclesiae Si Jois et Seminariee p. Revmum et perillum Dnum officialem praesentavi 10 ducatos in auro"[6]. Zweifellos verbirgt sich hinter diesem Namen Michael Leveilly – geb. vor 1700 in Frankreich, gestorben 23. Januar 1762 in Bonn; seit 1733 führt er den Titel „supremus architector Serenissimi". Neben seiner Stellung als Hofarchitekt, dem das gesamte kurfürstliche Bauwesen unterstand, war Leveilly auch als freier Architekt tätig. Seine Architektursprache und der Stil seiner Innendekorationen sind französisch geprägt[7].

Die erwähnten Pläne von der Kirche und dem Seminargebäude sind nicht erhalten. Welchen Anteil der Stadtzimmermeister Jacob Burscheidt, von dem vier mit 31. März 1744 datierte Grundrißpläne von der Kirche und Nebengebäuden sowie ein ebenfalls um 1744 datierender Fassadenaufriß der Kirche überliefert sind[8], an dem Projekt hatte, ist nicht mit Sicherheit zu ermitteln. Bei der Autorität des Leveilly dürfte seine Auf-

[2] Zu den Vorgängerbauten vgl. Arnold Wolff, S. Johannis in curia. Die erzbischöfliche Pfalzkapelle auf der Südseite des Kölner Domes und ihre Nachfolgebauten, in: Kölner Domblatt 33/34 (1971), S. 125 ff.

[3] Das Oratorium, 1647 von Erzbischof Ferdinand von Bayern in Köln eingeführt, war eine Kongregation von Weltpriestern, die nach der Regel der von Kardinal Pierre de Berulle 1611 in Paris gegründeten Gemeinschaft lebte

[4] Vgl. Reckers, S. 155 ff.

[5] Ebd., S. 157 Anm. 67. – Die erwähnten Rechnungsbücher, die sich im Besitz des Priesterseminars befanden, sind offensichtlich Kriegsverlust: Auskunft HAEK

[6] Reckers, S. 157, Anm. 68

[7] Vgl. Wilfried Hansmann, Michael Leveilly, in: Neue Deutsche Biographie 14 (1985), S. 389

[8] Ludwig Arntz, Heinrich Neu, Hans Vogts, Die Kunstdenkmäler der Stadt Köln 2/3 (= Die Kunstdenkmäler der Rheinprovinz 7/3 Erg. Bd.), Düsseldorf 1937, S. 49, 51

gabe wohl untergeordneter Art gewesen sein; möglicherweise war Burscheidt nur mit der Restaurierung der Kirche beauftragt.

Im Frühjahr 1746 begannen die Fundamentierungsarbeiten für den Seminarbau und am 15. Mai nahm Kurfürst Clemens August persönlich die feierliche Grundsteinlegung vor. Dem hierbei an den Tag gelegten großen Interesse des Erzbischofes an der Institution, die dann seinen Namen tragen sollte, entsprach indes keineswegs eine großzügige finanzielle Förderung. Immerhin konnte durch die zähe und rastlose Tätigkeit Rensings zweieinhalb Jahre später, am 6. Oktober 1748, die feierliche Konsekration der Kirche stattfinden. Wiederum vollzog Clemens August persönlich die Handlung. Die noch aus der Pfalzkapelle stammende steinerne cathedra des Bischofs hatte auf der Südempore dem Altar gegenüber erneut Aufstellung gefunden. Im Frühjahr des kommenden Jahres war dann auch der Seminarbau fertiggestellt. Die Kosten der Gesamtbaumaßnahme beliefen sich auf rund zwölftausend Reichstaler. Eine eindrucksvolle Ansicht des Domhofes mit Kirche und Seminargebäude vermittelt der kolorierte Kupferstich Johann Zieglers nach einer Zeichnung von Lorenz Janscha aus den „Fünfzig malerische Ansichten des Rhein-Stromes von Speyer bis Düsseldorf", Wien 1788[9]. Es ist das wohl am meisten verbreitete Blatt des unvollendeten Domes im späten 18. Jahrhundert.

Vor der Kulisse des mächtig aufragenden Domtorso nimmt sich die barocke Bebauung des Domhofes geradezu winzig aus, sicherlich ein gewollter Effekt, der die groteske Einmaligkeit des unfertigen Domes unterstreichen sollte. Die Fassade der Kirche St. Johannes erscheint zweigeschossig mit drei Achsen, wobei die Mittelachse als Risalit dreiseitig hervortritt. Im Gegensatz zu dem völlig schmucklosen Untergeschoß – was auf ein Relikt des Vorgängerbaus schließen läßt – ist das Obergeschoß durch langgezogene Rundbogenfenster und Pilaster üppiger gestaltet. Nach einem Rücksprung wird der Risalit in der Giebelzone laternenartig fortgeführt und mit einer welschen Haube bekrönt, deren oberste Abdeckung sinnigerweise einem Kurhut nachgebildet ist. Über den Seitenachsen schließt die Giebelzone mit vasenbekrönten Attiken, die durch Voluten mit dem Mittelstück verbunden sind. Besonderer Schmuck sind drei Figuren, nach Ausweis der Baurechnungen der Hl. Johannes Ev. und die beiden Seminarpatrone Philippus Neri und Johannes Nepomuk in einer Nische des Turmaufsatzes sowie auf Konsolen an den Seitenwänden des Risalits. Gegenüber dem Burscheidt'schen Fassadenaufriß ist die Ausführung schlichter und auch weniger elegant ausgefallen.

Das gegenüber der Kirche etwas vortretende Seminargebäude hatte zu diesem Zeitpunkt bereits eine Erweiterung erfahren. Der Grund war die erzbischöfliche Verordnung vom 10. Februar 1749, die für jeden Alumnen einen mindestens einjährigen Seminaraufenthalt vor der Subdiakonatsweihe vorschrieb. Der ehemals längsrechteckige Baukörper bekam deshalb schon in den Jahren 1750–52 durch den Anbau von zwei gleich hohen Seitenflügeln und einem niedrigeren Quertrakt das Aussehen einer

---

[9] Nachdruck: Köln 1971

Vierflügelanlage um einen geräumigen Hof[10]. Das Gebäude hatte ein flaches Mansarddach, die Fassaden waren verputzt und leicht getönt. Die dreigeschossige, neunachsige, etwa 100 Fuß (gleich ca. 31 m) breite Schaufront zum Domhof zeigt sich nahezu schmucklos, lediglich das Portal in dem leicht vortretenden Mittelrisalit war durch eine ädikulaartige Bekrönung, dem Wappen des Clemens August und skulptierten Hausteingewänden, besonders hervorgehoben[11].

Zwei Grundrißpläne, 1785 angefertigt für einen eventuell zu errichtenden süd-östlichen Erweiterungstrakt, geben Kenntnis von der Raumaufteilung von Erd- und erstem Obergeschoß. Danach befanden sich neben der Einfahrt linker Hand zunächst ein Treppenhaus, daran anschließend zwei Sprechzimmer für den Vorstand, im Westflügel zwei Sprechzimmer für die Alumnen, ein zweites Treppenhaus und die Sakristei; der Nordflügel war dem Wirtschaftsbereich mit Küche und Backhaus, Brauhaus und Waschhaus gewidmet; in der Nordostecke befand sich, zur Hälfte aus der Gebäudeflucht vortretend, das Refektorium; der Rest des Ostflügels war mit Vorratskammern, Schlafräumen für die Knechte und den Pförtner ausgefüllt. Die beiden Obergeschosse von Süd-, Ost-und Westflügel und wohl auch das Mansardgeschoß enthielten die Zimmer für den Vorstand und die Alumnen, insgesamt etwa 75; über den Wirtschaftsräumen war die Bibliothek, über dem Refektorium das „Museum" angeordnet[12]. Insgesamt, von den Ausmaßen zu urteilen, ein recht stattlicher Bau.

3. Das zähe Ringen um den Erwerb des ehemaligen Jesuitenkollegs

Dennoch glaubte man, in dem sehr viel repräsentativeren und auch größeren Kolleggebäude und der Kirche des 1773 durch Papst Clemens XIV. aufgehobenen Jesuitenordens die Erfüllung aller Wünsche, geradezu als Geschenk des Himmels, gefunden zu haben. Wiederum war es der Rat der Stadt Köln, der als Territorialherr hier Einspruch erhob und sein Anrecht auf die Temporalia des aufgehobenen Kollegs geltend machte. Die am 4. März 1774 mit dem Seminarpräses Sorgnit eingezogenen 18 Seminaristen mußten noch am selben Tag unter dem Druck herbeigeholter Stadtsoldaten „nicht ohne Lebensgefahr und Ausspottung des zusammengelaufenen Volks" aus dem Gebäude wieder abziehen[13]. Nach dem aufgrund einer Reichshofratsentscheidung getroffenen Vergleich zwischen Kurfürst und Rat fiel das gesamte Jesuitenvermögen, mit Ausnahme des Gutes Kühlseggen bei Weilerswist, einigen Kapitalien und Renten, der Stadt Köln zu[14].

---

10 Vgl. Reckers, S. 163f.

11 Der Kupferstich von Janscha/Ziegler diente offenbar Ernst Friedrich Zwirner als Vorlage für seine Zeichnung „Dom und Domhof im Jahre 1824", die für die Mitglieder des Dombauvereins als Gedenkblatt für das Jahr 1857 von Carl Mayer in Nürnberg gestochen wurde

12 Vgl. Reckers, Beilagen 12, S. 323ff.

13 Unkel, S. 138; Reckers, S. 197

14 Unkel, S. 139

Noch ein weiteres Mal war man dem angestrebten Ziel ganz nahe gewesen. Diesmal, Ende 1786, war es der Kölner Stadtrat, der von sich aus einen Tausch des ehemaligen Jesuitenkollegs mit Kirche gegen das Kloster Weidenbach anbot, da er in dem ehemaligen Augustinerbruderhaus ein Hospital einzurichten gedachte. Die ganze Angelegenheit scheiterte dann offensichtlich im Streit um den Kirchenschatz der ehemaligen Jesuitenkirche, da die Stadt nicht von ihrem unseriösen Verlangen ließ, „kostbare Bilder, kostbare Reliquien-Kästen, große und kleine silberne Ampeln, Gefäße, Paramente, Antependien, Kelche und Monstranzen" zu „Spital- und Studienzwekken" meistbietend zu veräußern, und dem Priesterseminar für die Ausstattung der Kirche nur das Nötigste überlassen wollte[15]. Ein 1816 unternommener erneuter Versuch, aus der inzwischen qualvollen Enge des Gebäudes am Domhof herauszukommen und in das ehemalige Minoritenkloster, das die französische Regierung der Armenverwaltung zur Einrichtung einer Arbeitsanstalt geschenkt hatte, überzuwechseln, scheiterte am Widerstand der nunmehrigen preußischen Regierung[16].

Das Seminarium Clementinum am Domhof war während der französischen Fremdherrschaft, als die bischöfliche Behörde in Aachen residierte, in der Bauunterhaltung stark vernachlässigt worden; obwohl noch nicht achtzig Jahre alt, müssen die baulichen wie hygienischen Unzugänglichkeiten geradezu beängstigend gewesen sein. Graf Spiegel schildert es in einem Schreiben vom 18. September 1824 als von „kerkerähnlichem Aussehen, in tiefer, feuchter Lage, ohne Luft und Licht"[17]. Bei der Beurteilung dieser wenig erfreulichen Zustände im Seminar müssen gerechterweise die Zeitumstände berücksichtigt werden. Zwar war die gänzliche Schließung des Seminars verhindert worden, aber mit der weitgehenden Konfiskation seiner Güter raubte man ihm die Existenzgrundlage. Massenhafte Einquartierung wird ein übriges zur Verwahrlosung der Räume und des Mobiliars beigetragen haben.

Allerdings ist es wohl mehr die ungünstige Lage des Gebäudes gewesen, die zu seiner – wenn auch zunächst nur gedanklichen – Aufgabe führte, denn zu keinem Zeitpunkt der nunmehr einsetzenden und die nächsten Jahre anhaltenden Diskussion wurde der Versuch gemacht, durch eine Erweiterung – wie 1785 geplant – oder durch Aufstockung des eingeschossigen Nordflügels zusammen mit einer gründlichen Renovierung, die Lebensverhältnisse im Seminar wieder erfreulicher zu machen.

Der Auszug aus dem Domhofgebäude konnte nur noch eine Frage der Zeit sein. Ein unermüdlicher Promotor dieses Anliegens fand sich in dem designierten Erzbischof von Köln, Graf Spiegel, der von der Notwendigkeit und Dringlichkeit überzeugt, schon bald einen lebhaften Briefwechsel mit Präses Brouhung und den Regierungsbehörden inszenierte. Dabei hielt er einen Tausch des alten Seminars gegen das ehemalige Jesuitenkolleg oder wenigstens einen Teil desselben für die ideale Lösung. Hier waren zu diesem Zeitpunkt untergebracht die Bibliothek der Höheren Lehranstalten (Jesuitenbibliothek), Büros und Archiv der Verwaltung des Schul- und Stif-

[15] Ebd., S. 160
[16] Ebd., S. 205
[17] Zit. nach Unkel, S. 231

tungsfonds, mehrere Wohnungen der Gymnasiallehrer, zwei Klassen des Gymnasiums, das physikalische Kabinett, ein privates Gymnasial-Kabinett, die Wallrafschen kunst- und naturwissenschaftlichen Sammlungen und schließlich noch eine Handwerkerschule des Malers Mengelberg[18].

Den endlosen und zermürbenden Verhandlungen begegnete Spiegel, seit Dezember 1824 nun endgültig ernannter Erzbischof, schließlich mit resoluter Entschiedenheit. In einem Brief vom 23. Mai 1826 drohte er dem Oberpräsidenten Freiherrn von Ingersleben: „Ich muß ein Priestererziehungshaus haben, oder ich kann nicht mit Ehren bestehen und werde für den großen Zweck des Staates unnütz und leiste der Kirche nicht was Not tut, dann aber ist mein Austritt leicht beschlossen“[19]. Obwohl dem gewünschten Ziel schon ganz nahe, wurde der Tausch von Berlin nochmals vereitelt. „Tief niedergeschlagen“, beklagte der Erzbischof dem Oberpräsidenten gegenüber erneut seine Situation: Ihm sei alles vorenthalten, dessen er amtlicherseits bedürfe. „In diese niedrige Lage sind die Sachen im Erzbistum Köln ohne mein Verschulden herabgekommen und sinken augenfällig mehr und mehr; man kann darüber nur Weinen und Wehklagen, ich aber nicht meines Amtes froh werden“[20].

Die volle Tragweite dieser geradezu unterwürfigen, bittstellerischen Haltung Spiegels wird erst erkenntlich durch den Hinweis, daß mit der Bulle „De salute animarum“ sich der preußische Staat verpflichtet hatte, in jeder bischöflichen Stadt ein Priesterseminar zu halten oder neu zu gründen.

4. Der Umzug in das ehemalige Jesuitenkolleg an der Marzellenstraße

Auf der Suche nach einem anderen Gebäude für das Seminar war schließlich auch der vom Oberpräsidenten beauftragte Regierungskommissar zu der Ansicht gekommen, daß die Unterbringung im ehemaligen Jesuitenkolleg die zweckmäßigste, problemloseste und dazu noch kostengünstigste sei[21]. Im Oktober 1825 konnte durch einen Bescheid des Kultusministers von Altenstein die Angelegenheit als endgültig entschieden gelten, dem Herzenswunsch des Erzbischofs war somit entsprochen. Mit „Dank gefühlvollem Herzen“ ließ er Berlin umgehend wissen: „Ich atme nun wieder etwas freier und werde Überdruß und Niedergeschlagenheit entfernt zu halten streben. Ich habe das reine Bewußtsein, omnimodo für die mir anvertraute wichtige Stelle zu leben.“[22]

Die erbetene Ausführung der baulichen Arbeiten an den für das Seminar bestimmten Gebäudeteilen blieb allerdings von Berlin versagt; alleiniger Bauherr war die Staatsregierung. Anders verhielt es sich mit der Finanzierung, wo Berlin die ausschließliche Mittelbeschaffung aus dem Seminarfonds und private Stiftungen

---

[18] Vgl. Unkel, S. 300
[19] Zit. nach Unkel, S. 302
[20] 5. 6. 1826, zit. nach Unkel, S. 305
[21] Ebd., S. 308
[22] Ebd., S. 309

als selbstverständlich ansah. Die Gesamtkosten beliefen sich auf immerhin rund 5500 Taler. Die Bauleitung war dem in Köln gebürtigen Baukondukteur und späteren Bauinspektor Matthias Biercher übertragen, dessen Name mit einer Reihe von Gebäuden, so der Domkurie an der Burgmauer, dem Theater in der Komödienstraße, dem Regierungsgebäude in der Zeughausstraße in Verbindung zu bringen ist[23].

Am 30. Oktober 1827 begann der Umzug aus dem alten Gebäude am Domhof. Allerdings standen dem Seminar in dem weitläufigen Komplex des ehemaligen Jesuitenkollegs zunächst nur der östliche und der nördliche Flügel und nach zähen Verhandlungen auch das 4. Stockwerk des Zwischenflügels sowie des das kleine Quadrum nördlich abschließenden Flügels zur Verfügung[24]. Der Zugang erfolgte durch das nördliche Portal. Das ganze war ein Tauschgeschäft mit der Stadt Köln gewesen, in deren Besitz nunmehr die Kirche St. Johann, das alte Seminargebäude samt Garten und die sieben dazugehörigen Zinshäuser sowie das Haus Sporgasse Nr. 11 übergingen. Sie blieb nach wie vor Eigentümerin der noch vom Gymnasium genutzten Räume im Jesuitenkolleg. In äußerst geschickter Weise, die versöhnliche Nachgiebigkeit Spiegels ausnützend, hatte sie sich für den Fall der Verlegung oder Aufhebung des Seminars ein Rückfallrecht des Gebäudes vorbehalten. An Entschädigung war dann lediglich ein Betrag von 20.886 Tlrn. 22 Sg. 9 Pf. fällig ohne Berücksichtigung einer eventuellen Geldentwertung und Wertsteigerung des Grundstücks. Hermann Müssener kritisiert mit Recht diesen Vertragspassus, der der Staatsregierung nur Recht sein konnte. Ihr waren durch die Verlegung des Seminars jedenfalls keinerlei Auslagen entstanden[25].

Wenige Tage später, am 18. November 1827, fand in der Kirche St. Johann Evangelist der letzte Gottesdienst statt; in den beiden folgenden Jahren wurde sie – ein Zugeständnis an die Freilegung des Domes – abgetragen[26]. Das nebengelegene Seminargebäude ereilte dieses Schicksal erst 1864. Sein Zustand dürfte so furchterregend, wie immer behauptet, nicht gewesen sein, immerhin hat es noch vier Jahrzehnte dem Gymnasial- und Studien-Fonds als Verwaltungsgebäude gedient[27]. Karl Unkel erin-

---

23 Über Biercher vgl. Thieme-Becker, Allg. Lexikon der bildenden Künstler Bd. 4, 1910, S. 11; Willy Weyres und Albrecht Mann, Handbuch zur rheinischen Baukunst des 19. Jahrhunderts, Köln 1968, S. 33. – Der ursprüngliche Kostenanschlag v. 26. 8. 1925 belief sich noch auf ca. 12.300 Tlr.: HAEK-CR 8 A 1.5, 1

24 Verzeichnis der überwiesenen Räume: HAEK-CR 8 A 1.5, 3

25 Vertrag v. 22. 9. 1828, in: Hermann Müssener, Geschichte des Priesterseminars an der Marzellenstraße, 1825–61 (maschschrftl.): HAEK-CR 8 A 1.5, 1

26 Kunstdenkmäler der Stadt Köln 2/3, S. 51 f. – Die Reliquiensteine mehrerer Altäre der Kirche St. Johann Ev. in curia wurden 1963 von Regens Dr. Frotz, der inzwischen zum Bischof geweiht war, mit einer neuen Authentik versehen und in einem Holzschrein in der Nische des Hochaltares der neuen Seminarkirche beigesetzt

27 „Der Bau-Kondukteur Biercher hat nunmehr die Pläne, Kosten-Anschläge und Taxationen vorgelegt, nach welchen das ehemalige Seminar-Gebäude zu Lehrer-Wohnungen des Jesuiten-Gymnasium und zu den Verwaltungs-Localien eingerichtet, einzelne unbrauchbare und baulose Teile, so wie denn auch die mitabgetretene Johannis-Kirche zur Beförderung der vorgedachten Zwecke abgebrochen werden müssen ... Materialwert der abzubrechenden Johannis-Kirche zu 1240 rthl 23 sgr 4 pf ... Coblenz, den 2ten August 1828: Hist.

nert in seiner Chronik daran, daß das Priesterseminar mit dem Umzug in das ehemalige Jesuitenkolleg „fast genau auf dieselbe Stelle zurückgekehrt, wo es vor mehr als zweihundert Jahren zuerst errichtet worden war“[28].

Der nördlich gelegene ehemalige Jesuitengarten war schon 1801 von der Stadt in einen Botanischen Garten – die erste öffentliche Grünzone Kölns – umgewandelt worden. Für die Seminaristen hatte man ein Benutzungsrecht für den Eingang an der Nordseite ausgehandelt. Eine daraus abgeleitete Entschädigung für das später zum Nordbau des Bahnhofes kassierte Gartengelände wurde indes von der Rheinischen Eisenbahngesellschaft zurückgewiesen. Allerdings erhielt das Seminar durch Vertrag vom 5. Dezember 1860 für einen zusätzlich noch enteigneten Teil des Ostflügels, der sogenannten Sternwarte, von der Stadt sämtliche noch nicht in seinem Besitz befindlichen Gebäudeteile überschrieben. Es war somit Alleinbesitzer des umfangreichen und inzwischen schon geschichtsträchtigen Komplexes. Die Stadt verzichtete ausdrücklich auf das im Jahre 1828 vorbehaltene Rückfallrecht; die Bahn sicherte zu, daß die Fenster nach Osten nicht verbaut würden[29].

Die einheitlich wirkende Anlage war in mehreren Bauperioden entstanden[30]. Die Grundsteinlegung wird wahrscheinlich gleichzeitig mit der der Kirche am 15. Mai 1618 erfolgt sein und zwar durch den päpstlichen Nuntius Albergati. Doch erst nach dem Brand des gegenüberliegenden älteren Kollegs 1621 kamen die Bauarbeiten energisch in Gang. 1631, bald nach Vollendung der Kirche, konnte das neue Kolleg – drei Flügel um einen Innenhof an die Nordseite der Kirche angelehnt – bezogen werden. Ein halbes Jahrhundert später, 1687/89, kam der wohl viel früher geplante Westflügel an der Marzellenstraße zur Ausführung. Den Abschluß nach Norden bildete ein 1715 errichteter viergeschossiger Flügel mit einer aufwendig gestalteten Giebelfassade zur Marzellenstraße. Bei dieser Gelegenheit ist der gesamte Straßentrakt im Inneren wie im Äußeren umfassend renoviert und umgestaltet worden. West- und Nordflügel umschlossen mit dem Bibliothekstrakt einen weiteren, größeren Innenhof, dessen umgebende Fassaden von geradezu jesuitischer Strenge und Schlichtheit waren. Die Mitte zierte ehemals ein Brunnen, der noch vom Domhofgebäude stammen soll[31]. Prunkstück der langgestreckten Straßenfront ist die Giebelfassade des Nordflügels von 1715, die in ihrer reichen Gliederung als Kontrapunkt zur Kirchenfassade auf-

---

Archiv Stadt Köln, Rep. 400, Verw.Akten VI, – 1 B 1/2. – Heinrich Maria Ludwigs, Erinnerungen an das Priester-Seminar. Ein Beitrag zur Chronik des Erzbischöflichen Priesterseminar zu Köln, Köln 1903, S. 119. – Die Portalbekrönung des Seminars, das – farbig gefaßte – Wappen des Kurfürsten Clemens August wurde beim Abbruch des Gebäudes im städtischen Museum sichergestellt, dann 1878 am spanischen Bau des Rathauses eingebaut

28 Unkel, S. 313

29 HAEK-CR 8 A 1.6, 2, fol. 387ff.

30 Zur Baugeschichte vgl.: Hugo Rahtgens, Die Kunstdenkmäler der Stadt Köln 2/1 (= Die Kunstdenkmäler der Rheinprovinz 7/1), Düsseldorf 1911, S. 166ff. – Wilfried Hansmann, St. Mariae Himmelfahrt in Köln (= Rheinische Kunststätten 250), 1981, S. 29f. – Wolfgang Schmitz, Zur Geschichte des Hauses Marzellenstraße 32 (Generalvikariat), maschschrftl. 1986, S. 12–18: HAEK

31 Unkel, S. 30

zufassen ist. Sie gilt als ein Werk des kurpfälzischen Oberbaudirektors Matteo Alberti und knüpft unmittelbar an venezianische Fassadenlösungen des 17. Jhs. an[32]. Die Giebelfassaden von Kirche und Kolleg bilden mit dem dazwischenliegenden schlichten, zweigeschossigen Trakt ein eindrucksvolles spannungsgeladenes Architekturbild.

Das eigentliche Hauptportal des Seminars lag unmittelbar neben der Kirche; es gehörte noch dem Bau des 17. Jhs. an. Von hieraus trat man in ein offenes kreuzgratgewölbtes Vestibül, von dem rechter Hand der Zugang zum geschickt an den Nordturm der Kirche angefügten Treppenhaus erfolgte[33]. Über einen zum Hof hin offenen Gang waren drei, zwei kleinere und ein größeres, reich stuckiertes Empfangszimmer zu erreichen. Letzteres enthielt Deckengemälde, darstellend die „Verherrlichung des Namens Jesu durch Rettung aus schweren Gefahren" und einen alten Brunnen mit antiken Porzellanplättchen. Im Stockwerk darüber befand sich ein weiterer großer Saal, dessen Wände Landschaftsbilder zierten. Der die beiden Höfe trennende Flügel enthielt die Bibliothek, ein gewölbter zweischiffiger Raum mit sechs Säulen. Die mit aufwendigen Schnitzereien verzierten, eichenen Bücherregale waren zwischen die Fenster, in die Laibungen und unter die Fenster eingepaßt. Eine Photographie aus der Zeit um 1910 zeigt eindrucksvoll die Überfülle des Raumes, wo bei der Vielzahl der Bücher jede Möglichkeit der Ablage genutzt wurde. Zu den Kostbarkeiten der Bibliothek gehörten etwa einhundert Handschriften aus der Zeit nach 1350 und ungefähr vierhundert Wiegendrucke. Bemerkenswerte Schätze waren auch ein Evangeliar aus dem Anfang des 11. Jhs. und zwei Exemplare der Schedelschen Weltchronik von 1493. Als Kuriositäten werden vermerkt zwei große Globen aus der zweiten Hälfte des 17. Jhs. Insgesamt enthielt die Bibliothek um die Jahrhundertwende fünftausend Folianten und ungefähr zweiundzwanzigtausend Oktavbände[34]. Ein wahrhaft beachtlicher Schatz!

An der Nordseite des zweiten Hofes lag das 8,5 m breite und 26 m lange Refektorium. Seine reiche Kassettendecke aus Eichenholz ruhte auf drei schlanken Steinsäulen, deren beschlagwerkähnliche Ornamente und Farbfassung den Säulen des Hauptportals der Kirche sehr ähnlich waren. Die großen Kassetten der Decken enthielten in sehr dekorativer Art gemalte Bilder, die in tiefsinniger Symbolik wohl die „mensa coelestis", die „coena vitae aeternae" darstellten. In der Mitte des Ganzen befanden sich die großen Bildnisse des verklärten Christus und der himmelfahrenden Jungfrau, daran schlossen sich an nach Westen die Bilder verschiedener Heiligen aus der Gesellschaft Jesu, des hl. Franziskus Xaverius, Aloysius, Rodriguez mit ihren bezüglichen Wappen und Symbolen, nach Osten die Bilder der hl. Cäcilia und der hl. Rosa von Lima, umgeben erstere von musizierenden Engeln, letztere von blühenden Rosen. Die freibleibenden Felder waren mit symbolischen Darstellungen ausgefüllt, welche auf Erde und Himmel, Zeit und Ewigkeit hinweisen und sinnreiche Sprüche trugen.

---

32 Jörg Gamer, Matteo Alberti. Oberbaudirektor des Kurfürsten Johann Wilhelm von der Pfalz ... (= Die Kunstdenkmäler des Rheinlandes, Beiheft 18), Düsseldorf 1978, S. 261–265

33 Für das Innere und die Ausstattung vgl.: Die Kunstdenkmäler der Stadt Köln 2/1, S. 169 ff.; Ludwigs, Erinnerungen, S. 136 ff.

34 Unkel S. 451 ff.

Unter anderem sah man dort einen Adler, welcher sich in die Lüfte hinaufschwingt, darunter den Spruch: Degenerem nego problem, eine hochaufgebaute Uhr mit dem Spruch: et docet, einen Elefanten, welcher den Obelisk trägt, darunter den Spruch: Moles probatur gravitate, ferner den hebräischen Namenszug Jahwes und ein auf die Dreifaltigkeit hindeutendes Bild mit drei Sonnen, umschrieben mit den Worten: Sanctus, sanctus, sanctus[35].

Die Wände waren bis zur halben Höhe holzvertäfelt und mit ornamentalen Schnitzereien versehen. Darüber hingen eine Reihe – heute noch erhaltener – Gemälde von Seminarpräsides, Professoren und Wohltätern des Seminars[36]. Die Schmalseite schmückte eine nicht mehr erhaltene Darstellung der Kreuzigung Christi aus der zweiten Hälfte des 16. Jhs., die in dem Kunstdenkmälerinventar von 1911 als „gespreitzt und in unangenehmem Manierismus von einem Nachfolger Barthel Bruyns, das Inkarnat bei Jesus und dem rechten Schächer auffallend gläsern, das übrige sehr bunt" geschildert wird[37].

Über dem Refektorium befand sich in gleicher Größe die Aula, in der ein – wohl ebenfalls verlorengegangenes – Tafelbild Moses und Elias, die Gesetzestafeln haltend, aus der Zeit um 1550, hing. An den Speisesaal östlich anschließend waren die Küche und ein Vestibül, beide kreuzgratgewölbt mit Mittelsäule. Aus der früheren Hauskapelle im ersten Obergeschoß des Westflügels in den Flur des nördlichen Flügelbaus verbannt, war das bemerkenswerte Gemälde „Der gebundene Christus" von etwa 1455. Die Stifterfigur eines Kartäusermönches läßt als Herkunft die Kölner Kartause vermuten. Vom Typ her steht es dem Meister der Darmstädter Wurzel Jesse nahe[38]. Ebenfalls in der Kapelle hatte seinen Platz ein Tafelbild „Beweinung Christi" aus dem Umkreis des Meisters des Marienlebens um 1470, dessen Herkunft nicht geklärt ist.

Vermutlich aus dem Kölner Stift St. Cäcilien stammt das bedeutendste Kunstwerk des Priesterseminars, das Gemälde der „Mutter Gottes mit dem Veilchen" von Stephan Lochner, um oder nach 1440. In der Franzosenzeit durch Übermalung gegen „Entführung" gesichert, wurde es um 1850 im Priesterseminar durch den Religionslehrer Dr. Vosen „aus der Verkommenheit" ans Licht gebracht und durch Antoine Brasseur restauriert. Seit 1854 ist es dem Erzbischöflichen Diözesanmuseum als Leihgabe überlassen. Zur Ausstattung des „Empfangssaales" gehörte laut Kunstdenkmälerinventar von 1911 ein Tafelbild „Darbringung Jesu im Tempel", kölnisch (?) unter niederländischem Einfluß, um 1510. Es ist Teil eines Zyklus von vier Gemälden „Der lehrende Christus im Tempel", „Kreuztragung" und „Kreuzabnahme", die heute noch vorhanden sind. Im Inventar nicht erwähnt sind eine Reihe erhaltener z.T. sehr qualitätvoller Bilder des 17. und 18. Jhs. sowie der Kirchenschatz mit den Meßgewändern.

---

35 Ludwigs, Erinnerungen, S. 137f.

36 Gisbert Knopp/Wilfried Hansmann, Kunstwerke im Kölner Priesterseminar, Köln 1983, S. 20ff.

37 Die Kunstdenkmäler der Stadt Köln 2/1, S. 173f.

38 Zu diesen und den folgenden Gemälden vgl.: Knopp/Hansmann, S. 8ff.

5. Pläne zur Verlegung des Seminars. Weitreichende Umbau- und Neubaumaßnahmen

Die während des Kulturkampfes von der Staatsregierung bewirkte zehnjährige Zwangsschließung des Priesterseminars wird sicherlich mit dazu beigetragen haben, daß sich das Gebäude gegen Ende des Jahrhunderts in einem baulich sehr schlechten Zustand befand. Allerdings fehlen aber auch die Hinweise auf eine größere Instandsetzung der 1860 übernommenen Gebäudeteile, so daß vor allem hier ein beträchtlicher Bauunterhaltungsrückstand vorgelegen haben dürfte. Für Präses Ludwigs stellte sich jedenfalls im Juli 1893 die gesamte Anlage als „äußerst ruinös und desolat" dar. Fast keine Türe oder Fenster schließe ordentlich. Die Nässe riesele an den Wänden herunter, Decken drohten einzustürzen, wie z.T. schon geschehen sei[39]. Die rheinische Mentalität kommt trefflich in dem Ausspruch des Paters zum Ausdruck, der die Priesterexerzitien damit begann: „Besondere Abtötungen möchte ich während dieser Tage den Herren nicht auferlegen; das Haus, in welchem Sie Ihre Exerzitien machen, bringt Ihnen an sich schon Abtötungen genug."[40]

Die Berichte ähneln in erstaunlichem Maße denen über das Domhofgebäude vor siebzig Jahren. Auch jetzt bewirkte offensichtlich eine allgemeine Unzufriedenheit mit dem Standort des Gebäudes eine lähmende Tatenlosigkeit in Bezug auf die Instandhaltung des alten Gemäuers. Die Belästigung durch den Bahnhof war doch gravierender, als man zunächst wahrhaben wollte, und so wundert es nicht, wenn schon seit längerer Zeit mit dem Gedanken an eine Verlegung des Seminars gespielt wurde. Am 14. Dezember 1886 hatte Kardinal Krementz an den Verwaltungsrat des Seminars geschrieben: „Nach allgemeinem Urteil wird wegen der Nähe des Centralbahnhofes das bisherige ohnedies auch wegen des Alters und anderer Umstände der Gesundheit wenig zuträgliche Seminargebäude auf die Dauer zu verlassen und an anderem Platze ein Seminar-Neubau zu errichten sein."[41].

Der Innenstadt überdrüssig, zielten die Überlegungen hinsichtlich des neuen Standortes folgerichtig in das Umland Kölns, so nach Marienburg, Sülz, Ehrenfeld, auch Nippes und Hohenlind waren im Gespräch[42]. In Lindenthal erwarb man schließlich ein entsprechendes Grundstück und begab sich an die Ausarbeitung der Pläne[43]. Der Neubau scheiterte letztlich an den zu hohen Kosten und wohl auch daran, daß für das alte Gebäude kein angemessener Verkaufspreis zu erzielen war. So ergab sich wie von selbst als Alternative nur eine durchgreifende Restaurierung und in Teilen ein Umbau der alten Anlage. Für einen gänzlichen Neubau des Ostflügels versagte allerdings die Eisenbahn die Zustimmung, und schließlich die Baubehörde die Genehmigung.

---

39 Ludwigs 6. 7. 1983: HAEK-CR 8 A 1.5, 4
40 Ludwigs, Erinnerungen, S. 115
41 HAEK-CR 8 A 1.6, 2
42 HAEK-CR 8 A 1.5, 4
43 Ludwigs, Erinnerungen, S. 116; Reckers, Geschichte, S. 268

Die Baumaßnahmen erstreckten sich über fünfzehn Monate, von Anfang September 1895 bis Ende November 1896, und beinhalteten eine totale Auskernung des Inneren sämtlicher Flügel; lediglich die etwa 1,25 Meter starken Umfassungsmauern, die „eine Festigkeit und Felsenhärte aufwiesen, die sogar dem Meißel trotzte", und einige vierzig Jahre früher restaurierte Räume im Westflügel blieben erhalten[44]. Decke und Wandvertäfelung des Refektoriums wurden dabei offensichtlich abgenommen und nach gründlicher Restaurierung wieder angebracht. Die Bibliothek erhielt bei dieser Gelegenheit eine der kostbaren, geschnitzten Einrichtung entsprechende barocke Aura: Gewölbegrate und Schlußsteine ebenso wie die Säulen wurden reichlich mit Stuck verziert, der indes in seinen derben, „teigigen" Formen kein hohes künstlerisches Niveau verrät. Außer den Wohnungen für Präses, Subregens, die Professoren und einzelne Gastzimmer verfügte das Seminar jetzt über 165 Einzelzimmer. In der ersten Etage lagen sie einseitig, in den drei übrigen Geschossen beidseitig des Flurs. Im Ostflügel wurde neben dem verbreiterten Treppenhaus eine neue Hauskapelle, darüber der große Ritussaal eingerichtet.

Der Plan für den Umbau des Mittelflügels entwarf Diözesanbaurat Wilhelm Blanke. Eine Erkrankung hinderte ihn an der Planung und Ausführung auch der übrigen Flügel, die dann von Diözesanbaumeister Franz Statz – Erbauer der Erzbischöflichen Konvikte in Neuss und Münstereifel – übernommen wurden. Seine Handschrift trägt insbesondere die neugestaltete Fassade zum Bahnhof.

An die gewaltige Um- und Neubaumaßnahme erinnerten im Hauptquadrum am Treppenhaus das Wappen Kardinal Krementz' mit der Umschrift „Caritas urget" und im Nordflügel eine schwarze Marmortafel mit dem in goldenen Lettern eingemeißelten Chronogramm:

ChrIstVs sIt LVX et tVteLA
SeMInarIo ArchIepIscopalI CoLonIensI
faVste feLIcIterqVe restaVrato

Den Bauherrn und den eigentlichen Promotor des Unternehmens, Kardinal Krementz, erfüllte mit Stolz und Freude die Äußerung des Franziskanerpaters Ignatius Jeiler: „Das Kölner Seminar ist jetzt das schönste in ganz Deutschland." Dieses relativierend konstatierte Präses Ludwigs, daß man nunmehr über ein allen Anforderungen eines geregelten Seminarbetriebs gerecht werdendes Gebäude verfüge, daß darüber hinaus gediegen, geschmackvoll und doch einfach und monumental sei[45].

Nach den Ideen des Domkapitulars Alexander Schnütgen und deren Umsetzung durch Wilhelm Mengelberg war wohl noch 1901 mit der Ausgestaltung der neuen Kapelle begonnen worden[46]. Mengelberg, renomierter und viel beschäftigter Maler

---

[44] Ludwigs, Erinnerungen, S. 116ff.

[45] Ebd. S. 136. – Das Chronogramm (Ebd., S. 139) ist offensichtlich falsch oder unvollständig überliefert, jedenfalls ergibt es nicht die Jahreszahl 1896

[46] Vgl. Alexander Schnütgen, Die projektierte Ausstattung der Priesterseminar-Kapelle in Köln, in: Zeitschrift für Christliche Kunst XIV. Jg. (1901), Sp. 147–158 u. Taf. IV

und Bildhauer, war gebürtig aus Köln, hatte aber seit 1869 sein Atelier in Utrecht. In seiner Heimatstadt schuf er die gesamte Innenausstattung von St. Alban und für den Dom die Entwürfe der Bronzetüren der Nordfassade[47].

Die neue Seminarkapelle hatte, wohl zufällig, dieselben Maße wie das Refektorium. Säulen fehlten, statt dessen unterteilten Unterzüge die Decke sechsfach. Im hinteren Teil war eine Orgelempore eingezogen, darunter eine „Betkammer" für die Klosterfrauen eingerichtet.

Die Stilwahl der Spätgotik begründete man mit der Nähe zur Kirche, die in ihrer Konstruktion und den architektonischen Formen von der Spätgotik beherrscht sei, vor allem aber mit dem Vorbildcharakter, der dieser Kapelle in einem Haus für angehende Priester zukäme. Für den Hauptaltar hatte Mengelberg zwei südniederländische Flügelbilder aus der Zeit um 1520, ehemals im Besitz der Kirche St. Maria ad Gradus, verwendet, denen er als Mittelteil eine geschnitzte Darstellung des Abendmahls hinzufügte[48]. Zwei etwas vorgezogene Seitenaltäre waren ähnlich reich geschnitzt und sollten der Gottesmutter und dem Seminarpatron, dem Hl. Philippus Neri, geweiht sein. Die Dreiergruppe der Altäre wurde optisch von einer lettnerartigen, in spätgotischen Formen geschnitzten Arkatur zusammengehalten. Die Seitenwände schmückten geschnitzte Tafeln der Kreuzwegstationen. Die Decke, mehrfach in Dreiecke und Quadrate unterteilt, war schon vor Beginn der eigentlichen Ausgestaltung von dem Kölner Maler Rosenthal „in herrlichster Weise mit feinstem Kunstverständnis" mit einem umfangreichen Gemäldezyklus versehen worden[49].

6. Verlegung des Seminars außerhalb der Stadt

Der Gedanke an eine Verlegung des Priesterseminars blieb trotz dieser enormen Investition auch in den nächsten Jahrzehnten stets wach. Die Entwicklung schien eine Änderung geradezu herausfordern. Der „Central-Personen-Bahnhof" war 1894 durch den noch größeren und vor allem noch lauteren „Hauptbahnhof" ersetzt worden. Das Seminargebäude schnitt mit einer Ecke bereits in die Bahnsteiganlagen ein. Mitte der 20er Jahre verkehrten hier täglich 1123 Züge. Auch die Marzellenstraße hatte sich zu einer der verkehrsreichsten Durchgangsstraßen entwickelt, durch die sich ein ununterbrochener Strom von Kraftfahrzeugen quälte. Die von den Seminaristen zur Erholung aufgesuchten Grünflächen vor den Toren der Stadt waren längst neuen Stadtvierteln, Straßen und Plätzen gewichen.

Im Jahre 1924 faßte deshalb Kardinal Schulte den Entschluß, den Unzuträglichkeiten durch die Verlegung des Seminars an einen ruhigen Platz außerhalb der Stadt ein Ende zu bereiten. Die Suche nach einem geeigneten Grundstück war offensichtlich nicht leicht, schließlich erwarb man am Ortseingang von Bensberg in der sogenann-

47 Über Mengelberg vgl. Weyres/Mann, S. 74

48 Heutige Aufstellung im Treppenhaus des Priesterseminars, Kardinal-Frings-Straße. Vgl. Knopp/Hansmann, S. 7f.

49 Ludwigs, Erinnerungen, S. 138

ten Kaule ein – wenn auch nicht allen Wünschen gerechtwerdendes – größeres Grundstück[50]. Noch im September desselben Jahres konnte ein Wettbewerb ausgeschrieben werden, an dem sich alle wenigstens seit einem Jahr in der Erzdiözese Köln ansässigen, selbständigen, katholischen Architekten beteiligen konnten. Erwünschte Vorgabe waren „ein Putzbau in schlichten Formen ohne beherrschenden Turm" und, entsprechend der Möglichkeit des Grundstücks, eine „Gruppierung der bebauten Fläche um einen nach drei Seiten hoch, nach einer Seite niedrig geschlossenen Binnenhof nebst Kreuzgang". Bei dieser gedanklichen Konzeption dürfte das Collegium Albertinum in Bonn in der seit der Jahrhundertwende veränderten Form Pate gestanden haben. Dem Preisgericht gehörten an: die Kölner und Paderborner Diözesanbaumeister Bernhard Hertel und Kurt Matern, der Kölner Stadtbaurat Alfred Stooß, der Neusser Konviktspräses Clemens August Höller sowie der über siebzig Jahre alte Joseph Prill, Religionslehrer und gleichzeitig Baumeister nach autodidaktischer Ausbildung. Der Aufruf fand ein erstaunlich großes Echo: einhundertzwei Entwürfe wurden eingereicht. Dennoch konnte keiner in allen Teilen voll befriedigen, weshalb man von der Zuerkennung eines ersten Preises absah.

Den zweiten Preis erhielt der Architekt Bernhard Rotterdam, den dritten, zu gleichen Teilen, W. Pauen aus Düsseldorf und Wilhelm Riphahn aus Köln. Bernhard Rotterdam, gebürtig aus Immigrath am Niederrhein, war zu diesem Zeitpunkt 31 Jahre alt. Das Bensberger Priesterseminar ist sein erstes großes Werk gewesen, dem zahlreiche Kirchenbauten folgen sollten. 1974 ist er 81jährig in Bensberg gestorben.

Inzwischen war insofern eine Wendung eingetreten, als ein sehr viel besseres, vor allem landschaftlich schöner gelegenes Baugelände auf der sich nach Süden unmittelbar an den Ort anschließenden Höhe der Weyerhardt gegenüber dem ehemaligen herzoglichen Schloß erworben werden konnte.

7. Der Seminarneubau auf der Höhe von Bensberg

Am 27. April 1926, dem Fest des hl. Petrus Canisius, des künftigen Seminarpatrons, nahm der Kardinal den ersten Spatenstich vor. Ein derartiges Bauprojekt zu diesem Zeitpunkt sollte, wie er betonte, auch etwas zur Linderung der großen Arbeitslosigkeit und Wirtschaftsnot beitragen. Zwei Monate später, am 29. Juni, legte der päpstliche Nuntius Pacelli den Grundstein; auf zehntausend wurde die Zahl der Festteilnehmer geschätzt. Nach einer Bauzeit von drei Jahren konnte am 27. April 1929 die Einweihung stattfinden. Das neue Priesterseminar erhebt sich auf einer doppelten, durch die Geländeverhältnisse bedingten Terrasse, etwa 30 m über der Landstraße. Vier Flügel von unterschiedlicher Breite gruppieren sich um einen Innenhof von etwa 35 x 53 m. Der der Overather Straße zugewandte Vorderflügel, ebenso wie die Seitenflügel sind dreigeschossig über hohem Sockelgeschoß, der rückwärtige Flügel dagegen ist nur

---

[50] Über Planung und Ausführung des Bensberger Gebäudes vgl.: Das Neue Priesterseminar der Erzdiözese Köln in Bensberg. Zur Einweihung am 27. April 1929, Köln 1929

zweigeschossig. Die breitgelagerte Vorderfront ist ganz auf weite Sicht hin angelegt. Die Mitte wird durch einen dreiachsigen mit Dreiecksgiebel bekrönten Risalit hervorgehoben. Dem Hauptportal ist eine fünfachsige offene Arkadenhalle vorgelegt. Das durchlaufende Walmdach ziert ein offenes Belvedere mit einem schmalen hohen Glockentürmchen. Die vier Ecken des Vorderflügels sind durch übereckgestellte quadratische Türme mit Zwiebelhauben betont. Mit diesen an Wehr- und barocken Schloßbau erinnernden Architekturzitaten galt es, dem gegenüberliegenden kurfürstlichen Schloß die Reverenz zu erweisen; sie waren aber auch in hohem Maße Ausdrucksmittel der Selbstdarstellung des Erzbistums Köln. Die Seitenfronten sind demgegenüber schlicht gehalten. Die Rückfront gibt durch die risalitartigen seitlichen Vorbauten und dem mittleren von Türmchen flankierten Kapellenbau ein aufgelockertes Bild. Der den Innenhof allseitig umziehende Kreuzgang nimmt mit Kreuzgratgewölbe, Dreiergruppen von Rundbogenfenstern sowie säulenbestandener Eingangshalle und Kapellenvorhalle bewußt Formen der Romanik auf und verleiht dem Ganzen klösterliches Gehabe. Unter Verzicht auf ornamentalen Schmuck lebt das Äußere des Gebäudes vom Kontrast: Sockel, Erdgeschoß und Terrassenmauern sind aus einheimischem braunroten Bruchstein, Fenstergewände und Gesimse aus blaugrünem Anröchter Dolomit, die Obergeschosse tragen hellen Putz, das Dach schließlich ist mit dunklem Schiefer gedeckt.

Das Innere zeichnet sich durch Klarheit und Zweckmäßigkeit in der Anordnung der Räume zueinander aus. Das Erdgeschoß enthält die Gemeinschaftsräume, vor allem das Refektorium, die Kapelle und den Großen Hörsaal. Die Obergeschosse mit den Wohnräumen – für insgesamt 190 Alumnen – sind über das zentrale in der Verlängerung der Eingangshalle gelegene Haupttreppenhaus oder über zwei in die hinteren Ecken des Innenhofes eingestellten Treppentürme zu erreichen.

Mittelpunkt des rückwärtigen Flügels ist die Kapelle, ein über zwei Geschosse reichender Raum, dessen Wand- und Deckendekor von barock-klassizistischer Formensprache geprägt ist. Die Ausstattungsstücke, Altäre, Kreuzweg und Deckenrelief schuf der aus Köln gebürtige aber in Bonn lebende Bildhauer Karl Menser[51]. Die Reliefs der Altarmensa, des Retabels und der Decke stehen in gedanklichem und formalem Zusammenklang. Das große weißmarmorne Relief des Hauptaltars hat – für ein Priesterseminar naheliegend – die Aussendung der Apostel zum Thema. In das reiche Rahmenwerk aus dunklem Marmor sind zwei hohe gelbe Säulen eingestellt, die zwei adorierende Engel tragen. In den oberen Teil des Rahmens ist das Wappen des Erzbistums eingelassen. Den Abschluß bildet ein Kreuz, von zwei Pfauen – Symbol der Unsterblichkeit – flankiert[52].

---

[51] Karl Menser (1872–1929), seit 1917 Zeichenkurse in Anatomie für Mediziner an der Univ. Bonn; seit 1920 erweiterter Lehrauftrag. In Bonn ist bzw. war er mit zahlreichen Denkmälern und Architekturplastiken vertreten: Vgl. Theodor Fischer, Karl Menser. Von seinem Werk / Dem Künstler und Menschen, Düsseldorf 1931

[52] Karl Menser, Bildwerke der Kapelle, in: Festschrift (wie Anm. 50), S. 32 ff. – Fischer, Karl Menser Tafeln XLVIII, XLIX, L, LI, LII, LIII

Das Refektorium mit einer Art Kassettendecke und halbhohen holzvertäfelten Wänden vermittelt den Eindruck eines Renaissancesaales. Den kleinen Hörsaal im ersten Obergeschoß umfängt durch eine ungewöhnliche, expressionistische Gewölbeausbildung eine eher sakrale Aura. Parabolische Gewölbe vergleichbarer Art finden sich in gleichzeitigen Kirchenbauten von Dominikus Böhm, aber auch in der von Rotterdam selbst entworfenen Rektoratskirche in Leverkusen-Pattscheid[53]. Der für das Äußere beobachtete, durchaus gewollte Traditionsbezug ist demnach im Inneren noch sehr viel ausgeprägter. Der Stil richtet sich nach der Funktion des Raumes. Das Formenrepertoire reicht von der Romanik bis zu den zarten Ansätzen einer gemäßigten Moderne.

Zu Beginn des Zweiten Weltkrieges diente das gesamte Gebäude als Reserve-Lazarett. Nach einer vorübergehenden Wiedereinrichtung als Seminar, wurde es wegen „staats- und volksfeindlichen Verhaltens des Vorstandes und der Seminaristen sichergestellt“ und am 8. Januar 1942 durch die Gestapo enteignet (vgl. die Beiträge von N. Trippen weiter unten). Der Seminarbetrieb fand nach vorübergehender Unterkunft im Collegium Leoninum in Bonn, seit dem 3. Dezember 1942 im Antoniusheim in Bad Honnef und seit dem 14. November 1945 in einem Teil der Heil- und Pflegeanstalt der Alexianerbrüder in Ensen bei Porz seine Fortsetzung. Erst 1948, am Fest des hl. Petrus Canisius, konnte das Bensberger Gebäude seiner ursprünglichen Bestimmung zurückgegeben werden.

Am Ende einer Irrfahrt, in ständiger Gefahr vor Verlust oder Entfremdung, hatte das kostbare Bild der Madonna mit dem Veilchen von Stephan Lochner seinen Weg wieder ins Seminar gefunden. Hier erhielt es einen ehrenvollen Platz vor dem Altarretabel der Apostelaussendung. Aber die Kräfte, die es, nicht zuletzt aus konservatorischen Gründen, wieder im Diözesanmuseum wissen wollten, waren stärker. Ende Juni 1954 erfolgte der für das Seminar „sehr schmerzliche“ Rücktransport nach Köln. Der Vorstand des Seminars beklagte dies als „ein Verlust an kulturellen, seelischen und religiösen Werten“. Für das Seminar sei es ein „Kultbild“ gewesen[54].

8. Rückführung des Seminars in die Domstadt

Die in vielem veränderte Nachkriegssituation – geringere Zahl der Seminaristen, Abtrennung des Bistums Essen – aber auch ein gewisser Gesinnungswandel in Bezug auf die „günstige“ Lage von Bensberg ließ schon bald den Gedanken an eine Rückführung des Seminars in die Mauern der Domstadt aufkommen: erwünscht war letztlich eine innigere Nachbarschaft zwischen Erzbischof, Kathedrale und Seminar. Am 12. Dezember 1955 sprach Kardinal Frings erstmals in der Öffenlichkeit von Neubauplänen, für die die offizielle Entscheidung dann ein Jahr später fiel. Der Bauplatz auf

---

[53] Barbara Kahle, Rheinische Kirchen des 20. Jahrhunderts (= Landeskonservator Rheinland, Arbeitsheft 39), Köln 1985, S. 24 f.
[54] HAEK-CR 8 A 1.6

dem weitläufigen (rund 25 000 qm) Gelände des ehemaligen, im Zweiten Weltkrieg völlig zerstörten erzbischöflichen Palais, bot sich geradezu von selbst an. Allerdings waren das Haus und das weitläufige Parkgelände seinerzeit dem Erzbischof nur zur Verfügung gestellt worden. Eigentümer war der Preußische Staat. Die Verpflichtung der Nachfolgeinstitution, des Landes Nordrhein-Westfalen, zum Wiederaufbau des erzbischöflichen Hauses wurde mit der Übereignung des Grund und Bodens geregelt. Das Neubauvorhaben stand deshalb in der Zuständigkeit des Generalvikariates.

Der zu errichtende Gesamtkomplex sollte umfassen:
Das erzbischöfliche Haus mit Nebengebäuden, das Priesterseminar mit Seminarkirche sowie das erzbischöfliche Offizialat, Diözesanbibliothek und -archiv. Eine wesentliche Planvorgabe lag darin, sich mit der neuen Bautengruppe in den städtebaulich neu zu ordnenden Bereich der in unmittelbarer Nachbarschaft bereits fertiggestellten Bauten, wie der Industrie- und Handelskammer von Karl Hell, der Concordia-Versicherung von Wilhelm Riphahn, aber auch des historischen Kleinods der Maria Ablaßkapelle behutsam einzupassen. Zur Teilnahme an einem begrenzten Wettbewerb wurden die Kölner Architekten Karl Band und Peter F. Nöcker (in Arbeitsgemeinschaft), Dr. Ing. Wilhelm Riphahn und Josef Bernard (in Arbeitsgemeinschaft), Fritz Schaller, Hans Schumacher aufgefordert. Abgabetermin war der 15. Juni 1955. Von einem größeren Preisrichterkollegium ist nichts bekannt. Schließlich bestimmte Kardinal Frings den Entwurf des Architekten Schumacher[55] zur Ausführung „weil er dem inneren Gefüge des Seminarbaus am meisten entsprach“. Allen gemeinsam wurde eine hohe Qualität vor allem in städtebaulicher Hinsicht bescheinigt.

Der Entwurf Riphahn/Bernard zeigte die Seminarkapelle zum Ablaßplatz hin angeordnet. Der fünfstöckige Seminartrakt lief parallel zur Eintrachtstraße, daran anschließend um einen rechteckigen Innenhof die Hörsäle und Räumlichkeiten für die Seminarprofessoren. Das erzbischöfliche Haus lag ganz zurückgezogen im Park. Schaller hatte eine „kleine Vatikanstadt“ geschaffen, im einzelnen ein sehr vielgliedriger Entwurf, in dem die Seminarkapelle, hoch herausgehoben, das Herzstück der Anlage bildete. Bibliothek und Offizialat waren wie beim vorigen Entwurf an der Gereonstraße plaziert. Von den beiden Entwürfen Band-Nöcker sah der erste die Kapelle an der Ecke Gereonstraße vor, daran anschließend der Seminarbau ebenfalls mit Hauptfront zur Gereonstraße, während beim zweiten die Situation im wesentlichen um 90 Grad gedreht, die Kapelle gegen den Kopfbau des Concordia-Hauses gerichtet war, und der mehrgeschossige Seminartrakt nordsüdlich entlang der Eintrachtstraße verlief. Das erzbischöfliche Haus bildete einen frei für sich stehenden Baukomplex[56].

---

55 Hans Schumacher, geb. 1891 in Köln, gest. 1982

56 Kirchenzeitung für das Erzbistum Köln 28. 7. 1955; Kölnische Rundschau 30. 7. 1955 (Schaller Entwurf mit Bild); Kölner Stadt-Anzeiger 2. 4. 1955; Kirchenzeitung für das Erzbistum Köln 45, 10. 11. 1957

9. Der Neubau auf dem Gelände des ehemaligen erzbischöflichen Palais an der Eintrachtstraße

Die Gesamtanlage sollte in drei Bauabschnitten, beginnend mit dem erzbischöflichen Haus, errichtet werden. Für die weitere Bearbeitung des preisgekrönten Entwurfs sowie dessen Ausführung wurde der Dombaumeister Professor Willy Weyres beratend hinzugezogen. Die Innenausstattung übernahm Innenarchitekt Günter Hagen. Die Arbeiten für das Seminargebäude begannen im Januar 1957; am 27. Oktober dieses Jahres, einen Monat vor dem Richtfest, nahm Kardinal Frings die Grundsteinlegung vor. Als Grundstein diente ein barocker Bogenschlußstein aus dem kriegszerstörten, früheren Seminargebäude, dem ehemaligen Jesuitenkolleg, der in einer Kartusche das Christusmonogramm IHS zeigte. Nach fast zweijähriger Bauzeit zogen am 10. November 1958 die ersten 23 Seminaristen in den Neubau ein[57].

Das Priesterseminar bildet den Kern des einheitlich in roten Ziegelflächen gestalteten Komplexes. Es ist dreigeschossig um einen rechteckigen, in den Fassaden leicht unterschiedlich gestalteten Hof angeordnet. Dieser wird beherrscht von dem Betonraster des aus der Flucht vortretenden Glockenturmes, der zugleich die Funktion eines Stiegenhauses hat. Die mediterrane Atmosphäre, die diese Oase der Ruhe ausstrahlt, wird durch die in schwungvollen Linien aus dem geplatteten Boden ausgesparten Staudenbeete und drei Brunnen noch gesteigert. Um das Quadrum herum führt ein großzügig bemessener offener Kreuzgang, von dem die Kapelle, das Refektorium, die Bibliothek und die Hörsäle zu erreichen sind. In den beiden Obergeschossen liegen die Schlaf- und Arbeitsräume der einhundert Seminaristen. Der Blick aus den Zimmern geht bis auf wenige Ausnahmen in den Innenhof. Einige Loggien mit schön gemauerten Brüstungen gestatten den Austritt ins Freie. Die Gemeinschaftsräume zeichnen sich durch Funktionalität und moderne Schlichtheit aus. Ungewöhnlich fortschrittlich für ein Seminargebäude war die Einrichtung eines Schwimmbades und weiterer Freizeiteinrichtungen wie Kegelbahn, Billard und Tischtennis im Kellergeschoß.

Die Seminarkirche, nach außen bugförmig vorspringend, bildet den optischen Mittelpunkt der Gesamtarchitektur, zugleich einen neuen städtebaulichen Akzent im Bereich des Börsenplatzes, indem sie mit ihrer Höhe die Spannungskomponente zu den Nachbargebäuden darstellt. Dadurch, daß der Hauptfront des Seminars sowie des erzbischöflichen Hauses ein gärtnerisch gestaltetes Gelände vorgelagert ist, ergibt sich optisch eine Verbreiterung der Straße. Die Kapelle ist ein Hallenbau, dessen Satteldach auf schlanken Stahlsäulen ruht, vor denen die Seitenwände in Ziegelmauerwerk aufgerichtet sind. Eine ebenfalls gemauerte, leicht gestelzte Halbkreisapsis wurde – geradezu zitathaft – in die östliche Glaswand eingefügt. Den hohen Kirchenraum verbindet strenge Einfachheit mit leichter Hoheit. Eine zurückhaltende, stimmungsvolle Belichtung erfährt er durch schmale Fensterbänder als Wandabschluß unterhalb der Traufe und als eine Art Triumphbogen um die Apsis. Sie wurden 1962 nach den Ent-

[57] Kölnische Rundschau 294, 295, 1958: HAEK; Rheinischer Merkur 25. 12. 1958

würfen des Glasmalers Wilhelm Buschulte, Unna, gestaltet. Im einzelnen sind dargestellt: im Apsisscheitel die Anbetung der Hl. Drei Könige, flankiert von zwei der vier lebenden Wesen der Apokalypse; in den Vertikalbändern die zwölf Apostel (rechts), und die zwölf Propheten (links); im Langhaus an der Nordseite die Jugendgeschichte Jesu, an der Südseite das öffentliche Leben Jesu bis zu Pfingsten; im Westen über der Orgel die Krönung Mariens sowie die klugen und törichten Jungfrauen. Im Scheitel des Chores ist der bischöfliche Thron, eine Arbeit des Kölner Künstlers Elmar Hillebrand, aufgestellt. Der Altartisch besteht aus einer mächtigen Dolomitplatte. Im Dezember 1960 konnte eine neue Orgel installiert werden, 22 Register mit Schleifladen und mechanischer Traktur, gebaut von „Rieger-Orgelbau“, Schwarzach in Vorarlberg[58].

Seit einigen Jahren ist der Kreuzgang – den mitteleuropäischen Witterungsverhältnissen entsprechend – verglast, was jedoch den ursprünglichen Eindruck der Verbindung von Kreuzgang und Innenhof kaum beeinträchtigt hat. Die Kirche betritt man seitdem durch ein von Elmar Hillebrand kunstvoll gestaltetes Portal. Die holzgeschnitzten Türflügel zeigen im Mittelfeld Halbreliefs der Seminarpatrone Petrus Canisius und Philippus Neri.

Eine Leihgabe des Kölner Domes sind vier große Wandteppiche, die die Seitenwände der Kirche seit 1981 zieren. Sie wurden 1851–54/57 auf Anregung des Kardinals von Geissel nach Entwürfen von Johann Anton Ramboux von einem Kölner Frauenverein für die Chorschranken des Domes angefertigt. Dargestellt sind Szenen des nizäno-konstantinopolitanischen Glaubensbekenntnisses[59].

Es sind Attribute wie Schlichtheit, Vornehmlichkeit, Klarheit, die diese Bautengruppe auszeichnet, ohne dabei auf Schönheit der Formen, menschliche Maße und Materialgerechtigkeit zu verzichten. In Sichtweite des Domes war ein neues kirchliches Zentrum entstanden, dessen klare Gliederung und nüchtern zurückhaltende Formensprache in guter Abstimmung, zugleich aber auch in einer den umgebenden Stadtraum prägenden Konzeption erfolgt war.

---

[58] Kölnische Rundschau 307, 1960: HAEK

[59] Dazu: Der Kölner Dom im Jahrhundert seiner Vollendung. 1. Katalog zur Ausstellung der Historischen Museen in der Josef-Haubrich-Kunsthalle Köln. 16. Oktober 1980 bis 11. Januar 1981, Köln 1980, S. 392

Zweiter Teil

Aus der Kölner Seminargeschichte seit 1801

Von Norbert Trippen (Kap. I–VI),
Augustinus Frotz (Kap. VII)
und Karl Heinz Schmitt (Kap. VIII)

I. Die napoleonische und frühe preußische Zeit (1801–1825)

Von Norbert Trippen

1. Das Seminar des Bistums Aachen

Innerhalb der 250jährigen Geschichte des Kölner Priesterseminars war das erste Viertel des 19. Jahrhunderts und zumal die napoleonische Zeit die schwierigste Periode. Schon seit der französischen Besetzung des linken Rheinufers 1794 hatte das Seminar ständig um seine Fortexistenz kämpfen müssen[1]. Nur zum Teil hatten die Bemühungen, den Besitz und die Einkünfte des Seminars vor dem Zugriff des französischen Staates zu schützen, Erfolg gehabt.

Das Jahr 1801 brachte einschneidende Ereignisse. Mit dem Tode des letzten Kölner Kurfürsten, des Erzbischofs Max Franz von Österreich, am 27. Juli 1801 verlor die Kölner Kirche das Symbol und die Klammer ihrer Einheit. Bereits am 9. Februar hatte der Friedensschluß von Lunéville „über die deutsche Reichskirche und das Erzbistum Köln das Todesurteil" gesprochen: die deutschen Gebiete links des Rheins wurden dem französischen Staat angegliedert[2]. Napoleon machte seinen Frieden mit der Kirche und schloß am 15. Juli 1801 ein Konkordat mit Pius VII. „Das bald 1500 Jahre alte Erzbistum Köln hörte links des Rheins auf zu bestehen, der ehrwürdige Kölner Dom wurde einfache Pfarrkirche. Ein neuer bischöflicher Sitz wurde am Grabe Karls des Großen errichtet, in dessen Nachfolge Napoleon einzutreten beabsichtigte. Dieses neue Bistum Aachen, das zusammen mit Trier, Mainz, Lüttich, Namur, Gent und Tournai dem Erzbischof von Mecheln unterstellt wurde, umfaßte die beiden Départements Roer und Rhin et Moselle."[3] Das Bistum Aachen wurde durch die Zirkumskriptionsbulle „Qui Christi Domini vices" vom 29. November 1801 begründet. Sein erster Bischof wurde 1802 Marc Antoine Berdolet (1740–1809)[4].

---

1 Über die Verhältnisse des Priesterseminars in den Jahren 1794–1801: Ernst Reckers, Geschichte des Kölner Priesterseminars bis zum Untergang der alten Erzdiözese, Köln 1929, S. 233–252; vgl. auch Karl Unkel, Geschichte des Erzbischöflichen Priesterseminars in Köln (Ms im Historischen Archiv des Erzbistums Köln), S. 168–188

2 Über das Ende des alten Erzbistums Köln: Eduard Hegel, Das Erzbistum Köln zwischen Barock und Aufklärung – Vom Pfälzischen Krieg bis zum Ende der französischen Herrschaft 1688–1814 (= Eduard Hegel [Hrsg.], Geschichte des Erzbistums Köln, Bd. 4), Köln 1979, S. 475–513

3 Hegel, Bd. 4, S. 496

4 Über das erste Bistum Aachen: Jakob Torsy, Geschichte des Bistums Aachen während der französischen Zeit (1802–1814), Bonn 1940; Klaus Friedrich, Marc Antoine Berdolet (1740–1809), Bischof von Colmar, erster Bischof von Aachen. Sein Leben und Wirken unter besonderer Berücksichtigung seiner pastoralen Vorstellungen, Mönchengladbach 1973; zu Berdolet s. auch: Eduard Hegel, in: Erwin Gatz (Hrsg.), Die Bischöfe der deutschsprachigen Länder 1785/1803 bis 1945. Ein biographisches Lexikon, Berlin 1983, S. 38 f.

Im Konkordat war den Bischöfen das Recht zugestanden, ein Domkapitel und ein Seminar einzurichten, allerdings ohne Zusage einer staatlichen Dotation. In den das Konkordat im Sinne Napoleons interpretierenden „Organischen Artikeln" vom 8. April 1802 behielt sich der Kaiser die staatliche Genehmigung der von den Bischöfen in ihren Seminarien getroffenen Einrichtungen vor und verpflichtete die Professoren auf die Deklaration des gallikanischen Klerus von 1682.

Bischof Berdolet „faßte begreiflicherweise alsbald den Plan, das Kölner Seminar an seine Kathedrale nach Aachen zu verlegen. Man sah aber schnell ein, daß ein solcher Plan sehr peinliche Konsequenzen hatte und daher unausführbar war. Denn kaum war die Absicht der Seminarverlegung ruchbar geworden, da meldeten sich bereits die Anverwandten und Erben der Seminarstifter, die dem ‚Seminarium Clementinum binnen Cöllen' irgendwelche Vermögensstücke vermacht hatten, und beanspruchten die Stiftungskapitalien für sich, weil mit der Verlegung nach Aachen der Träger der Stiftungen nicht mehr existiere, den die Fundatoren intendiert hätten. So ließ man denn das Aachener Diözesanseminar als ‚Seminarium Aquisgranense' an seiner Stelle auf dem Domhof zu Köln"[5].

Damit war aber die Existenz des Seminars und seines Besitzes noch keineswegs gesichert. Fast gleichzeitig mit den „Organischen Artikeln" erfolgte der Konsularbeschluß vom 9. Juni 1802, durch den sämtliche Klöster und Stifter aufgehoben und das gesamte Kirchengut einschließlich der Güter der Seminarien säkularisiert wurde. Den die folgenden Jahre füllenden Kampf um die Sicherung des Seminarvermögens und seiner Einkünfte hat Reckers gestützt auf Unkel zusammenfassend gewürdigt[6]: „Bald aber reklamierte die französische Gesetzgebung das Seminarvermögen als Eigentum der Nation. Zwar wurde die Konfiskation nur zögernd und niemals ganz ausgeführt, und der Seminarökonom Splinter[7] suchte mit Umsicht und List zu retten, was er nur konnte. Jedoch erlitt das Seminarvermögen in diesen Jahren sehr großen Schaden, bis im Jahre 1812 die noch nicht entfremdeten Vermögensstücke dem Seminar förmlich wieder zugesprochen wurden."

Parallel kämpften Bischof Berdolet und sein Generalvikar Fonck durch Eingaben und Vorsprachen unermüdlich um eine staatliche Dotierung des Seminars bzw. um Rückgabe konfiszierten Seminarvermögens, wie sie anscheinend anderen Seminarien zuteil geworden war[8]. Eine bescheidene Entlastung der bedrückenden wirtschaftlichen Lage des Seminars ergab sich durch das kaiserliche Dekret vom 30. September 1807, durch das ab Januar 1808 im ganzen napoleonischen Reich 2400 ganze bzw. halbe Seminarfreistellen eingerichtet wurden, von denen auf das Kölner Seminar

---

5 Reckers, S. 255

6 Ebd., S. 255 f.; Unkel, S. 192 ff.

7 Lebensdaten Splinters und aller weiteren Vorsteher und Dozenten des Priesterseminars: Hermann Joseph Hecker, Chronik der Regenten, Dozenten und Ökonomen im Priesterseminar des Erzbistums Köln 1615–1950 (= Studien zur Kölner Kirchengeschichte. Herausgegeben vom Historischen Archiv des Erzbistums Köln, Bd. 1), Düsseldorf 1952, hier: S. 84 ff.

8 Dazu: Unkel, S. 193 f.

vierzehn ganze und 28 halbe Stellen entfielen. Diese Freistellen dotierte der Staat mit je 400 bzw. 200 Franken[9].

Problematischer noch als die wirtschaftliche Lage war die innere Situation des Seminars. Mit dem Ende der Reichskirche und der Säkularisation der Klöster und Stifter hatten auch die theologischen Fakultäten und zahlreichen Ordensstudien ihr Ende gefunden. Dem Kölner Priesterseminar war dadurch eine völlig neue Aufgabe zugewachsen[10]. „Bisher hatte es nur den Portionisten die theologische Ausbildung vermittelt, während die Mehrzahl der Alumnen nach dem Abschluß des Studiums an der Universität sich im Seminar auf die priesterliche Praxis und den Empfang der Weihen vorbereitete. Nunmehr wurde vom Seminar der Unterricht in der gesamten Theologie für sämtliche Kandidaten des ausgedehnten Bistums erwartet."

Eduard Hegel stellt zutreffend fest: „Dieser Aufgabe war das Haus weder räumlich noch geistig gewachsen. Die Studierenden mußten zum größeren Teil in der Stadt wohnen und als Externe die Vorlesungen im Seminar besuchen, für die es nur einen einzigen Hörsaal gab[11]. Für einen wissenschaftlichen theologischen Unterricht brachte weder die Mehrheit der Studierenden noch die der Dozenten die erforderliche Vorbildung mit."

Bei der Zahl der Studierenden ist zu unterscheiden zwischen den Priesteramtskandidaten des Bistums Aachen und den im Kölner Seminar wohnenden Seminaristen. Angesichts der ständig bedrohten Existenz des Seminars und seiner prekären finanziellen Lage (ganz abgesehen vom begrenzten Fassungsvermögen des Seminars auf dem Domhof) war die Zahl der Seminaristen relativ gering. Unkel kommt nach dem Studium der Akten zu dem Schluß[12]: „In Köln fristete das Seminar, nachdem die Beschlagnahme des Gebäudes aufgehoben war, nur ein kümmerliches Dasein, obschon es seine Tätigkeit nie ganz einstellte. Im Jahre 1806 zählte es noch 26 Alumnen." Demgegenüber stand die hohe Zahl der dem Seminar zur Ausbildung zugewiesenen Priesteramtskandidaten. Jakob Torsy ermittelte[13]: „Ein Verzeichnis der Priesteramtskandidaten der Aachener Diözese vom 14. April 1809 gibt uns Aufschluß über den Studiengang sowie das Alter und die Herkunft der einzelnen Anwärter. Die Gesamtzahl der Kanidaten betrug 326 ... Es studierten im Seminar 53, an Schulen 60, in privater Vorbereitung 213" – also die ganz überwiegende Mehrheit! „Ihrer Herkunft nach kamen aus Städten 106 und vom Lande 220. Als Beruf ihrer Eltern gaben an: Bauern 124, Handwerker 87, Kaufleute 51, Beamte (darunter ein Bürgermeister) 10, Fabrikanten 4, Lehrer 1, Arzt 4, Notar 2, Küster und Organist 8, sonstige 11, keinen Beruf der Eltern gaben an 24. Das Alter schwankt zwischen 10 und 39 Jahren. Viele dieser Theologiestudierenden waren völlig mittellos und mußten sich neben ihrem Studium durch Erteilung von Unterricht oder ähnlichen Beschäftigungen ihren Lebens-

---

9 Vgl. Unkel, S. 194 f.; Reckers, S. 256; Torsy, S. 183; Hegel, Erzbistum, Bd. 4, S. 524

10 Hierzu: Hegel, Erzbistum, Bd. 4, S. 524; dort auch das nachfolgende Zitat

11 Zu den beengten Raumverhältnissen im Seminar auf dem Domhof vgl. die Klagen aus preußischer Zeit unten S. 53 f.

12 Unkel, S. 193

13 Torsy, S. 188 f.

unterhalt verdienen. Daher verzögerte sich bei vielen der Eintritt in das Seminar, bis daß sie sich die notwendige Summe für den Weihetitel[14] erspart hatten. Nach einem Gutachten Berdolets kamen höchstens zwei Drittel der Kandidaten bis zur Priesterweihe."

Ebenso problematisch wie die theologische Ausbildung der angehenden Priester war ihre schulische bzw. sonstige Vorbildung. Entsprechend war die Prüfung der Bewerber vor der Annahme geregelt. Torsy ermittelte[15]: „Vor dem Eintritt in das Seminar mußten sie einen Nachweis ihrer bisherigen Studien sowie ein Sittenzeugnis ihres Heimatpfarrers beibringen. In Aachen mußten sie sich einer Prüfung über ihre Kenntnisse unterziehen; diese Prüfung konnte ausnahmsweise bei mangelnden Mitteln zur Reise nach Aachen auch im Seminar selbst abgelegt werden. Ferner wurde gemäß einer Ministerialverfügung vom 8. August 1810 von den Generalvikaren angeordnet, daß jeder, der in das Seminar eintreten wollte, ein ärztliches Gesundheitszeugnis sowie eine Bescheinigung, daß er sich der Schutzimpfung gegen die Blattern unterzogen habe, beibringen mußte."

Eine besondere Schwierigkeit bildete schon in französischer Zeit (wie später auch unter preußischer Herrschaft) eine gegen Mißbrauch geschützte Freistellung der Priesteramtsbewerber vom Militärdienst. Torsy legt dar[16]: „Auch die Regierung konnte sich der Erkenntnis nicht verschließen, daß man den großen Mangel an Priestern beheben müsse. Ein Dekret Napoleons vom 7. März 1806 bestimmte, daß die zum Subdiakonat zugelassenen Kleriker weder zur Aushebung zum Militär noch zum Dienst in der Nationalgarde herangezogen werden könnten. Kurze Zeit später ordnete die Regierung an, alle Theologen von der militärischen Aushebung zu befreien, damit sie ihre Studien fortsetzen und vollenden könnten ... Aber der Bischof sollte für eine sorgfältige Auswahl Sorge tragen; er möge nur solche zur Exemtion vorschlagen, die wirklich Beruf hätten; denn der Heeresdienst sei ein Ehrendienst für den Ruhm des Vaterlandes, und für jeden Priesterkanidaten, der davon befreit werde, müsse ein anderer junger Mann die Familie verlassen." Der Bischof wurde verpflichtet, jährlich eine Liste der Freizustellenden einzusenden, nachdem er die Bewerber vorher einem Prüfungsverfahren unterworfen hatte. Die entsprechende Prüfung fand ab 1809 jährlich im November statt.

Ein weiteres Hindernis für den damaligen Priesteramtskandidaten bestand darin, daß er gemäß „Organischen Artikeln" einen sogenannten Tisch- oder Weihetitel von 100 Talern oder 300 frs nachweisen mußte, bevor die Regierung die Erlaubnis zu seiner Weihe erteilte[17]. Erst ein kaiserlicher Erlaß vom 28. Februar 1810 verzichtete für die Zukunft auf den Nachweis des Tischtitels. Zu dieser Zeit zählte das Seminar nach einer Mitteilung Foncks an den Präfekten des Rhein-Mosel-Departements 66 Theologen. 42 von ihnen hatten immerhin eine halbe oder ganze Freistelle inne.

---

14 Zu dem von den „Organischen Artikeln" geforderten Weihetitel als Voraussetzung der staatlichen Genehmigung der Priesterweihe s. weiter unten

15 Torsy, S. 189

16 Ebd., S. 190

17 Dazu: Torsy, S. 193f.

Wie war das Lehrangebot in diesem durch den Zwang der Verhältnisse zum Vollstudium aufgewerteten Kölner Priesterseminar? Reckers urteilt zutreffend[18]: „Die Dozenten im Seminar waren wohl treu kirchlich gesinnte Männer und besten Willens, aber einer Aufgabe dieser Art doch meistens nicht gewachsen. Bei dem Mangel an Lehrkräften mußten mehrfach reifere Studenten mit dem Abhalten von Vorlesungen betraut werden." Die noch ermittelbaren Daten über die damaligen Lehrkräfte hat Hermann Joseph Hecker in seiner „Chronik" zusammengetragen[19]. Hier möge die summarische Übersicht von Eduard Hegel genügen[20]: „Als Präses des Seminars amtierten 1801–1812 Peter Joseph Förster (1762–1812) und von 1812–1826 Dr. Ludwig Brouhung (1748–1831). Letzterer war mehr als 20 Jahre Professor am Gymnasium Laurentianum gewesen. Die wirtschaftliche Verwaltung oblag weiterhin dem Ökonomen Reiner Splinter (1749–1831), der seit 1791 im Amte war. In den theologischen Unterricht (Dogmatik, Moral, Pastoral) teilten sich die drei Dozenten Johannes Mohren (1754–1836), Johann Jakob Iven (1775–1853) und Peter Joseph Hopmann (1768–1805). Iven schied schon 1804 wieder aus, um eine Pfarrei zu übernehmen, Hopmann starb im darauffolgenden Jahr. Seine Nachfolger Johann Theodor Joseph Fowinkel (1780–1845) und (seit 1810) Caspar Gereon Sinsteden (1776–1864) traten als Neupriester ihr Lehramt an.

Erst 1812 wurden neue Lehrkräfte angestellt und der Unterrichtsstoff vermehrt. Der ehemalige Karmelit Dr. Anastasius Weitz, früher Professor an den Universitäten Heidelberg und Bonn, dozierte Dogmatik; der Exbenediktiner Johann Jakob Hillenkamp (1770–1855) Bibelwissenschaft, Lic. theol. et iur. Jakob Hamm (1745–1831) das Kirchenrecht, das er 1788–1798 schon an der Universität Köln vorgetragen hatte. Dem Neupriester Johann Nikolaus Grosman (1789–1860) wurde die Doktion der Moraltheologie, zunächst 1813 als Repetent, seit 1816 als Professor, übertragen; 1814 trat der ehemalige Benediktiner Dr. iur. Joseph Iven (1759–1832), der ältere Bruder des oben genannten Johann Jakob Iven, für Dogmatik und Kirchengeschichte in den Lehrkörper ein; wahrscheinlich hat er Weitz in der Dogmatik abgelöst. Mohren, der seit seiner Priesterweihe im Jahre 1777 ununterbrochen als Lehrer am Seminar tätig war und es bis 1828 blieb, wurde 1813 die Doktion der Liturgik zugewiesen." Hegel kommt am Schluß dieser Übersicht zu der Würdigung: „Offensichtlich hatte die Bistumsleitung geglaubt, mit diesen Männern, die teils wenigstens graduiert, teils schon als Professoren tätig gewesen waren, dem theologischen Unterrichtsbetrieb des Seminars mehr wissenschaftliches Profil geben zu können. Aber sie waren, abgesehen von Grosman, durchweg schon zu alt, um sich noch entfalten zu können."

Eine Besonderheit des Lehrbetriebes während der französischen Zeit war die Bindung an die „Gallikanischen Artikel" von 1682. Torsy berichtet[21]: „Die Seminardozenten mußten sich auf die gallikanische Deklaration von 1682 verpflichten; auch das

---

[18] Reckers, S. 256
[19] Hecker, Chronik, ab S. 72
[20] Hegel, Erzbistum, Bd. 4, S. 524 f.
[21] Torsy, S. 186

Dekret vom 23. Vent. XII (14. März 1804) erwähnte bei der Aufzählung der einzelnen Unterrichtsfächer neben Dogmatik, Moral, Homiletik und Kirchengeschichte besonders die Maximen der gallikanischen Kirche.

Im Jahre 1803 hatte die Seminarleitung ihre Unterschrift unter die Deklaration gegeben; am 14. März 1808 wurde sie wiederum von Förster, Mohren und Splinter gefordert und geleistet. Am 24. April 1810 forderte der Kultusminister die Generalvikare auf, darauf zu achten, daß die gallikanische Doktrin im Seminar gelehrt würde; deshalb sollten sie die Manuskripte der Professoren zur Begutachtung einfordern. Die Antwort Foncks vom 1. Mai gibt klar zu erkennen: ‚Die Professoren haben sich beeilt, auf eine wahrhaft loyale Weise zu antworten, wie die Schriften beweisen, welche im Verlauf dieses Jahres diktiert wurden, und welche ich die Ehre habe, nebst dem Schreiben des Herrn Präses dem Gegenwärtigen beizulegen. Ich wünsche mir Glück, daß ich hierdurch die Anhänglichkeit beweisen kann, welche meine Diözesanen an der Verfassung und Lehre der gallikanischen Kirche haben.“ Dennoch kommt Hegel zu der Überzeugung[22], daß im Kölner Seminar wie in dem noch zu behandelnden Studium in Aachen Wert darauf gelegt wurde, „einen frommen, kirchlich gesinnten und dem Papst ergebenen Klerus heranzuziehen. Die Seminarprofessoren mußten sich zwar nach Vorschrift der Organischen Artikel schriftlich verpflichten, in ihrer Lehre der ‚Declaratio Cleri Gallicani‘ von 1682 zu folgen; sie behandelten sie auch im Unterricht, aber deren Tendenz fand keinen Eingang in die Vorlesungen“.

Am 13. August 1809 starb Bischof Berdolet. Am 22. Oktober 1810 ernannte Napoleon den Generalvikar von Meaux, Jean Dénis François Le Camus, zum neuen Bischof von Aachen, der jedoch nicht mehr die päpstliche Bestätigung und die Bischofsweihe erhielt. Dennoch trat er am 14. November 1810 die Leitung des Bistums Aachen an[23]. Hinsichtlich der Priesterausbildung und des wohlwollenden Interesses am Seminar unterschied Le Camus sich nicht von seinem Vorgänger. Gerade er war auf die Hebung des Lehrangebots durch entsprechende Berufungen bedacht. Am 30. Dezember 1812 erließ er eine neue Seminarordnung[24]: „Das Seminar wurde fortan in seinem Bestehen nicht mehr ernstlich bedroht. Auch als im Jahre 1813 der Plan auftauchte, in Köln eine französische Reichsuniversität zu errichten und das Seminar in eine katholisch-theologische Fakultät umzuwandeln, bedeutete dies für das Seminar keine Störung seiner Arbeit. Um dem Seminar auch eine notwendige Bibliothek zu verschaffen, regte Le Camus 1813 an, die Kölner Bestände der beschlagnahmten Klosterbüchereien einer Durchsicht zu unterziehen ...“ Doch zu diesem Zeitpunkt war das Ende der französischen Herrschaft am Rhein schon fast erreicht. Der Anschluß des Rheinlandes an Preußen sollte für das Seminar neue Lebensbedingungen und Schwierigkeiten bringen.

---

22 Hegel, Erzbistum, Bd. 4, S. 526
23 Torsy, S. 61–69
24 Text: Torsy, S. 187; dort auch das nachfolgende Zitat: S. 187 f. – Auch Unkel würdigt (S. 195 f.) Le Camus' Bemühungen um das Seminar, insbesondere um das Personal und die wirtschaftliche Sicherung. Die Anordnung einer Sammlung im Bistum hatte den Erfolg von 22 664 Fr.

Bevor wir uns ihnen zuwenden, ist ein kurzer Blick auf die Studienmöglichkeiten außerhalb des Seminars während der französischen Zeit erforderlich. Wie wir bereits wissen, ermittelte Torsy für das Jahr 1809, daß von 326 Priesteramtskandidaten des Bistums Aachen nur 53 im Seminar studierten, „an Schulen 60, in privater Vorbereitung 213"[25]. Die dahinter stehende Situation hat Hegel zusammenfassend beschrieben[26]: „Da das Diözesanseminar mit seinen geringen Möglichkeiten nicht alle Priesterkandidaten so ausbilden konnte, wie es erforderlich war, ließ man auch privates Studium zu. Peter Laurenz Westhoven, ein ehemaliger Augustiner in Köln, gab z. B. theologischen Privatunterricht für angehende Priester. Ein bedeutenderes, privates Theologiestudium gab es in Aachen. Es war hervorgegangen aus dem philosophisch-theologischen Studium, das zuletzt die Franziskaner geleitet und seit der Besetzung Aachens durch die Franzosen in ihrem Kloster weitergeführt hatten[27]. Die Säkularisation des Klosters im Jahre 1802 bereitete dem Studium ein vorläufiges Ende, bis Bischof Berdolet die bisherigen Dozenten bat, die Vorlesungen weiterzuführen. Philosophie dozierte Johann Theodor Mürckens (1773–1848), Dogmatik und Moral Bernardin Ackermann (1764–1840) und – seit 1808 – Leonhard Alois Nellessen (1783–1859); Bibelwissenschaft wurde von Johann Kaspar Schmal (1757–1816) gelehrt. Berdolet stellte Schmal als Pfarrer an der Nikolauskirche an, der ehemaligen Franziskanerklosterkirche, und Ackermann und Mürckens als Kapläne. Ihren theologischen Unterricht bezeichnete er als Teilveranstaltung des Diözesanseminars. In dieser rechtlichen Konstruktion konnte sich das Aachener Theologiestudium bis 1827 halten. Die Vorlesungen scheinen in den Wohnungen der Dozenten stattgefunden zu haben. Aber es gab auch gemeinschaftliche Veranstaltungen wie die öffentlichen Disputationen am Ende des Schuljahres, mit denen man sich der Öffentlichkeit vorstellte. Das Bildungsziel dieser Studieneinrichtung war auf die praktische Seelsorge abgestellt." Es ist nicht zu übersehen, daß der streng kirchliche, auf seiten des gefangenen Erzbischofs Droste zu Vischering stehende Aachener Priesterkreis während der „Kölner Wirren" nach 1837 dem Lehrkörper und der Studentenschaft dieses Aachener Studiums entstammte.

Besonders unerfreulich stand es um die Priesterausbildung während der französischen Zeit auf dem rechten Rheinufer, auf dem das alte Erzbistum Köln fortbestand. Die unübersichtlichen und wechselnden Gegebenheiten hat wiederum Eduard Hegel in eine zusammenfassende Übersicht gebracht[28]: „Zunächst hatte sich das Domkapitel in Arnsberg nach dem Verlust des linksrheinischen Diözesangebietes um eine Ausbildungsmöglichkeit im Rechtsrheinischen bemüht. Es plante im Jahre 1802 ein Priesterseminar im Augustinerchorherrenstift Ewig bei Attendorn, das mit den rechtsrhei-

---

[25] Ebd., S. 188 – Vgl. oben S. 27
[26] Hegel, Erzbistum, Bd. 4, S. 525
[27] Über das Aachener philosophisch-theologische Studium: Franz August Müller, Das philosophisch-theologische Studium in Aachen 1774–1827 (kath.-theol. Diss., Maschinenschrift), Bonn 1945
[28] Hegel, Erzbistum, Bd. 4, S. 542 ff.

nischen Gütern des Kölner Priesterseminars dotiert werden sollte[29]. Das Stift zählte außer dem Prior drei Patres und einen Novizen, so daß in den weiträumigen Gebäuden genügend Platz für die Aufnahme des Seminars vorhanden war. Die Augustinerchorherren erklärten sich auch damit einverstanden.

Dagegen war es schwierig, einen Leiter für die geplante Anstalt zu bekommen; Seminarpräses Peter Joseph Förster (1762–1812) in Köln lehnte ab[30], ebenso der als Dozent am Kölner Seminar amtierende Johann Jakob Iven (1775–1853)[31]. Am 13. September 1802 konnte dann das Domkapitel den Bonner Kanonikus und Landdechanten Johann Adolf Joseph Carl Freusberg (1732–1811) zum Präses ernennen. Er war gebürtiger Sauerländer und hatte 1794 zusammen mit Kurfürst Max Franz Bonn verlassen, um nicht wieder dorthin zurückzukehren. Im Gegensatz zu den an erster Stelle Befragten stand Freusberg schon in hohen Jahren und war wohl schon deshalb wenig für die Leitung eines Priesterseminars geeignet. Er brauchte sie aber auch gar nicht anzutreten, denn am 19. Oktober beschlagnahmte die fürstliche Regierung von Nassau-Usingen die rechtsrheinischen Seminargüter, und am 22. Oktober 1803 wurde Stift Ewig durch den Großherzog von Hessen säkularisiert. Dem neuen Seminar war die materielle und räumliche Grundlage entzogen, bevor es ins Leben getreten war."

Über einen weiteren Versuch, für das rechtsrheinische Gebiet des Erzbistums zu einer Priesterausbildungsstätte zu kommen, berichtet Hegel: das philosophisch-theologische Studium in Düsseldorf, das seit 1787 bestand[32]: „Als die Anstalt 1803, zusammen mit einem juristischen Ausbildungsgang, als Akademie organisiert wurde, wies sie nur minimalen Besuch auf und genoß wenig Ansehen. Da die theologischen Vorlesungen im gleichen Jahr unterbrochen wurden, mußten alle, die geistliche Ämter oder Benefizien erhalten wollten, gemäß einer Verordnung vom Jahre 1804 ihre Studien an der Universität Würzburg vollenden. 1805 wurde der Lehrbetrieb in Düsseldorf wieder aufgenommen. Die Vorlesungen fanden nicht mehr wie früher im Kreuzherrenkloster, sondern im bisherigen Franziskanerkloster statt. Der einzige akademische Lehrer in Theologie, der alle wichtigen Fächer vortragen mußte, war der ehemalige Bonner Kanonist Philipp Hedderich ... Nach seinem 1808 erfolgten Tode verfügte das Düsseldorfer Theologiestudium über vier Dozenten. Alle waren säkularisierte Ordensleute, darunter zwei Franziskaner, die früher schon in Düsseldorf gelehrt hatten, nämlich Innozenz Peters und Ildefons Schmitz; der erste trug Dogmatik und Kirchengeschichte vor, der zweite, der auch als Pfarrer an St. Max amtierte, Kirchenrecht. Moraltheologie dozierte der ehemalige Kamper Zisterzienser und derzeitige

---

29 Das „Projekt Ewig" schildert auf der Grundlage von Archivalien auch Unkel, S. 196 ff.

30 Unkel ermittelte als Grund (S. 199): „Foerster lehnte aber, weil in Köln noch um die Existenz des Seminars gekämpft wurde und er deshalb unentbehrlich war, das Anerbieten ab"

31 Iven war später in den „Kölner Wirren" das einzige Erzbischof Droste uneingeschränkt loyale Mitglied des Kölner Domkapitels. Der Papst ernannte ihn deshalb 1841 nach dem Tode des Generalvikars Hüsgen zum Generalvikar des abwesenden Erzbischofs: Norbert Trippen, Das Domkapitel und die Erzbischofswahlen in Köln 1821–1929 (=Bonner Beiträge zur Kirchengeschichte, Bd. 1), Köln–Wien 1972, S. 86 ff. u. 526 (Reg.)

32 Hegel, Erzbistum, Bd. 4, S. 543 f.

Kaplan Karl Crepong. Ein früherer Ordensbruder und Schüler Hedderichs, Friedrich Hirsch[33], lehrte Pastoraltheologie; er war seit 1803 Inspektor der Elementarschulen in Düsseldorf und behielt diese Aufgabe, die mit der Leitung einer Musterschule, Ausbildung und Prüfung der Lehrer und schulorganisatorischen Verpflichtungen verbunden war, auch weiterhin bei.

Als das Herzogtum Berg 1806 vom Hause Wittelsbach an Napoleons Schwager Joachim Murat übergegangen und in erweitertem Umfang zum Großherzogtum erklärt worden war, wurde der Plan erörtert, in Düsseldorf eine Landesuniversität zu errichten, an der auch die theologisch-wissenschaftliche Ausbildung der künftigen Priester stattfinden sollte. Hedderich scheint dafür Personalvorschläge gemacht zu haben. Die Dotation der geplanten Hochschule sollte u. a. aus den Mitteln der Düsseldorfer Akademie, des Gymnasium academicum in Emmerich und der aufzuhebenden Duisburger Universität bestehen. Das Vorhaben erledigte sich dadurch, daß im Mai 1808 ein Teil des Münsterlandes dem Großherzogtum Berg zufiel und nun die bereits bestestehende Universität Münster die Rolle einer Landesuniversität übernehmen konnte. Auch dieser Zustand war nur von kurzer Dauer, denn im Dezember 1810 wurde das Münsterland dem französischen Kaiserreich einverleibt. Das Großherzogtum Berg wurde nach dem Thronverzicht Murats seit dem 7. August 1808 und während der Minderjährigkeit seines Nachfolgers, des kaiserlichen Neffen Louis Napoleon, von Napoleon selbst regiert. Dieser errichtete durch Dekret vom 17. Dezember 1811 eine bergische Landesuniversität in Düsseldorf. Sie sollte unter ihren fünf Fakultäten je eine für katholische und für protestantische Theologie erhalten. Auch durch diese Maßnahme wurde nichts an dem bestehenden, unzulänglichen Vorlesungsbetrieb geändert. Napoleon gestattete daher den Düsseldorfer Studenten der katholischen Theologie am 30. Dezember 1812, ihre Studien am Kölner Priesterseminar fortzusetzen. Damit war faktisch das Ende des Düsseldorfer ‚Studium theologicum‘ gekommen.“

2. Das Seminar unter preußischer Herrschaft bis zur Wiedererrichtung des Erzbistums Köln

Die Angliederung der Rheinlande an Preußen im Jahre 1815 hatte für den Bereich des alten Erzbistums Köln nicht sofort einschneidende Folgen. Die kirchlichen Strukturen, wie sie sich unter französischer Herrschaft entwickelt hatten – das linksrheinische Bistum Aachen und das Erzstift-Kölnische Generalvikariat in Deutz für die rechtsrheinischen Gebiete – blieben vorerst erhalten. Sie hatten es auf staatlicher Seite mit zwei Provinzbehörden, den Oberpräsidien in Köln (für die Provinz Jülich-Cleve-Berg) und in Koblenz (für die Provinz „Großherzogtum Niederrhein“) zu tun. Erst im Jahre 1822 wurden beide Provinzen zur „Rheinprovinz“ mit dem Oberpräsidium in

---

[33] Friedrich Hirsch wurde bei Wiedererrichtung des Erzbistums Köln nach 1821 als Kandidat für eine Stelle im Kölner Domkapitel und für das Amt des Weihbischofs vorgeschlagen: Trippen, Domkapitel, S. 30 u. 525 (Reg.)

Koblenz vereinigt[34]. Für die kirchlichen Verhältnisse war von einschneidender Bedeutung, daß noch über die Neuregelung der Staat-Kirche-Beziehungen durch die Bulle „De salute animarum" von 1821 hinaus auf dem linken Rheinufer das französische Recht fortgalt – nun allerdings unter Auslegung und Anwendung durch preußische Behörden. Das hatte zur Folge, daß die kirchlichen Verhältnisse auf dem linken und rechten Rheinufer noch lange beachtliche Unterschiede aufwiesen.

Für das Seminar blieben bis zum Amtsantritt Erzbischof Spiegels 1825[35] die wirtschaftlichen Verhältnisse wie das Lehrangebot unverändert bedrückend. Dabei hat es an der Fürsorge und unermüdlichem Einsatz des Aachener Generalvikars Fonck[36] für das Seminar nicht gefehlt. Im Herbst 1815 wurden dem Seminar sogar neue Statuten verordnet, deren Tendenz Unkel zusammenfassend dargestellt hat[37]: „Sie bezweckten im allgemeinen die Befestigung des Geistes ernster Frömmigkeit und strenger Disziplin. Im einzelnen ist nur folgendes zu bemerken: Die Alumnen mußten im Winter um 5, im Sommer um 4½ Uhr aufstehen und beim Morgengebete sowie auch mittags und abends eine Gewissensforschung halten. Das Tabakrauchen war verboten; die Verpflegungskosten mußten vierteljährlich vorausbezahlt werden. Alle Satzungen verpflichteten unter einer Sünde."

Zu diesem frühen Zeitpunkt hoffte Generalvikar Fonck noch darauf, daß die preußische Universität für die rheinischen Provinzen in Köln errichtet werde, eine Idee, die auch von Ferdinand Franz Wallraf und anderen einflußreichen Kölner Persönlichkei-

---

34 Zu den preußischen Provinzialbehörden im Rheinland seit 1815: Max Bär, Die Behördenverfassung der Rheinprovinz seit 1815 (= Publikationen der Gesellschaft für Rheinische Geschichtskunde, Bd. 35), Bonn 1919 – Oberpräsidenten dieser Zeit waren: Friedrich Graf zu Solms-Laubach für die Provinz Jülich-Kleve-Berg in Köln 1816–1822 (d.h. bis zu seinem Tode) und Karl Freiherr von Ingersleben 1816–1822 für die Provinz „Großherzogtum Niederrhein" in Koblenz, ab 1822 bis zu seinem Tode 1831 für beide Provinzen, die ab 1822 zur „Rheinprovinz" vereinigt wurden (Zu Ingersleben: Stephan Skalweit, in: NDB 10 [1974], S. 172f.)

35 Ferdinand August Graf Spiegel zum Desenberg und Canstein (1764–1835), 1799–1825 Domdechant in Münster, 1813–1815 Kapitularvikar in Münster, 1825–1835 Erzbischof von Köln: Walter Lipgens, Ferdinand August Graf Spiegel und das Verhältnis von Kirche und Staat 1789–1835, 2 Bände, Münster 1965; Eduard Hegel, in: Gatz, Bischofslexikon (vgl. oben Anm. 4), S. 716–721; Rudolf Lill, Der Bischof zwischen Säkularisation und Kulturkampf (1803–1885), in: Peter Berglar und Odilo Engels (Hrsg.), Der Bischof in seiner Zeit. Bischofstypus und Bischofsideal im Spiegel der Kölner Kirche. Festgabe für Joseph Kardinal Höffner, Erzbischof von Köln, Köln 1986, S. 349–396, hier: S. 358–364; Eduard Hegel, Das Erzbistum Köln zwischen der Restauration des 19. Jahrhunderts und der Restauration des 20. Jahrhunderts (= Eduard Hegel [Hrsg.], Geschichte des Erzbistums Köln, Bd. 5), Köln 1987, S. 49–55

36 Martin Wilhelm Fonck (1752–1830), 1802–1825 Generalvikar des Bistums Aachen, 1825–1830 Dompropst in Köln: Torsy, S. 101 u. 332 (Reg.); Trippen, Domkapitel, S. 28f. u. 523 (Reg.)

37 Unkel, S. 202 – Text der „Statuta Seminarii Archi-Dioecesis Coloniensis a Reverendissimo Ordinariatu approbata" vom 10. 11. 1815 und des „Ordo diurnus specialis" vom 17. 9. 1815 (unterzeichnet von Brouhung): HAEK–CR 8 A 1.1,1, Bl. 63–66

ten gefördert wurde[38]. Falls es dazu kam, hatte Fonck eine Vorstellung über die Priesterausbildung entwickelt, die der damaligen Wirklichkeit weit vorauseilte und einen Vorgriff auf die tatsächliche Entwicklung darstellte[39]: „Kam nun die Universität nach Köln, so sollten die Kandidaten des geistlichen Standes die Vorlesungen der theologischen Fakultät besuchen. Für diesen Fall erachtet es aber der Kapitularvikar als durchaus notwendig, daß dieselben von dem Zeitpunkte an, wo sie sich für das Studium der Theologie entscheiden, sofort ins Seminar eintreten, um unter der Leitung der geistlichen Vorsteher zu leben, und beantragt deshalb, es möchte dem Seminar anstatt des bisherigen allzu beschränkten und ungesunden Gebäudes das ehemalige Minoritenkloster eingeräumt werden, welches die französische Regierung nebst der Kirche der Armenverwaltung zum Zwecke der Einrichtung einer Arbeitsanstalt geschenkt hatte."

Doch diese Pläne zerschlugen sich. Preußen errichtete die Universität in Bonn und zog bei der Einrichtung der katholisch-theologischen Fakultät[40] das Aachener Generalvikariat als kirchliche Autorität nicht zu. Die Kölner Armenverwaltung lehnte die Freigabe von Minoritenkloster und -kirche ab. Das als Ersatz angebotene Mauritiuskloster war noch kleiner als das Seminargebäude auf dem Domhof und zudem zu entlegen. Erst Erzbischof Spiegel sollte es gelingen, im ehemaligen Jesuitenkolleg ein neues Gebäude für das Seminar zu erhalten. Vorerst mußte man die bedrückend engen und ungesunden Lebensverhältnisse des alten Seminars sowie das Externenwesen weiter ertragen.

Während das Leben im Seminar, das Lehrangebot und die äußeren Verhältnisse in dem Jahrzehnt von 1815 bis 1825 ziemlich unverändert blieben, spielte sich gleichzeitig eine heftige Auseinandersetzung zwischen Generalvikar Fonck und den Oberpräsidenten um den Einfluß des preußischen Staates auf die Kleruserziehung ab. Es ging um zwei Gegenstände: einmal übernahm der preußische Staat die napoleonischen Rechtsbestimmungen bezüglich des Seminars einschließlich der Dotation der Freistellen und beanspruchte daraus nicht nur die Oberaufsicht, sondern weitestgehende Mitbestimmung über die Wirtschafts- und Vermögensverwaltung des Seminars. Einschneidender aber waren noch die Versuche der Behörden, durch staatliche Prüfungen den Zugang zum Priesterseminar und zu den Weihen der Kontrolle des Staates zu unterwerfen.

---

38 Unkel, S. 202, der sich stützt auf Leonhard Ennen, Zeitbilder aus der neueren Geschichte der Stadt Köln mit besonderer Rücksicht auf Ferdinand Franz Wallraf, Köln 1857, S. 250 ff.

39 Unkel, S. 202–204, hier: S. 204 – Daß Fonck kein grundsätzlicher Gegner von Universitätsstudien war, hat bereits Torsy ermittelt: Jakob Torsy, Die katholische Kirche am linken Ufer des Niederrheins im ersten Jahrzehnt der preußischen Herrschaft (1814–1825), maschinenschriftliches Manuskript im Besitz des Autors aus dem Jahre 1945, S. 187. Herr Dr. Torsy war so freundlich, den Verfasser in sein Manuskript Einsicht nehmen zu lassen. Ihm sei für diese Hilfestellung gedankt (Künftig zitiert: Torsy, Preußische Zeit)

40 Heinrich Schrörs, Geschichte der katholisch-theologischen Fakultät zu Bonn 1818–1831 (=Veröffentlichungen des Historischen Vereins für den Niederrhein, Bd. 3), Köln 1922, vor allem: S. 116–126

Unkel hat diesen Kampf Foncks mit den preußischen Behörden auf der Basis kirchlichen Archivmaterials recht einseitig als ungehemmte Ausübung staatlicher Kirchenhoheit dargestellt[41]. Die Zuziehung des staatlichen Aktenstranges führt zu einem differenzierteren Bild[42]. Es ist richtig, daß der Staat die Geistlichen als Volkserzieher betrachtete, deren Ausbildung er nicht der Kirche überlassen, sondern möglichst in eigene Regie übernehmen, oder doch wenigstens seiner Aufsicht unterwerfen wollte. Andererseits spürt man beim Studium der staatlichen Akten, daß die Auflagen für die Kleruserziehung Teil jener Reformbestrebungen waren, die in jenen Jahren von hohen Beamten ausgingen und eine Erneuerung des Staates und der Gesellschaft durch vielfältige Reformen „von oben“ intendierten[43]. Man kann die Ansprüche des Staates an die Kleruserziehung als den die Kirche betreffenden Teil der neuhumanistischen Bestrebungen verstehen, die in der Humboldtschen Universitäts- und Bildungsreform ihre Konkretisierung fanden.

Bei Durchsicht des staatlichen Materials wird zudem deutlich, wie die untergeordneten Provinzbehörden in der Verfolgung des Anliegens härter waren als der Kultusminister von Altenstein[44] in Berlin, der bei aller Verfolgung staatlicher Interessen durchaus Verständnis für die Eigengesetzlichkeit der Kirche zeigte. Auch darf nicht übersehen werden, daß die Neuordnung und Anhebung der Bildung des Klerus im Interesse der Kirche lag, so sehr es ihr zunächst einmal um die Behebung des Priestermangels gehen mußte und die Ansprüche des Staates mit den institutionellen und personellen Gegebenheiten am Ende der französischen Wirren nicht zu realisieren waren. Es lohnt, diesen frühen Kampf zwischen preußischem Staat und katholischer Kirche um die Abgrenzung gegenseitiger Rechtsbereiche näher anzuschauen. Dabei

---

[41] Unkel, S. 206–226. Die von Unkel benutzten Seminar- und Generalvikariatsakten sind leider im Historischen Archiv des Erzbistums Köln nicht mehr aufzufinden. Die Zitate aus staatlichen Schriftstücken lassen sich anhand der von Unkel nicht benutzten Oberpräsidialakten in Koblenz als korrekt wiedergegeben nachweisen

[42] Es handelt sich um folgende Akten des Landeshauptarchivs Koblenz (LHA-Ko):
Abteilung 402: Oberpräsidium des Großherzogtums Niederrhein
352 Die Beaufsichtigung der Prüfungen, welchen die Kandidaten des geistlichen Standes seitens der geistlichen Behörde sich unterwerfen müssen. Bd. 1: Jan. 1818
353 Desgleichen, Bd. 2: August 1820
441 Die Prüfung der römisch-katholischen Kandidaten des geistlichen Standes. Mai 1821
Abteilung 403: Oberpräsidium der Rheinprovinz
949 Die Prüfung der römisch-katholischen Kandidaten des geistlichen Standes. 1822–1828
954 Zulassung der römisch-katholischen Kandidaten der Theologie zu den heiligen Weihen. 1820–1853
1009 Die Freibursen im bischöflichen Seminar in Köln. 1823–1827

[43] Vgl. Thomas Nipperdey, Deutsche Geschichte 1800–1866. Bürgerwelt und starker Staat, München 1984, S. 31–69, vor allem ab S. 56

[44] Karl Sigismund Franz Freiherr vom Stein zum Altenstein (1770–1840), preußischer Minister der Geistlichen, Medizinal- und Unterrichtsangelegenheiten (=Kultusminister) 1817–1840: Reinhard Lüdicke, Die preußischen Kultusminister und ihre Beamten im ersten Jahrhundert des Ministeriums 1817–1917, Stuttgart und Berlin 1918, S. 4

kann die staatliche Einflußnahme auf die Wirtschafts- und Vermögensverwaltung des Seminars kurz behandelt werden.

Wie Unkel schildert[45], „beanspruchte ... die Staatsregierung ‚wegen der Zuschüsse, die aus Staats- und Gemeindekassen zu den Fonds des Seminarii fließen'[46] und vermöge seines angeblichen Oberaufsichtsrechtes, insbesondere aber auf Grund der französischen Dekrete vom 30. Dezember 1809 und 6. November 1813 über die Erhaltung und Verwendung der geistlichen Güter[47] das Recht, die Verwaltung des Seminars eigenmächtig zu ordnen und über Einnahmen und Ausgaben die genaueste Rechenschaft zu fordern"[48]. Wie sehr sich der Staat in possessione fühlte, wurde schon daran erkennbar, daß die Briefe der Oberpräsidien an Fonck mehrfach an den „Königlichen Generalvikar" bzw. an „Ein Königliches Hochwürdiges Generalvikariat" gerichtet waren[50]. Foncks Widersprüche gegen die Forderungen der Provinzbehörden führten zur Einschaltung Minister Altensteins, „der unter Berufung auf das ius circa sacra, das Dekret vom 6. November 1813 und den staatlichen Zuschuß für das Seminar den Kapitularvikar am 2. Januar 1821 anwies, den Anordnungen des Oberpräsidenten hinsichtlich der Vermögensverwaltung des Seminars, gegen welche ‚ein nur einigermaßen zu rechtfertigender Grund nicht denkbar' sei, Folge zu geben. Dieser Entscheidung der höchsten Instanz gegenüber blieb Fonck kein Ausweg mehr. Am 17. Februar 1821 ermächtigte er den Ökonomen, dem Konsistorial-Assessor von Groote, der vom Oberpräsidenten mit der Ausführung der ministeriellen Verordnungen über die Vermögensverwaltung des Seminars beauftragt war, genaue Auskunft über das gesamte Seminarvermögen zu geben".

Bedenklicher als der Einfluß des Staates auf die relativ unbedeutenden wirtschaftlichen Verhältnisse des Seminars war seine Einflußnahme auf die Zulassungsbedingungen für Seminaristen und später die Kontrolle über die Zusammensetzung des Lehrkörpers[51]. Bereits in französischer Zeit hatte das Generalvikariat in Aachen eine Prüfung der Kanidaten vor Eintritt in das Priesterseminar angeordnet, um angesichts der sehr unterschiedlichen, oft mangelhaften Vorbildungsmöglichkeiten der Kandidaten ein bescheidendes Mindestniveau zu sichern. Am 23. Oktober 1817 hatte Friedrich Wilhelm III. die Provinzialkonsistorien beauftragt, diese Prüfungen zu beaufsichti-

---

45 Unkel, S. 208 f.

46 Gemeint waren vor allem die seit 1808 gewährten 14 ganzen und 28 halben Freistellen für Seminaristen

47 Décret impérial concernant les fabriques. Du 30 décembre 1809: F. P. Hermens, Handbuch der gesamten Staatsgesetzgebung über den christlichen Kultus und über die Verwaltung der Kirchengüter und -Einkünfte in den Königl. Preuß. Provinzen am linken Rheinufer, 4 Bände, Aachen und Leipzig 1833 bis 1852, hier: Bd. 2 (1833), S. 412–475; Décret impérial sur la conservation et administration des biens que possède le clergé dans plusieurs parties de l'empire. Du 6 novembre 1813: ebd, Bd. 2 (1833), S. 554–572

48 Unkel (S. 208) stützt sich auf ein Schreiben des Kölner Oberpräsidenten von Solms-Laubach an das Generalvikariat Aachen vom 25. 11. 1819 (in HAEK nicht auffindbar)

49 entfällt

50 Beispiele dafür finden sich in den in Anm. 42 genannten Aktenstücken des LHA-Ko

51 Vgl. dazu die Zeit ab 1825, besonders unten S. 65 f.

gen[52]. Daraufhin befragte Oberpräsident von Ingersleben in Koblenz bereits am 15. Januar 1818 die Generalvikariate seiner Provinz nach den Prüfungsterminen, „damit ich in Hinsicht der Beaufsichtigung dieser Prüfungen das Weitere verfügen kann"[53].

Nach ersten Reaktionen aus Aachen und Deutz bat Ingersleben den Kultusminister am 19. März 1819 um nähere Instruktionen für seine Aufgabe bei den Prüfungen[54]: „Seit zwei Jahren habe ich hinlängliche Gelegenheit gehabt, mich aufs genaueste zu überzeugen, wie ungebildet, ununterrichtet, ja verwahrlost die meisten Kandidaten des geistlichen Standes in die bischöflichen Seminarien eintreten, wie die wenigsten von ihnen vorher ein ordentliches Gymnasium besuchen, auf welchem sie sich zu den theologischen Studien gründlich vorbereiten könnten, und mit wie geringen Kenntnissen ausgerüstet die Mehrzahl der Kandidaten zu den höheren Weihungen zugelassen wird."[55]

Der Kölner Oberpräsident Graf zu Solms-Laubach hatte bereits am 5. Februar 1818 dem Minister gegenüber daran erinnert, daß es bei der Prüfung der Kandidaten auch um deren Freistellung vom Militärdienst gehe, und vorgeschlagen, „eine Prüfungs-Kommission aus Geistlichen und Gymnasiallehrern zusammenzusetzen, vor welcher diese Aspiranten des geistlichen Standes ihre Fähigkeit und Würdigkeit zu demselben zu beurkunden gehalten sind"[56].

Die Antwort Minister Altensteins an Graf Solms vom 26. August 1818[57] ist der erste Beleg dafür, wie in Berlin großzügiger gedacht und entschieden wurde als in den Provinzbehörden: Der Minister hielt die vorgeschlagene Prüfung für „nicht unbedenklich". „Über die Tüchtigkeit und Würdigkeit derer, die sich dem Dienst des Altars widmen wollen, gebührt das Urteil von Rechtswegen der Kirche ... Neben ihrer Prüfung eine Staatsprüfung organisieren wie überhaupt die Prüfungen häufen, halte ich aus mehreren Gründen für bedenklich ..."

Der entscheidende Grund für den Minister war: „Es gibt hier nur eine Alternative, entweder *kein* bischöfliches Regiment oder ein solches, welches mit genugsamer Autorität ausgerüstet ist, und [wohl: um] die Kirche ihrem Ziele entgegenzuführen und Zucht und Ordnung in derselben zu erhalten ... Will man bischöfliches Regiment oder kann man es nicht vermeiden zu haben, so muß man solche Maßregeln meiden, die das Ansehen des Bischofs in den Augen der Klerisei herabsetzen ... Dem Staat bleibt das Recht, auffallende Mißbräuche ... zu beseitigen, und er muß dieses, wenn ihm Anlaß dazu gegeben ist, mit abschreckender Strenge tun. Allein bedenklich ist,

---

52 Es handelt sich um die „Instruktion für die Konsistorien vom 23. Oktober 1817", § 4, Nr. 5: Erwähnt in der Verfügung des Preußischen Staatsministeriums an die Oberpräsidenten vom 31 Juli 1820 (Original): LHA-Ko-402/353, S. 1–4, hier: S. 1

53 Zirkular des Oberpräsidenten von Ingersleben (Koblenz) an die Generalvikariate in Aachen, Deutz und Ehrenbreitstein vom 15. 1. 1818 (Entwurf): LHA-Ko-402/352, S. 1

54 Oberpräsident von Ingersleben an Kultusminister von Altenstein am 19. 3. 1818 (Entwurf): LHA-Ko-402/352, S. 21–27

55 Ebd., S. 26

56 Oberpräsident von Solms-Laubach (Köln) an Kultusminister von Altenstein am 5. 2. 1818 (Abschrift): LHA-Ko-402/352, S. 31–33, hier: S. 32

57 Altenstein an Solms-Laubach am 26. 8. 1818 (Abschrift): LHA-Ko-402/352, S. 41–45

das Recht der Oberherrlichkeit bis zu dem Grad auszudehnen, daß man sich um Einzelheiten kümmert, die man doch unrichtig zu beurteilen Gefahr läuft, wodurch das selbständige Leben der Kirche offenbar verletzt wird."

Zum eigentlichen Gegenstand zurückkehrend, fuhr der Minister fort: „Daß es um die Bildung der Geistlichkeit aber doch auch ohne ein wesentliches Verschulden der geistlichen Obern im rheinischen Lande nicht zum Besten steht, ist mir nicht entgangen. Allein die Prüfungen an und für sich machen die Leute weder gelehrter noch besser. Die Hebung des Übels läßt sich nur von der Vervollkommnung des öffentlichen Unterrichts, von der Vermehrung der Hilfsmittel zum Studium und auch von der Verbesserung der äußeren Lage der Geistlichen erwarten. Nur sehr religiöse Menschen oder äußerst bedrängte werden sich einem Stande widmen, der bei allen Entbehrungen, die er auflegt, bei der mühsamen Vorbereitung, die er fordert, kaum einen solchen Unterhalt gewährt, als den die untersten Diener der Behörden genießen. Unter diesen Umständen kann nicht verhütet werden, daß sich Ungebildete einschleichen, ja es kann der Kirche nicht zum Vorwurf gereichen, wenn sie nur strenge auf echt religiösen Sinn haltend mit dem mindesten Grad der Bildung vorlieb nimmt, weil der Dienst des Altars doch besorgt sein und die Gemein(d)e nicht ohne Pfarrer bleiben will. Der Staat kann erst alsdann mit Fug auf größerer Strenge bestehen, wenn der Kirche die Mittel, sich bessere Geistliche zu verschaffen, wieder gewährt sein werden."

Nach diesen für die Einstellung des preußischen Staates zur katholischen Kirche aufschlußreichen allgemeinen Ausführungen entschied Minister Altenstein, die Prüfung für bereits aufgenommene Seminaristen solle unterbleiben: „Was hingegen die außer dem Seminar dem Studio der Theologie obliegenden betrifft, so finde ich eine Prüfung derselben, aber bloß in allgemein wissenschaftlicher Hinsicht, also mit Ausschluß dessen, was zunächst in das Gebiet der Theologie gehört, *für dieses Jahr* nicht unangemessen ..." Altenstein ermächtigte dann den Oberpräsidenten eine Kommission zu berufen, deren drei Mitglieder er jedoch selbst benannte. „Der Präses des Seminars ... und der Dompfarrer ... können eingeladen werden, daran teilzunehmen. Ich will auch genehmigen, daß bis auf weitere Verfügung niemand in das Seminar aufgenommen und zum Besuch der theologischen Vorlesungen daselbst zugelassen werde, der nicht durch Stimmenmehrheit jener Kommission zu jenem Studio für reif erklärt worden ..."

In Köln fand Anfang November 1818 die Prüfung der Seminaraspiranten vor der vom Minister benannten Kommission statt. Das Ergebnis war nach dem Bericht des Grafen Solms an Minister Altenstein niederschmetternd[58]: „Von 25 Examinaten haben nur vier als bedingt reif anerkannt werden können." Noch während die Prüfung bereits lief, hatte Generalvikar Fonck um Aussetzung gebeten, um mit Minister Altenstein die Rechtslage zwischen Staat und Kirche zu klären[59]. Solms suchte in seinem Bericht an Minister Altenstein die Rechte des Staates zu dieser „Zivilprüfung" sogar

---

[58] Solms-Laubach an Altenstein am 22. 11. 1818 (Abschrift): LHA-Ko-402/352, S. 83-90, hier: S. 90

[59] Ebd., S. 83

mit kirchengeschichtlichen und kanonistischen Argumenten zu begründen. Er äußerte dann eine Befürchtung, wie sich das Aachener Generalvikariat angesichts des Priestermangels aus der Schlinge ziehen würde: „Eine der wichtigsten Fragen aber, die zu entscheiden bleibt, ist die, ob man den Unterschied bloß Messe lesender Priester von den seelsorgenden anerkennen und darauf bei der Aufnahme in das Seminarium Rücksicht nehmen dürfe. Die geistliche Behörde gebraucht diesen Unterschied zum Deckmantel ihrer Sorglosigkeit in Hinsicht auf die wissenschaftliche Bildung der Kandidaten des geistlichen Standes ..."[60] Wenn man diese Unterscheidung zulasse, bleibe nur übrig, neben der Prüfung vor Aufnahme in das Priesterseminar eine zweite staatliche Prüfung vor der Berufung in ein Pfarramt anzusetzen, um einen Bildungsstand der Seelsorger zu garantieren. Dafür bitte er um ministerielle Anweisung. Für die nächsten Jahre bat Solms um Verlängerung der für 1818 getroffenen Regelung mit verschärfenden Konkretisierungen, „jedoch, wenn die geistliche Behörde die Klasse bloß Messe lesender Priester als unentbehrlich anerkennt, [daß die Verordnung dann] dahin beschränkt werde, daß auch die für halbreif erklärten Subjekte von dem Eintritt in das Seminarium nicht ausgeschlossen seien und die gänzliche Ausschließung nur auf die für *unreif* erklärten sich erstrecke"[61]. Schließlich bat Solms um die Bestätigung der Prüfungsergebnisse von 1818 und Verständigung des Generalvikariates in Aachen. „Ich schließe mit der Bemerkung, daß in gleicher Art, wie die 25 ... Aspiranten ohne diese Prüfung vor der Staatsbehörde von dem Präses des Seminars würden aufgenommen sein, die Aufnahme bisher immer stattgefunden hat, und bin Bürge dafür, daß wenn eine ähnliche Prüfung mit den bereits drei Jahre im Seminario unterrichteten Theologen vorgenommen würde, das Resultat nicht um zehn Prozent besser ausfallen wird."[62]

Der Koblenzer Oberpräsident von Ingersleben unterstützte am 7. Januar 1819 die Vorschläge und Anträge des Kölner Kollegen[63]. Doch Kultusminister Altenstein begnügte sich vorerst mit einem hinhaltenden Zwischenbescheid[64]: „Über diesen Gegenstand wird nächstens eine allgemeine Verfügung erfolgen, die mit dem gesamten Staats-Ministerio konzertiert wird. Bis dahin, daß solche erscheint, mögen Sie in der unterm 26. August v.J. verfügten Art der Prüfungen ... fortfahren." Im Sommer 1819 bestätigte das Kultusministerium dem Kölner Oberpräsidenten zunächst nur die Prüfungsergebnisse des Vorjahres, ohne die verheißene neue Anordnung zu treffen[65]. „Hoffentlich wird den anstehenden Herbst die theologische Fakultät zu Bonn organisiert und vollständig besetzt sein. Man kann dann in dem Maße, wie auch die Verbes-

---

60 Ebd., S. 86
61 Ebd., S. 89
62 Ebd., S. 90
63 Ingersleben an Altenstein am 7. 1. 1819 (Entwurf): LHA-Ko-402/352, S. 93 f.
64 Altenstein an Ingersleben am 24. 2. 1819 (Original): LHA-Ko-402/352, S. 95
65 Kultusministerium (i.V. Nicolovius) an Solms-Laubach am 19. 7. 1819 (Abschrift): LHA-Ko-402/352, S. 99–104 – Georg Heinrich Ludwig Nicolovius (1767–1839), Ministerialdirektor im Kultusministerium 1817–1839: Lüdicke, Kultusminister (vgl. Anm. 41), S. 21 f.

serung der katholischen Gymnasien Fortgang gewinnt, die Forderungen in bezug auf Geistesbildung der Geistlichkeit steigern."

Die folgenden Zeilen machen wiederum deutlich, daß man in Berlin realistischer dachte und urteilte als bei den Provinzbehörden im Rheinland: „Dermalen aber kann man diese [die Forderungen an den Bildungsstand der Geistlichkeit] mit Rücksicht auf den Zustand der Bildungsanstalten und auf die gedrückte Lage, in welcher sich der Klerus befindet, etwas mäßiger stellen. Bei der im vorigen Herbst vorgenommenen mündlichen Prüfung scheint mir in dieser Hinsicht nicht ganz der richtige Maßstab angelegt worden zu sein." Es sei z. B. eine Überforderung, bei dieser Prüfung zü verlangen, „Klopstocks Ode ‚Die Frühlingsfeier' aus dem Stegreife zu lesen und zu erklären." „Gegenstände der neuen, im September d. J. anzustellenden Prüfung würden sein: die deutsche, lateinische und griechische Sprache, auch alte, besonders griechische und römische Geschichte, mit welcher es jedoch bei der bekannten Dürftigkeit des Unterrichts darin nicht gar zu strenge zu nehmen ist. Ein gleiches gilt vom Griechischen." Nach Benennung der Kommissionsmitglieder für 1819 wurde noch verfügt: „Alle seit vorigem Herbst zum Seminar aufgenommenen Zöglinge sind dieser Prüfung zu unterwerfen." Man schien in Berlin bereits zu wissen, daß Generalvikar Fonck sich über die katastrophalen Examensergebnisse hinweggesetzt und die Bewerber nach seinem Ermessen in das Seminar aufgenommen hatte.

Wie klar und großzügig der den Kultusminister vertretende Ministerialdirektor Nicolovius die augenblickliche Notlage von der grundsätzlichen Problematik unterschied und deshalb zu anderen Konsequenzen kam als die Oberpräsidenten in der Provinz, machen die weiteren Ausführungen deutlich[66]: „Ich statuiere diese Prüfung als etwas Außerordentliches mit Rücksicht auf den dermaligen beklagenswerten Zustand des Klerus und seiner Bildungsanstalten, indem ich überzeugt bin, daß von der Zeit ab, wo auf allen Gymnasien nebst einem besten Unterricht die Abiturientenprüfungen eingerichtet, die theologische Fakultät zu Bonn gehörig besetzt und die bischöflichen Seminarien auf ihren eigentlichen Beruf, die rein geistliche Ausbildung der angehenden Geistlichen, zurückgeführt sein werden, die Prüfung der Aspiranten zum geistlichen Stande den kirchlichen Behörden, denen sie ihrem Wesen nach und verfassungsmäßig zukommt, auch ohne Bedenken wird können überlassen werden. Unter diesen Umständen, und da man hoffen darf, in diesem Herbste mit der Besetzung der theologischen Lehrstellen zu Bonn zustande zu kommen, ist es nicht nötig, auf Ew. Hochgeboren Anträge allgemeinen Inhaltes, die sich ohnehin bei der Organisation des Bistums [Köln] erledigen werden, besonders zu verfügen."

Daß man auf kirchlicher Seite selbst an einer gediegenen Bildung des Klerus interessiert war und nur ein erträgliches Arrangement mit den augenblicklichen Verhältnissen suchte, machte eine Eingabe des weniger in den Kampf verwickelten Deutzer Generalvikars von Caspars zu Weiß an den Grafen Solms deutlich[67]: Zwar habe der

---

66 LHA-Ko-402/352, S. 102 f.

67 Generalvikar Caspars zu Weiß (Deutz) an Solms-Laubach am 13. 11. 1818 (Abschrift): LHA-Ko-402/352, S. 77–82 – Johann Hermann Joseph Freiherr Caspers zu Weiß (1744–1822), 1796

König selbst wohl die Vorschriften für die Abiturprüfungen von 1812 als Maßstab gewünscht. Doch müsse man die Bildungsmöglichkeiten bis 1815 im Auge behalten. „Zudem ist das Vermögen der mittleren und geringeren Klasse der Staatsbürger, die beinahe einzig Kandidaten für die katholische Geistlichkeit liefert, so gesunken, daß es den meisten Eltern aus diesen Klassen unmöglich wird, ihre Söhne so viele Jahre hindurch auf Gymnasien studieren zu lassen. Sie sind froh, irgend in ihrer Nachbarschaft jemanden aufzufinden, der die zum Studieren Lust tragenden in den ersten und unentbehrlichsten Grundsätzen unterrichtet und diesen dann doch nicht mehr beibringen kann, als er selbst gelernt hat. Ich stelle es hierbei gar nicht in Abrede, daß eine Verbesserung des Unterrichts heilsam und notwendig sei; allein ich glaube, daß man dort keine Früchte pflücken könne, wo noch gar nicht gepflanzt worden ..."

Mehr grundsätzlich bemerkte Caspars: „Betrachtet man den geistlichen Stand in der katholischen Kirche, so ist allerdings zu wünschen, daß jene, welche sich diesem Stande widmen wollen, recht viele und ausgebreitete Kenntnisse haben, indem die Wissenschaften sich schwesterlich einander die Hand bieten; allein im allgemeinen ist diese vielseitige Bildung dem katholischen Geistlichen nicht wesentlich notwendig, denn nicht alle sind zu Volkslehrern bestimmt. Ist der zur Seelsorge Angeordnete mit den Grundsätzen seiner Religion ganz vertraut, so wird er seine Gemeinde schon dadurch zu treuen Untertanen, guten Bürgern und rechtschaffenen Christen bilden ..."

Man hat den Eindruck, daß Ministerialdirektor Nicolovius trotz aller unterschiedlichen Positionen und Intentionen mit der Sicht Caspars' mehr anfangen konnte als mit den überzogenen Vorschlägen der Oberpräsidenten, die zu sehr von den nun einmal gegebenen Realitäten abstrahierten. Einen Tag nach seinem Bescheid an Solms-Laubach in Köln antwortete er auch Ingersleben in Koblenz auf dessen 15 Monate zurückliegende Bitte um eine Instruktion für die Prüfungen[68]: Sie unterständen wie das kirchliche Leben überhaupt der Oberaufsicht des Staates durch die Oberpräsidenten. Allerdings: „Direktes Einwirken auf das Prüfungsgeschäft, welches seiner Materie nach der Kirche anheimfällt, ist mit dieser Aufsicht nicht bezielt, sondern nur Verhütung und Entfernung jener schädlichen Mißbräuche ... Die geistlichen Obern sind verpflichtet, die Namen derjenigen, denen sie das Prüfungsgeschäft übertragen, dem Oberpräsidio anzuzeigen, auch solche Männer von diesem Geschäfte zu entfernen, denen die Staatsbehörde in bürgerlicher Hinsicht kein Zutrauen schenkt." In strittigen Fällen sei das Ministerium einzuschalten. „Ebenso müssen die geistlichen Obern dem Oberpräsidio halbjährlich die Namen der geprüften und zu den höheren Weihungen aufgenommenen Kandidaten nebst deren Lebenslauf, von ihnen selbst abgefaßt, mitteilen." Für die Zukunft kündigte Nicolovius an: „Es ist nächstens eine königliche Verfügung zu erwarten, welche die Dienstinstruktion der Konsistorien erläutern und auch [für] alle diese Artikel, die noch in der Beratung sind, die nötigen Festsetzungen enthalten wird." Das sollte allerdings noch ein ganzes Jahr dauern.

Domkapitular in Köln, 1801–1822 Kapitularvikar zunächst in Arnsberg, später in Deutz: Eduard Hegel, in: Gatz, Bischofslexikon (vgl. Anm. 4), S. 94

68 Nicolovius an Ingersleben am 20. 7. 1819 (Original): LHA-Ko-402/352, S. 107f.

Die Oberpräsidenten in Köln und Koblenz mußten die zeitlich parallelen, inhaltlich jedoch völlig verschiedenen Instruktionen verunsichern, zumal sie sich untereinander über entsprechende Eingaben und Bescheide aus Berlin ständig auf dem Laufenden hielten[69]. Während in Köln eine staatliche Prüfungskommission unter beratender Zuziehung von Regens und Dompfarrer eingesetzt wurde und ihre Beschlüsse den Aachener Generalvikar binden sollten, wurde dem Koblenzer Oberpräsidenten, der es in erster Linie mit dem Trierer Seminar zu tun hatte, bedeutet, die Prüfung sei ein kirchliche Angelegenheit, bei der sich – einschließlich der Bestellung der Kommissionen – der Staat auf die Aufsicht und die Abstellung von Mißbräuchen zu beschränken hätte. Es gelang Solms-Laubach und Ingersleben nicht, in Berlin eine Klärung in einer Richtung herauszulocken. Sie versuchten weiter unermüdlich, wenn auch vergeblich, sich zu möglichst strengem und weitreichenden Vorgehen ermächtigen zu lassen.

Dabei scheint Solms über den Bereich der Aufnahmeprüfungen hinaus gegangen zu sein. Unkel berichtet[70]: „So verlangte er ... am 28. Oktober 1818 genaueste Auskunft über ‚die inneren Verhältnisse des Seminars, über Lehrer, Lektionsplan, wissenschaftliche Reife der Kandidaten bei Empfang der Weihen‘. Das ‚Winkelunterrichtswesen‘, d. h. den Privatunterricht in Philosophie und Theologie an Kandidaten, welche außerhalb des Seminars lebten, wünscht er abgeschafft zu sehen und ersucht um Vorschläge, wie die Philosophie in den Seminarunterricht aufgenommen und einem erprobten Manne übertragen werden könne ... Als der Präses über den gesundheitsgefährlichen Zustand des Seminargebäudes Klage führte, *ordnet der Oberpräsident an,* daß täglich morgens die Fenster geöffnet werden sollen, um der frischen Luft Zutritt zu gewähren, und erachtet es für *seine* Sache, dafür zu sorgen, daß die Seminaristen öfters ins Freie geführt werden und daß dieselben für den Unterricht auf Grund eines dreijährigen Kursus in drei Zöten eingeteilt werden. Wie diese Reformen ins Werk zu setzen, darüber begehrt er das ‚Gutachten‘ des Präses.“

Nicht alle diese Insinuationen des Grafen Solms an Präses Brouhung waren von staatskirchenhoheitlichen Vorstellungen diktiert. Dahinter stand auch die Absicht, die lästigen Petitionen wegen eines anderen Seminargebäudes abzuschütteln. Schon im Dezember 1817 hatte Fonck bei Solms über die Enge des Seminargebäudes auf dem Domhof geklagt und auf die Freigabe des Minoritenklosters gedrängt[71]. Mehrere Seminaristen seien erkrankt, „aus Mangel an nötigem Raum, indem das Lokal, wo die Vorlesungen gehalten werden, viel zu enge ist, die Zahl der Zuhörer zu fassen;

---

69 Das belegen sämtliche in Anm. 42 aufgeführten Akten. Diesem Umstand verdanken wir, daß auch die Korrespondenz des Kölner Oberpräsidenten mit dem Kultusministerium und den Generalvikariaten in Aachen und Deutz durch Abschriften in den Koblenzer Akten erhalten blieb

70 Unkel, S. 212

71 Vgl. dazu auch Torsy, Preußische Zeit (vgl. Anm. 39), S. 186; dort das folgende Zitat, für das sich Torsy auf ein Schreiben Foncks an Solms-Laubach vom 5. 11. 1816 beruft. Auch die von Torsy während des Zweiten Weltkrieges benutzten Aktenstücke des Seminar- und Erzbistumsarchis sind im HAEK nicht mehr zu ermitteln

wodurch häufiges Blutspeien entsteht, so daß die Professoren selbst, die doch nur in gewissen Stunden Vorlesungen halten, durch die Verdünnung der Luft schon eine Beklemmung auf der Brust fühlen; wieviel mehr muß das die Kandidaten angreifen, die den ganzen Tag darin zubringen." Der in sich vernünftige Rat, häufiger das Fenster zu öffnen und den Studenten mehr Ausgang zu gewähren, kam den Oberpräsidenten billiger als die Freigabe des Minoritenklosters!

Der neuralgische Punkt zwischen dem Aachener Generalvikar und dem Oberpräsidenten in Köln blieben jedoch die Prüfungen bei Aufnahme in das Seminar, die sich bei Fortführung in der Kölner Manier zu einer katastrophalen Drosselung des Priesternachwuchses auswirken mußten. Bei der nächsten Prüfung, die zwischen dem 30. August und 2. September 1819 in Köln gehalten wurde, erhielten nur zwei von 27 Kandidaten das Zeugnis der bedingten Reife. In seinem Bericht an den Kultusminister[72] erging sich Graf Solms in der Sorge, wie man ein Alumnat zur Vorbereitung auf die Reifeprüfung unter die Kontrolle des Staates bringen bzw. verhindern könne, das Fonck angeblich intendierte. Wie er später erfuhr, war daran gar nicht gedacht. Auch plädierte Solms bei Altenstein für nur eine Prüfungskommission am Sitz des Seminars, da diesesmal eine größere Anzahl von Bewerbern die Prüfung in Aachen und Koblenz der Kölner Möglichkeit vorgezogen hatte, weil die Anforderungen dort geringer waren als in Köln.

Das niederschmetternde Resultat des jüngsten Prüfungsganges veranlaßte Fonck am 18. Oktober 1819 zu einer Eingabe an den Oberpräsidenten[73]: „Die Prüfung der Kandidaten ... so, wie sie in diesem Jahre in einigen Fächern vorgenommen wurde, wird, wenn sie auf diesem Fuße fortgesetzt wird, die zunehmende Verwaisung der meisten katholischen Kirchen in wenigen Jahren vollenden." Die Ausführungen über das für den katholischen Priester notwendige allgemeine und spezielle Wissen, die Fonck anschloß, erinnern stark an die entsprechenden Ausführungen des Deutzer Generalvikars vom 13. November 1818[74] und waren von der augenblicklichen Notlage diktiert. Nach erneuter Darlegung der kirchlichen Rechtsposition teilte Fonck dem Oberpräsidenten mit, daß er einen für bedingt reif erklärten und zwei als unreif eingestufte Kandidaten „nach vorgenommener näherer Prüfung zur Weihung zugelassen" habe. Nach der Priesterweihe würden sie „zu seiner Zeit als Frühmesser ohne Seelsorge angestellt" werden.

Graf Solms wies den Aachener Generalvikar am 16. November 1819 darauf hin[75], „daß ein Hochwürdiges Generalvikariat hierin seine Befugnis durchaus überschritten hat". Solms berief sich dafür auf eine französische Gesetzesbestimmung vom 8. April 1802[76], die er – bewußt oder aus Unkenntnis – überinterpretierend so auslegte, „daß die

---

72 Solms-Laubach an Altenstein am 20. 9. 1819 (Abschrift): LHA-Ko-402/352, S. 129–132

73 Fonck an Solms-Laubach am 18. 10. 1819 (Abschrift): LHA-Ko-402/352, S. 133–136; vgl. Unkel, S. 213 f.

74 Vgl. oben S. 41 f. mit Anm. 67

75 Solms-Laubach an Fonck am 16. 11. 1819 (Abschrift): LHA-Ko-402/352, S. 111 f.

76 Loi rélative à l'organisation des cultes. du 18–28 germinal an X (8.–18. April 1802): Hermes, Staatsgesetzgebung, Bd. 1, S. 355–526; hier ist ein Absatz aus Art. 26 (ebd., S. 492) gemeint:

Regierung dazu ihre Zustimmung gegeben haben müsse. Ich habe daher hiervon ein hohes Ministerium der geistlichen Angelegenheiten in Kenntnis gesetzt und erwarte die näheren Weisungen".

Um sich gegen weiteres in seinen Augen eigenmächtiges Vorgehen dieser Art durch Fonck abzusichern, fuhr Solms fort: „Zugleich ersuche ich ein Hochwürdiges Generalvikariat, künftig vor jeder Weihung der hiesigen Seminaristen dem gedachten Artikel des Gesetzes gemäß die Liste der zu Weihenden in der erforderlichen Weise mit Angabe ihres Alters, Geburtsortes, Dauer des Aufenthaltes im Seminar und etwaigen Genusses eines Stipendii vom Staate usw. zeitig genug und wenigstens zwei Monat(e) vorher bei mir einzureichen, damit die erforderliche Staatsgenehmigung vor dem Akt der Weihe eingeholt werden könne."

Als Kultusminister Altenstein den Generalvikar daraufhin am 27. Dezember 1819 zur Rechenschaft zog[77], gab Fonck am 10. Februar 1820 eine selbstbewußte und nicht ungeschickte Antwort, die in der sachlich zutreffenden Feststellung gipfelte: „Wer der französischen Sprache auch nur ein wenig kundig sei, werde aus dem Inhalte dieses Artikels keine Staatsgenehmigung zu den *Weihen,* sondern nur die Genehmigung der *Zahl* der zu weihenden folgern ..."

Wiederum betrachtete man in Berlin die Dinge gelassener als am Rhein. Graf Solms wurde von Altenstein am 23. Mai 1820 belehrt[78], „daß man alles vermeiden muß, was das Ansehen hervorbringen könnte, als sei es auf Erschwerung des Eintritts in den geistlichen Stand abgesehen". Daher sei die Beschränkung auf *eine* Prüfungskommission am Ort des Seminars abzulehnen. Außerdem sei nach einer Stabilisierung der kirchlichen Verhältnisse absehbar, „daß die katholischen Seminarien lediglich auf die praktische Bildung der jungen Geistlichen werden beschränkt werden und die in Rede stehenden Prüfungen dann nicht mehr notwendig sind." Auf einen mit rechtfertigenden Einwänden durchsetzten Bericht Solms' vom 8. Juni[79] antwortete der Minister am 3. Juli[80], er genehmige wiederum die Prüfung zum Herbsttermin und die vorgeschlagene Zusammensetzung der Kommission. „Übrigens achtet das Ministerium bei dem fortwährenden Mangel an katholischen Geistlichen es für angemessen, von den Prüfungen alles zu entfernen, was den zu Prüfenden das Geschäft unnötigerweise erschweret, und es trägt daher Bedenken, in die nochmals vorgeschlagene Reduktion der Prüfungskommission(en) bis auf eine einzige am Orte des Seminars zu errichtende zu genehmigen."

Daß Altenstein die Argumente Foncks gerecht wertete, zeigen die folgenden Zeilen: „Anlangend die Aufrechterhaltung des Art. 26 des organischen Gesetzes vom 18. Germinal X [8. April 1802], so ist davon kein sonderlicher Gewinn zu erwarten, in dem es die Ordinariate nur verpflichtet, von der Anzahl (nombre) der zu Weihenden den

---

„Les évèques ne feront aucune ordination avant que le nombre des personnes à ordonner ait été soumis au Gouvernement et par lui agréé"

77 Zitiert nach Unkel, S. 216f.

78 Altenstein an Solms-Laubach am 23. 5. 1820 (Abschrift): LHA-Ko-402/352, S. 199

79 Solms-Laubach an Altenstein am 8. 6. 1820 (Abschrift): Ebd., S. 201–204

80 Altenstein an Solms-Laubach am 3. 7. 1820 (Abschrift): Ebd., S. 207f.

Präfekturen Anzeige zu machen und deren, nämlich dieser Anzahl, Genehmigung abzuwarten, um nämlich zu verhüten, daß der geistliche Stand nicht zum Nachteile des Wehrstandes überfüllt werde. Damit aber hat es dermalen keine Not." Die Berufung auf diesen Artikel werde nun zur Folge haben, daß die Ordinariate ihn zum Anlaß nähmen, die Befreiung der Theologiestudenten vom Wehrdienst zu reklamieren. „Dagegen hat es keine Bedenken, daß die an des Herrn Staatsministers von Ingersleben unter dem 26. Juli pr[ioris] erlassene Verfügung, die Einreichung der Verzeichnisse der zu den höheren Weihen Aufgenommenen betreffend, auch im dortigen Oberpräsidialbezirk zur Anwendung komme."

Inzwischen hatte sich das Preußische Staatsministerium über eine grundsätzliche Regelung bezüglich der Prüfung katholischer Priesteramtskandidaten vor Eintritt in das Seminar bzw. vor Zulassung zu den Weihen verständigt. Die entsprechende Verfügung vom 31. Juli 1820 an Oberpräsident von Ingersleben trägt die Unterschriften Friedrich Wilhelms III. und sämtlicher Minister[81]. Man merkt der Verfügung an, wie die Argumentationen der zurückliegenden Jahre ausgewogen eingebracht sind. In Nr. 1 ist zunächst verfügt: „Die Oberpräsidenten und Konsistorien haben darauf zu halten, daß niemand wissenschaftliche Privatschulen halte, welcher nicht die Erlaubnis der Provinzial-Schulbehörde dazu erhalten hat..." Die Tendenz dahinter wird in Nr. 2 sichtbar: [Die Oberpräsidenten und Konsistorien haben] „Darauf zu achten, daß die Stadtschulen und kleinen Gymnasien, die zur Universität zu entlassen nicht befugt sind, die ihnen gesetzten Schranken nicht überschreiten... 3. Sowohl auf den Universitäten als bei den übrigen zum Vortrage der Theologie und Philosophie berechtigten höheren Lehranstalten dürfen in der Regel nur diejenigen in die Zahl der Studierenden aufgenommen und zu den Vorlesungen zugelassen werden, die ein zur Entlassung auf die Universität berechtigtes Gymnasium besucht und eines der durch die Verordnung über die Abiturientenprüfung vorgeschriebenen Zeugnisse erhalten haben. Wenn sie kein solches Zeugnis aufweisen können..., so müssen sie am Sitze der Universität oder der höheren philosophisch-theologischen Lehranstalt ... eine Prüfung bestehen und werden, wenn sie darin nicht genügen, vermahnt, entweder zum Gymnasium oder in das bürgerliche Leben zurückzutreten. Lassen sie sich durch diese Ermahnung nicht abhalten, so sollen sie zwar an der Fortsetzung ihrer Studien nicht gehindert werden, aber auch das Placitum zu ihrer Ordination und Anstellung als Geistlicher nur auf besondere Verfügung des Ministerii der geistl[ichen] Angelegenheiten und nicht ohne neue Prüfung erhalten."

Die Zusammensetzung der Prüfungskommissionen war aus theologischen und Gymnasiallehrern unter dem Vorsitz eines katholischen Konsistorial- und Schulrates vorgesehen. Die Vorschläge über die Zusammensetzung der Kommissionen sollten dem Kultusministerium zur Genehmigung eingereicht werden.

---

[81] Preußisches Staatsministerium an das Oberpräsidium und das Konsistorium der Provinz Niederrhein am 31. 7. 1820 (Original): LHA-Ko-402/353, S. 1–4 – Die gleiche Verfügung erhielt auch Solms-Laubach für Jülich-Kleve-Berg (Solms an Ingersleben am 29. 8. 1829: Ebd., S. 9)

„4. Solange in den bischöflichen Seminarien zu Trier und Köln die theoretische Theologie gelehrt wird, dürfen in diesen Anstalten nur solche jungen Leute zugelassen werden, welche den im vorigen Paragraphen verzeichneten Erfordernissen genügen, und es haben die Aspiranten sich deshalb bei den daselbst bestehenden Prüfungsbehörden auszuweisen." Nr. 5 bezieht sich auf die Verhältnisse in anderen preußischen Provinzen. „6. Wer außer Landes seine theologischen und philosophischen Studien gemacht hat, muß darüber ebenfalls durch Zeugnisse sich ausweisen, und es bleibt dem Ermessen des Oberpräsidii überlassen, ihn in Beziehung auf allgemeinwissenschaftliche Bildung noch einer besonderen Prüfung zu unterwerfen."

In dieser Verfügung war in einem Nebensatz die Rede vom „Placitum [für bei der Prüfung durchgefallene Weihewerber] zu ihrer Ordination und Anstellung als Geistlicher" die Rede[82]. Konsistorialrat Auer in Koblenz stellte alsbald die Unangemessenheit des Ausdrucks „Placet" in diesem Zusammenhang fest[83]: „Das Recht des Königlichen Placet wurde in der katholischen Kirche bisher nie auf die Zulassung zur Ordination bei dem niederen Klerus angewendet. Es beschränkte sich, und zwar seinem Begriffe nach, lediglich darauf, alle öffentlichen Kirchenverordnungen ... zur Einsicht zu verlangen und nur, wenn sie nichts wider das Wohl des Staates in sich halten, ihre Bekanntmachung zu genehmigen." Dennoch griffen die rheinischen Oberpräsidenten sofort nach diesem unglücklichen Begriff, um daraus ein neues Rechtsinstitut zur Kontrolle der Weihen zu konstruieren. Alsbald nach Erhalt und Durchsicht der Verfügung vom 31. Juli 1820 sah sich Graf Solms in Köln veranlaßt, den Kultusminister „um die hochgeneigte Erwirkung eines allgemeinen Gesetzes zu bitten, wonach alle, welche die Subdiakonatsweihe empfangen wollen, dazu eines placiti regii bedürfen"[84].

Am 27. September 1820 kamen in Koblenz drei Konsistorialräte der beiden rheinischen Oberpräsidien zu einer Konferenz zusammen, um die Berliner Verfügung einer Prüfung zu unterziehen[85]. Zur Placet-Frage kam man an der Feststellung nicht vorbei, daß es bezüglich der Weihezulassung „nirgends in diesen Provinzen", bezüglich der Anstellung lediglich auf dem rechten Rheinufer allgemein, auf dem linken für die wenigen Kantonalpfarreien französischen Rechts das staatliche Placet gebe. Es bedürfe der Erwägung, „1. ob es besser sei, dahin anzutragen, daß der Staat einen titulum mensae erteile und dadurch eine unbeschränktere Leitung dieser Angelegenheit

---

82 In § 3 der Verfügung: LHA-Ko-402/353, S. 2 – Zur Geschichte und Problematik des staatlichen Placets für kirchliche Erlasse bis in die neuste Zeit: Norbert Trippen, Päpstlicher Antimodernismus und staatliches Plazet, in: Dieter Albrecht, Hans Günter Hockerts, Paul Mikat, Rudolf Morsey (Hrsg), Politik und Konfession. Festschrift für Konrad Repgen zum 60. Geburtstag, Berlin 1983, S. 257–280

83 Gutachten über die Frage, ob nicht auch ohne Erteilung des tituli mensae dem Staate das Recht des placiti zur Ordination zustehe. Veranlaßt durch eine Beratung über den § 3 der Verfügung des K. Staatsministerii vom 31. Juli 1820 ad Protocollum vom 27. September 1820, § 2 – Verfasser: Auer (Original): LHA-Ko-403/954, S. 11–14, hier: S. 11

84 Solms-Laubach an Altenstein am 29. 8. 1820 (Abschrift): LHA-Ko-403/954, S. 7

85 Protokoll „Coblenz, den 27. Septbr. 1820" (Teilnehmer: Grashof, Lange, Auer) – Auszug: LHA-Ko-403/954, S. 3–6

für sich gewinne, oder 2. ob auch ohne diese Verpflichtung ihm das Recht des Placiti zu jeder Ordination zustehe ..."

Für die erforderlichen Beratungen der Oberpräsidenten hatte Konsistorialrat Auer bereits ein Gutachten zur Placet-Frage mitgebracht[86]. Sein Kölner Kollege Poll sollte um ein weiteres Gutachten gebeten werden. Für das Placet hielt man die Subdiakonatsweihe als geeigneten Termin, der ein Placet bei der späteren Anstellung überflüssig mache. Auch wies man darauf hin, daß die Berliner Verfügung eine Lücke aufwies: Es war keine Schranke für die Anstellung im Ausland geweihter Priester vorgesehen.

Auers Gutachten vom 27. September 1820 begann mit dem bereits zitierten Hinweis auf die Problematik des Ausdrucks „Placet" in diesem Zusammenhang, unterstützte dann aber nachdrücklich die Einführung des Placets vor der Subdiakonatsweihe. Das Gutachten stellt eine einzigartige Dokumentation preußischer staatskirchenhoheitlicher Ansichten dar. Auch Poll vertrat in seinem Kölner Gutachten vom folgenden Tage zu verschiedenen Punkten der Berliner Verfügung ähnlich radikale Positionen[87], was bei ihm als Priester besonders auffällt. Ergänzend berichtete Graf Solms am 3. Januar 1821 seinem Kollegen Ingersleben in Koblenz[88], Poll habe in seinem Gutachten die Placet-Frage nur beiläufig berührt, weil „ein solches Recht dem Staate gar nicht abgesprochen werden könne und auch von den geachtetsten Kanonisten wirklich nicht abgesprochen werde, so daß es einer weiteren Ausführung dieses Punktes gar nicht bedürfe. Er erklärt sich dagegen nicht für den andern von der Kommission in Anregung gebrachten Punkt, daß der Staat den katholischen Geistlichen einen titulum mensae erteile, indem dieser denselben Zweck ohne so bedeutende Aufopferungen erreichen könne."

Waren die Oberpräsidien wieder einmal der Versuchung erlegen, die Ansprüche des Staates auf Hoheitsrechte über die Kirche auf die Spitze zu treiben, so reduzierte Minister Altenstein abermals die Staatsaufsicht auf ein erträglicheres Maß und ließ vor allem den ungeeigneten Begriff „Placet" unter den Tisch fallen. Am 18. Mai 1821 verfügte er an Solms in Köln[89], „daß die Generalvikariate zwar keiner vorgängigen Erlaubnis des Staates bedürfen, um gehörig qualifizierte Subjekte ... durch Erteilung der Weihe in den geistlichen Stand aufzunehmen, sie sind aber verpflichtet, vor jeder Ordination die Liste der Ordinanden dem Königl[ichen] Oberpräsidio mitzuteilen, welche Listen über Herkunft, Alter, Studien, Prüfung und Militärdienstpflicht der Kandidaten Auskunft geben. Hierdurch ist allerdings die Möglichkeit gegeben, die geistlichen Behörden in Hinsicht der Befolgung der ... vorgeschriebenen Formen zu kontrollieren".

---

86 Vgl. oben Anm. 83

87 Gutachten des Kosistorialrats Poll vom 28. 9. 1820 (Abschrift): LHA-Ko-403/954, S. 17–20 – Jakob Poll (*1768), 1792–1817 Stifts- bzw. Kantonalpfarrer in Neuss, 1817–1818 Konsistorialrat in Köln; aus Gesundheitsgründen aus seinem Amt ausgeschieden, wurde er auch weiterhin von den Regierungsbehörden zu Rate gezogen

88 Solms-Laubach an Ingersleben am 3. 1. 1821 (Original): LHA-Ko-403/954, S. 15 f.

89 Altenstein an Solms-Laubach am 18. 5. 1821 (Abschrift): LHA-Ko-403/954, S. 23

Die Oberpräsidenten hatten bald entdeckt und beklagten sich darüber, daß an die Stelle des von ihnen begehrten Placets (= der Genehmigung) zu den Weihen der Minister nur eine „Kontrolle" der geistlichen Behörden in diesem Punkte eingeräumt hatte. Als Solms weisungsgemäß den Ministerialbescheid am 22. Juli 1821 Generalvikar Fonck mitteilte[90], nannte er unter den Belegen, die den Ordinandenlisten beizufügen seien, auch die Taufzeugnisse – „wahrscheinlich, damit die Kirchenobern nicht etwa einen Israeliten aus allzu großer Gutmütigkeit zu den Weihen zulassen möchten", spottet Unkel[91]. Doch wird man gerechterweise anmerken müssen, daß am Anfang des 19. Jahrhunderts, vor der allgemeinen Einführung kommunaler Personenstandsregister, die Taufurkunde zugleich Geburtsurkunde war.

Trotz dieser Staatsaufsicht und daraus gelegentlich erwachsender Schwierigkeiten war die Zahl der Weihen nicht gering, ja stieg allmählich an. Torsy hat dazu ermittelt (was auch die Ordinandenlisten belegen)[92]: „Im Jahre 1818 bereiste auf Veranlassung von weltlichen und geistlichen Behörden der Weihbischof von Münster, Kaspar Max Freiherr Droste zu Vischering, die Rheinlande und erteilte neben der Spendung der hl. Firmung 79 Kandidaten die niederen Weihen und die Subdiakonatsweihe, vollzog an 91 Ordinanden die Diakonatsweihe und weihte 97 zu Priestern[93]. Im Jahre 1819 waren aus der Aachener Diözese 62 Priester geweiht worden. Vom Jahre 1820 ab sollte der Münstersche Weihbischof jährlich zweimal in Köln die Weihen erteilen. Zu diesen Terminen erschienen auch die Ordinanden aus den Generalvikariatsbezirken Trier und Ehrenbreitstein in Köln."

Es scheint, daß die preußischen Behörden im Umgang mit Generalvikar Fonck in Seminarsachen (Finanzfragen, Freistellenvergabe, Prüfungsfragen, Wehrdienstbefreiungen, Ordinandenlisten) pedantisch korrekt verfuhren. Fonck konnte gelegentlich seinen Unmut nicht verbergen. So schrieb er am 2. März 1823 an Oberpräsident Ingersleben anläßlich einer Auseinandersetzung über die Aufteilung von Seminaristenfreistellen[94]: „Wenn also alle vorgeschriebenen Formalitäten bis hierhin beobachtet sind, so bitte ich recht sehr, die Formen während meiner interimistischen Verwaltung nicht zu vermehren, damit ich in meiner jetzigen Lage, wo das [Aachener] Kapitel schon über die Hälfte ausgestorben ist und ich in der größten Diözese von Deutschland ... beinahe ohne Hilfe bin, der Arbeit nicht unterliege oder die Geschäfte niederzulegen mich genötigt sehe ..."

Doch haben die Behörden letztlich den allmählichen Anstieg des Priesternachwuchses nicht behindert. Auf Weisung aus Berlin wurden die Prüfungen vor Eintritt in

---

90 Solms-Laubach an Generalvikariat Aachen am 22. 7. 1821 (Abschrift): LHA-Ko-403/954, S. 37 f.

91 Unkel, S. 220

92 Torsy, Preußische Zeit, S. 188

93 Die hohe Zahl der Weihen 1818/19 dürfte auf einen „Kandidatenstau" aus den zurückliegenden Jahren sowie auf der Dimissionierung von Weihekandidaten aus den übrigen Generalvikariatsbezirken beruhen

94 Fonck an Ingersleben am 2. 3. 1823 (Original): LHA-Ko-403/1009, S. 19–21; vgl. auch Unkel, S. 223 f.

das Seminar bald milder gehandhabt, so daß die Aufnahme in das Seminar zur Regel, das Nichtbestehen der Prüfung eher die Ausnahme wurde. Wie sich die Verhältnisse am Seminar nach einigen Jahren entwickelt hatten, macht ein Bericht Konsistorialrat Polls an Oberpräsident Ingersleben vom 16. Mai 1825 – kurz vor dem Amtsantritt Erzbischof Spiegels – über die jüngsten Prüfungen am Kölner Seminar deutlich[95]: Bei der Prüfung im April 1825 (unter Polls Vorsitz) hatte die Kommission „im ganzen 82 ... Individuen das Zeugnis der Reife zum Beginn des theologischen Studiums zuerkannt". „Bei dieser Gelegenheit", so fuhr Poll fort[96], „erlaube ich mir ferner, Eurer Exzellenz ehrerbietigst vorzustellen, daß meines gehorsamsten Dafürhaltens für die Zukunft eine Abänderung der in bezug auf die Prüfung der Aspiranten des geistlichen Standes getroffenen Einrichtung sehr wünschenswert erscheint". Wenn man die ursprünglich strengen Vorschriften befolgt hätte, wären nur wenige Kandidaten erfolgreich gewesen und „unzweifelhaft Mangel an dem zum Dienste der Kirche erforderlichen Personal eingetreten". Weiter sei festzustellen, „daß damals die meisten der dem geistlichen Stande sich widmenden Jünglinge, teils wegen Abgangs von zweckmäßigen Lehranstalten, teils wegen ihrer beschränkten äußern Lage, sich außer Stande gesetzt sahen, die nötigen Kenntnisse sich zu erwerben, um die Prüfung vor einer Abiturienten- oder wissenschaftlichen Prüfungskommission bestehen zu können." Doch inzwischen sei das Bedürfnis der Kirche an Priesteramtskandidaten „vor der Hand als gedeckt" zu betrachten. Auch gebe es inzwischen ausreichende Vorbildungsanstalten. Die Bedürftigkeit der Kandidaten könne nur begrenzte Berücksichtigung finden. Sonst bestehe Gefahr, daß „die Privatrücksichten der Beteiligten zum Nachteil anderer Militärdienstpflichtiger begünstigt werden". Hinzu komme, daß zunächst die in Köln Geprüften auch in Bonn hätten studieren können. Nachdem durch neuere Ministerialverfügung die in Köln Geprüften nur Zugang zum Seminar erhielten, habe das „auf die Ausbildung des hiesigen Klerus unstreitig einen verderblichen Einfluß".

„In diesem Betreffe würde es meines Erachtens dem Wohl der Kirche nicht weniger als jenem des Staates zusagen", so äußerte der geistliche Konsistorialrat, „wenn die Aspiranten des geistlichen Standes verpflichtet würden, forthin vor dem Antritt des theologischen Studiums wenigstens in der Regel die Prüfung entweder vor einer Abiturienten- oder der wissenschaftlichen Prüfungskommission in Bonn zu bestehen. Dagegen möchte man die Prüfung vor der Zivilprüfungskommission nur als Ausnahme von der Regel ... fortbestehen lassen." Diese Vorschläge könnten nur dann ersprießlich sich auswirken, wenn die künftigen Priesteramtskandidaten an den Gymnasien „durch Talent, Fleiß und sittlichen Wandel sich auszeichnen" um die Befreiung vom Militärdienst zu verdienen. „Widrigenfalls aber dürfte sich bald der Fall wieder ereignen, daß die Kirche über Mangel an den für ihren Zweck benötigten Personen zu klagen gezwungen wäre."

---

95 Poll an Ingersleben, Neuss, den 16. 5. 1825 (Original): LHA-Ko-403/949, S. 73–78
96 Ebd., S. 74 f.

Damit sind wir an der auch für die Seminargeschichte entscheidenden Schwelle der Neueinrichtung des Erzbistums Köln in den Jahren 1824/25 angelangt. Was Generalvikar Fonck ausschließlich unter dem zwar berechtigten, aber doch zu eng beurteilten Gesichtspunkt unberechtigter Übergriffe des preußischen Staates in die Kirche gesehen hatte, erkannte der durchaus auf die Freiheit der Kirche bedachte erste Erzbischof von Köln, Ferdinand August Graf Spiegel zum Desenberg und Canstein, auch als Chance zur Hebung des geistlichen Standes. So begann mit seinem Amtsantritt in Köln auch eine neue Ära für das Kölner Priesterseminar.

II. Das Seminar im Zeitalter der Restauration und des Hermesianismus (1825–1842)

Von Norbert Trippen

1. Die Neuanfänge unter Erzbischof Spiegel (1825–1835)[1]

Wie für das Erzbistum überhaupt, so war auch für das Kölner Priesterseminar die Wirksamkeit des Erzbischofs Ferdinand August Graf Spiegel von unschätzbarer Bedeutung[2]. Erst die neueren Forschungen haben ihn von der Unterstellung entlastet, er sei auch in Köln noch ein Aufklärer und Handlanger des Staatskirchentums gewesen. Nach einer zweifellos bunten und an Umbrüchen nicht armen Entwicklung erwies er sich in Köln als eine gefestigte religiöse Persönlichkeit, als umsichtiger und geschickter Organisator der neuen Erzdiözese, als Vorkämpfer der Kirchenfreiheit und nicht zuletzt als seelsorglich eifriger und dem Papst loyal ergebener Erzbischof.

Schon vor seinem Amtsantritt sah er in der Erziehung eines theologisch gebildeten und religiös geformten Klerus eine der wichtigsten Aufgaben in Köln und war gewillt, auf die ohne kirchliche Mitwirkung an der Bonner Universität eingerichtete katho-

---

[1] Für diesen Abschnitt wurden folgende Archivalien benutzt: Historisches Archiv des Erzbistums Köln (HAEK), Kabinettsregistratur (CR), 8 A: Klerikalseminar in Köln
1. Abteilung: Seminaranstalt überhaupt
1,1 Die innere Einrichtung des Seminars in Beziehung auf praktische Ausbildung der jungen Kleriker sowie Verzeichnisse der Alumnen. 1822–1860 (HAEK – CR 8 A 1.1,1)
2,1 Das Vorsteher- und Lehrerpersonal. 1825–1874 (HAEK – CR 8 A 1.2,1)
5,1 u.2 Die Verlegung der Seminaranstalt in das ehemalige Jesuitengebäude. 1826 bzw. 1826/27 (HAEK – CR 8 A 1.5,1 bzw. 2)
2. Abteilung: Verwaltung und Ökonomie
1 Die Anstellung des Verwaltungs- und Dienstpersonals und die Einrichtung der Ökonomie. 1825–1940 (HAEK – CR 8 A 2.1)
2 Die Anordnung eines Verwaltungsrates und die vorschriftsmäßige Aufbewahrung von Dokumenten. 1832–1932 (HAEK – CR 8 A 2.2)
3,1 Die Verwaltung des Seminarvermögens. 1824–1827 (HAEK – CR 8 A 2.3,1)
6,1 Die Etats und Rechnungen des Erzb. Seminars und darauf bezügliche Verhandlungen auch den Staatszuschuß betr. 1820–1875 (HAEK – CR 8 A 2.6,1)
7 Die Vermögensaufnahme und Organisation des Kassen- und Rechnungswesens beim Erzb. Priesterseminar (HAEK – CR 8 A 2.7)
Diese Akten sind weitestgehend von Unkel benutzt und ausgewertet. Entsprechende Verweise in den Anmerkungen machen darauf aufmerksam. Wie bereits im vorigen Kapitel hat Unkel nicht die Oberpräsidialakten in Koblenz benutzt:
Landeshauptarchiv Koblenz (KHA-Ko), Abteilung 403: Oberpräsidium der Rheinprovinz
949 Die Prüfung der römisch-katholischen Kandidaten des geistlichen Standes. 1822–1828
1081 Etat für das Erzbischöfl. Seminar zu Köln

[2] Zu Spiegel s. oben S. 34 mit Anm. 35

lisch-theologische Fakultät den erforderlichen Einfluß zu gewinnen wie auch dem in Bonn zu errichtenden Konvikt und dem Kölner Seminar persönlich Aufmerksamkeit und Sorgfalt zu widmen.

a) Die Verhältnisse am Seminar bei Spiegels Amtsantritt

Schon vor seiner Ernennung zum Erzbischof im Herbst 1824 zog Spiegel Erkundigungen über die Zustände am Seminar in Köln ein und sammelte Anregungen, die für eine Änderung der Verhältnisse die Richtung weisen sollten[3]. Der Befund war so bedrückend, daß Spiegel noch nach einem Jahr an den preußischen Gesandten Bunsen in Rom schrieb[4]: „Hier im Erzbistum Köln sieht es vielseitig *wüst* aus ... die Geistlichkeit [ist] in hohem Grade unwissend und das Klerikal-Seminar unter aller Kritik ..." Trotz der anerkennenswerten Bemühungen des Aachener Generalvikars Fonck waren Lehrbetrieb, Wirtschafts- und Lebensverhältnisse, vor allem aber das Gebäude auf dem Domhof in einem desolaten Zustand.

Als eine eindrucksvolle Momentaufnahme sei wiedergegeben, was Unkel aus den Akten zusammengetragen hat[5]: „Das Seminar wird um diese Zeit beschrieben als ein Haus von ‚kerkerähnlichem Aussehen', in tiefer, feuchter Lage, ohne Luft und Licht. Während es damals kaum für dreißig bis vierzig Alumnen bewohnbare Räume enthielt, mußten ihrer achtzig bis neunzig zusammengepfercht darin sich aufhalten, aber ihre ‚bleichen Gesichter' und ihr ‚trüber Blick' und die ‚auffallend große Sterblichkeit unter dem Pfarrklerus' verrieten deutlich genug, wie mancher junge Geistliche sich im Seminar den Todeskeim holte."

Über die bedrückende Enge gibt ein Bericht des Präses Brouhung an Spiegel vom 17. Oktober 1825 beredte Auskunft[6]: „Im nächsten Schuljahre werden außer dem Falle einer Ausnahme oder anderwärtiger Verfügung in jeder Vorlesung fürs erste gegenwärtig sein die im Seminar schon wohnenden Alumnen, 65 an der Zahl ... Außer diesen 65 Seminaristen können ganz füglich, ohne zusammengepreßt zu sein, auf den im Hörsaale längs den Wänden angebrachten Bänken noch sitzen ungefähr 70 Externe. Ebenso viele und noch mehrere standen bisheran in der Mitte des Vorlese-Zimmers, welches gedrängte Zusammenstehen mehrere Inkonvenienzen zur Folge hatte und den Vortrag erschwerte.

Sollten demnach im kommenden Schuljahre mehr Externe von Euer Erzbischöflichen Gnaden zum Besuche der Vorlesungen zugelassen werden, als füglich sitzen

---

[3] Die Korrespondenz findet sich vor allem in: HAEK – CR 8 A 1.1,1 – Sie wird noch häufiger herangezogen und zitiert werden

[4] Spiegel an den preußischen Vatikansgeschäftsträger Christian Karl Josias Freiherrn von Bunsen am 1. 9. 1825, in: Franz Heinrich Reusch (Hrsg.), Briefe an Bunsen von römischen Cardinälen und Prälaten, deutschen Bischöfen und anderen Katholiken aus den Jahren 1818 bis 1837, Leipzig 1897, S. 76; vgl. Unkel, S. 230

[5] Unkel, S. 231 – Unkel zitiert einen Brief Spiegels an Altenstein vom 18. 9. 1824 (Entwurf): HAEK – CR 8 A 1.5,1, Bl. 5

[6] HAEK – CR 8 A 1.1,1, Bl. 131 f. – Inhaltlich wiedergegeben bei Unkel, S. 231

können, so würden doch dieselben ... bequem stehen können, ohne entweder gedrängt oder von der Hitze des in der Mitte des Zimmers stehenden Ofens geplagt zu sein. Nur muß durch Anwendung zweckdienlicher Mittel verhütet werden, daß die Luft dieses Hörsaals, der zugleich das einzige Musaeum des Seminars ist, nicht eine beschwerliche und bösartige werde, welches aber so leicht eintritt, teils weil so viele Menschen auf dem nämlichen Zimmer beisammen sind, teils weil der daselbst befindliche Ofen im Zimmer geheizt, gereinigt wird, teils weil mehrere Öllichter viele Stunden hindurch an jedem Wintertage daselbst brennen und teils endlich, weil der Boden dieses Zimmers nicht sauber genug gehalten wird."

Über den sonstigen trostlosen Zustand und die entsprechenden Lebensbedingungen in dem Seminargebäude auf dem Domhof berichtete ein Jahr später der neue Ökonom Gruben an den Erzbischof in bisweilen drastischen Formulierungen[7]: „Auf den Gängen waren die Fußböden ‚sehr schadhaft, sehr reparaturbedürftig, und auf den untersten fast kein haltbares Brett mehr'. Auf den Wohnzimmern waren die ‚alten unangestrichenen' Bettstellen und ‚häufig verletzten' Wände voll Ungeziefer. Es mangelte durchaus an anständigem Mobiliar. Schränke und Büchergestelle fehlten ganz, ‚daher sich jeder nach seiner Art etwas dazubesorgt, auch nach seiner Wahl und Weise aufgestellt, wodurch Wände und Türen ganz vernagelt – verdorben werden ... Die größte und empfindlichste, daher unerträglichste Unreinlichkeit verursacht das Ausgießen der Nachttöpfe durch die Zimmerfenster, sowohl vorm Schlafengehen abends als morgens beim Aufstehen, durch die Herren Alumnen selbst verrichtet."

Hier werden allerdings nicht allein die Mängel des Gebäudes und die Armut des Seminars greifbar, sondern dazu die unzureichende Führung des Hauses durch den 77jährigen Präses Brouhung. Stellte schon ohnehin die Führung und Unterrichtung einer so großen Zahl von jungen Leuten auf dem Wege zum Priestertum hohe Anforderungen, denen weder Brouhung noch die meist älteren Dozenten gewachsen waren, so war die heterogene Zusammensetzung der Studentenschaft ein zusätzliches Problem. Die im Hause lebenden Seminaristen wurden nach Ausweis der Ordnungen spartanisch streng gehalten und religiös-aszetisch intensiv geformt. Doch trafen sie bei den Vorlesungen mit den frei in der Stadt wohnenden Externen zusammen, deren Lebensführung und Disziplin vom Seminar aus zu beeinflussen fast unmöglich war. Ein zusätzliches Problem – keineswegs eine Entlastung – bildeten die zunehmend von der Bonner Universität zum Seminar kommenden Alumnen, die ja bis 1827 in Bonn kein Konvikt durchlaufen hatten. Unkel berichtet[8]: „Diejenigen aber, welche dort ihre Studien machten, brachten zum Teil aus der Zügellosigkeit des damaligen Studentenlebens nicht gerade den besten Geist mit in das Priesterseminar ... ‚Einige dieser ungezäumt gewesenen Purschen, die auf ihre akademische, überspannte Gelehrsamkeit sehr großtun, aber mit weniger Herzensbildung hier, wo Ordnung und klerikalische Eingezogenheit herrschend sein muß, aus der Luft ungezügelter Freiheit

---

[7] Gruben an Spiegel am 4. 9. 1826: HAEK – CR 8 A 2.1. Bl. 19 ff. – Hier die Wiedergabe bei Unkel, S. 231 f.

[8] Unkel, S. 233 f.

eingetreten sind'[9], konnten sich in den Ernst und die Stille des Seminars nicht schikken und verschrieen die dortigen Lehrer, ausgezeichnete Männer wie Mohren und Grosman, als Rigoristen."

Die von Spiegel im Herbst 1824 eingezogenen Erkundigungen gaben auch hinsichtlich des Unterrichts, den das Seminar den angehenden Priestern erteilte, ein bedrückendes Bild. Die vorhandenen, zum Teil schon Jahrzehnte lehrenden Dozenten taten gewiß mit bewundernswerter Treue und Gewissenhaftigkeit das ihnen Mögliche. Daß sie in den unruhigen Zeiten der französischen Fremdherrschaft und der Etablierung preußischer Herrschaft am Rhein einen relativ (!) beachtenswerten Ausbildungsgang zum Priesterberuf offengehalten hatten, verdiente Dank und Anerkennung. Doch mußte der neue Erzbischof dringend für eine Neuordnung der gesamten Priesterausbildung sorgen.

Sobald im Herbst 1824 seine Erhebung zum Erzbischof von Köln feststand, ging Spiegel auch hinsichtlich des Priesterseminars ans Werk. Anläßlich einer Reise nach Köln verschaffte er sich ein anschauliches Bild vor Ort, das bis ins Frühjahr 1825 durch zum Teil mit konkreten Fragestellungen eingezogene Auskünfte unterstützt wurde[10]. Neben Informationen über die Kölner Verhältnisse, z. B. von Präses Brouhung, Ökonom Splinter und Konsistorialrat Poll, standen Informationen aus Münster, Trier, Freiburg und Breslau, wohl aus dem Bedürfnis, aus anderenorts gemachten Erfahrungen bei der bevorstehenden Neuordnung in Köln zu lernen.

Als Spiegel im November und Dezember 1824 in Berlin wegen der Neueinrichtung seines Erzbistums auf der Grundlage der spärlichen Bestimmungen der Bulle „De salute animarum" verhandelte[11], mußte er feststellen, daß die Regierung ein Seminar mit vollem Studiengang, wie es Artikel XXV der Bulle für jedes Bistum vorsah[12], mit Rücksicht auf die theologische Fakultät in Bonn nicht zugestehen wollte. Der Staat verlangte, daß die angehenden Priester ihre theologischen Studien in Bonn absolvierten, und gestand dem Erzbischof lediglich einen Mindesteinfluß auf die Besetzung der Bonner Professuren und ein Konvikt in Bonn zu. Das Seminar in Köln wurde auf ein Jahr der Einführung in die Seelsorgspraxis und der geistlichen Vorbereitung auf den Empfang der Weihen beschränkt. Immerhin ließ sich Spiegel für seine Einwilligung in diese staatliche Konzeption der Priesterausbildung die Bereitstellung des ehemaligen Jesuitenkollegs in der Marzellenstraße als neues, geräumigeres Seminar-

---

9 Brouhung an Spiegel am 18. 1. 1825 (Original): HAEK – CR 8 A 1.5,1, Bl. 25

10 Z. B. „Das Seminarium betr. zu erörternde Fragen" (ohne Datum): HAEK – CR 8 A 1.1,1, Bl. 46 – Spiegel an Brouhung am 2. 5. 1825: Ebd., Bl. 67 f. – Antwort Prof. Grosman an Spiegel (mitunterzeichnet von Brouhung) vom 4. 5. 1825: Ebd., Bl. 70–75

11 Abschrift der Konferenzprotokolle: HAEK – CR 1.2: Die Konferenzprotokolle betr. Errichtung des Erzbistums Köln. 1824 f.

12 „Es soll überdem in jeder erzbischöflichen und bischöflichen Stadt ein geistliches Seminar erhalten oder neugegründet werden, damit darin eine solche Anzahl angehender Kleriker unterhalten und nach Vorschrift der Beschlüsse von Trient unterrichtet und gebildet werden möge, als es der Umfang und Bedarf des Sprengels fordern und der Vollzieher dieses gegenwärtigen Briefes genau anordnen wird ...": Hermens, Staatsgesetzgebung (vgl. oben S. 37, Anm. 47), Bd. 2, S. 711 f.

gebäude zusagen[13]. Er hatte ohnehin durchschaut, daß eine innere Reorganisation der Priesterausbildung ohne entsprechendes Raumprogramm und eine Neuordnung der wirtschaftlichen Verhältnisse nicht möglich war.

Sein Interesse an der Priesterausbildung und speziell am Kölner Seminar gab Spiegel schon vor seinem Amtsantritt am 5. März 1825 in einer Verfügung an Präses Brouhung zu erkennen[14]: „Ew. Hochwürden werden bereits aus unsern mündlichen und schriftlichen Unterhaltungen entnommen haben, daß das Klerikal-Seminarium in Köln mein besonderes Augenmerk ist; die Pflegschule zur Bildung der Geistlichkeit betrachte ich als eine der wesentlichen, mit Auszeichnung sowie mit unverrückter Aufmerksamkeit zu behandelnde Diözesananstalt. Daher habe ich alsbald bei der Besitznahme des von der Hand unsers Heiligen Vaters in Rom mir übertragenen Erzbistums Köln und aufgestellter einstweiliger Vikariats-Verwaltung das Seminarum in Köln mir persönlich vorbehalten, als worüber das Exemtionsdekret Ew. Hochwürden mitgeteilt sein wird ..."

Allerdings verwies Spiegel Präses Brouhung im gleichen Schreiben an den künftigen Generalvikar Hüsgen[15]. Damit beginnt die für Köln typische, wohl durch die Arbeitsfülle des Erzbischofs bedingte, dem Seminar nicht einmal immer schädliche, allerdings dem allgemeinen Kirchenrecht (bis 1983) widersprechende Ingerenz der Generalvikare und ihrer Behörde in die Seminarangelegenheiten. Wie weit das unter Umständen reichte, illustriert eine Anweisung des ungemein fleißigen und gewissenhaften Generalvikars Hüsgen an Brouhung ein halbes Jahr später[16]: „Es ist wahrgenommen worden, daß gar zu oft Alumnen des Seminars einzeln ausgehen. Dieses darf durchaus nicht mehr gestattet werden." Mit notwendigen Besorgungen in der Stadt sei der Hausdiener zu beauftragen. „Jedoch soll den Alumnen in jeder Woche an einem von dem Herrn Superior zu bestimmenden Morgen ein freier Ausgang in die Stadt unter folgenden Bedingungen gestattet werden: 1. Müssen zwei und zwei zusammen sein, worüber die Obern des Seminars bestimmen; keiner darf den andern verlassen, und einer haftet für den andern. 2. Ist das Besuchen einer Schenke streng untersagt. Sollte einer sich beigehen lassen, dieses Verbot zu übertreten, so darf derselbe in der folgenden Woche nicht ausgehen. Beim zweiten Falle wird demselben die Erlaubnis auszugehen auf einen ganzen Monat benommen. Im dritten Wiederholungsfalle soll derselbe, wenn er noch keine der höheren Weihen erhalten hat, religiert, oder, wenn er schon eine der höheren Weihen erhalten hat, auf sechs Monate suspendiert werden."

Spiegel mußte sich um die vielfältigen Probleme einer Neuordnung der Priesterausbildung und der Sanierung seines Priesterseminars parallel kümmern. Unsere Rück-

---

[13] Zu diesen Vorüberlegungen und dem Verlauf der Spiegelschen Seminarreform vgl. die summarische Darstellung von Reckers, S. 259 ff.

[14] Spiegel an Brouhung am 5. 3. 1825 (Entwurf): HAEK – CR 8 A 1.1,1, Bl. 40

[15] Johann Hüsgen (1769–1841), 1825–1841 Domdechant und Generalvikar in Köln: Hermann Hüffer, in: ADB 13 (1881), Sp. 453 ff.; Norbert Trippen, in: NDB 9 (1972), S. 745 f.; Eduard Hegel, in: Gatz, Bischofslexikon (vgl. oben S. 34, Anm. 35), S. 334

[16] Hüsgen an Brouhung am 28. 10. 1825 (Original): HAEK – CR 8 A 1.1,1, Bl. 133 f.

schau auf sein Werk wird – nach dem Beispiel Unkels – um einer besseren Übersichtlichkeit willen die Sachbereiche nacheinander betrachten.

b) Die Konsolidierung der Vermögens- und Wirtschaftsverwaltung

Gewiß nicht der wichtigste, aber ein unerläßlicher Teil der anstehenden Neuordnung war die Reorganisation der Vermögens-und Wirtschaftsverwaltung des Seminars. Sie lag nicht nur wegen der Verluste während der Franzosenzeit am Boden. Ein wesentlicher Grund lag in der Unfähigkeit des Ökonomen Splinter, den Spiegel am 29. Mai 1825 in einem Brief an Ministerialrat Schmedding in Berlin scharf aber wohl zutreffend charakterisierte[17]: „Der Ökonom Splinter ist im nämlichen Grade geschäftsunfähig, als er in der Tat ehrlich ist. Er hat zwanzigjährige Seminarien-Administration in seinem Gedächtnisse, aber nicht in seinen Papieren. Er glaubt, es sei hinreichend, daß in seinem Testamente geschrieben stehe, welche Seminar-Kapitalien auf seinen Namen zur Zeit der Fremdherrschaft angelegt und dadurch gerettet sind. Kurz – es ist hohe Zeit, daß Ordnung eintrete, aber methodisch zu arbeiten ist dem H[errn] Splinter eine Unmöglichkeit."

Etwas detaillierter, aber nicht weniger deutlich sprach der Erzbischof eine Woche später seine Kritik Splinter selbst gegenüber aus[18]. Sie gipfelte in der Feststellung: „Daher kömmt es dann nun, daß jede Übersicht mangelt, man weder den Kassenbestand noch die Verwaltung an sich übersehen kann. Mir ist auf meiner vielseitigen Geschäftslaufbahn so eine Verworrenheit noch nicht vorgekommen, und dieser muß schleunigst abgeholfen werden."

Es gelang Spiegel, für die Ordnung der Seminarfinanzen den ehemaligen Schreinsschreiber der Stadt Köln und königlichen Domänen-Inspektor Reiner Joseph Classen zu gewinnen[19]. „Dieser unterzog sich als vermögender Mann unentgeltlich aus Liebe zur guten Sache der sehr schwierigen und mühevollen Aufgabe, stellte in rastloser Arbeit von sieben Monaten die Vermögenslage des Seminars klar, brachte entfremdetes oder nahezu verlorenes Eigentum wieder zurück und ordnete die Verwaltung vollständig neu"[20]. Ergebnis seiner Arbeit war ein genauer Vermögens- und Haushaltsstatus des Seminars unter dem Datum vom 21. Oktober 1825. Auf Grund der von Classen erarbeiteten Übersicht konnte Spiegel die Wirtschaftsverwaltung des Seminars zum 1. Januar 1826 neuordnen. „Seinen Verdiensten um das Seminar setzte Classen die Krone auf durch Abfassung einer Dienstinstruktion für den Rendanten des Semi-

---

17 Spiegel an Schmedding am 29. 5. 1825: Lipgens, Spiegel (vgl. oben S. 34, Anm. 35), Bd. 2, Nr. 63, hier: S. 690

18 Spiegel an Splinter am 5. 6. 1825 (Entwurf): HAEK – CR 8 A 2.3,1 (ohne Blattnummerierung) – Auf die Bestände dieses Aktenbandes stützt sich Unkel, dessen Darstellung der Verfasser in diesem Abschnitt weitgehend folgt. Zitat: Unkel, S. 250 – Die von Unkel nicht benutzten staatlichen Akten finden sich in LHA-Ko-403/1081

19 Rainer Joseph Classen (1761–1844), 1783–1799 Schreinsschreiber der Stadt Köln, seit 1814 Königlicher Domäneninspektor, 1825/26 von Spiegel mit der Klarstellung des Seminarvermögens beauftragt: Hecker, Chronik, S. 119

20 Unkel, S. 252

nars, welche das Datum vom 7. Juni 1826 trägt"[21]. Sie diente dem tüchtigen neuen Rendanten und Ökonomen Johann Gerhard Gruben[22] als Richtschnur seiner Arbeit.

„Auf der Grundlage der geschehenen Vermögens-Aufnahme ließ nun Spiegel eine (sic!) ‚Nachweise der Einnahmen und Ausgaben', welche vorläufig die Stelle eines Spezialetats vertreten sollte, für die drei Jahre 1826/28 aufstellen und legte sie am 17. April 1826 dem Minister v[on] Altenstein vor"[23]. Spiegel konnte nicht ahnen, welche Verwicklungen er damit auslöste. Der Minister ordnete eine Überprüfung des Seminaretats durch die Kölner Regierung an. Sein Bestreben war, die für das Seminar nach „De salute animarum" zu gewährenden Staatsleistungen möglichst einzusparen bzw. für das Konvikt in Bonn zu reservieren. Deshalb sollten zweckgebundene Stiftungserträge für laufende Ausgaben verwandt und die kärglichen Gehälter der Seminardozenten und des Vorstandes gekürzt werden. Schließlich monierte der Minister die Höhe der Ansätze für Verpflegungskosten, „wenn auch berücksichtigt werde, daß die Bewohner der Rheinlande an eine gute Kost gewöhnt seien, und manche Lebensbedürfnisse dort in einem höheren Preise ständen als in den östlichen Provinzen"[24].

Erzbischof Spiegel setzte sich gegen die ministeriellen Zumutungen energisch zur Wehr, konnte aber trotz Unterstützung durch Oberpräsident von Ingersleben nur erreichen, daß statt der Kölner Regierung zwei Beamte durch Ingersleben beauftragt wurden, die Prüfung des Seminaretats vorzunehmen. „Diese erstatteten am 18. Oktober [1826] einen achtzehn Seiten starken Bericht über das Ergebnis ihrer Revision, worin der Reform der Vermögensverwaltung des Seminars hohe Anerkennung gespendet und die ministerielle Kritik des Etats in den meisten Punkten nicht ohne eine gewisse Schärfe zurückgewiesen wird."[25] Die Bemühungen Classens und Spiegels wurden gelobt, die Gehaltsansätze gebilligt und durch Vergleich mit den Gehältern von Gymnasialdirektoren und -Lehrern in ihrer Mäßigkeit unterstrichen. Die Ansätze für Verpflegung seien angemessen, eher zu niedrig als zu hoch.

Ein auf Grund dieser Revision von Spiegel erneut vorgelegter Etat wurde in Berlin am 19. März 1827 genehmigt und der nach den Ansätzen erforderliche Zuschuß aus der Staatskasse – knapp bemessen – freigegeben. Ein Punkt, den man in Berlin nicht akzeptieren, in dem Spiegel jedoch von seinem Rechtsstandpunkt nicht abgehen wollte, blieb die Verwendung zweckgebundener Stiftungserträge für laufende Ausgaben.

Die Bemühungen Spiegels um die wirtschaftliche Sanierung des Priesterseminars sind damit nur in Umrissen beschrieben. Doch darf wegen der bleibenden Bedeutung die Errichtung des Seminarverwaltungsrates nicht übergangen werden. Unkel berichtet[26]: „Die Reform der Vermögensverwaltung erhielt ihre Vollendung durch die Ein-

---

21 Ebd., S. 255

22 Johann Gerhard Gruben (1775–1856), ab 1826 Rendant und Ökonom des Seminars: Hecker, Chronik, S. 125

23 Unkel, S. 257

24 Ebd., S. 258

25 Ebd., S. 264 – Unkel verweist auf die Aktenstücke in HAEK – CR 8 A 2.6,1

26 Unkel, S. 273 ff. – Zugrundliegende Akten: HAEK – CR 8 A 2.2

setzung eines Verwaltungsrats. Einen solchen hatte bekanntlich schon das Tridentinum für die Seminare wenigstens zur jährlichen Rechnungsabnahme vorgesehen. Das alte Kölner Seminar hatte ja auch immer einen Verwaltungsrat, der anfangs aus drei, in späteren Zeiten aus vier Mitgliedern bestand, welche den Titel von Provisoren, Kommissaren oder Inspektoren führten. Das kaiserliche Dekret vom 6. November 1813 betreffend die Erhaltung und Verwaltung der Güter des Klerus enthält in Tit. IV Bestimmungen über die Güter der Seminare und darunter auch die, daß für die Verwaltung der Güter des Seminars einer jeden Diözese eine Stube gebildet werden soll." Nach Art. 62 sollte von den Mitgliedern der Schatzmeister „auf das Gutachten des Bischofs und des Präfekten vom Kultusminister ernannt" werden[27].

Es ist nicht uninteressant, wie Preußen diese napoleonische Rechtsbestimmung aufgriff und übernahm[28]: „Am 31. August 1826 wurde Erzbischof v[on] Spiegel durch den Oberpräsidenten v[on] Ingersleben aus Anlaß eines Spezialfalles ersucht, wegen Zusammensetzung des vom Gesetze vorgeschriebenen Verwaltungsrats für das Seminar das Erforderliche zu veranlassen; aber erst am 22. Juli 1832 erging eine erzbischöfliche Verfügung, welche den Verwaltungsrat ins Leben rief und die Domkapitulare Präses Schweitzer und Müller und den Ökonomen Gruben zu Mitgliedern, den Generalvikar Hüsgen zum Vorsitzenden ernannte. Die Staatsregierung machte von dem in dem erwähnten kaiserlichen Dekrete dem Präfekten [des Departements] eingeräumten Rechte der Ernennung des vierten Mitgliedes auffallenderweise keinen Gebrauch. Als dem Geschäftskreise des Verwaltungsrates angehörig bezeichnet der Erzbischof alle Ökonomie-Angelegenheiten, insbesondere die Kenntnisnahme des Berechnungswesens, die Beratung über Verwendung und Nutzbarmachung des Vermögens und über neue Anschaffungen und Einrichtungen ..., die Vorschläge zur Verteilung der Freistellen ... Zur Wahrnehmung dieser Geschäfte soll der Verwaltungsrat regelmäßig einmal jeden Monat oder je nach Bedürfnis öfter zusammentreten und dem Erzbischof über jede Sitzung Vortrag gehalten und das Protokoll vorgelegt werden."

c) Die Verlegung des Seminars in das ehemalige Jesuitenkolleg an der Marzellenstraße

Zu den dringend notwendigen äußeren Voraussetzungen für einen inneren Wandel am Seminar gehörte die Lösung des Raumproblems, d. h. die Ersetzung des zu kleinen und heruntergekommenen Seminargebäudes auf dem Domhof. Schon Kurfürst Max Friedrich hatte bei der Aufhebung des Jesuitenordens 1773 den Versuch unternommen, das Kölner Kolleg des Ordens an der Marzellenstraße für das Seminar zu erhalten[29]. Nach den ebenso vergeblichen Bemühungen Generalvikar Foncks, wenig-

---

27 „Il sera formé, pour l'administration des biens du séminaire de chaque diocèse, un bureau composé de l'un des vicaires-généraux, qui présidera en l'absence de l'évêque, du directeur et de l'économe du séminaire, et d'un quartrième membre remplissant les fonctions de trésorier, qui sera nommé par le ministre des cultes, sur l'avis de l'évêque et du préfet": Hermens, Bd. 2, S. 568

28 Unkel, S. 274 f.

29 Vgl. die Darstellung von Reckers, S. 196 ff.

stens das ehemalige Minoritenkloster als Seminargebäude zu erwerben[30], ließ sich Spiegel bei seinen Berliner Verhandlungen zur Einrichtung des Erzbistums Köln im November 1824 das Jesuitenkolleg zusagen.

Doch war diese Zusage leichter gegeben als erfüllt. Die Ausgangssituation hat Unkel dargestellt[31]: „Die französische Regierung hatte durch Dekret vom 13. Dezember 1805 ... das Jesuitenkollegium der Stadt Köln zum Gebrauche der Sekundärschule zweiten Grades überwiesen und alles zu Köln gelegene Vermögen der Jesuiten zum Unterhalte der Sekundärschule ersten und zweiten Grades bestimmt; die Verwaltung dieses Vermögens aber wurde in die Hände eines sogen[annten] Conseil d'Administration, des späteren Verwaltungsrats der kölnischen Schul- und Stiftungsfonds, gelegt." Verschiedene, zum Teil städtisch-zentrale Schuleinrichtungen sowie der genannte Schul- und Stiftungsfonds hatten in dem weitläufigen Gebäude Platz gefunden und waren nun nicht leicht zu verdrängen.

Bereits am 5. Dezember 1824 beauftragte Minister Altenstein Oberpräsident Ingersleben, wegen der Bereitstellung des Jesuitenkollegs Verhandlungen mit der Stadt Köln aufzunehmen[32]. Trotz der vorauszusehenden Schwierigkeiten war man im Frühjahr 1826 „soweit, daß der Stadtrat sich zum Austausch des östlichen und nördlichen Flügels des Jesuitenkollegiums mit den dazu gehörigen Nebengebäuden gegen das alte Seminargebäude und die St. Johanniskirche auf dem Domhof unter gewissen Bedingungen bereit erklärte." Doch führten die Kosten des Projekts, zumal die Entschädigungssumme, die das Gymnasium forderte, zu Bedenken in Berlin, vor allem, da Spiegel sich weigerte, die Kosten zu Lasten des Seminars zu übernehmen. Er konnte sich dafür nicht nur auf die während der französischen Zeit bereits arg reduzierten Besitzverhältnisse des Seminars berufen sondern eindeutiger noch auf Art. LII der Bulle „De salute animarum", in dem es hieß, der Executor der Bulle solle „zu angemessener, sicherer Ausstattung der Seminarien jeder Diözese diesen Anstalten mit Beibehaltung der Güter, die sie etwa schon haben, jene ganz neue oder ergänzende Ausstattung überweisen, zu welcher der Durchlauchtigste König in seiner Freigebigkeit sich erboten hat"[33].

Die Verpflichtung des Staates, für ein Seminargebäude und eine ausreichende Dotierung zu sorgen, war also rechtlich nicht zu bestreiten. Nur war der ohnehin arme, bis dahin ostelbisch-agrarische preußische Staat durch die Lasten der Befreiungskriege finanziell am Ende seiner Kräfte[34]. So war es nicht nur fehlende Bereitschaft, gegebene Zusagen einzuhalten, oder gar Abneigung gegen die katholische Kirche, die zu unzureichender Erfüllung der ohnehin spärlichen Dotationszusagen von „De salute animarum" führten.

---

30 Vgl. oben S. 35

31 Unkel, S. 299 f.

32 So Unkel, S. 301 ff. – Unkel stützt sich in diesem Komplex auf die Akten HAEK – CR 8 A 1.5,1 und 2

33 Hermens, Bd. 2, S. 733

34 Dazu: Nipperdey, Deutsche Geschichte (vgl. oben S. 36, Anm. 43), S. 49 f.

„Der Minister ließ den Plan einer Verlegung des Seminars in das Jesuitenkollegium fallen und beauftragte den Oberpräsidenten, irgend ein anderes Haus in Köln ausfindig zu machen, in welchem das Seminar mit bedeutend geringeren Kosten untergebracht werden könnte"[35]. In seiner Antwort an Ingersleben vom 5. Juli 1826 trat Spiegel sehr entschieden auf und betonte, „daß die Zögerung im Geschäfte der Seminar-Einrichtung die größte Kalamität ist, welche dem Erzbistum Köln und seinen katholischen Einwohnern überkommen kann. Der Erzbischof ist vollends außerstande, auch nur *einen* der großen religiösen, dem Staate hochwichtigen Zwecke zu erreichen, welche unseres Königs Majestät bewogen, mich hierher zu befördern ... Der Erzbischof von Köln hat keine Mittel für den katholischen Unterricht der zum geistlichen Stand aspirierenden Jünglinge und keine Bildungsanstalt zur Ausbildung der angehenden Kleriker. Ihm ist alles vorenthalten, was (sic!) er amtlicher Weise bedarf. In diese niedrige Lage sind die Sachen im Erzbistum Köln ohne mein Verschulden herabgekommen und sinken augenfällig mehr und mehr; man kann darüber nur weinen und wehklagen, ich aber nicht meines Amtes frohwerden"[36].

Weisungsgemäß ließ der Oberpräsident in Köln nach einem anderen Gebäude suchen, das sich als Seminargebäude geeignet hätte. Doch diese Bemühungen hatten keinen Erfolg. So blieb Altenstein nichts anderes übrig, als im Oktober 1826 zu dem alten Plan, das Jesuitenkolleg freizubekommen, zurückzukehren, „sofern nur die Interessen des Gymnasiums dabei gewahrt blieben; doch müsse jeder nicht schlechterdings notwendige Geldaufwand vermieden werden".

Die Verhandlungen kamen nun rasch voran. Allerdings gelang es Spiegel nicht, mit den erforderlichen Umbauarbeiten beauftragt zu werden. Der Staat trat als Bauherr auf und überließ dem Erzbischof weitestgehend die Bezahlung. Es gelang Spiegel sehr bald, auch neue Stifter für das Seminar zu gewinnen[37].

Über den glücklichen Abschluß des Unternehmens berichtet Unkel: „Am 29. Oktober 1827 fand die Übergabe des östlichen und nördlichen Flügels des Jesuitenkollegiums durch [Konsistorialrat] Grashof als Oberpräsidial-Kommissar an den Generalvikar Hüsgen statt. Vierzehn Tage später wurde auch das vierte Stockwerk des mittleren westlichen und mittleren nördlichen Flügels, über dessen Abtretung man sich lange nicht hatte einigen können, eingeräumt. Am 30. Oktober [1827] begann der Umzug des Seminars vom Domhof nach der Marzellenstraße und am 22. November wurde hier das neue Studienjahr mit 41 Alumnen eröffnet."

Unkel trägt dann noch nach: „Der Umzug hatte schon lange stattgefunden, während über die Anzahl der dem Seminar zu bewilligenden Räume und die vom Seminar zu leistende Entschädigung noch verhandelt wurde. Erst am 22. September 1828 kam der Tauschvertrag mit der Stadt Köln zustande ..."[38] Er enthielt vor allem die räumliche Abgrenzung des dem Seminar überlassenen Anteils an dem Gebäude, das

35 Unkel, S. 304
36 Unkel, S. 305 (Spiegel an Ingersleben am 5. 7. 1826)
37 Darüber berichtet Unkel ausführlicher S. 312
38 Text des Tauschvertrages vom 22. 9. 1828: Unkel, S. 313 ff.; Hecker, Chronik, S. 297 f.

zu anderen Teilen Eigentum des Marzellengymnasiums bzw. des Schul- und Stiftungsfonds blieb. So sollte für die Zukunft von damals nicht absehbarer Bedeutung der § 4 bleiben: „Der botanische Garten bleibt Eigentum des Gymnasiums" – das ihn später für den Kölner Hauptbahnhof abtreten mußte! § 5 sah vor: „Wenn das Seminar aus der Stadt verlegt oder die oben genannten Teile des Jesuitenkollegiums von dem Seminar nicht weiter benutzt werden sollten, so fallen sie an das Gymnasium als Eigentum zurück." Umgekehrt verpflichtete sich die Stadt Köln in § 8, den Wert der im Tausch an die Stadt fallenden Grundstücke und Gebäulichkeiten auf dem Domhof zu erstatten, falls das Seminar die Marzellenstraße verließe. Erst durch einen neuen Vertrag vom Jahre 1860 im Zuge des Bahnhofsbaues gelang es, diese Rückfallklauseln zu beseitigen[39].

d) Die Erneuerung der Leitung und des Lehrpersonals am Seminar

Waren die Ordnung der finanziellen Verhältnisse und der Umzug in ein zureichendes Seminargebäude durchaus wichtige Voraussetzungen für eine zufriedenstellende Neuordnung am Seminar, so kam doch der Erneuerung des Personals die entscheidende Bedeutung zu. Spiegel ging mit den um das Seminar in schweren Zeiten verdienten bisherigen Leitern und Lehrern im allgemeinen vornehm, allerdings auch energisch und nach seinen Vorstellungen vom Seminar um. „Den Präses Brouhung beließ er noch ein Jahr lang im Amte, bis er sich selbst mit den Verhältnissen des Seminars etwas näher vertraut gemacht hatte. Im Herbste 1826 wurde Brouhung ins Domkapitel versetzt und starb am 9. September 1831[40]. Der im besten Mannesalter stehende, energische, aber bei den Schülern des Hermes nicht beliebte Professor Grosman[41] wurde gegen seinen Wunsch von seiner Stelle enthoben und unter dem Ausdrucke der Anerkennung für seine dem Seminar geleisteten Dienste am 1. Oktober 1826 zum Pfarrer der Hauptkirche St. Columba in Köln ernannt ... Auch [Joseph] Iven wurde auf Empfehlung des Erzbischofs Regens des Waisenhauses zu [Essen-] Steele ... Hamm wurde im Februar 1826 Domkapitular und legte seine Professur nieder[42]. Den beiden Jubilarpriestern Mohren und Splinter wurde auf das Gesuch des Erzbischofs vom 29. September 1827 vom Minister v[on] Altenstein gestattet, unter Fortbezug ihrer bisherigen armseligen Besoldung ihre Tage im Seminar zu beschließen. Für Mohren war Spiegels Antrag um so dringender, ‚als die Verstoßung dieses alten, hochfrommen Mannes eine unbegrenzt große Unzufriedenheit beim Publico lautbar machen würde' ..."

---

[39] Vgl. unten S. 97 f.

[40] Unkel, S. 322 f. – Zu Ludwig Brouhung (1748–1831) s. Hecker, Chronik, S. 106 f.; Trippen, Domkapitel (vgl. oben S. 32, Anm. 31), S. 521 (Reg.)

[41] Johann Nikolaus Hermann Joseph Grosman (1789–1860), 1813–1826 Repetent bzw. Professor für Moral, 1826–1845 Pfarrer an St. Columba in Köln, 1845 Stiftspropst in Aachen: Hekker, Chronik, S. 114 ff.

[42] Jakob Hamm (1745–1831), 1812–1825 Seminarprofessor für Kirchenrecht, 1825 Domkapitular: Hecker, Chronik, S. 109 f.; Trippen, Domkapitel, S. 524 (Reg.)

Es ist nicht zu erkennen, wer Spiegel die Berufung von Peter Nikolaus Schweitzer zum neuen Präses des Seminars empfohlen hat[43]. Schweitzer genoß zweifellos als Leiter des Lehrerseminars in Brühl seit 1823 einen ausgezeichneten Ruf als aufgeschlossener Pädagoge. Die folgenden Jahre sollten ihn als begnadeten Priestererzieher und umsichtigen Reorganisator des Priesterseminars erweisen. Als Spiegel Anfang 1826 seine Freistellung aus dem Staatsdienst beantragte, willigte Minister Altenstein erst zum Ende des Studienjahres in Brühl ein[44]. Mit der Übernahme des Präses-Amtes erhielt Schweitzer zugleich am 31. Oktober 1826 eine Domherrenstelle. Wie Schweitzer seine Aufgabe als Regens verstand, wird aus einer Stellungnahme zu einer von Spiegel ihm zugeleiteten Breslauer Seminarordnung 1829 deutlich[45]. Schweitzer setzte sich darin mit der überzogenen Strenge dieser Ordnung auseinander und kam zu dem Schluß: „Überhaupt kann es nicht gut sein, wenn man darauf sinnt, aus dem Seminarium ein Gefängnishaus, eine Anstalt wie für Detinierte zu machen, weil sonst jeder nur mit Widerwillen hineingeht und mit Freuden sich davonmacht. Es sieht übrigens auch sehr traurig aus, wenn die Furcht der Haupthebel in Klerikal-Instituten sein *muß*. Eine steife Strenge ist freilich die leichteste und bequemste Regierungsweise, – je fester die Untergebenen gelegt und gebunden sind, desto weniger Unruhe machen sie – allein gedeihlich und erziehlich ist solche Behandlung keineswegs, *denn ohne Freiheit kann es keine Bildung geben*. Es darf daher auch für Klerikalseminarien nicht darauf ankommen, daß man die Freiheit möglichst beschränke, sondern daß man bei der nötigen Beschränkung soviel Freiheit als tunlich erhalte."

Seine eigenen pädagogischen Prinzipien scheinen auch in folgenden Bemerkungen auf: „Es fällt mir in dieser Beziehung auch unangenehm auf, daß der [Breslauer] Regens sich in eine vornehme Entfernung gegen die Alumen zu setzen scheint, indem er immer nur durch ein Organ mit ihnen in Verkehr tritt, und diesen der freie Zugang zu ihrem ersten Vorstand und Bildner nicht gestattet ist ... In Erziehungshäusern ist nichts so sehr zu vermeiden als Willkür, und selbst Schein von Willkür, und nichts so sehr zu fördern und zu suchen als *Vertrauen* in den fraglichen Beziehungen ... Ein geschriebener Strafkodex in einem Klerikal-Seminar erscheint mir immer als etwas *Unwürdiges* und zugleich als etwas *Unnützes* ..."

Wie Spiegel diese Anschauungen Schweitzers beurteilte, ließ er nicht nur durch die Unterstreichungen im Text erkennen. Er schrieb auf den Rand des ersten Blattes: „Diese Rezension enthält viel Brauchbares und richtig Gedachtes, sie hat meinen vollen Beifall." Wie zufrieden Spiegel schon nach wenigen Wochen seiner Wirksamkeit

---

43 Peter Nikolaus Schweitzer (1788–1869), nach 1813 Kantonalpfarrer in St. Vith, 1823–1826 Direktor des Lehrerseminars in Brühl, ab 1826 Domkapitular, 1826–1833 Präses des Seminars, 1833 Regierungs- und Schulrat in Köln: Hecker, Chronik, S. 123 f.; Trippen, Domkapitel, S. 533 (Reg.)

44 Korrespondenz Spiegel – Altenstein: HAEK – CR 8 A 1.2,1, Bl. 15 ff.

45 Schweitzer an Spiegel am 3. 3. 1829 (Original): HAEK – CR 8 A 1.1,1 Bl. 242–246 – Unkel bezeichnet S. 325 Schweitzers Brief irrtümlich als Stellungsnahme zu Freiburger Ordnungen (die in der Akte anschließend abgeheftet sind). Doch bezieht sich Schweitzer im Text ausdrücklich auf eine Ordnung des Breslauer Seminars

mit Schweitzer war, läßt ein Brief an den neuen Regens am 8. Dezember 1826 erkennen[46]: „Es gereicht mir zu ganz ausnehmendem Vergnügen, dem Herrn Domkapitular und Präses meines Erzbischöflichen Seminariums, Herrn Schweitzer, mein Wohlgefallen an dem Inhalte des am 6. d[ieses] M[onats] eingereichten Berichtes[47] über die gegenwärtig im Seminarium eingeführte Ordnung und die darin herrschende, harmonisch ineinandergreifende Wirksamkeit zu erkennen zu geben."

Bei der Wertschätzung, die der Präses bei seinem Erzbischof genoß, ist schwer verständlich, daß dieser Schweitzer bereits 1833 gestattete, die Stelle eines Geistlichen Regierungs- und Schulrats bei der Kölner Regierung anzunehmen. Vielleicht haben nicht die kritischen Stimmen über Schweitzers Wirksamkeit dazu geführt, die im Laufe der Jahre unvermeidlich auch an Spiegels Ohr drangen[48], sondern ein Umstand, der zehn Jahre später bei Schweitzers Bewerbung um die Dompropststelle in Köln aktenkundig wurde[49]. „Der Ruf Schweitzers war vollständig bloßgestellt durch ein ärgerliches Verhältnis, das auch Folgen gehabt hatte. Das war allgemein bekannt, war sogar unter den Seminaristen, als Erzbischof Spiegel ihn zum Seminarregens ernannt hatte, besprochen worden." Es ist nicht auszuschließen, daß Spiegel aus diesem Grunde die Rückkehr Schweitzers in den Staatsdienst duldete oder gar förderte, allerdings gewiß unter Verschweigung seiner Gründe, da die preußische Regierung bei moralischen Bedenken weit strenger war als die kirchliche Seite.

So mußte Erzbischof Spiegel nach sieben Jahren erneut nach einem geeigneten Präses des Seminars Ausschau halten. Er fand ihn in dem erst 32jährigen Pfarrer Dr. Johann Lambert Severin Weitz[50], den er bereits 1832 auf eine Reise zu den Priesterbildungsanstalten Bayerns und Österreichs schickte, um ihn auf sein Amt vorzubereiten. Nach seiner Ernennung zum Präses mußte er wegen Schwierigkeiten auf staatlicher Seite ein Jahr auf seine Einführung als Domkapitular warten[51]. Weitz sollte 18 Jahre lang das Seminar durch manche kritischen Phasen leiten. Er genoß hohes Ansehen bei den Alumnen, wie das Zeugnis des späteren Paderborner Bischofs Konrad Martin bezeugt[52]: „Als Grundsatz scheint ihm bei der Leitung des Seminars vor Augen geschwebt zu haben: Wenn ich fehlen soll, will ich lieber durch allzu große Güte als durch allzu große Strenge fehlen ... Zwar richtete er durch sein hilfreiches Wesen, durch seine große Gutmütigkeit, durch sein offenes, freundliches väterliches Wohlwollen, das er jedem seiner Zöglinge entgegenbrachte, besonders wenn er unter vier Augen mit ihnen verhandelte, sehr viel aus; denn er wurde von den Zöglingen des

---

46 Spiegel an Schweitzer am 8. 12. 1826 (Entwurf): HAEK – CR 8 A 1.1,1, Bl. 191 f.

47 Schweitzer an Spiegel am 6. 12. 1826 (Original): Ebd., Bl. 186–189 – vgl. dazu unten S. 70 f.

48 Zu Schweitzers Ablösung als Seminarpräses und den kritischen Stimmen über seine Wirksamkeit: Trippen, Domkapitel, S. 52 f., vor allem S. 53, Anm. 20 (mit Quellen- und Literaturbelegen)

49 Beda Bastgen (Hrsg. Reimund Haas), Die Besetzung der Bischofssitze in Preußen in der ersten Hälfte des 19. Jahrhunderts, München 1978 (Reprint), Teil II, S. 132

50 Lambert Severin Weitz (1801–1858) 1833–1851 Präses des Seminars, 1834 Domkapitular: Hecker, Chronik, S. 159–163; Trippen, Domkapitel, S. 534 (Reg.)

51 Dazu: Lipgens, Spiegel, Bd. 1, S. 458 f. u. 469; Trippen, Domkapitel, S. 52 f. mit Anm. 19

52 Zitat aus Konrad Martin, Zeitbilder, ^{2}1879, S. 120: Hecker, Chronik, S. 159 f.

Seminars wirklich wie ein Vater geliebt, und diese Liebe bewahrten ihm auch die aus der Anstalt entlassenen Zöglinge. Sie wandten sich, wenn sie des Rates bedurften, immer gern an ihn ..." Weniger erfreulich sei seine Vorlesungstätigkeit gewesen.

Neben den erneuerten Vorstand – Regens und Ökonom – stellte Spiegel, zum Teil auf Vorschläge von Schweitzer, aber wohl auch von Georg Hermes in Bonn beraten, tüchtige junge Repetenten. Sie sind in Heckers „Chronik" im einzelnen dargestellt und sollen deshalb hier nur kurz genannt werden. Dr. Anton Horst[53], nach seiner Priesterweihe 1826 Repetent, 1828 auf Schweitzers Vorschlag auch Subregens, dozierte Dogmatik und Aszetik. Auf Grund seiner Begabung hätten ihm manche Wege offengestanden; doch starb er bereits am 3. November 1829. Dr. Andreas Gau[54], vorher Religionslehrer am Karmeliten- (heute: Friedrich-Wilhelm-) Gymnasium, dozierte Moraltheologie; 1831 wurde er als Nachfolger Horsts Subregens. Im März 1829 wurde der sehr talentierte, kaum 24jährige Neupriester Johann Engelbert Reber dritter Repetent[55] mit dem Lehrgebiet Dogmatik.

Für alle diese Berufungen an das Seminar mußte der Erzbischof das Einverständnis des preußischen Kultusministeriums einholen, das die staatlichen Gehälter freizugeben hatte[56]. Dabei mußte sich der Erzbischof – gelegentlich auch berechtigte – Einreden gefallen lassen. So bemerkte Minister Altenstein zum Plan der Berufung Rebers am 27. November 1828[57], er hege doch Zweifel, „ob junge Männer, denen es an aller seelsorglichen Erfahrung noch mangeln muß, wie talentvoll und wohlunterrichtet sie auch immer sein mögen, sich zur Übernahme solcher Ämter eignen." Wie in einem süddeutschen Lande üblich, werde er als Repetenten am Konvikt in Bonn nur Kandidaten zulassen, die wenigstens ein Jahr Seelsorgserfahrungen nachweisen könnten.

So berechtigt Altensteins Einwand war: Spiegel hatte keine Auswahl und mußte auf die ersten Absolventen der Bonner Fakultät, zumal des von ihm geschätzten Georg Hermes, zurückgreifen. Allerdings machte gerade Reber durch die Qualität seiner Vorlesungen und von ihm organisierter Disputationen von sich reden. Nur zwei Jahre (1830–1832) wirkte Johann Hilger Hamacher[58] als Seminarlektor für Homiletik und Aszetik. 1832 wurde der zunächst als Repetent am Bonner Konvikt tätige Johann Heinrich Lentzen[59] Seminarrepetent für Moraltheologie und Kirchenrecht. Choral-

---

[53] Anton Horst (1799–1829), 1826–1828 Repetent (Dogmatik und Moral), 1828/29 auch Subregens des Seminars: Hecker, Chronik, S. 132 f. – Dort auch Darstellung der Bemühungen, Horst als Professor an die Bonner Fakultät zu bringen

[54] Andreas Gau (1800–1862), 1827–1850 Repetent für Moraltheologie, ab 1831 auch Subregens, 1850 Kanonikus in Aachen: Hecker, Chronik, S. 135–138

[55] Johann Engelbert Reber (1805–1844), 1829–1844 Repetent bzw. Professor für Dogmatik: Hecker, Chronik, S. 139–142

[56] Korrespondenz Spiegel mit dem Kultusminsterium: HAEK – CR 8 A 1.2,1

[57] Altenstein an Spiegel am 27. 11. 1828 (Original): Ebd., Bl. 90 – Vgl. Unkel, S. 322

[58] Johann Hilger Hamacher (1804–1880), 1830–1832 Repetent für Homiletik, danach Pfarrer in (Bonn-)Lessenich: Hecker, Chronik, S. 143 f.

[59] Johann Heinrich Lentzen (1802–1875), 1832–1842 Repetent für Moraltheologie und Kirchenrecht am Seminar, danach Pfarrer in Oekoven: Hecker, Chronik, S. 154–157

gesang lehrte von 1826–1830 Wilhelm Küppers[60], der dann als Domvikar 1832–1833 noch als Rituslehrer am Seminar wirkte. Als Gesanglehrer wirkten 1830–1833 Johann Hubert Heinrich Aloys Malmedie[61] und 1833–1838 Domvikar Johann Jakob Lölgen[62]. Von 1831 bis 1837 hielt Spiegels hochbegabter, aber wegen mancher Charakterzüge ebenso umstrittener Geheimsekretär Domkapitular Dr. Nikolaus München[63] kirchenrechtliche Vorlesungen am Seminar.

Die Qualität der von Spiegel an das Seminar berufenen Vorsteher und Dozenten hat bereits 1929 Reckers treffend umschrieben[64]: „In der Auswahl des neuen Vorstandes begünstigte der Erzbischof seiner ganzen Geistesrichtung entsprechend die ‚jungkirchliche' Richtung, die in der überwiegenden Zahl ihrer Vertreter dem Professor Georg Hermes in Bonn Gefolgschaft leistete. [Heinrich] Schrörs hat mit Recht nachdrücklich hervorgehoben[65], daß man bei diesen ‚Hermesianern' sehr wohl den doktrinären und den praktischen Hermesianismus auseinander halten muß. Die besonderen philosophischen und theologischen Lehren des Hermes bildeten viel weniger den Anziehungspunkt seiner Schule als vielmehr die ganze Geistesrichtung, die wissenschaftliche Regsamkeit und der entschiedene Kampf gegen träge Rückständigkeit und ängstliches Sichabschließen ‚altkirchlicher' Kreise. Derartige Hermesianer wollten fest auf dem Boden der Kirche stehen und waren voll Eifer, dem Katholizismus gegen eine feindliche Wissenschaft und gegen den protestantischen Staat Ansehen zu verschaffen und Religiösität und Sittlichkeit höher zu bringen, wobei sie freilich im Eifer gegen das ‚Alte' nicht selten daneben griffen."

e) Die Reform der Studien und des Seminarlebens

Alle Bemühungen des neuen Erzbischofs, die äußeren Lebensbedingungen des Seminars zu heben und die möglichst geeigneten Männer für die Leitung und den Lehrbetrieb des Seminars zu gewinnen, sollten nur dem eigentlichen Zweck des Instituts dienen, in geeigneter Weise und Intensität einen theologisch und pastoral gebildeten

---

60 Wilhelm Küppers (1800–1877), 1826 (schon vor seiner Priesterweihe!)– 1830 Chorallehrer am Seminar, 1828 Domvikar, 1832–1833 Rituslehrer: Hecker, Chronik, S. 130 f.

61 Johann Hubert Heinrich Aloys Malmedie (1805–1880), 1830–1833 Gesanglehrer am Seminar (daneben Kaplan an St. Maria in der Kupfergasse): Hecker, Chronik, S. 145 f. – Vor Malmedie hatte von 1826–1830 der Domkapellmeister Karl Leibl (1784–1870) als Gesanglehrer gewirkt

62 Johann Jakob Lölgen (1808–1838), 1833 Domvikar, 1833–1838 Gesanglehrer am Seminar: Hecker, Chronik, S. 158

63 Nikolaus München (1794–1881), 1825–1835 Geheimsekretär Erzbischof Spiegels, seit 1832 Domkapitular, 1831–1837 mit kirchenrechtlichen Vorlesungen am Seminar beauftragt, ab 1848 Offizial, 1852–1863 staatlich-kirchliche Zwistigkeiten um seine Erhebung zum Dompropst. Zu seiner umstrittenen Persönlichkeit: Hecker, Chronik, S. 147–153; Trippen, Domkapitel, S. 529 (Reg.)

64 Reckers, S. 261

65 Vor allem in der Arbeit: Heinrich Schrörs, Hermesianische Pfarrer, in: Annalen des Hist. Vereins f. d. Niederrhein 103 (1919), S. 76–183

sowie religiös geformten Klerus für die große Erzdiözese bereitzustellen. Die Auskünfte und Gutachten, die Spiegel seit Herbst 1824 sammelte, behandelten vor allem die notwendige Neuordnung der Studien. Nachdem Spiegel mit seinem Plan eines vollständigen Studienganges am Seminar in Berlin nicht durchgedrungen war und dem Seminar nur die praktische und aszetische Ausbildung vor den Weihen verblieb, glaubte der Erzbischof zunächst, „die endgültige Neugestaltung der Studien und des ganzen innern Seminarlebens noch verschieben zu sollen, bis das Konvikt errichtet und das Seminar in einem anderen, mehr geeigneten Gebäude untergebracht wäre“[66]. Doch waren einige provisorische Anordnungen unerläßlich.

Zunächst schwenkte Spiegel bezüglich der Zivilprüfung vor Aufnahme in das Priesterseminar auf die von Konsistorialrat Poll am 16. Mai 1825 dem Oberpräsidenten von Ingersleben vorgeschlagene Linie[67] ein: In einem Schreiben an Ingersleben vom 2. Juli 1825[68] schlug er vor, „daß von nun an in der Regel die Aspiranten des Geistlichen Standes nur durch ein Abiturienten-Zeugnis ... oder durch ein Immatrikulations-Zeugnis der wissenschaftlichen Prüfungs-Kommission ..., und zwar nur durch die Nr. 1 oder 2 dieser Zeugnisse, diejenigen Rechte erwerben, welche ihnen bisher durch die Zeugnisse der Zivil-Prüfungs-Kommission zur Reife für das Studium der Theologie zuteil wurden.“ Für die vorübergehende Zeit noch nicht ganz geordneter Studienbedingungen werde es „den bischöflichen Behörden gestattet, ausnahmsweise wegen außerordentlicher Verhältnisse die angeordnete Zivil-Prüfungs-Kommission zusammenzuberufen ...“ Man mag in Koblenz aufgeatmet haben über den Wandel, der sich von der sperrigen Zurückhaltung Generalvikar Foncks in früheren Jahren zu der einsichtsvollen Kooperation des neuen Erzbischofs vollzogen hatte!

Nachdem Spiegel eine Darstellung der bisherigen Studienverhältnisse am Kölner Seminar von Professor Grosman und Präses Brouhung vom 4. Mai 1825[69] zur Kenntnis genommen hatte, erließ er eine „Vorläufige Verordnung für das Geben und Besuchen der Vorlesungen im Seminar zu Köln“[70], gegliedert in die beiden Abschnitte „Über die Qualifikation zur Anhörung der Vorlesungen“ und „Über die Zeit und Ordnung, worin die Vorlesungen zu geben und anzuhören“. Auch in dieser Verordnung war das Abitur zur Voraussetzung der Zulassung zu den Vorlesungen erhoben. Nichtabiturienten durften nur noch für ein Jahr zu den propädeutischen Disziplinen zugelassen werden. Im übrigen legte die Verordnung vorläufig Umfang und Aufteilung des Studiums in den einzelnen Disziplinen fest.

Die in den Akten gut dokumentierten, aber nicht leicht durchschaubaren Versuche des Jahres 1825, zu einer praktikablen Ordnung zu kommen, hat Unkel übersichtlich

66 Unkel, S. 277 f.

67 Vgl. oben S. 50 mit Anm. 95

68 Spiegel an Ingersleben am 2. 7. 1825 (Original): LHA-Ko-403/949, S. 81–86

69 Unterthänigste Beantwortung der von Seiner Erzbischöflichen Gnaden dem Praeses des Clerical-Seminars Herrn Brouhung unter'm 2ten d. vorgelegten Fragen: HAEK – CR 8 A 1.1,1, Bl. 70–75

70 Vorläufige Verordnung für das Geben und Besuchen der Vorlesungen im Seminar zu Köln (o. D.): HAEK – CR 8 A 1.1,1, Bl. 78–84

zusammengefaßt[71]: „Diese vorläufige Studienordnung blieb nur kurze Zeit in Kraft. Schon am 8. Oktober [1825] verbot der Erzbischof[72], Externe, welche keine schriftliche Erlaubnis von ihm hätten, zu den Vorlesungen im Seminar zuzulassen; diese Erlaubnis sollte aber ‚nur den mit Zeugnissen über vollendete Gymnasialstudien versehenen oder sonst in einer Spezialprüfung ausgezeichnet fähig befundenen Studenten' erteilt werden, und weil er hoffte, das Konvikt [in Bonn] schon recht bald errichtet zu sehen, so wurden durch eine Verfügung vom 7. November 1825 diejenigen Externen, welche ihre philosophischen und theologischen Studien noch nicht zum Abschluß gebracht hatten, zur Fortsetzung derselben an die Universität Bonn verwiesen. Demgemäß verließen 48 Externe beim Beginn des Wintersemesters Köln und bezogen die Rhein-Universität. Nachdem das Seminar auf diese Weise entlastet war, wurden neue, ausführliche Statuten für die Anstalt von Domkapitular Schweitzer, welcher seit kurzem Brouhungs Nachfolger als Seminar-Präses war, verfaßt und eingeführt."

Hier ist in Unkels Darstellung und auch in den Akten ein Sprung von einem Jahr, das ausgefüllt war vom Kampf um die Ordnung der Seminarfinanzen und die Freigabe des ehemaligen Jesuitenkollegs, von der Suche nach dem neuen Präses und neuem Lehrpersonal. Die Konsolidierung der inneren Seminarverhältnisse begann mit Schweitzers Amtsantritt am 31. Oktober 1826 im alten Seminar auf dem Domhof. Schon alsbald nach seinem Amtsantritt – vielleicht schon vorher anhand eigener Erfahrungen im Lehrerseminar Brühl und des von Spiegel gesammelten Materials erstellt – legte Schweitzer dem Erzbischof einen „Entwurf der einstweiligen Einrichtung des Erzbischöflichen Klerikal-Seminars in Köln" vor[73]. Es spricht für Spiegels bis an den Rand des Vertretbaren gehende Kooperationsbereitschaft mit dem Staat, daß er diesen – zwischenzeitlich überarbeiteten – Entwurf am 4. März 1827 dem Kultusminister vorlegte[74]. Vielleicht wollte er nach dem Durchbruch und vor den Einzelverhandlungen in der Gebäudefrage guten Willen zeigen. Der Minister ließ sich die dargebotene Chance, auf das Innenleben des Seminars Einfluß zu nehmen, nicht entgehen. Man wird Unkel zustimmen, wenn er kritisch anmerkt[75]: „Der protestantische Minister, der für den Haushalt des Seminars bis ins Kleinste Anordnungen traf, hielt sich für befugt, auch in Betreff der religiös-sittlichen und wissenschaftlichen Ausbildung der Alumnen Weisungen zu erteilen, obschon die Bulle ‚De salute animarum' bestimmt, daß die Seminarien ... nach den Dekreten des Konzils von Trient gehalten,

---

[71] Unkel, S. 280

[72] Der Text dieser erzbischöflichen Verordnung vom 8. 10. 1825 ist in HAEK – CR 8 A 1.1,1 nicht vorhanden. Auf sie wird jedoch im anschließenden Schriftverkehr mehrfach Bezug genommen

[73] Entwurf der einstweiligen Einrichtung des Erzbischöflichen Klerikal-Seminars zu Cöln (mit Bearbeitungsspuren Spiegels): HAEK – CR 8 A 1.1,1, Bl. 157–164; Änderungen an dem Entwurfe der einstweiligen Seminariums-Einrichtung: Ebd., Bl. 165–168 – Weitere Entwürfe: Ebd., Bl. 169–185 und HAEK – CR 8 A 1.2,1, Bl. 43–54

[74] Dieses Datum ergibt sich aus Altensteins Antwort an Spiegel vom 25. 4. 1827 (Original): HAEK – CR 8 A 1.2,1, Bl. 55–58

[75] Unkel, S. 281f.

d. h. unter der Leitung und Oberaufsicht des Bischofs stehen sollen[76]. Seine Antwort vom 25. April [1827][77] enthält eine ausführliche Kritik des Entwurfs mit manchen im Kathederton gehaltenen praktisch-theologischen Belehrungen für den Erzbischof, denen zum Teil auch, wo ihre innere Berechtigung anerkannt werden mußte, Folge geleistet wurde."

Es ist nicht uninteressant zu beobachten, wo Schweitzers und Spiegels Konzeption mit staatlichen Vorstellungen kollidierte und wie Minister Altenstein – vielleicht von dem katholischen Ministerialrat Schmedding beraten? – bisweilen weitsichtiger im Sinne der Kirche argumentierte als der Entwurf. Deshalb seien die Punkte hier genannt[78].

In § 2 des Entwurfs wurde vorausgesetzt, daß die Seminaristen „nach dem Studienplan der Theologie von Herrn Professor Hermes das Triennium absolviert haben". Altenstein bemerkte dazu, er müsse wünschen, „daß die Nennung des von Professor Hermes ausgearbeiteten Studienplans vermieden werde. Wahrlich nicht aus geringer Meinung von den Verdiensten dieses Gelehrten, sondern weil mir sein Plan zu reich und verwickelt scheint, um als absolute Vorschrift zu gelten; auch – weil ich die Gefühle der übrigen Fakultätsmitglieder schonen möchte". Der Minister empfahl deshalb eine neutralere Formulierung.

In § 3 des Kölner Entwurfs war die theoretische Pastoraltheologie nach Bonn verwiesen, die praktische für das Seminar reklamiert. Es zeugt für eine bei einem preußischen Minister nicht zu erwartende Detailkenntnis, wenn Altenstein dazu schrieb: „Was von akademischen Dozenten über Pastoraltheologie gelehrt wird, hält sich gewöhnlich zu sehr im Allgemeinen und entbehrt daher jener Lebendigkeit, die nur aus der Anschauung und wirklichen Übung hervorgeht. Aus diesem und noch einem andern Grunde kann die Frage gestellt werden, ob es doch nicht ratsam sei, die Pastoraltheologie auch in den Seminarien, und zwar durch den Regens selbst, vortragen zu lassen. Der andere Grund ist, daß aus Mangel an Erfahrung junge akademische Lehrer dieses Fachs vielleicht zu sehr zu reformatorischen Ideen, hingegen alternde Dozenten zu unbedingter Lobpreisung des Bestehenden hinneigen."

Ein besonderes Mißbehagen bereitete dem Minister die Aussage in § 4 des Kölner Entwurfs: „Die Praktische Pastoral-Theologie schöpft hauptsächlich ihren Stoff aus der Dogmatik und Moral-Theologie, und darum wird es, wo nicht notwendig, doch nützlich sein, daß Repetitionen und wissenschaftliche Ausarbeitungen, vorzüglich aus diesen beiden Fächern, den Pastoral-Übungen und Anwendungen im Seminarium vor und zur Seite gehen." Der Minister fand diese Überbetonung von Dogmatik und Moral – in seinem Sinne! – für unangebracht: „Auffallen kann es hiernach, daß der Entwurf zu einer Schule rein praktischer Bildung so viel Zeit auf Repetitionen, und zwar ausschließlich für Moral und Dogmatik, verwendet; gleichsam als ob es an

76 „D. h. unter der Leitung und Oberaufsicht des Bischofs stehen sollen" war eine Interpretation Unkels, die nicht im Text steht: Vgl. oben S. 55 mit Anm. 12

77 HAEK – CR 8 A 1.2,1, Bl. 55–58 (s. oben Anm. 74)

78 Der Darstellung werden hier die Fassung des Entwurfs und Altensteins Stellungnahme vom 25. 4. 1827 in HAEK – CR 8 A 1.2,1 zugrunde gelegt. – Vgl. auch Unkel, S. 282 ff.

dem, was dafür auf der Hochschule und am Konvikt zu Bonn geschehen soll, noch nicht genug sei; daß dagegen die Heilige Schrift und die Werke vorzüglicher Aszeten und geistlicher Redner gleichsam leer ausgehen."

Geradezu skurril wirkt es, daß sich der preußische Kultusminister auch mit der Qualität des katholischen Kirchengesangs befaßte und das in § 18 des Entwurfs empfohlene Gesangbuch „Der heilige Gesang" des Trierer Bischofs Hommer (Ehrenbreitstein 1827) als qualitativ unzureichend einstufte. Die angehenden Geistlichen „sollen doch auch kennen und lieben lernen, was ihre Kirche in lateinischer Sprache an Antiphonen, Responsorien, Hymnen und anderen Singstücken Schönes enthält ... Daher möchte eine neue Sammlung aus Altem und Neuem und aus beiden Idiomen anzulegen sein, deren sich auch die Konviktoristen in Bonn bedienen könnten".

Bei dem in Preußen geschärften Sinn für Zucht und Disziplin mußte es dem Minister mißfallen, daß in § 30 des Kölner Entwurfs einer Seminarordnung auf Disziplinargesetze „vorerst" verzichtet wurde. Der Minister belehrte deshalb den Erzbischof: „Die Erfahrung von Jahrhunderten hat bewiesen, daß Seminarien und andere dergleichen geistliche Institute ohne alle Disziplinarstatuten nicht bestehen können. Es kann demnach nur davon die Rede sein, ob die bisher bestandenen Vorschriften dieser Art ... noch ferner gelten oder an deren Statt andere, zweckmäßigere eingeführt werden sollen." Die Sache war dem evangelischen Minister Altenstein so wichtig, daß er einen konkreten Textvorschlag formulierte:

„Unkeuscher Wandel, Trunksucht und andere grobe Unsittlichkeit, desgleichen beharrlicher Ungehorsam oder Widersetzlichkeit gegen die Vorgesetzten ziehen die Entfernung aus dem Seminar, hingegen andere, geringere Fehler Ermahnung, Verweis, auch nach Ermessen des Regens ein- bis dreitägigen Arrest auf der Stube nach sich. Für die Aufrechterhaltung der Zucht und häuslichen Ordnung sind die Vorgesetzten insgemein, jeder innerhalb seines Wirkungskreises, vorzüglich aber der Regens verpflichtet, dem alle bedeutenden Übertretungen und Vergehen zur Anzeige gebracht werden müssen."

Gegen die vorgesehene Tagesordnung hatte Altenstein keine Einwände. Sie ließ den Tag um 5 Uhr morgens beginnen und endete mit der Bestimmung: „Von 9 bis ½ 10 [Uhr abends] Selbsterforschung und Anhörung der Betrachtungspunkte oder eines aszetischen Aufsatzes zur Betrachtung für den folgenden Morgen und Abendgebet, wonach alle sich in Stille und Sittsamkeit zu Bette begeben." Mittwochs nachmittags war frei, samstags war der Nachmittag für die Beichten reserviert.

Als Schweitzer fünf Wochen nach seinem Amtsantritt am 6. Dezember 1826 dem Erzbischof einen ersten Bericht über das Leben und Lehren im Seminar gab[79], deutete er noch einzelne regelungsbedürftige Punkte an, doch ließ sein Bericht insgesamt eine kraftvolle Ordnung und Führung des Hauses erkennen. „Den Alumnen überhaupt und mehreren einzelnen insbesondere muß ich das Zeugnis geben, daß sie sich eines

[79] Schweitzer an Spiegel am 6. 12. 1826 (Original): HAEK – CR 8 A 1.1,1, Bl. 186–189; vgl. Unkel, S. 288

tätigen und frommen Lebens befleißigen." Spiegel sparte in seiner Antwort am 8. Dezember nicht mit Lob für den Regens und die Alumnen[80].

Schweitzer legte auch künftig alle wichtigen Fragen und Entscheidungen dem Erzbischof vor. Aus seinem Bericht vom 21. Mai 1827[81] weckt ein Abschnitt besonderes Interesse, in dem Schweitzer offensichtlich zu den Einwänden Minister Altensteins gegen die Repetitionen Stellung nahm: „Es könnte scheinen, als wenn die Repetitionen und wissenschaftlichen Abhandlungen aus den Hauptfächern der Theologie im Seminario überflüssig seien oder als würde zu viel Zeit darauf verwendet ... Ich antworte darauf: Im letztverflossenen Semester waren diese Repetitionen der besonderen Verhältnisse wegen *notwendig*; denn unter den 41 Alumnen des Seminars waren nur neun, die zu Bonn oder Münster Theologie studiert hatten, und die große Mehrheit deshalb noch einer großen Nachhilfe bedurfte, und in den Geist sowohl als in die Vorstellungsweise, in welcher die Theologie auf diesen hohen Schulen behandelt wird, eingeführt werden mußte." Inzwischen war die Zahl der Hochschulabsolventen auf sechzehn angestiegen. Doch gab es noch andere Gründe, die Repetitionen für nützlich zu halten: „Wenn das Studium schon gänzlich aufzuhören oder doch sehr nachzulassen pflegt, sobald die Alumnen von der Hochschule ins Seminar treten, so ist diese verderbliche Folge der Neigung zur Bequemlichkeit und der Abneigung vor geistiger Anstrengung noch weit mehr zu befürchten, wenn sie als Geistliche hinausgehen zu den ihnen angewiesenen Gemeinden. Darum muß dem Seminarium sehr daran gelegen sein, die Tätigkeit der Zöglinge auch in dieser Beziehung ungeschwächt zu erhalten und sie für die Folge dringend anzuempfehlen. – Wohl ist es sehr richtig und wahr, daß die Verstandesbildung der jungen Kleriker auf der Hochschule einen Vorsprung und ein Übergewicht erhalten hat und das Seminar deshalb ein besonderes Augenmerk auf die Bildung und Erwärmung des Herzens zu richten verpflichtet ist; allein wir haben auch diesen Teil nicht außer Acht gelassen, und wo wir jenes tun, unterlassen wir dieses nicht."

In der weiteren Korrespondenz des Präses mit Spiegel ging es um Lehrplan- und Unterrichtsmittel-Fragen. Nach dem Umzug in die Marzellenstraße wurde sogar Gartenpflege in das Lehrprogramm aufgenommen. Über die Auswirkungen erfreulicherer Wohnverhältnisse auf das Seminarleben in der Marzellenstraße gibt ein Bericht Schweitzers an Spiegel am 2. Januar 1828 ein eindrucksvolles Bild[82]: „Die geregelte Bewegung der Anstalt hat sich mit den vorjährigen Alumnen gleichfalls übertragen und von Anfang an einen festen Gang genommen." Tages-, Wochen- und Studienplan wurden ausführlich geschildert, ebenso die belebenden Auswirkungen des Seminargottesdienstes auf den Kirchenbesuch in der Mariä Himmelfahrtskirche. „Der Nutzen

80 Spiegel an Schweitzer am 8. 12. 1826 (Entwurf): HAEK – CR 8 A 1.1,1, Bl. 191 f. (vgl. oben S. 64 mit Anm. 46); Unkel datiert S. 288 Spiegels Antwort irrtümlich auf den 9. 12. 1826

81 Schweitzer an Spiegel am 21. 5. 1827: „Bericht über die Vertheilung der Repetenten-Arbeiten, und die Zeiteintheilung für die Alumnen des Erzbischöflichen Seminars pro Sommer-Semester 1827": HAEK – CR 8 A 1.1,1, Bl. 193 ff.

82 Schweitzer an Spiegel am 2. 1. 1828 (Original): HAEK – CR 8 A 1.1,1, Bl. 213–219; vgl. auch Unkel, S. 294 f.

der eingeleiteten Repetitionen hat sich im vorigen Jahre bewährt, und wirkten dieselben auffallend, nicht nur für die Fortschritte, Begründung und Durchdringung der wissenschaftlichen Kenntnisse, sondern auch für die Bildung des Gemütes und Solidierung des Charakters bei den Zöglingen ... Das Seminarium nahm einen schönen und zugleich bescheidenen Aufschwung, und ich bedauerte in dieser Beziehung, daß die meist ausgezeichneten Alumnen als Priester dasselbe verlassen mußten ..."

Für einige nicht unwichtige Punkte des Seminarprogramms gibt Schweitzers Bericht interessante Auskünfte: „Für öffentliche Übung im praktischen Lehramte besteht die Anordnung, daß die Alumnen die wohl- oder leidlich gelungenen Predigten und Homilien an den Freitags-Abend-Andachten sowie an einigen besonderen Andachtstagen dem Volke in der Kirche vortragen. Die Sonntagsschulen in den Stadtpfarreien bieten Gelegenheit zur Übung in Katechesationen dar ... Für die Andachten, aszetischen Betrachtungen und Übungen reicht meines Erachtens die dazu bestimmte Zeit und die getroffene Einrichtung hin. Die Wahrnehmung und Führung der Disziplin habe ich etwas mehr zu konzentrieren für angemessen gefunden und habe einige Disziplinargesetze, wie dieselben sich im Verlaufe des vorigen Jahrs als notwendig ergaben, zur besondern äußern Norm vorgeschrieben." Scheinbar hatte sich Schweitzer in diesem Punkt den Auffassungen Minister Altensteins ein wenig angenähert! Insgesamt war er jedoch mit seinen Seminaristen zufrieden: „Überhaupt habe ich jedoch wenig Klage, und gegen einzelne kommen nur dann und wann kleine Beschwerden vor. Mit der äußern Ordnung habe ich daher Ursache zufrieden zu sein; auf die innere muß unablässig hingewirkt werden, und dabei ist die volle Gewißheit nicht so leicht zu erwerben. Ich darf jedoch sagen, daß in Harmonie nach dem Ziele hingestrebt wird." Unter den Verbesserungswünschen für die Zukunft nannte Schweitzer neben äußeren Angelegenheiten vor allem die Anstellung eines qualifizierten Subregens, „da das neue Gebäude weitläufig ist, die Wohnstuben der Alumnen weit auseinanderliegen und die Wachsamkeit in dem Maße zunehmen muß, als die Hindernisse sich mehren".

Einen letzten wichtigen Aspekt hat Unkel zusammenfassend dargestellt[83]: „Am 31. Juli 1830 erließ der Erzbischof eine Verordnung über die Prüfungen zum Empfang hl. Weihen, welche bereits früher ergangene Verfügungen mit den für nötig erachteten Abänderungen und Zusätzen wiederholt. Dieselbe bestimmt unter Anderem, daß das schriftliche Examen für den Eintritt in das Priesterseminar, welches zugleich für den Empfang der hl. Subdiakonatsweihe galt, sich über alle theologischen Fächer mit Ausnahme der Pastoraltheologie und Liturgik erstrecken und demselben je nach Befund noch eine mündliche Prüfung folgen solle. Diejenigen, welche nach bestandenem Examen in das Seminar aufgenommen wurden, empfingen gewöhnlich um die Mitte des Semesters die Subdiakonats- und am Schlusse desselben nach abermaliger Prüfung die Diakonatsweihe. Am Ende des Seminarjahres wurde die Prüfung zum Empfange der hl. Priesterweihe abgelegt, welche alle theologischen Fächer ohne Ausnahme umfaßte. Den hl. Weihen ging jedesmal die Abhaltung geistlicher Übungen voraus."

[83] Unkel, S. 296f.

Welches Interesse der Erzbischof selbst der Ausbildung und dem Leistungsniveau seiner angehenden Priester entgegenbrachte, erfahren wir aus einem Brief an Freiherrn von Stein vom April 1829[84]: „Ich habe mich seit beinahe vier Wochen den Prüfungen und Arbeiten der jungen Kleriker gewidmet, und zwar nicht nur jener, so bereits in meinem Seminar unter guter Leitung und Aufsicht sind, sondern auch der neu von der Universität kommenden Studenten. Ich beachte hierbei nicht nur das Wissenschaftliche, so freilich nicht fehlen darf, sondern auch Sittlichkeit, frommen Sinn und Anstand. Ich beziele, meinem Nachfolger im Amte einen gebildeten und religiös gesinnten Clerum zu hinterlassen. Dann hat derselbe manches Abenteuer weniger zu bestehen, als mir vorgekommen ist und auch noch begegnet."

2. Die Krise unter Erzbischof Droste zu Vischering und während der Kölner Wirren (1836–1842)

Ernst Reckers hat zutreffend festgestellt[85]: „Als Spiegel nach zehnjähriger Regierung der Erzdiözese starb, hatte das Seminar eine gründliche Neuordnung erfahren. Die Entwicklung hätte nun ruhig voranschreiten können, wenn nicht in der kurzen, nur achtzehn Monate währenden Regierung des neuen Erzbischofs Klemens August v[on] Droste-Vischering ein großer Rückschlag erfolgt wäre." Für diesen Rückschlag gab es einen sachlichen und einen in der Person des neuen Erzbischofs liegenden Grund.

Erzbischof Spiegel war kaum aus gewachsener theologischer Überzeugung, eher aus persönlicher Zuneigung und aus Mangel an Alternativen ein Förderer von Georg Hermes und seiner Schule gewesen. Der von ihm hinterlassene Vorstand und Lehrkörper des Seminars bestand ausschließlich aus Hermesianern, allerdings wohl eher aus den bereits differenzierend beschriebenen „praktischen" Hermesianern[86]. Ein auf geistliche Vorbereitung zu den Weihen und pastorale Zurüstung für die Seelsorge reduziertes Seminar bot wenig Gelegenheit, die im philosophischen Vorfeld der Theologie angesiedelten Theorien des Bonner Dogmatikers erneut auszubreiten, für die bei der Mehrzahl der auf praktische Seelsorge ausgerichteten Seminaristen kaum Interesse zu wecken war.

Dennoch kam ein neuer Erzbischof von Köln gar nicht umhin, sich um die Überwindung des Hermesianismus an Fakultät und Konvikt in Bonn wie am Priesterseminar in Köln zu mühen. Wenige Wochen nach Spiegels Tod hatte Gregor XVI. durch das Breve „Dum acerbissimas" am 26. September 1835 die theologischen Positionen von Hermes verurteilt[87]. Hatte Spiegel schon aus Münster eine Wertschätzung des

---

84 Spiegel an Freiherrn von Stein im April 1829: Reusch, Briefe an Bunsen (vgl. oben S. 53, Anm. 4), S. 74 Anm. 2; Unkel, S. 297

85 Reckers, S. 263

86 Vgl. dazu oben S. 65 f.

87 Zur römischen Verurteilung von Georg Hermes: Herman H. Schwedt, Das römische Urteil über Georg Hermes (1775–1831). Ein Beitrag zur Geschichte der Inquisition im 19. Jahrhun-

Dogmatikers mitgebracht, so war in seinem Nachfolger Droste zu Vischering[88] ebenfalls in Münster und ebenso lange eine tiefreichende Abneigung gegen Hermes und seine philosophisch-theologische Gedankenwelt gewachsen. Als Hermes von Münster an die neugegründete Bonner Fakultät überwechselte und zahlreiche Studenten aus Münster ihm folgen wollten, „verbot [der damalige Münsterische Kapitularvikar] Droste-Vischering am 18. Februar 1820 den Theologiestudenten der Diözese Münster, ohne seine Genehmigung Vorlesungen an auswärtigen Universitäten zu hören, widrigenfalls er ihnen die Weihen verweigern werde"[89].

Die Beseitigung des Hermesianismus in seiner Erzdiözese war deshalb für Droste-Vischering keine widerwillig hingenommene Pflicht, sondern ein mit Sendungsbewußtsein aufgegriffenes Anliegen. Doch zeigte sich hier wie auch bei der Auseinandersetzung um die gemischten Ehen die von seinem Vorgänger ganz und gar verschiedene Persönlichkeitsstruktur des neuen Erzbischofs. Hatte Spiegel bei klaren Grundsätzen und zäher Verhandlungsbereitschaft durch diplomatisches Geschick und Verbindlichkeit in der Form vieles bei staatlichen Stellen durchsetzen können, so steuerte Droste-Vischering durch ungeschicktes, manchmal auch schroffes und unsachgemäßes Vorgehen selbst in berechtigten Anliegen in die Katastrophe hinein, die in seiner Verhaftung durch den preußischen Staat am 20. November 1837 ihren Höhepunkt fand[90].

In unserem Zusammenhang sollen allein die Maßnahmen des Erzbischofs im Seminar dargestellt werden. Außer den kirchlichen Akten[91] liegt eine zeitgenössische Darstellung aus der Feder des Seminarrepetenten Lentzen mit einem Anhang der

---

dert (= Römische Quartalschrift für christliche Altertumskunde und Kirchengeschichte, 37. Supplementheft), Rom-Freiburg-Wien 1980

88 Klemens August Freiherr Droste zu Vischering (1773–1845), 1807–1820 Kapitularvikar in Münster, 1827–1836 Weihbischof in Münster, 29. 5. 1836 Amtsantritt als Erzbischof von Köln, 20. 11. 1837 Verhaftung und Abführung auf die Festung Minden, 1842 in der Leitung des Erzbistums durch den Speyerer Bischof Johannes von Geissel als Koadjutor und Erzbistumsadministrator ersetzt, † 19. 10. 1845 in Münster: Eduard Hegel, in: Gatz, Bischofslexikon, S. 145–148; Heinrich Schrörs, Die Kölner Wirren (1837). Studien zu ihrer Geschichte, Bonn 1927; Rudolf Lill, Die Beilegung der Kölner Wirren 1840–1842. Vorwiegend nach Akten des Vatikanischen Geheimarchivs (= Studien zur Kölner Kirchengeschichte, Hrsg. vom Historischen Archiv des Erzbistums Köln, Bd. 6), Düsseldorf 1962; Eduard Hegel, Clemens Ausgust Freiherr Droste zu Vischering (1773–1845), in: Westfälische Lebensbilder 10 (1970), S. 76–103; Rudolf Lill, Der Bischof zwischen Säkularisation und Kulturkampf (1803–1885), in: Berglar-Engels (Hrsg.), Der Bischof in seiner Zeit ... (vgl. oben Kap. 1, Anm. 35), S. 349–396, hier: S. 364–373; Eduard Hegel, Das Erzbistum Köln zwischen der Restauration des 19. Jahrhunderts und der Restauration des 20. Jahrhunderts (= Eduard Hegel [Hrsg.], Geschichte des Erzbistums Köln, Bd. 5, Köln 1987, S. 63–65

89 Eduard Hegel, Georg Hermes 1775–1831, in: Bonner Gelehrte. Beiträge zur Geschichte der Wissenschaften in Bonn. Katholische Theologie, Bonn 1968, S. 13–25, hier: S. 21

90 Dazu vor allem: Schrörs, Wirren (vgl. Anm. 88)

91 HAEK – CR 8 A 1.1,2 (Die innere Einrichtung des Seminars in Beziehung auf praktische Ausbildung der jungen Kleriker sowie Verzeichnisse der Alumnen. 1836–1861); HAEK – CR 8 A 1.9 (Die im Seminar befindlichen Priesteralumnen und deren Verhältnis zur Anstalt überhaupt und Aushilfe in den hiesigen Pfarrkirchen)

wichtigsten Aktenstücke vor[92], die bereits Unkel und Schrörs ihrer Beschreibung der Vorgänge zugrundegelegt haben. Schrörs hat ergänzendes Material aus staatlichen Archiven und Nachlässen benutzen können[93], so daß die Dokumentation der Vorgänge ziemlich vollständig ist.

Schon der Versuch des Seminarkollegiums, mit dem neuen Erzbischof Kontakt aufzunehmen, scheiterte. Schrörs berichtet (viele Einzelheiten zusammenfassend)[94]: „Sogleich bei seinem Amtsantritte stellten sich die Herren ihm vor, wurden auch freundlich empfangen, aber er fragte nicht nach der Einrichtung der Anstalt, sondern versprach, nach der Rückkehr von Berlin sie zu besuchen. Es geschah aber nicht; erst am 13. März 1837 betrat er zum ersten und einzigen Male aus einem besonderen Anlasse, wie wir bald sehen werden, flüchtig das Seminar, ohne jedoch es zu besichtigen und mit dem Vorstande sich zu besprechen. Eine Audienz, die der Präses nachgesucht hatte, um die inneren Verhältnisse der Anstalt auseinanderzusetzen, war abgeschlagen worden und eine darauf eingereichte schriftliche Darlegung ohne Antwort geblieben."

Mied der neue Erzbischof auch den persönlichen Augenschein und die Auseinandersetzung mit den Verantwortlichen, so ließ er durch eine Reihe einschneidender Verordnungen sein waches Interesse für das Seminar erkennen. Schon bei der Vorstellung des Kollegiums hatte er die einjährige Dauer des Seminaraufenthaltes für zu kurz erklärt. Unkel berichtet[95]: „Am 13. August [1836] erließ er neue Vorschriften für die Prüfung zum Eintritt in das Seminar[96]. Das nächste Examen sollte in Bonn abgehalten werden, und zwar unter der Leitung des Professors der Dogmatik Dr. Klee[97]. Die sämtlichen Fragen mit Ausnahme der pastoral-theologischen waren lateinisch zu beantworten. Nach Vollendung der schriftlichen Arbeiten hatte Klee noch eine mündliche Prüfung vorzunehmen ... Am 19. Oktober endlich erfolgte eine ‚Vorläufige Verfügung das Seminar betreffend'[98], welche zwar vieles Hergebrachte bestehen ließ, aber in manchen wesentlichen Punkten einen Bruch mit der Vergangenheit bedeutete ...: ‚Die Seminaristen treten nach der jetzigen Einrichtung nach völlig vollendeten, auch theologischen, Studien in das Seminar; es muß daher vorausgesetzt werden, daß sie

---

92 Das Priester-Seminar zu Köln unter den Erzbischöfen Ferdinand August, Grafen Spiegel zum Desenberg und Canstein, und Clemens August, Freiherrn von Droste-Vischering. Mit einem Anhange von drei und fünfzig neuen Urkunden, Köln 1838 – Zum Anlaß der Entstehung s. unten S. 82; zur Qualität und zur Verfasserschaft des Repetenten Johann Heinrich Lentzen: Schrörs. Wirren, S. 427 Anm. 694 – Lentzen bringt zahlreiche Dokumente, die auch in den in Anm. 91 oben angeführten Akten des HAEK enthalten sind

93 Unkel, S. 339–369; Schrörs, Wirren, S. 313f., 427–434, 622f.

94 Schrörs, Wirren, S. 428

95 Unkel, S. 345f.

96 Text: Lentzen, Priester-Seminar (vgl. oben Anm. 92), S. 81f.

97 Über Heinrich Klee (1800–1840), 1829–1839 Professor für Dogmatik in Bonn, 1839–1840 in München: Johann Auer, Heinrich Klee 1800–1840, in: Bonner Gelehrte. Beiträge zur Geschichte der Wissenschaften in Bonn. Katholische Theologie, Bonn 1968, S. 26–38; vgl. auch Schrörs, Kath.-Theol. Fakultät Bonn, S. 205–236

98 Vorläufige Verfügung das Seminar betreffend (19.10.1836, vom Erzbischof unterschrieben): HAEK – CR 8 A 1.1,2, Bl. 7–18; Lentzen, Priester-Seminar, S. 82–96

das, was in Gymnasien und auf Universitäten gelernt werden kann und dem Geistlichen zu wissen nötig ist ..., inne haben ... Das Seminar ist also der jetzigen Einrichtung nach, dem Gesagten zufolge, nicht bestimmt zur Erlernung der erwähnten Wissenschaften ...'"

Wird schon bis hierhin das im Unterschied zur Spiegelschen Konzeption geringere Interesse Drostes an der wissenschaftlichen Vorbildung des Klerus deutlich, so machen die weiteren Vorschriften vollends die Absichten des neuen Erzbischofs sichtbar[99]: „Die eigentliche Bestimmung des Seminars ist, teils den angehenden Geistlichen Gelegenheit zu verschaffen, noch recht ihren Beruf, bevor sie sich demselben unwiderruflich hingeben, zu prüfen – in dieser Hinsicht vertritt das Seminar gleichsam die Stelle des Noviziats in Klöstern –, teils auch den angehenden Geistlichen zu erleichtern, daß sie das, was sie vom Geiste der Welt während der Studienzeit mögen eingesogen haben – Dünkel, Vernunftstolz, Lauigkeit, insbesondere im Gottesdienste, eine gewisse Tendenz zum Unglauben, eine Tendenz, die Glaubenswahrheiten vor dem Richterstuhl der Vernunft zu prüfen, Zuchtlosigkeit usw. – und angenommene übeln Gewohnheiten ablegen, dagegen dem Geiste, welcher den Geistlichen stets in all seinem Tun und Lassen beseelen soll, recht sich hingeben."

Es folgten die Festsetzung der Seminarzeit auf zwei Jahre und Darlegungen über die geistliche Nutzung dieser Zeit. Der erzbischöflichen Verfügung waren Hausordnung, Tagesordnung und Tischordnung beigefügt. Ihnen lagen überwiegend die von Spiegel bereits eingeführten Bestimmungen zugrunde. Doch war auch hier die Handschrift des neuen Herrn deutlich zu erkennen. So hieß es in § 10 der Hausordnung[100]: „Wer rauchen will, darf nur auf seiner Stube rauchen; außerhalb der Stube soll niemand mit der Pfeife gesehen werden. Es wird dabei der Erhaltung der Gesundheit wegen Mäßigkeit und auch empfohlen, sich sehr vor der Gewohnheit, dabei auszuspeien, zu hüten, da durch solche Gewohnheit nicht allein ein Nutzen des Tabakrauchens wegfällt, sondern dann das Rauchen sehr schädlich sein kann." Für die Kleidung traf § 13 die Anordnung: „Die Seminaristen dürfen niemals ... anders gekleidet sein als in ihrer Soutane mit Zingulum und in Schuhen ... und nie anders als in ihren schwarzen Mänteln über die [!] Soutane ausgehen, und wenn sie zur Rekreation ausgehen ..., müssen sie immer über die Soutane das Kollar, und alle müssen immer die geschorene Krone [Tonsur!] am Kopfe haben."

Eine „Besondere Verfügung" erließ Droste „die Bücher betreffend"[101]: „1. Kein Seminarist darf ohne meine besondere Erlaubnis irgend ein von einem Nichtkatholiken geschriebenes Buch haben oder lesen. 2. Sie dürfen keine andere Bibel gebrauchen als die lateinische Vulgata ... Doch mögen sie sich auch jener Bibelausgabe von van Ess bedienen ... 3. Keine Zeitschriften dürfen die Seminaristen halten; kein Buch darf ihnen zur Einsicht eingehändigt werden ... 4. Kein Seminarist darf irgend ein Buch bestellen oder kommen lassen; dergleichen muß durch den Herrn Regens oder

---

[99] Unkel, S. 346 f.; Lentzen, Priester-Seminar, S. 82 f.
[100] Hausordnung: HAEK – CR 8 A 1.1,2, Bl. 10; Lentzen, Priester-Seminar, S. 84–87, hier: S. 85
[101] HAEK – CR 8 A 1.1,2, Bl. 15 b/16 a; Lentzen, S. 91

Subregens gehen, und kein Seminarist darf irgend ein Buch auf Kredit nehmen; was nicht gleich bezahlt werden kann, wird sofort wieder zurückgeschickt. Die Seminaristen müssen lernen, manches sich zu versagen, und müssen sich recht sehr vor Schulden machen hüten lernen."

Schon in der Tagesordnung[102] hatte der Erzbischof seine Akzente für den Studienplan gesetzt. Er gab den Lehrern zu bedenken, „ob nicht für die Bestimmung des Seminars zuviel Zeit mit Lehren seitens der Lehrer verwendet wird ... Kirchengeschichte, so sehr Hauptgegenstand, vermisse ich ganz ... Was insbesondere die Dogmatik betrifft, so muß zuvörderst die philosophische Einleitung ganz wegfallen. Es kommt hier darauf an, daß die Seminaristen das Dogma, wie es unsere heilige Kirche lehrt, vollständig und rein auffassen, sich einprägen und gehörig verkündigen lernen ..."

Ein besonderer Nachtrag war der Ausmerzung des Hermesianismus gewidmet[103]: „Die Schriften, gedruckte oder geschriebene, von Professor Hermes, auch die nach seinem Tode herauskommen [sic!] oder zur Verteidigung seiner Lehren und der Darstellungsweise derselben, auch in dessen Vorlesungen geschriebene oder abgeschriebene Hefte zu gebrauchen und zu haben, wird nicht allein den Seminaristen untersagt, sondern auch die Lehrer dürfen dieselben bei ihrem Unterrichte oder Repetition nicht zum Grunde legen. Abgesehen von allem anderen würde es schon eine sehr große, höchst schädliche Einseitigkeit erwirkende Befangenheit verraten, wenn geglaubt würde, nur *diese* Methode sei die richtige. Es ist höchste Zeit, daß die Seminaristen auch andere Darstellungsweisen kennenlernen, daher andere und, wie sich versteht, nicht neumodische katholische Dogmatiker zur Hand nehmen, solche nämlich welche das katholische Dogma recht bestimmt, recht klar, rein und vollständig vorlegen."

Es konnte also keinen Zweifel geben, daß Droste-Vischering bezüglich der Lehre an seinem Seminar mit Personen und Inhalten nicht einverstanden war. Es war sein gutes Recht, die Zusammensetzung des Lehrkörpers und des Lehrprogramms in seinem Sinne zu ändern, wie es ja auch sein Vorgänger Spiegel getan hatte[104]. Doch statt seine Absichten offenzulegen und in geeigneten Schritten zu verwirklichen, mied der Erzbischof Begegnung und Auseinandersetzung mit den Betroffenen, duldete und förderte vielmehr ein über seinen Geheimsekretär Michelis[105] laufendes Denunziantentum von Seminaristen und zerstörte so das Ansehen des Seminarkollegiums und die innere Disziplin des Hauses. Die sehr verworrenen und für das Seminarleben höchst bedenklichen Vorkommnisse zwischen Spätherbst 1836 und 20. November 1837 hat Schrörs am übersichtlichsten und auf der umfassendsten Quellenbasis geordnet und dargestellt[106]: „Die erste Maßregel ersah sich den Repetenten Reber, der Dogmatik

---

102 HAEK – CR 8 A 1.1,2, Bl. 10 b–15 a; Lentzen, S. 87–90

103 Lentzen, Priester-Seminar, S. 90

104 Vgl. oben S. 62 ff.

105 Zu Eduard Michelis: Schrörs, Wirren, S. 274–285 u. 633 (Reg.)

106 Schrörs, Wirren, S. 430 – Schrörs stützt sich in seiner Darstellung weitgehend auf die Darstellung Lentzens (Priester-Seminar, S. 15 ff.) und die von ihm gedruckten Dokumente

vortrug, als Gegenstand. Der Erzbischof hatte verfügt, daß die neugeweihten Priester noch auf unbestimmte Zeit im Seminar zu verbleiben hätten. Auf die Anfrage des Präses, ob diese an den Vorlesungen teilnehmen müßten, erging die Rückfrage, welche Vorlesungen im Seminar gehalten würden, und nachdem diese Auskunft gegeben war, die besondere Anfrage, worüber der Repetent Reber vortrage. Als ihm erwidert war: Dogmatik und Exegese, fand Klemens August diese Antwort zu allgemein und verlangte genaueste Angabe. Sie ward ihm durch Reber selbst zu Teil, und nun erging der Befehl, die Priesteralumnen sollten sämtliche Vorlesungen hören mit Ausnahme der Reber'schen. Ein Grund war nicht angegeben, noch dem Repetenten irgendwelche Vorhaltungen gemacht, noch auch derselbe nur gehört worden"[107].

Schrörs urteilt hart, aber kaum unzutreffend: „Unbekümmert um die Ehre eines theologischen Lehrers und um dessen berechtigte persönlichen Empfindungen ward vorgegangen. Und welch sonderbare Inkonsequenz: den Priestern waren diese Vorträge verboten, den übrigen Alumnen nicht! Der erzbischöfliche Kaplan ließ unter den Zöglingen des Seminars verbreiten, jener Schritt sei nur der Anfang zu derartigen Schritten gegen alle Lehrer[108].

Der Sturm wurde zunächst wieder gegen Reber entfacht. Ein Seminarist namens Wiersteiner reichte dem Erzbischof eine Denunziation ein, wonach in der Anstalt noch ganz hermesisch vorgetragen würde, und Droste selbst vernahm ihn darüber. Ein anderer, Ohligschläger, der nach Ausweis des Briefwechsels mit Michelis auf einem sehr vertrauten Fuße mit diesem verkehrte, reichte zur Vorlage an den Erzbischof eine Zusammenstellung von Sätzen über Erbsünde, Prädestination und Reprobation ein, die Reber gelehrt haben sollte (an Michelis 26. 2. 1837), und versicherte dabei: ‚Es gilt nur die gute Sache, und wir werden uns glücklich schätzen, zu deren Förderung unser Weniges beizutragen.'"[109]

Schrörs, der die inkriminierten Sätze Rebers vor Augen hatte, schreibt: „Einer jener Sätze ist theologisch durchaus richtig, die andern aber sind so wirr und widerspruchsvoll, daß Reber sie unmöglich vorgetragen haben kann; nur das eine geht daraus hervor, daß der Repetent nach hermesischer Weise das Wesen der Erbsünde in die böse Begehrlichkeit gesetzt hatte. In der Vorlesung kam es zu einem Auftritt, indem Wiersteiner dem Lehrer in ungebührlicher Art vorwarf, die kalvinische Reprobationslehre vorzutragen. Diese Beschuldigung brüstete sich Wiersteiner vor Mitalumnen, dem Erzbischofe auch mündlich mitgeteilt zu haben[110]. Vierzig Seminaristen erklärten indes durch ihre Unterschrift den Vorwurf für falsch, im Gegenteil habe Reber jene Lehre bekämpft[111]. Michelis kam persönlich ins Seminar und schürte unter den Alumnen die Opposition. Sein Alterego Ohligschläger streute aus, Klemens August

---

107 Korrespondenz dazu: HAEK – CR 8 A 1.9; Lentzen, Priester-Seminar S. 109 ff.

108 Schrörs verweist dazu S. 430 auf die Darstellung Lentzens: Priester-Seminar, S. 18

109 Schrörs, Wirren, S. 430 – Schrörs fand den Brief im Nachlaß Michelis'

110 Schrörs fand in staatlichen Akten die Nachricht, unter den beschlagnahmten Papieren Erzbischof Drostes habe sich ein Denunziationsschreiben Wiersteiners gegen Reber gefunden: Schrörs, Wirren, S. 430 Anm. 698

111 Erklärung von vierzig Seminaristen vom 3. 3. 1837: Lentzen, Priester-Seminar, S. 111 f.

wünsche, daß bei ihm Beschwerde gegen Reber erhoben würde; weil die bereits zu Subdiakonen Geweihten die Reber'schen Vorlesungen gehört hätten, ohne darüber zu klagen, sei die Erteilung des Diakonates aufgeschoben worden." Darin lag eine geradezu üble Panikmache unter den Studenten, da die Festlegung der Weihetermine, abgesehen von der Unberechenbarkeit Drostes, zweifellos mit der Verlängerung der Seminarzeit auf zwei Jahre zusammenhing.

Am 24. Februar hatte Ohligschläger an Michelis geschrieben: Die Mitteilung des Erzbischofs, daß die Subdiakone noch nicht die Weihen empfangen würden und also zwei Jahre im Seminar verbleiben müßten, hat „außerordentliche Sensation auch unter den sonst als Hermesianern Bekannten erregt. Sie erklären sich zu allem, was S. Erzb[ischöflichen] Gnaden von ihnen verlangt, bereit. Gib mir einen Rat, wie diese Stimmung zu benutzen ist"[112].

Es gehört zu den Erscheinungsformen menschlicher Schwäche zu allen Zeiten, mit Denunziationen Vorteile zu erstreben. Die größere Verantwortung liegt nicht bei denen, die dieser Versuchung erliegen, sondern bei den Vorgesetzten, die sich solch zweifelhafter Angebote als Leitungsinstrument bedienen. Über die unmittelbaren Auswirkungen im Seminar berichtet Schrörs[113]: „Über diese traurigen, alle Zucht untergrabenden Vorgänge reichte der gesamte Vorstand des Seminars dem Oberhirten eine ausführliche Beschwerde ein und schlug vor, daß Wiersteiner zum Widerruf angehalten werde oder die Anstalt zu verlassen habe (3. 3. 1837)[114]. Auch war auf das Treiben des erzbischöflichen Kaplans hingewiesen, der in das Seminar kam, ohne Wissen des Vorstandes mit Alumnen verhandelte, sie aufforderte, um Dispensation von einigen Vorlesungen beim Oberhirten einzukommen, und eine von den Seminaristen zu unterzeichnende Klageschrift ‚über den Hermesianismus Rebers', die jedoch von den Seminaristen selbst abgelehnt wurde, anregen ließ. Die Antwort lautete barsch abweisend: ‚Daß ich alles und jedes Verfahren wider den Alumnus Wiersteiner, inbesondere das In-ihn-Dringen, daß er um Verzeihung bitte, und die Androhung zur Ausweisung, die übrigens gar nicht zu Ihrer Kompetenz gehört, auf das strengste untersage. Diese Sache in Ordnung zu bringen, behalte ich ganz mir selbst vor. Mein Kaplan, der Herr Michelis, ist nur in *meinem* Auftrage im Seminar gewesen; ich werde ihn so oft hinschicken, als ich es gut finde. Ich werde diesen oder jenen Seminaristen oder mehrere zu mir kommen lassen, so oft ich es, und mit ihnen reden, was ich gut finde."[115]

Daß dieser Bescheid kein Ausrutscher, sondern ein Glied in einer Kette war, wurde bald deutlich: „Sechs Tage später (13. 3. 1837) erschien dann Klemens August im Seminar[116] – das einzige Mal –, ließ sich zu den versammelten Alumnen und dem Vor-

---

112 Schrörs, Wirren, S. 315 (Brief auus dem Nachlaß Michelis')

113 Schrörs, Wirren, S. 431

114 Das Seminarkollegium an Erzbischof Droste am 3. 3. 1837: HAEK – CR 8 A 1.1,2, Bl. 27–31; Lentzen, Priester-Seminar, S. 112–116

115 Droste-Vischering an das Seminarkollegium am 7. 3. 1837: HAEK – CR 8 A 1.1,2, Bl. 27 (Marginalantwort auf der Eingabe vom 3. 3. 1837)

116 Schrörs, Wirren, S. 431; vgl. Lentzen, Priester Seminar, S. 24 ff.

stande führen und erklärte, die Sache des Wiersteiner nicht untersuchen zu wollen, sagte aber zu Reber gewendet: ‚Ich bitte Sie im Namen des Herrn Wiersteiner um Verzeihung.' Darauf verlas er einen langen Zusatz zu den Seminarstatuten[117] des Inhaltes, daß alles offizielle und private Disputieren untersagt sei; daß jeder Alumnus zum Einreichen an den Erzbischof alles möglichst wörtlich aufschreiben solle, was in den Vorlesungen vorgetragen würde, daß jedoch das Aufgeschriebene weder einem andern Alumnen noch den Vorgesetzten gezeigt werden dürfe; daß jeder Seminarist das Recht habe, ohne Erlaubnis des Seminarvorstandes den Erzbischof zu besuchen oder ihm versiegelte Briefe zu schicken. Schließlich entband er den Denunzianten Wiersteiner von den Vorlesungen der Repetenten Reber und Lentzen, die er, der Erzbischof, nicht einmal von Angesicht kannte, wie sich bei den Verhandlungen herausgestellt hatte. Dann verließ er das Seminar, ohne dem Vorstande und den Lehrern die gewünschte Besprechung gewährt zu haben."

Indem Erzbischof Droste die in seinem Namen wirkenden Vorsteher und Dozenten des Seminars in dieser Weise öffentlich bloßstellte und das Denunziantentum einiger Seminaristen belohnte, untergrub er Wirksamkeit und Disziplin des Seminars. Die geschilderten Vorfälle waren auch keineswegs ein abgeschlossener, einmaliger Komplex. Schrörs fährt fort[118]: „Im Beginn des Sommerhalbjahres 1837 wurde ihnen [Reber und Lentzen] jede Lehrtätigkeit verboten ohne Angabe eines Grundes. Es war umso auffallender, als in ihren Vorlesungen gerade Gegenstände behandelt werden sollten, die mit Hermesianismus nichts zu schaffen hatten: die dogmatische Lehre von den Sakramenten der Buße und des Altars, Moraltheologie und Kirchenrecht." Droste ging bei seinen Maßnahmen gegen das Seminar wie gegen die Bonner Fakultät in gleicher Weise unberechenbar, plötzlich und hart vor, was keineswegs nur zu Lasten der Vorgesetzten am Seminar ging. Die Seminaristen waren wegen der Verlängerung der Seminarzeit über ihre nächste Zukunft im Ungewissen. So schrieb der Seminarist Ohligschläger am 19. August 1837 an Michelis[119]: „Ist Examen hier im Seminar und werden wir geweiht? Beruhige uns doch hierin bald, sonst hast Du zu befürchten, daß das Seminar sich empört." Über die Stimmung nicht weniger seiner Kollegen mutmaßte er: „Leider sind aber auch viele, die die Schritte unseres geistlichen Vaters [des Erzbischofs!] als die Unterdrückung alles wissenschaftlichen Strebens, als eine Zwangsanlegung der Überzeugung ... [empfinden]."

Der Höhepunkt der erzbischöflichen Eingriffe in den Seminarbetrieb wurde jedoch erst im November 1837 erreicht und fiel mit Drostes Verhaftung durch die preußischen Behörden zusammen. Der Einfachheit halber sei wieder die die verwikkelten Ereignisse raffend zusammenfassende Darstellung von Schrörs übernommen[120]: „Am Allerheiligentage erging das Verbot für alle Vorträge im Seminar, auch für die des Präses und Subregens, die dogmatisch höchst harmlose Fächer, nämlich Kate-

[117] Text: „Zusatz zu meiner unter dem 19. Oktober 1836 erlassenen Vorläufigen Verfügung" vom 11. 3. 1837: HAEK – CR 8 A 1.1,2, Bl. 34 f.; Lentzen, Priester-Seminar, S. 119 ff.
[118] Schrörs, Wirren, S. 432; vgl. Lentzen, S. 28 ff.
[119] Zitat: Schrörs, Wirren, S. 315
[120] Schrörs, Wirren, S. 432; vgl. Lentzen, S. 37 ff.

chetik, Homiletik und Liturgik betrafen[121]. Zehn Tage später nahm Klemens August den auf Präses und Subregens bezüglichen Teil der Verordnung wieder zurück, aber ein anderes, viel einschneidenderes Gebot erhielt er aufrecht. Er hatte verfügt, daß von jetzt ab Vorlesungen über Dogmatik und Exegese für die Seminaristen in seinem Hause stattfänden, die er dem Pfarrer Grosman und dem aus den Bonner Verwicklungen bekannten Kaplan Meckel übertrug."[122]

Schrörs' Einschätzung ist zuzustimmen: „Niemand wußte, und wahrscheinlich hat sich Droste in seinem die Folgen seines Handelns nicht überlegendem Temperamente selbst keine Rechenschaft darüber gegeben, wie lange diese Maßregeln dauern sollten. Aber jedenfalls lösten sie die Ordnung auf und waren für das Seminar vernichtend. Ein an sich kleiner Zug, den der Erzbischof zu gleicher Zeit unternahm, zeigt, wie er die Seminarleitung möglichst unterbinden wollte. Es bestand der Gebrauch, daß aus den Zöglingen ein Senior bestellt und mit der Besorgung einiger Hausgeschäfte betraut wurde. Die Ernennung desselben ward nun dem Präses entzogen und dem Erzbischofe selbst vorbehalten[123]. In dieser Lage kann man es verstehen, wenn auch durchaus nicht billigen, daß Vorstand und Lehrer [am 9. November 1837] beim Kultusminister Beschwerde erhoben und den Schutz des Staates riefen"[124].

Das war die erste massive Gegenwehr der entwürdigend Behandelten, die sich feststellen läßt. Ihre Rechtsgrundlage war das vom Staat beanspruchte und von Spiegel wie später von Erzbischof von Geissel respektierte Recht des Staates, die erzbischöfliche Berufung von Vorstehern und Lehrern am Seminar, die staatlich besoldet waren, zu genehmigen. „Noch ehe diese Klage in Berlin sein konnte, griff die Regierung ein. Der Oberpräsident verbot, gestützt auf die Bestimmung des preußischen Staatsrechts, daß zur Anstellung von Lehrern für die Seminaristen landesherrliche Genehmigung nötig sei, die Vorlesungen im Hause des Erzbischofs, drohte, sie sonst durch die Kölner Regierung verhindern zu lassen, und forderte unverzügliche Zurücknahme der Verfügung[125]. Droste erwiderte: ‚Auf die Erörterung des Prinzips kann ich mich hier

---

[121] Erzbischof Droste-Vischering an Präses Weitz am 1. 11. 1837: HAEK – CR 8 A 1.1,2, Bl. 54; Lentzen, S. 126

[122] Zu Grosman, den Spiegel 1826 als Moralprofessor abgelöst hatte, s. oben S. 62 mit Anm. 41 – Johann Wilhelm Meckel (1803–1876), 1832–1837 Erzieher im Hause des Freiherrn von Böselager in Bonn, sollte nach Drostes Willen Repetent am Konvikt in Bonn werden, scheiterte aber an der staatlichen Verweigerung; unter Erzbischof Geissel 1842–1847 Professor für Moral: Schrörs, Wirren, S. 393 ff.; Hecker, Chronik, S. 169 f.

[123] Verfügung Drostes an Weitz vom 30. 10. 1837: Lentzen, Priester-Seminar, S. 125

[124] Der Vorstand des Kölner Priesterseminars an Altenstein am 9. 11. 1837 (Abschrift in den Papieren des Professors Braun): Schrörs, Wirren, S. 622 f. – Schrörs merkt mit Recht, nicht ohne kritischen Unterton, an (S. 433 Anm. 700): „Lentzen hat in seiner Dokumentensammlung dieses Stück wohlweislich ausgelassen, auch die Tatsache nicht erwähnt"

[125] Korrespondenz zwischen Oberpräsident von Bodelschwingh und Erzbischof Droste-Vischering 9./10. 11. 1837: HAEK – CR 8 A 1.1,2, Bl. 58 f.; Schrörs, Wirren, S. 433 mit Anm. 701 – Der Kölner Regierungspräsident verbot Grosman und Meckel im Auftrag des Oberpräsidenten die Aufnahme der Lehrtätigkeit im Erzbischöflichen Palais bis zur Erteilung einer ministeriellen Erlaubnis. Abschrift der Schreiben des Regierungspräsidenten an Grosman und Meckel vom 13. 11. 1837: HAEK – CR 8 A 1.1,2, Bl. 62 u. 65

nicht einlassen', verschob aber die Eröffnung der Vorträge um acht Tage [auf den 20. November, den Tag seiner Abführung!]. [Oberpräsident] Bodelschwingh[126] beantragte sogar beim Kultusminister die staatliche Schließung des Seminars. Alles wurde hinfällig durch die am 20. November erfolgende Abführung des Kirchenfürsten."

Wenn man das für eine viel umfangreichere Darstellung ausreichende Material zuzieht, muß man Schrörs eine keineswegs übertriebene, knappe Darstellung der kaum vorstellbaren Zuspitzung der Seminarverhältnisse in der kurzen Zeit der Wirksamkeit Erzbischof Drostes bescheinigen. Die Auswirkungen für das Seminar waren verheerend. Es wurde in den Strudel der Ereignisse und des Stimmungsumschwungs, den Drostes Verhaftung im katholischen Volk auslöste, hineingezogen. Unkel berichtet[127]: „Die Erregung, welche sich damals des katholischen Volkes und Klerus' bemächtigte, richtete sich naturgemäß auch gegen das mit dem Erzbischof in so heftigen Zwiespalt geratene Priesterseminar, zumal der Verdacht, daß die Seminarprofessoren gegen ihren Oberhirten ein geheimes Einverständnis mit der Staatsregierung unterhalten hätten, durch die Umstände nur zu nahegerückt wurde. Darum fühlte der Seminarvorstand das Bedürfnis, sich durch die mehr genannte Schrift ‚Das Priester-Seminar zu Köln ...' vor der Öffentlichkeit zu rechtfertigen ..."

Zu den konkreten Auswirkungen bemerkt Unkel: „Für das Seminar hatte das traurige Ereignis die unmittelbare Folge, daß fast sämtliche Alumnen die Anstalt verließen; ihr gänzliches Eingehen wußte man jedoch durch freigebigste [gewiß vom Staat geförderte] Verleihung von Freistellen zu verhindern[128]. Allmählich hob sich auch die Zahl der Alumnen wieder etwas und stieg im Jahr 1840 bis auf zwanzig. Der Gegensatz unter den Alumnen zwischen Hermesianern und ihren Gegnern trat damals nicht mehr so stark hervor, indem die ersteren sich mehr zurückhielten. Dogmatische Vorlesungen wurden seit dem Herbst 1838 wegen Erkrankung Dr. Rebers nicht mehr gehalten. Reber wohnte der besseren Pflege halber mit Genehmigung des Generalvikars Hüsgen [des damaligen Bistumsverwalters!] bei seinem Bruder, welcher Kaplan bei St. Maria im Kapitol war. Später hielt er vorübergehend wieder Vorlesungen ... Auch Kirchengeschichte wurde in jener Zeit nicht mehr studiert. Die tägliche Morgenbetrachtung aber unterblieb nicht ... Den Stoff für die Betrachtung trug Subregens Gau in sehr ansprechender Weise vor. Geistliche Exerzitien fanden vor der Priesterweihe nicht mehr statt. Die hl. Weihen erteilte der hochbetagte Weihbischof Adalbert von Beyer[129] bis ins Jahr 1841 hinein; im Herbste dieses Jahres aber mußten die Ordi-

---

126 Ernst Albert Karl Wilhelm Ludwig von Bodelschwingh-Velmede (1794–1854), 1831 Oberregierungsrat in Köln, 1831–1834 Regierungspräsident in Trier, 1834–1842 Oberpräsident der Rheinprovinz, dann Minister verschiedener Ressorts in Berlin: von Bodelschwingh, in: ADB 3 (1876), S. 3 ff.; Bär, Behördenverfassung der Rheinprovinz, S. 152

127 Unkel, S. 366 f.

128 Die Vergabe der staatlich dotierten Freistellen mußte stets dem Oberpräsidium zur Genehmigung (unter Klärung der Militärdienstbefreiung und der Vorbildugsverhältnisse) vorgelegt werden. Unterlagen für die Jahre 1823–1827: LHA-Ko-403/1009 (Die Freibursen im bischöflichen Seminar in Köln. 1823–1827)

129 Karl Adalbert Freiherr von Beyer (1764–1842), 1790 Abt von Hamborn, 1827 Weihbischof in

nanden nach Koblenz reisen, um dort von dem Weihbischof von Trier Dr. Günther[130] die hl. Weihen zu empfangen."

Unkel, der sonst seine Quellen benennt, gibt an dieser Stelle keine Auskunft über die Herkunft der aufschlußreichen Nachrichten über das Leben des Seminars in den Jahren der „Kölner Wirren". Ihnen zufolge hat Johann Engelbert Reber seine Vorlesungstätigkeit nach der Abführung des Erzbischofs – zumindest vorübergehend – wieder aufgenommen. Das dürfte erst recht von Johann Heinrich Lentzen gelten, wenn dies auch nicht ausdrücklich erwähnt wird. So verständlich das im Sinne einer geordneten Fortführung des Seminarbetriebes erscheint, so sehr mußte es damals als Akt der Illoyalität des Seminars gegenüber dem gefangenen Erzbischof erscheinen und das Ansehen des Seminars belasten.

Woher der in den neunziger Jahren des 19. Jahrhunderts schreibende Karl Unkel seine Informationen bezogen haben könnte, deuten die folgenden Zeilen an: „Die Verpflegung war reichlich und gut. Die noch lebenden Priester, welche damals das Seminar besuchten, bewahren von jener Zeit die angenehmste Erinnerung. Keiner der damaligen Alumnen ist später auf Abwege gekommen."

Man wird dennoch anmerken müssen: Nach zehn Aufbaujahren unter Erzbischof Spiegel war nach achtzehn Monaten verfehlter Eingriffe Erzbischof Drostes das Seminar wieder in den Zustand des Provisoriums zurückgefallen. Die Überwindung des Hermesianismus im Lehrkörper und Lehre des Seminars war nach dem Hermes-Breve von 1835 ein berechtigtes Anliegen des neuen Erzbischofs, doch die Art, seinen Absichten Geltung zu verschaffen, führte zu einer Untergrabung der für ein Seminar unerläßlichen inneren Ordnung und äußeren Disziplin. Wäre Klemens August länger als Erzbischof tätig geblieben, wäre eine Katastrophe unvermeidlich gewesen. So erlaubten die Jahre des Interregnums 1838–1842 eine Möglichkeit, Abstand zu gewinnen und Pulverdampf abziehen zu lassen, ehe der Koadjutor Erzbischof von Geissel zu einer neuen Ordnung der Verhältnisse schritt.

Köln, 1830 Dompropst: Eduard Hegel, in: Gatz, Bischofslexikon, S. 51; Trippen, Domkapitel, S. 43 f. u. 520 (Reg.)

130 Wilhelm Arnold Günther (1763–1843), 1826–1836 Generalvikar in Trier, 1836–1842 Kapitularvikar, seit 1834 Weihbischof, 1839 Dompropst: Alois Thomas, in: Gatz, Bischofslexikon, S. 272 f.

III. Das Seminar unter dem Einfluß von Neuscholastik und Ultramontanismus (1842–1875)

Von Norbert Trippen

1. Unter Erzbischof Johannes von Geissel (1842–1864): Wiederaufstieg und römische Prägung des Seminars

Was Erzbischof Droste an Geschick und Klugheit in der Behandlung der Seminarangelegenheiten gefehlt hatte, brachte sein Koadjutor und Nachfolger Johannes von Geissel (1842 bzw. 1845–1864)[1] in hohem Maße mit. Geissel hatte selbst seine Prägung in dem 1805 von Bischof Colmar in Mainz gegründeten Priesterseminar durch die aus dem Elsaß stammende erste Mainzer Theologenschule erhalten[2]. In Mainz

[1] Johannes (von) Geissel (1796–1864), 1822–1837 Domkapitular in Speyer, 1837–1842 Bischof von Speyer, 1842–1845 Koadjutor des Erzbischofs Droste zu Vischering in Köln, 1845–1864 Erzbischof von Köln, 1850 Kardinal: Eduard Hegel, in: Gatz, Bischofslexikon, S. 239–244; Rudolf Lill, Johann von Geissel (1796–1864), in: Rheinische Lebensbilder 3 (1968), S. 133–157; Trippen, Domkapitel, vor allem: S. 82–254; Rudolf Lill, Der Bischof zwischen Säkularisation und Kulturkampf (1803–1885), in: Peter Berglar und Odilo Engels (Hrsg.), Der Bischof in seiner Zeit ... Festgabe für Joseph Kardinal Höffner, Erzbischof von Köln, Köln 1986, S. 349–396, vor allem: S. 373–385; Hegel, Erzbistum Köln, Bd. 5, S. 67–69 – Von der älteren Literatur ist wegen des reich verwerteten, wenn auch tendenziös ausgewählten Quellenmaterials immer noch bedeutsam: Otto Pfülf, Cardinal von Geissel. Aus seinem handschriftlichen Nachlaß geschildert, 2 Bde, Freiburg 1895/96 – Für das vorliegende Teilkapitel wurden folgende Archivalien benutzt:
Historisches Archiv des Erzbistums Köln (HAEK), Kabinettsregistratur (CR), 8 A: Klerikalseminar in Köln
1. Abteilung: Seminaranstalt überhaupt
1,2 Die innere Einrichtung des Seminars in Beziehung auf praktische Ausbildung der jungen Kleriker sowie Verzeichnisse der Alumnen. 1836–1861 (HAEK – CR 8 A 1.1,2)
1,3 Desgl. 1861–1930 (HAEK – CR A 1.1,3)
2,1 Das Vorsteher- und Lehrerpersonal. 1825–1874 (HAEK – CR 8 A 1.2,1)
Landeshauptarchiv Koblenz (LHA-Ko), Abteilung 403: Oberpräsidium der Rheinprovinz
7565 Gesuche um Zulassung römisch-katholischer Kandidaten zu den heiligen Weihen. 1848–1870 (LHA-Ko-403/7565)
15966 Besetzung der Lehrstellen an dem erzbischöflichen Seminar zu Köln. 1842–1929 (LHA-Ko-403/15966)

[2] Zur Frühgeschichte des Mainzer Priesterseminars: Rudolf Fischer-Wolpert, Die Anfangsjahre unter Colmar und Humann (1805–1829), in: Augustinerstraße 34. 175 Jahre Bischöfliches Priesterseminar Mainz, Mainz 1980, S. 15–27 – Zur Mainzer Theologenschule: Ludwig Lenhardt, Die erste Mainzer Theologenschule des 19. Jahrhunderts (1805–1830) (Die elsässische Theologenkolonie in Mainz) ..., in: Jahrbuch f. d. Bistum Mainz 6 (1951–1954), S. 93–186 und 7 (1955–1957), S. 9–130; Hermann Josef Pottmeyer, Unfehlbarkeit und Souveränität. Die päpstliche Unfehlbarkeit im System der ultramontanen Theologie des 19. Jahrhunderts (= Tübinger Theologische Studien, Bd. 5), Mainz 1975; Norbert Trippen, Der Neuan-

erstrebte man eine enge kirchliche Konzentration um das Papsttum, eine straffe kirchliche Disziplin und eine Erneuerung der scholastischen Theologie. Die Mainzer Theologenschule verschaffte sich im Laufe des 19. Jahrhunderts wachsenden Einfluß auf den deutschen Katholizismus durch die Zeitschrift „Der Katholik" und durch von ihr geprägte Bischofspersönlichkeiten wie Geissel. Nicht zu unterschätzen ist der unmittelbar theologische Einfluß. [Bruno Franz Leopold] „Liebermanns Lehrbuch, die Institutiones theologiae dogmaticae (Mainz 1819/21), fand weite und lange Verbreitung (^{10}1870), ebenfalls die spekulative, scharf antihermesianische Dogmatik seines Schülers Heinrich Klee (Mainz 1834/35, ^{4} 1861) ..."[3]. Die Mainzer Schule darf als Wegbereiter des I. Vatikanum und der römischen Neuscholastik in Deutschland angesehen werden.

Wenn man um die Prägung Johannes von Geissels in Mainz weiß, versteht man seine disziplinär straffe, theologisch und pastoral ganz nach Rom orientierte Linie, die er schon als Bischof von Speyer erkennen ließ und die ihn in Köln zum markantesten Vertreter des damals so genannten Ultramontanismus werden ließ. Welche Richtung er dem Priesterseminar und der Kleruserziehung geben würde, durfte für niemanden zweifelhaft sein, der seine geistigen Hintergründe kannte.

Bereits bei seinen Verhandlungen mit der Regierung in Berlin vor Übernahme des Koadjutorenamtes im Januar 1842 hatte sich Geissel für die Regelung der Seminarangelegenheiten volle Handlungsfreiheit ausbedungen[4]. „Nach den Berliner Abmachungen mit [Kultus-]Minister Eichhorn[5] stand Berufung und Anstellung des gesamten Personals ebenso wie dessen Beaufsichtigung und Entlassung dem Erzbischof zu; nur verlangte man zur Anstellung das Einholen der landesherrlichen Genehmigung (durch den Oberpräsidenten beim Kultusminister zu erwirken), im Falle der Entlassung die Anzeige bei der Staatsbehörde."[6] Geissel wußte, daß am Seminar personelle Veränderungen notwendig waren, ließ sich aber offenbar weder von Droste noch von unerbetenen Zuträgern[7] zu übereilten Schritten hinreißen. „Durch freundliche Unterredung und Belehrung brachte er es dahin, daß sämtliche dem Seminar angehörende Geistliche nochmals, wie es bereits früher geschehen, ihre unbedingte Unterwerfung unter die Entscheidung des Papstes [bezüglich des Hermesianismus] erklärten; dann wartete er prüfend und forschend bis gegen Ende des Jahres [1842], ehe er entscheidend eingriff."

---

fang des katholischen Lebens in Deutschland nach der Säkularisation, in: Pietismus und Neuzeit 9 (1983), S. 12–31, hier: S. 19 f.

3 Rudolf Lill, Die Anfänge der katholischen Bewegung in Deutschland, in: HKG VI/1, S. 259–271, hier: S. 268 Anm. 11

4 Die Einzelheiten schildert Unkel auf der Basis älterer Quellenpublikationen und der Literatur: Unkel, S. 371 – Vgl. auch Pfülf, Geissel I, S. 205, dort auch das nachfolgende Zitat

5 Johann Albrecht Friedrich Eichhorn, preußischer Minister der Geistlichen etc. Angelegenheiten 1840–1848: Lüdicke, Kultusminister, S. 4 f.

6 Schriftverkehr um Anstellung und Entlassung des Seminarpersonals in dieser Zeit: HAEK – CR 8 A 1.2,1 und LHA-Ko-403/15966 – Vgl. auch unten S. 86 f. mit Anm. 14

7 Dazu: Pfülf, Geissel I, S. 205

Über die ersten Maßnahmen Geissels zur Verbesserung der Seminarverhältnisse berichtet Unkel[8]: „Der Koadjutor nahm schon bald, nachdem er die Verwaltung der Diözese übernommen hatte, eine Reihe von Reformen in Aussicht, worüber er in einer Konferenz mit dem Seminarvorstande am 26. Nov[ember] 1842 beriet. Damals wurde u[nter] a[nderem] beschlossen 1. in Betreff des Unterrichts: es sollten Pädagogik, Parochialrecht und geistlicher Geschäftsstil unter die Unterrichtsgegenstände aufgenommen werden, und es sollte wöchentlich eine katechetische Übung stattfinden; 2. in Betreff der religiösen Übungen: es sollte beim Schlusse des Mittag- und Abendessens ein Kapitel aus der Vulgata vorgelesen werden; am Sonntag sollten die Alumnen außer der hl. Messe, in welcher sie kommunizierten, dem Hochamte entweder in der Seminarkirche oder im Dom beiwohnen, und es sei der ‚regelmäßige Besuch der täglichen hl. Messe besonders einzuschärfen'; 3. in Betreff der Hausordnung und Disziplin: das Ausgehen ohne Begleiter und gegenseitige Besuche auf den Zimmern seien gar nicht, das Rauchen nur auf den Wohnstuben zu gestatten; Bücher vom Buchhändler zur Ansicht kommen zu lassen, sei unzulässig (weil die Alumnen dadurch in der ihnen ohnehin knapp zugemessenen Zeit allzu leicht von ihren pflichtmäßigen Studien abgezogen werden konnten) ..."

Diese Vorschriften für Studien und Seminardiziplin enthielten nichts wesentlich Neues, waren eher Modifizierungen des Bestehenden. Geissel wußte, daß die entscheidenden Veränderungen zunächst in der personellen Besetzung des Seminars vorgenommen werden mußten. Deshalb hatte er schon einen Monat zuvor, am 26. Oktober 1842, den Repetenten Lentzen zum Pfarrer von Oekoven ernannt und kurz darauf am 15. November 1842 Johann Wilhelm Meckel[9] zum Repetenten bzw. Professor am Seminar berufen.

Meckel konnte der Regierungsseite kaum als Persona grata erscheinen. Zwar konnte Geissel Oberpräsident von Schaper[10] nachweisen, daß das Ministerium vor den hermesianischen Streitigkeiten Meckel bereits einmal zum Repetenten in Bonn ernannt hatte, doch wurde diese Anstellung vom damaligen Leiter des Konvikts, Professor Achterfeldt, wegen der antihermesianischen Einstellung Meckels hintertrieben[11]. Der entscheidende Makel in staatlichen Augen war Meckels Beauftragung mit den nicht zustandegekommenen Privatvorlesungen im Erzbischöflichen Palais durch Droste im November 1837[12]. Wahrscheinlich hatte Geissel deshalb im voraus mit Schwierigkeiten bei Meckels Anstellung gerechnet und statt der Einholung der staatlichen Genehmigung lediglich eine Meldung über den Vollzug der Ernennung an Oberpräsident von Schaper gerichtet[13]. Die Regierung wollte offenbar bei diesem ersten Vor-

[8] Unkel, S. 379 f.

[9] Johann Wilhelm Meckel (1803–1876), 1832 Erzieher im Hause des Freiherrn von Böselager in Bonn, 1837 Dr. theol. in Gießen, 1842–1847 Professor für Moral am Priesterseminar, später in häufiger wechselnden Funktionen im Bistum Trier: Hecker, Chronik, S. 169 f.

[10] Justus Wilhelm Eduard von Schaper (1792–1868), 1837–1842 Regierungspräsident in Trier, 1842–1845 Oberpräsident der Rheinprovinz: Bär, Behördenverfassung, S. 152 u. 199

[11] Darstellung des Vorgangs: Pfülf, Geissel I, S. 206

[12] Vgl. oben Kap. 2, S. 81

[13] Geissel an Schaper am 15. 11. 1842 (Entwurf): HAEK – CR 8 A 1.2,1, Bl. 165

gang keine Schwierigkeiten machen. Doch unterließ es der Oberpräsident nicht, am 23. Februar 1843 „im Auftrage des hohen Ministerii der Geistlichen p. p. Angelegenheiten ganz ergebenst zu erwidern, daß gegen die Anstellung des Dr. Meckel ... von staatswegen nichts zu erinnern ist, daß jedoch die Staatsgenehmigung verfassungsmäßig vor Ausfertigung der Ernennung einzuholen gewesen wäre ...“[14].

So große Stücke Geissel auf Meckel hielt, er hatte nicht lange Freude an ihm: 1847 schied er bereits wieder aus. Wenn Schrörs' Urteil über Meckel auch scharf klingt, jede Berechtigung ist ihm nicht abzusprechen[15]: „Meckel war nicht ohne Begabung, hatte sich aber meistens mit orientalischen Sprachstudien befaßt. So unstet er, der es an keiner Stelle lange aushielt, im Leben war, so zerfahren war seine theologische Bildung; nur leidenschaftlicher Haß gegen den Hermesianismus zeichnete ihn aus.“

Nach Lentzen war der Dogmatiker Reber das zweite Ziel eines Wechsels. Am 17. April 1845 schrieb Geissel an den ihm befreundeten Nuntius Viala Prelà in München[16]: „Ich würde ihn schon eher entfernt haben, aber es war leicht vorauszusehen, daß er nicht mehr lange leben werde. Und um so mehr glaubte ich, mit einem auffälligen Schritte zurückhalten zu sollen, da er bereits unfähig geworden war zu dozieren.“ Nach Rebers Tod am 27. Dezember 1844 berief Geissel 1845 den jungen Paderborner Priester Adolf Franz Buse als Repetent bzw. Professor für Dogmatik an das Seminar, den der Bonner Kanonist Walter ihm als „Klees tüchtigsten Schüler“ empfohlen hatte[17]. Buse wechselte 1858 als Pastoraltheologe an die Bonner Fakultät und übernahm die Leitung des Konvikts, doch starb er wenige Wochen danach im Alter von 40 Jahren.

---

14 Schaper an Geissel am 23. 2. 1843 (Original): Ebd., Bl. 179 – Parallele Schriftstücke der Oberpräsidialakten: LHA-Ko-403/15966, S. 5 ff.; dort vor allem die Anweisung Minister Eichhorns an Schaper in Sachen Meckel vom 6. 2. 1843 (S. 11 f.): „... Verfassungsmäßig wäre diese Genehmigung aber *vor* Ausfertigung der Ernennung einzuholen gewesen ... Ew. Hochwohlgeboren stelle ich ergebenst anheim, dies dem Herrn Koadjutor bei Benachrichtigung desselben von der erfolgten Staatsgenehmigung in geeigneter Weise zu eröffnen“. – Am Ende des Kulturkampfes reflektierte am 12. 6. 1884 Oberpräsident von Bardeleben in einem Bericht an Kultusminster von Goßler die Praxis der Anstellungen von Professoren am Priesterseminar in Köln (LHA-Ko-403/15835, S. 35–102, hier: S. 76 f.): „In der Folge ist denn auch der Erzbischof von Geissel zu der früheren Praxis, indes nicht auf lange Zeit, zurückgekehrt ...“ Schon am 27. April 1848 habe er Johann Michael Benger (vgl. unten Anm. 21) die Stelle eines Professors „provisorisch übertragen, ohne das die Nachsuchung der Staatsgenehmigung ersichtlich wäre. Nach Erlaß der *Verfassungsurkunde* [1848 bzw. 1850] ist von Nachsuchung einer Staatsgenehmigung zu Regens- und Lehrerernennungen nicht mehr die Rede; es erfolgte nicht einmal eine Notifikation der Ernennung an die Regierung“

15 Heinrich Schrörs, Ein vergessener Führer aus der rheinischen Geistesgeschichte des neunzehnten Jahrhunderts: Johann Wilhelm Joseph Braun 1801–1863, Bonn und Leipzig 1925, S. 303 Anm. 1 – Vgl. auch Hecker, Chronik, S. 170

16 Pfülf, Geissel I, S. 207

17 Adolf Franz Buse (1818–1858), 1842 Priesterweihe in Paderborn, 19. 6. 1845 Professor für Dogmatik am Priesterseminar, 19. 10. 1858 a. o. Professor für Pastoraltheologie in Bonn und Inspektor des Konvikts, + 24. 12. 1858: Hecker, Chronik, S. 171 f. – Genehmigung Minister Eichhorns zur Anstellung Buses am Seminar vom 21. 4. 1845 (Abschrift): LHA-Ko-403/15966, S. 15

„Die beiden anderen Professoren", so berichtete Geissel weiter an den Nuntius[18], „der Regens wie der Subregens, kommen allen Anordnungen nach, die ich treffe, um den klerikalen Geist unter den Seminaristen zu beleben, so daß alles in gutem Gang ist. Die Früchte von alle dem sind bereits so offenkundig, daß sogar das Volk es gewahr wird, und es ist eine allgemeine Beobachtung, die man überall aussprechen hört, daß die jungen Priester, die jetzt das Seminar verlassen, hinsichtlich ihres Eifers, ihres Charakters und ihrer klerikalen Haltung ganz andere sind als die aus den letztvergangenen Zeiten."

Welcher Art die von Geissel getroffenen Anordnungen waren, verraten Stichproben aus den Akten: Am 6. März 1843 erließ Präses Weitz eine „Bekanntmachung"[19] an die Seminaristen „im Auftrag Sr. Erzbischöflichen Gnaden": „Kein Alumnus darf irgend eine *Schenke*, welchen Namen sie immer haben mag, weder *inner-* noch *außerhalb* der Stadt besuchen. Der Zuwiderhandelnde wird beim *ersten* Male auf ein halbes Jahr von dem *betreffenden Ordo zurückgesetzt*, beim *zweiten Male* aus dem *Seminar verwiesen*." Wenige Wochen später, am 22. Mai 1843, berichtete Weitz dem Erzbischof[20], „daß den Alumnen die gewissenhafteste Befolgung der Statuten sowie der neuesten Bestimmungen Ew. Erzbischöflichen Gnaden eingeschärft worden und wir nunmehr die Hoffnung hegen, daß dieselben zu würdigen Dienern der katholischen Kirche heranreifen werden."

Als Meckel 1847 aus dem Seminar wieder ausschied, berief Geissel auf seine Stelle 1848 Johann Michael Benger[21], der seit 1846 als Domvikar und Geheimsekretär sich das besondere Vertrauen des Erzbischofs erworben hatte. Doch trat Benger schon 1854 mit Erlaubnis des Erzbischofs in den Redemptoristenorden ein, in dem er als Novizenmeister, Volksmissionar und Leiter theologisch-pastoraler Konferenzen für Ordensgeistliche Ansehen gewann.

Erst nach 1850 erhielt Geissel die Gelegenheit, durch den Abgang von Gau und Weitz die Leitung des Seminars in seinem Sinne neu zu besetzen. Unkel berichtet[22]: „Subregens Gau ... vermochte nie Geissels Vertrauen zu gewinnen. Im Jahre 1850 wurde er Stiftsherr in Aachen, und sein Abschied aus seiner bisherigen Stellung vollzog sich in ziemlich unerfreulicher Weise." Worauf sich Unkel dabei bezieht, ist nicht erkennbar. Gau stand in dem Ruf, ein Hermesianer zu sein. Seine kirchliche Haltung und die Qualität seiner aszetischen Vorträge wie auch seine Loyalität gegenüber Geissel waren jedoch kaum zu bezweifeln. Geissels Versuch, die Subregentenstelle mit dem Pfarrer Schumacher von St. Maria in der Kupfergasse neu zu besetzen[23], scheiterte an dessen Weigerung aus Gewissensgründen. So blieb die Stelle bis 1863 unbesetzt.

---

18 Geissel an Viale Prelà am 17. 4. 1845: Pfülf, Geissel I, S. 207
19 Abschrift: HAEK – CR 8 A 1.1,2, Bl. 66
20 Weitz an Geissel am 22. 5. 1843: Ebd., Bl. 73
21 Johann Michael Benger (1822–1870), 1848–1854 Seminarprofessor für Moral: Hecker, Chronik, S. 173 ff.
22 Unkel, S. 376
23 Dazu: Unkel, S. 376; Hecker, Chronik, S. 137

Schon bei seinen Gesprächen mit Droste 1842 hatte sich Geissel über Präses Weitz die Worte notiert: „Unzuverlässig wie alle im Seminar“[24]. Doch hatte Geissel mit guten Gründen aus diesem Urteil seines Vorgängers über Präses Weitz keine Konsequenzen gezogen. Man muß Unkel zustimmen, wenn er schreibt: Geissel „blieb dadurch vor dem schweren Mißgriffe bewahrt, gegen einen so edlen Priester wie Weitz einzuschreiten, dessen ganzes Unrecht wohl nur darin bestand, daß er sich in seiner Unbefangenheit und Milde schlimmer Einflüsse nicht ganz zu erwehren verstanden hatte, und der beim Diözesanklerus sich einer sehr großen Anhänglichkeit erfreute.“ Hecker beruft sich zum Beleg dessen auf Äußerungen des 1900 verstorbenen Kölner Stadtdechanten Thomas und des Paderborner Bischofs Konrad Martin, der in seinen „Zeitbildern“ notierte[25]: „Damals war es eine flache Zeit; die Nachklänge der hermesischen Richtung machten sich noch geltend, von Aszese und aszetischer Anleitung war [wohl: in Bonn] wenig die Rede. Diese Begriffe habe ich erst im Seminar geschöpft; eine neue Welt ist mir erst hier aufgegangen. Im Seminar war es mir, als wäre ich, wie die Leute sagen, – umgetauft – worden, es war die Stätte meiner geistigen Wiedergeburt . . .“. Welcher *allgemeinen* Wertschätzung Weitz sich im Klerus erfreute, macht ein von Hecker festgehaltenes Faktum deutlich: „1844. Am St. Lambertus-Tag (Namenstag des Präses) machten 300 ehemalige Seminaralumnen ihrem Präses Weitz einen großen, silbervergoldeten Meßkelch zum Geschenk in Erinnerung an seine zehnjährige Präsestätigkeit.“ Schon im Sommer 1850 hatte Weitz den Erzbischof um Entpflichtung von seinem Amt gebeten. Doch wartete Geissel noch ein Jahr zu, bis ein Schlaganfall, den der Präses erlitt, einen gegen Mißdeutungen geschützten Anlaß bot, ihn am 24. Oktober 1851 zu entpflichten.

Hatte Geissel sich bis dahin darauf beschränkt, den Hermesianismus an seinem Seminar zu beseitigen und disziplinär wie aszetisch größere Strenge einzuführen, so bot die Neubesetzung der Seminarleitung ihm die willkommene Gelegenheit, dem Seminar ein grundlegend neues, bei den Jesuiten in Rom abgeschautes Gepräge zu geben. Schlüsselfigur war der zum neuen Präses ausersehene Elbert Wilhelm Westhoff[26]. Steinhuber berichtet in seiner Geschichte des Germanikum über ihn[27]: Westhoff „war der erste Zögling, der aus Preußen in das wiedereröffnete Germanikum eintrat (1824)“. Nach seiner Heimkehr in die münsterländische Heimat 1828 sei er „von der staatlichen Behörde mit dem ausgesprochensten Mißtrauen aufgenommen“ worden. „Doch erhielt er nach fünf Jahren die kleine Pfarrei Diestedde, die er 18 Jahre lang versah ... Im Jahre 1848 wurde der Pfarrer von Diestedde in die konstituierende Versammlung von Berlin gewählt, wo er mit großem Erfolg für den Erhalt der christli-

---

24 Pfülf, Geissel I, S. 205; Hecker, Chronik, S. 160

25 Zitat: Hecker, Chronik, S. 162

26 Elbert Wilhelm Westhoff (1801–1871), 1824–1828 Studium in Rom (Germanikum), 1833–1863 Pfarrer in Diestedde (Bistum Münster), 1851–1868 Regens des Kölner Priesterseminars, seit 1863 Domkapitular: Hecker, Chronik, S. 176–180; Andreas Steinhuber, Geschichte des Kollegium Germanikum Hungarikum in Rom, Bd. 2, Freiburg 1906, S. 504 f. u. 615 (Reg.); Trippen, Domkapitel, S. 116–252 passim u. 535 (Reg.)

27 Steinhuber, Germanikum II, S. 504

chen Schule tätig war. Nachdem die Kirche in jenem Jahr größere Freiheit gewonnen hatte, war für Dr. Westhoff die Zeit für eine Wirksamkeit gekommen, durch die er sich ein ganz einziges Verdienst in den weitesten Kreisen erwerben sollte. Jedes Jahr beim Anbruch des Sommers ließ er seine wohlbestellte Pfarrei in der Hand eines treuen Verwalters zurück und zog, von dem Segen seines Oberhirten begleitet, hinaus bis an die fernsten Grenzen Deutschlands, um an den verschiedenen Bischofssitzen unter seinen geistlichen Amtsbrüdern und in Klöstern und Seminaren eine wahrhaft apostolische Mission auszuüben. Tausende von Priestern setzten sich zu seinen Füßen, um in den Exerzitien des hl. Ignatius die hohe Kunst der eigenen Heiligung und eines wahrhaft priesterlichen Lebens und Wirkens zu lernen."

Die Berufung dieses Mannes zum Seminarpräses am 3. November 1851[28] war eine Programmerklärung. Geissels Biograph berichtet[29]: „Zur Zeit der Kammerverhandlungen in Berlin hatte Geissel mit diesem vortrefflichen Manne näher verkehrt. Die Verhandlungen wegen des Übertritts in die Erzdiözese wurden dann ganz in aller Stille durch [den Geheimsekretär] Domvikar Meurin geführt, welchen der Erzbischof zu diesem Zweck nach Diestedde entsandte." Um Westhoff im Erzbistum zu inkardinieren und zu besolden, war ihm nach Verhandlungen mit dem Staat die Domherrenstelle zugedacht, die durch die Beförderung des Dr. München zum Dompropst frei werden sollte. Als sich dann allerdings um die Beförderung Münchens ein zwölfjähriger Streit zwischen Geissel und der Regierung entspann, mußte als Folge auch Westhoff bis 1863 auf das Kanonikat warten und das spärliche Stelleneinkommen der Pfarrei Diestedde im Bistum Münster mit einem Vertreter teilen[30].

Schon einen Monat vor der Ernennnung Westhoffs zum Präses schrieb Geissel am 20. September 1851 an Nuntius Viale Prelà[31]: „Herr Westhoff ist bereits ins Seminar eingetreten. Er hat 14 Tage lang durch geistliche Übungen und Pastoralvorträge die jungen Priester vorbereitet, welche ich letzten Sonntag geweiht habe. Alles war von ihm entzückt, und ich erhoffe mir von seinem Einfluß die glücklichsten Wirkungen auf meine Diözese." Der Nuntius sparte denn auch nicht mit anerkennenden Komplimenten für Westhoff und für den inzwischen zum Kardinal erhobenen Erzbischof von Köln[32]: „Die Diözese von Köln verspricht, eine Musterdiözese für ganz Deutschland zu werden, dank der emsigen und ausdauernden Sorge Ew. Eminenz."

Westhoff versuchte alsbald, auf das Kölner Seminar zu übertragen, was er bei den Jesuiten in Rom als harte, aber wirksame geistliche Zucht erlebt hatte. Schon vor seiner Zeit hatte Geissel in einer Korrespondenz mit Minister Eichhorn 1846/47 versucht, eine Planstelle und bescheidene Etatmittel für einen Spiritual zu erreichen,

---

[28] Hecker nennt S. 176 den 31. 10 1851 als Ernennungsdatum. Das Ernennungsdekret (HAEK–CR 8 A 1.2,1, Bl. 221) datiert vom 3. 11. 1851

[29] Pfülf, Geissel II, S. 62

[30] Die Auseinandersetzungen um Münchens Beförderung zum Dompropst und Westhoffs Ernennung zum Domkapitular sind auf der Basis der Akten dargestellt: Trippen, Domkapitel, S. 115 ff.

[31] Pfülf, Geissel II, S. 63

[32] Viale Prelà an Geissel am 19. 7. 1851: Pfülf, Geissel II, S. 63

wozu er den pensionierten Benrather Pfarrer Johann Ferdinand Heubes ernennen wollte. Doch der protestantische preußische Minister lehnte das Ansinnen ab und empfahl die Übernahme der Spiritualsfunktionen durch den Subregens[33]. Ein weiterer Vorbote der mit Westhoffs Eintritt durchbrechenden Linie war die Anweisung des Generalvikars Weihbischof Baudri[34] an Weitz vom 2. November 1847[35]: „Seine Erzbischöflichen Gnaden haben zu verordnen geruht, daß diejenigen Seminaristen, welche bereits in den höheren Weihen stehen, ein Birett sich anschaffen und mit demselben bekleidet im Dom, wenn sie zum Dienst dahin beordert werden, erscheinen sollen..."

Schon ein Jahr nach seinem Dienstantritt in Köln, am 2. November 1852, beschwerte sich Westhoff erstmals bei Kardinal Geissel über die mangelhafte philosophische Vorbildung der Seminaristen in Bonn und schlug vor, daß den Studenten in Bonn philosophische, d.h. neuscholastische, Lehrbücher römischer Jesuiten zum Studium anempfohlen würden[36]. Nach erneuten Beschwerden 1854 und 1857 beklagte sich Westhoff am 4. November 1859 abermals[37], daß keine Besserung eingetreten sei. Elf der neuesten Introituren hätten keine philosophische Vorlesung in Bonn gehört, insgesamt zwanzig keine Logik-Vorlesung. „Die Repetition über Philosophie im katholisch-theologischen Konvikte soll, dem zufälligen Vernehmen nach, erst mit denjenigen Studierenden begonnen haben, die im Herbste 1857 in das Konvikt eingetreten sind ... Zuverlässige Kenntnis hierüber ist mir, bei gänzlicher Isolierung des Konvikts, nicht zuteil geworden. Die Nachteile, welche aus der argen Vernachlässigung der philosophischen Studien entstehen, liegen auf der Hand, und will ich sie nicht weiter berühren. Ebenso wenig will ich jenes berühren, daß bei den Lehr- und Erziehungsanstalten des Klerus in der Erzdiözese Köln *Plan und Einheit* wohl nicht einmal vorbereitend und annähernd bestehen, wodurch selbstredend die Aufgabe des Priesterseminars, wenn nicht sogar für einzelne unerfüllbar, doch für alle sehr erschwert wird. Dieserhalb darf es auch dem Erzbischöflichen Priesterseminar nicht zur Last gelegt werden, wenn bei einer so kurzen Frist von zehn Monaten [Seminaraufenthalt] die vorhergehenden Mängel nicht vollends beseitigt werden und seitens einzelner Zöglinge später billigen Erwartungen nicht entsprechen wird."

Hinter solchen Äußerungen verbarg sich das gespannte Verhältnis zwischen Seminar und Konvikt, das damals noch Universitätsinstitut war[38], aber auch die Skepsis des

---

33 Geissel an Eichhorn am 26.10 1846 (Entwurf) sowie Eichhorn an Geissel am 17.2.1847 (Original): HAEK – CR 8 A 1.2,1, Bl. 189ff. bzw. 194f. – Vgl. auch Unkel, S. 381ff.

34 Johann Anton Friedrich Baudri (1804–1893), 1846–1876 Generalvikar der Erzbischöfe Geissel und Melchers, 1849–1893 Weihbischof in Köln: Eduard Hegel, in: Gatz, Bischofslexikon, S. 27f. (mit Literaturübersicht); Trippen, Domkapitel, passim (S. 519 Reg.); neuestens: Heinrich Linn, Ultramontanismus in Köln. Domkapitular Baudri an der Seite Erzbischof Geissels während des Vormärz (=Studien zur Kölner Kirchengeschichte, 22), Siegburg 1987

35 Baudri an Weitz am 2. 11. 1847 (Entwurf): HAEK – CR 8 A 1.1.2, Bl. 129

36 Die entsprechenden Titel nennt Unkel, S. 378

37 Westhoff an Geissel am 4. 11. 1859 (HAEK – CR 8 A 1.1,2 Bl. 288f.): „... Die bereits unterm 2. November 1852, 8. September 1854 und 25. Augsut 1857 zur Anzeige gebrachte arge Vernachlässigung der philosophischen Studien seitens der Theologiestudierenden ..."

38 Zur Geschichte des Bonner Theologenkonvikts bis 1875: Matthäus Bernards, Zur

ehemaligen „Römers“ gegenüber der deutschen Universitätstheologie, speziell der Philosophie, die in Bonn gelehrt wurde. Unkel gibt den berechtigten Hinweis[39]: „Die Lehrer der Philosophie für die katholischen Theologen zu Bonn waren damals der Güntherianer Professor Dr. Knoodt und sein wissenschaftlicher Gegner, Privatdozent Dr. Clemens. Am 8. Januar 1857 verurteilte die Indexkongregation die Schriften Günthers; am 12. Dezember 1859 kam auch Knoodt auf den Index[40]. Kardinal Geissel aber hatte schon vorher seinen Theologen den Besuch der Vorlesungen Knoodts untersagt.“ Bei seiner Einflußnahme auf den Günther-Prozeß in Rom hatte sich Geissel mehrfach der Hilfe Westhoffs bedient.

Wichtiger noch als die Steuerung der erzbischöflichen Maßnahmen in Bonn war für Präses Westhoff die innere Ordnung in seinem Seminar. Am 30. Oktober 1855 legte Westhoff dem Kardinal eine Hausordnung zur Genehmigung vor, die Geissel am folgenden Tage unterzeichnete und die dann im Seminar angeschlagen wurde[41]. Diese Ordnung verrät ebenso die Handschrift römischer Jesuitenschulen wie Westhoffs eigene, vom Erzbischof unterstützte Erziehungsprinzipien. In ihrem Grundbestand blieb sie bis zum Beginn des II. Vatikanischen Konzils gültig. Deshalb sei sie hier im Wortlaut wiedergegeben:

„Zur Ordnung für das Erzbischöfliche Klerikal-Seminar

I. Die Tagesordnung muß von allen pünktlich beobachtet werden.

II. Auf den Wohnstuben und überall muß genaue Ordnung und große Reinlichkeit herrschen. Aus den Fenstern darf nichts geworfen werden.

III. Die Alumnen haben überall und zu jeder Zeit Anstand, männlichen Ernst und gebildete Sitten zu beobachten, zumal beim Hin- und Her-, Auf- und Abgehen und bei den Rekreationen. Außerhalb der Rekreationszeit ist das Silentium strenge zu beobachten.

IV. Im Refektorio und auf den Gängen des Hauses darf nicht gesprochen werden.

V. Die Seminaristen dürfen niemals außerhalb ihrer Wohnzimmer anders als in

---

Geschichte des theologischen Konvikts in Bonn 1827–1875, in: Annalen des Hist. Vereins f. d. Niederrhein 153/154 (1953), S. 201–235

39 Unkel, S. 379

40 Zum Günther-Prozeß: Paul Wenzel, Der Freundeskreis um Anton Günther und die Gründung Beurons. Ein Beitrag zur Geschichte des deutschen Katholizismus im 19. Jahrhundert, Essen 1965; Joseph Pritz, Anton Günther (1783–1863) in: Heinrich Fries und Georg Schwaiger (Hrsg.), Katholische Theologen Deutschlands im 19. Jahrhundert, Bd. 1, München 1975, S. 348–375 (mit Literaturübersicht) – Geissels und Westhoffs Einflüsse auf den Günther-Prozeß werden (einseitig) von Pfülf dargestellt, z. B. in Geissel II, S. 278–301

41 Begleitschreiben Westhoffs an Geissel vom 30. 10. 1855: HAEK–CR 8 A 1.1,2, Bl. 233; ebd., Bl. 234 f.: „Zur Ordnung für das Erzbischöfliche Clerical-Seminar“ (Abschrift) mit dem Schlußvermerk: „Gesehen und genehmigt. Cöln am 31. October 1855 gez. + Johannes“

Soutane mit Zingulum und Schuhen erscheinen. – Beim Exitus bedienen sie sich statt der Soutane und des Zingulums der Soutanelle[42].

VI. Keiner darf das Zimmer des anderen betreten, desgleichen nicht die Küche und die Portierstube, und niemals mit den Domestiken unnötiges Gerede haben.

VII. Tabakrauchen ist nicht gestattet.

VIII. Besuche, selbst der Anverwandten, dürfen nur im Ansprechzimmer und nur auf Erlaubnis des Vorstandes empfangen werden.

IX. Beim Exitus darf kein Seminarist in was immer für ein Haus oder Garten gehen, ohne dazu nach vorheriger Angabe des Hauses oder Gartens die für jeden einzelnen Fall beim Präses nachzusuchende Erlaubnis erhalten zu haben. Außerhalb des Seminars wird nichts genossen, und sollen die Exitus-Tage nur zur Bewegung in freier Luft verwandt werden.

X. Niemand darf beim Exitus seinen Sozius verlassen oder sonst auch die ihm angewiesene Ordnung verändern. Kein Seminarist darf außerhalb des Seminars ohne Sozius sein.

XI. Niemand darf ohne erhaltene Erlaubnis sich Viktualien zutragen lassen oder Komestibilia auf seinem Zimmer haben.

XII. Das Frühstück, Mittagessen, Haustus Cerevisiae und Abendessen wird gemeinschaftlich im Refektorio mit Vermeidung jedes lauten Sprechens genommen.

XIII. Ausnahmen von der Tischordnung und besondere Verabreichungen von Speisen und Getränken werden nur auf ärztliche Vorschrift vom Präses bewilligt. Eine unmittelbare desfallsige Verordnung oder Forderung an die Dienerschaft des Hauses ist unstatthaft, und darf derselben keine Folge geleistet werden.

XIV. Es soll nicht geduldet werden, daß dem Seminaristen Bücher oder sonst etwas zur Ansicht zugeschickt werde.

XV. Die Seminaristen gehen an allen Sonn- u[nd] Feiertagen zur hl. Kommunion und zur bestimmten Zeit zur hl. Beichte.

XVI. Die Alumnen sind gehalten, die ihnen zum Gebrauche dienenden Gegenstände in gutem Zustande zu erhalten, und wird der Vorstand darüber von Zeit zu Zeit Inspektion halten.

---

42 Unkel macht zu dieser Kleidervorschrift eine ergänzende Bemerkung zur Kopfbedeckung (S. 381): „Über die Kopfbedeckung wurde wohl darum keine Vorschrift gegeben, weil der Zilinderhut als selbstverständlicher Teil der geistlichen Tracht galt, nachdem das von Kurfürst Ferdinand auch für die Ausgänge vorgeschriebene Birett längst so sehr in Vergessenheit geraten war, daß es im Jahre 1847 wenigstens für die in den höheren Weihen stehenden Alumnen, wenn sie zum Chordienst in den Dom gingen, vorgeschrieben werden mußte" (vgl. oben S. 91)

'Übrigens seid frohen Geistes, werdet vollkommen, ermuntert einander, habt einerlei Gesinnung, seid friedsam, und der Gott des Friedens und der Liebe wird mit euch sein' (2 Kor 13, 11)."

Fast gleichzeitig, am 4. November 1855, dem Fest des hl. Karl Borromäus, unterzeichnete Geissel die lateinischen „Statuta Seminarii Archiepiscopalis Coloniensis"[43]. Darin waren in Anlehnung an die Provinzialkonzilien des hl. Karl, an tridentinische Vorschriften, aber auch – wie Unkel bemerkt[44] – an die Statuten des Mainzer Priesterseminars die Pflichten der Vorgesetzten des Seminars, ihre Zusammenarbeit und ihre gemeinsame Verantwortung beschrieben. Westhoff wollte dadurch – vom Erzbischof unterstützt – die Seminarprofessoren zur Durchsetzung und Überwachung der Einhaltung der verschärften und systematisierten Hausordnung der Seminaristen in die Pflicht nehmen. Die Akten verraten uns, daß der etwas humorlos-strenge Westfale Westhoff mit seinen von den Jesuiten übernommenen, letztlich in der spanischen Aszetik des 16. Jahrhunderts wurzelnden harten Anforderungen bei den seelisch anders strukturierten Rheinländern nicht sehr erfolgreich war. Auf Schwierigkeiten stieß er sowohl bei den Studenten wie bei den Professoren, die beide bei grundsätzlicher Bereitschaft zum Gehorsam in der Anwendung einen Zug rheinischer Heiterkeit und Liberalität erkennen ließen.

Schon als Westhoff am 31. Oktober 1855 die „Statuta" dem Kardinal vorlegte, mahnte er an[45], „daß in Betreff Führung der Aufsicht über die Alumnen im hiesigen Erzbischöflichen Priesterseminar es wohl als unumgänglich notwendig erscheinen dürfte, daß seitens der beiden Professoren im Seminar in der Aufsichtführung mir mehr Beihilfe geleistet werde, als dieses bis jetzt geschehen ist; nämlich daß die Seminaristen nicht allein beim Morgengebete, sondern auch beim Frühstück, bei den Rekreationen und Ausgängen, beim Breviergebet und während der Studierstunden im Musaeum durch die beiden p. Professoren überwacht und mir, wenigstens wöchentlich, darüber, wenn Verletzungen der Ordnung und Übertretungen der Statuten zur Kenntnis gekommen sind, Relationen gemacht werden. Da der p. Buse auf der zweiten Etage wohnt, p. Heuser[46] auf der dritten, so dürfte es wohl angemessen erscheinen, daß ein jeder dieser beiden Herren auch noch die Zimmer und Gänge seiner Etage ebenso überwache ..." Genau dieses lückenlose Kontrollsystem war in verklausulierter und an geistliche Autoritäten angelehnter, ideologisierter Form in den dem Erzbischof zur Unterschrift beigelegten „Statuta" festgeschrieben.

Doch diese wie auch die späteren Professoren ließen sich offenbar von Westhoff nicht auf dem erzbischöflichen Verordnungswege zu einer Totalüberwachung verpflichten, von der er sie persönlich wohl nicht hatte überzeugen können. So klagte der

---

43 Von Geissel unterzeichneter Original-Entwurf: HAEK – CR 8 A 1.1,2, Bl. 242 f.; Kopie: Ebd., Bl. 313

44 Unkel, S. 380

45 Westhoff an Geissel am 31. 10. 1855: HAEK – CR 8 A 1.1,2, Bl. 237

46 Zu Heuser s. unten S. 98 mit Anm. 56

Präses fünf Jahre später abermals bei Geissel[47]: „Wenn auch betreffs der Tätigkeit und Mitwirkung für die Disziplin seitens der Seminar-Professoren respektive Repetenten in Ew. Eminenz hochverehrlicher Verordnung vom 3. Dezember respektive 4. November 1855 das Einschlägige bestimmt worden, so hat doch die Erfahrung ergeben, daß wegen ihrer Allgemeinheit diese Bestimmungen für das Einzelne nicht ausgereicht haben. Ich bin bei dem besten Willen nicht im Stande gewesen, diese Mängel alle abzustellen. In dieser Beziehung nenne ich folgendes: 1. Ohne alle Anwesenheit und Aufsicht der Professoren beten die Alumnen gemeinschaftlich das Brevier. Ich halte es für notwendig, daß wenigstens einer der Professoren zugegen sei. 2. Dasselbe gilt für die Zeit des gemeinsamen Frühstücks und des nachmittäglichen Biers. 3. Ohne alle Begleitung und Aufsicht gehen die Alumnen an Sonn- und Festtagen und bei sonstigen Gelegenheiten zum Dome [Randbemerkung Geissels: „Jetzt Hr. Scheeben"] 4. An den Ausgangstagen, des Montags und der Mittwoche, sind die Alumnen während dieser Ausgänge ebenfalls ohne alle Aufsicht. [Randbemerkung Geissels: „zu Hause?"] Ich stelle Ew. Eminenz hochgeneigter Bestimmung es ganz gehorsamst anheim, was in Betreff dieser Punkte seitens der Seminar-Repetenten geschehen soll."

Geissel wird sich aus kluger Weitsicht vor zu detaillierten Anordnungen gehütet haben. So blieb Westhoff mit der Seminardisziplin unzufrieden, nannte jedoch in seiner nächsten Klage beim Erzbischof am 6. Mai 1862[48] nicht mehr die Seminarkollegen, sondern das Konvikt in Bonn als den Schuldigen. Näherhin führte er aus: „Der Seminarkursus ist auf eine zehnmonatliche Frist beschränkt. Es kömmt daher sehr darauf an, daß die eintretenden Alumnen den erforderlichen Grad der Vorbereitung erlangt haben und daß diese eine Empfänglichkeit für die Seminarbildung mitbringen. Ohne diese Disposition ist die Vorbereitung eine ungenügende, und stößt die Seminarbildung auf große Hindernisse. Aus meiner hiesigen, fast elfjährigen Erfahrung habe ich gefunden, daß das Konvikt zu Bonn, welches seine Zöglinge unmittelbar dem Klerikal-Seminar zuführen soll, denselben keine genügende Vorbereitung mitgibt und gewiß solange nicht mitgeben wird, als den Konviktoristen gestattet ist der Besuch der Wirtshäuser und das Tabakrauchen in den Studiersälen; und mit diesem ist dann vieles andere verbunden, was durch Ordnung und gute Zucht und Disziplin würde abgemacht worden sein."

In Sachen Konvikt fand der Präses beim Kardinal offenbar leichter ein offenes Ohr als gegen die Seminarkollegen. Geissel schrieb auf den Rand des Klagebriefes am 25. Mai 1862 die Marginalverfügung: „Scribatur an den [Konvikts] Inspektor Roth a) wegen des Wirtshausbesuches, b) des Tabakrauchens". Doch scheint der erzbischöfliche Druck auf das Konvikt auch nur begrenzten Erfolg gehabt zu haben. Bereits am 22. April 1863 klagte Westhoff abermals[49] wegen der Wirtshausbesuche, des Rauchens, des freien Ausgangs und sonstiger Übelstände in Bonn. Im letzten Wintersemester habe er „die traurigsten Erfahrungen gehabt, daß nämlich eine *große* Anzahl der im

[47] Westhoff an Geissel am 16. 6. 1860: HAEK – CR 8 A 1.1,2, Bl. 297f.
[48] Westhoff an Geissel am 6. 5. 1862: HAEK – CR 8 A 1.1,3, Bl. 20
[49] Westhoff an Geissel am 22. 4. 1863: Ebd., Bl. 36f.

vorigen Herbste eingetretenen Alumnen an den Ausgangstagen ... in den ersten Monaten des Semesters des Besuchs der Wirtshäuser sich schuldig gemacht haben". Zwölf seien „nach der von Ew. Eminenz mündlich erteilten hohen Weisung von den hl. Weihen bei der jüngsten Ordination zurückgesetzt. – Damit ist aber der Übelstand noch nicht gehoben". Schon 1860 habe er beklagt, daß die Seminaristen bei ihren Ausgängen „ohne alle Aufsicht und Begleitung seien". Bis zu ihrem Eintritt ins Seminar seien die jungen Leute „sich selbst überlassen", danach „in der ihnen zur anderen Natur gewordenen Denk- und Handlungsweise" fortgefahren. „Bei diesen Umständen kann das Seminar sicher nicht verantwortlich sein, wenn einzelne Zöglinge später als Priester ihrem Stande zur Unehre gereichen. Ich kann es nur der besonderen Wirkung der göttlichen Gnade zuschreiben, wenn die Befürchtungen ... nicht häufiger in Erfüllung gehen."

Wenn man die menschliche Großzügigkeit und das pädagogische Geschick seiner Vorgänger Schweitzer und Weitz bedenkt, ist man über die pädagogischen Prinzipien Westhoffs einigermaßen verwundert. Das von den Jesuiten übernommene System der Willensschulung und Leistungseinforderung unter möglichst lückenloser Kontrolle war ihm oberstes Gesetz. Ein Vertrauen in die Bereitschaft der Seminaristen, aus eigener Einsicht und in Entfaltung eigener guter Anlagen das Richtige zu tun, war scheinbar bei Westhoff nicht vorhanden. Doch nicht nur seine Pädagogik erscheint uns heute problematisch, auch sein Verständnis von der Bedeutung der Gnade Gottes in der Entfaltung des Priesterberufs: Die Gnade bewirkt erst, daß aus den Lücken in der Beaufsichtigung der Seminaristen später nicht häufiger Priesterkrisen entstehen. Vorher scheint mehr die Seminarzucht entscheidend zu sein! Dabei ist zu beachten, daß Westhoff auch als Seminarpräses in Köln alljährlich im Sommer für annähernd 40 Priester im Seminar und an anderen Orten Exerzitienkurse hielt und durch diese Tätigkeit hohes Ansehen genoß[50]. Doch die Kontrolle als oberstes Prinzip der Pädagogik war ihm so wichtig, daß er es deswegen zu einem inneren Bruch mit Weihbischof Baudri sowie den Domkapitularen Dumont und Kirch kommen ließ.

Wir wissen davon durch einen besonderen Umstand. In dem langen Bischofswahlverfahren nach Geissels Tod in den Jahren 1864–1866 betätigte sich Westhoff als regelmäßiger heimlicher Informant der Münchener Nuntiatur, mit deren Auditor Jaeckel er – vielleicht aus römischen Zeiten – persönlich befreundet war[51]. Bereits am Todestag Geissels, am 8. September 1864, beklagte sich Westhoff bei Jaeckel über die einseitigen Ratgeber des Verstorbenen während seiner Krankheit und den Schaden, den das Seminar dadurch genommen habe. Vorschriften des Trienter Konzils würden nicht beachtet. Mit Unterstützung Baudris, Dumonts und Kirchs probe die Choralschola des

---

50 Dazu: Hecker, Chronik, S. 176 u. 180; Steinhuber, Germanikum II, S. 504

51 Zur Kölner Erzbischofswahl 1864/66: Trippen, Domkapitel, S. 157–254; zu Westhoffs nachfolgend geschilderter Korrespondenz mit der Münchener Nuntiatur (Auditor Jaeckel und Nuntius Gonella): Ebd., S. 166 f. – Westhoffs – meist lateinische – Briefe finden sich im Vatikanischen Geheimarchiv (Archivio Segreto Vaticano, Archivio Nunziatura di Monaco, Scatola 109, fasc. 1: l'Archidiocesi di Colonia). Ein Dokomentarfilm daraus befindet sich heute im Hist. Archiv des Erzbistums Köln

Doms im Seminar, 40 junge Männer aus allen Teilen der Stadt. Der Leiter habe einen Schlüssel zu verschiedenen Seminareingängen erhalten und das Seminar stehe so Außenstehenden offen. Er habe Geissel mündlich und schriftlich – jedoch vergeblich – um Abhilfe gebeten. Die Professoren Heuser und Scheeben übten entgegen den Vorschriften noch außerhalb des Seminars Tätigkeiten aus. Seminarmittel seien für allgemeine Diözesanbedürfnisse verwandt worden. Die Folgen seien nicht ausgeblieben. Im Herbst 1863 seien zwölf Diakone von der Priesterweihe zurückgestellt worden. In einem weiteren Brief am 13. September 1864 ergänzte Westhoff, er hoffe, daß der Vater des Lichts die erleuchte, „qui malorum auctores fuere, at et ipsi, quae educationi clericorum impedimento sunt, e medio tollantur". Er bitte in dieser Sache um die Unterstützung des Nuntius.

Neben einer nicht unproblematischen, zum Teil zeitbedingten pädagogischen Konzeption werden hier auch charakterliche Eigenheiten Westhoffs sichtbar, die selbst Geissels Biograph Pfülf nicht ganz verschweigt, wenn er schreibt[52]: „Dr. Westhoff hat sich denn auch trotz mancher kleinen Eigentümlichkeiten, die namentlich in späteren Jahren an ihm hervorgetreten sind, um die Erzdiözese wie besonders um das Seminar entschiedene und große Verdienste erworben. Zur Pflege echt klerikalen Geistes unter dem heranwachsenden jüngeren Klerus hat er ein Namhaftes beigetragen, und zugleich hat er zur materiellen Sicherstellung dieser wichtigen Diözesananstalt, welche er in recht prekären Vermögens- und Wohnverhältnissen vorfand, die grundlegenden und entscheidenden Schritte getan."

Damit war vor allem auf die Abrundung der Besitzverhältnisse um das Seminargebäude angespielt[53]. Die zwischen Seminar und Gymnasial- und Stiftungsfonds der Stadt Köln verzahnten Besitz- und Benutzungsverhältnisse in dem ehemaligen Jesuitenkolleg an der Marzellenstraße waren von Anfang an unerfreulich, das Raumprogramm für eine schon bald nach 1825 wachsende Seminaristenzahl unzureichend. Schon zu Zeiten des Erzbischofs Spiegel waren 1832 Versuche unternommen worden, von der Stadt Köln auch noch die bisher nicht abgetretenen Gebäudeteile für das Seminar zu erwerben. Doch scheiterten alle Einigungsversuche zwischen Erzbischof, Stadt Köln und preußischem Staat an den finanziellen Forderungen, die die Stadt Köln bzw. der Gymnasial- und Stiftungsfonds für die Freigabe ihrer Gebäudeanteile stellten.

Inzwischen wurde bei Seminaristenzahlen zwischen 55 und 80 und einem Raumprogramm von insgesamt nur 90 Räumen unter Präses Westhoff die Erweiterung des Seminarbereichs zum dringenden Bedürfnis. Als die Verhandlungen zwischen Erzbischof, Stadt und Regierung wieder einmal festzufahren schienen, führte der Bau des Zentralbahnhofs auf dem Gelände des botanischen Gartens hinter dem Seminar zu

52 Pfülf, Geissel II, S. 63

53 Auf eine ausführliche Darstellung der Verhandlungen zum Erwerb des gesamten ehemaligen Jesuitenkollegs an der Marzellenstraße zwischen 1855 und 1860 wird mit Rücksicht auf den Beitrag von Gisbert Knopp in diesem Bande verzichtet. Unkel widmet den Verhandlungen ein ganzes Kapitel (S. 387–409): „Erwerbung des *ganzen* ehemaligen Jesuitencollegiums"

einer Lösung. Für den Bahnhof wurden auch Teile des Seminargebäudes, vor allem die sogenannte „Sternwarte“, verplant, so daß das Seminar in die Verhandlungsmasse zwischen Stadt, Stiftungsfonds, Bahngesellschaft und Seminar unter Vermittlung des Oberpräsidenten etwas einzubringen hatte. Das Ergebnis war ein Vertrag zwischen den Beteiligten vom 5. Dezember 1860[54], durch den das Seminar von der Stadt Köln bzw. dem Gymnasial- und Stiftungsfonds den begehrten Anteil an dem Gesamtgebäude erwarb und der Eisenbahngesellschaft die Sternwarte überließ, wofür die Eisenbahngesellschaft die Zahlung des an die Stadt bzw. den Stiftungsfonds zu entrichtenden Kaufpreises übernahm. Gleichzeitig verzichteten die Kölner Stellen auf das 1828 noch zu ihren Gunsten vorgesehene Rückfallrecht. Eduard Hegel wertet diesen Vertrag zutreffend, wenn er schreibt[55]: „Wenn man von der neuen, immer unruhiger werdenden Nachbarschaft [des Bahnhofs] absieht, hatte das Seminar durch den Vertrag von 1860 gut abgeschnitten: man hatte endlich ausreichende Räume und war finanziell nicht belastet worden.“

Für das innere Gepräge des Seminars und für seine Entwicklung zum Bollwerk neuscholastischen bzw. ultramontanen Geistes am Rhein waren die von Westhoff beeinflußten Berufungen neuer Professoren und Dozenten entscheidend. Schon 1854 gelang es, für die Stelle von Benger den jungen Caspar Anton Heuser als Professor für Kirchenrecht und Liturgie zu gewinnen, der 1863 auch das Subregentenamt übernahm[56]. Heuser, der aus dem Umfeld des streitbaren Bilker Pfarrers Binterim stammte, hatte unter anderem in Löwen Theologie studiert und 1852 eine Beihilfe für seine kanonistische Promotion in Löwen von Geissel erhalten. 1868 wurde er als einer der wenigen Deutschen zum Konsultor für das I. Vatikanische Konzil berufen[57]. Unkel weiß von ihm zu berichten, daß er „durch sein vielseitiges Wissen und bedeutende praktische Erfahrung und Geschäftskenntnis hohes Ansehen genoß, während vielen seine gemütvollen Abendbetrachtungen unvergeßlich sind.“

Zur bedeutendsten Lehrerpersönlichkeit und theologischen Kapazität in der 250jährigen Geschichte des Kölner Priesterseminars entwickelte sich der am 27. September 1860 zum Professor für Dogmatik und Moraltheologie ernannte Matthias Joseph Scheeben[58], der an anderer Stelle dieses Bandes ausführlicher gewürdigt ist.

---

54 Text: Hecker, Chronik, S. 298 f.

55 Eduard Hegel, Das Erzbistum Köln zwischen der Restauration des 19. Jahrhunderts und der Restauration des 20. Jahrhunderts (= Eduard Hegel [Hrsg.], Geschichte des Erzbistums Köln, Bd. 5), Köln 1987, S. 234

56 Caspar Anton Heuser (1822–1891), Seminarprofessor für Kirchenrecht und Liturgie 1854–1871, seit 1863 auch Subregens, 1868 als Konsultor für das I. Vatikanische Konzil nach Rom berufen, 1869 Domkapitular, 1886 Offizial: Hecker, Chronik, S. 182 f.

57 Matthäus Bernards, Zur Teilnahme deutscher Theologen an der Vorbereitung des Vaticanum I – Gestalt und Werk des Kölner Konsultors Kaspar Anton Heuser, in: Annuarium Historiae Conciliorum 1 (1969), S. 314–335 – Das nachfolgende Zitat: Unkel, S. 385

58 Matthias Joseph Scheeben (1835–1888), 1852–1859 Studium in Rom (Germanikum), 1859–1860 Rektor der Klosterkirche und Religionslehrer bei den Ursulinen in Münstereifel, seit 27. 9. 1860 Professor für Dogmatik und Moraltheologie am Priesterseminar: Hecker, Chronik, S. 187–193 – HAEK – CR 8 A 1.2,1, Bl. 250: „*Decret.* Expediatur die Ernennung des Matth.

Scheeben, der nach seinem Studium in Rom erst 1859 nach Deutschland zurückgekehrt war, hat abgesehen von einer knapp einjährigen Tätigkeit als Religionslehrer bei den Ursulinen in Münstereifel 1859/60 sein gesamtes Priesterleben bis zu seinem frühen Tode am 21. Juli 1888 der Theologie und dem Priesterseminar gewidmet.

Scheeben war bereits 1863 eine Persönlichkeit, die es auf der innerkirchlich sehr umstrittenen Versammlung katholischer Gelehrter unter dem Vorsitz Ignaz von Döllingers in München wagen durfte, gegen diesen und die dominierende deutsche Universitätstheologie in Opposition zu gehen. Zu seiner Lehrtätigkeit am Seminar, die gewiß das Niveau der sonst üblichen Lehrveranstaltungen weit überstieg, bemerkt ein später Zeuge, Seminarpräses Ludwigs[59]: „Nicht durch rhetorischen Glanz zeichnete sich sein Vortrag aus; aber durch Gründlichkeit und Tiefe regte er die Geister an, und wer ihm mit Aufmerksamkeit folgte, fühlte sich manchmal auf eine Höhe theologischer Forschung emporgehoben, die gleichmäßig Herz und Geist entzückte ..." Unkel charakterisiert die Persönlichkeit Scheebens durch die Bemerkung, daß „dessen kindlich frommes und liebenswürdiges Wesen aller Herzen gewann".

Scheeben scheint sich als Büttel der Westhoffschen Seminardisziplin wenig geeignet und wenig betätigt zu haben. Er war eine offenbar eher liebenswürdig-irenische Natur, so entschieden er nach dem Vatikanum in die Presseauseinandersetzung um die Infallibilität des Papstes eingegriffen hat. Er war es vor allem, der das Kölner Seminar über Jahrzehnte zu einem beachtlichen und beachteten Ort der Theologie gemacht hat, während die Bonner Fakultät durch die Wirren nach dem I. Vatikanischen Konzil in eine Krise geriet[60].

Wahrscheinlich sind Schrörs' wertende Bemerkungen doch zu scharf und vor allem parteiisch, wenn er schreibt[61]: „In Köln hatten die ‚Scholastiker' offenbar Oberwasser: der Präses des Priesterseminars, Westhoff, und der Seminarprofessor Scheeben, der auf der Münchener Versammlung zur Opposition gegen Döllinger gezählt hatte, beide Germaniker, gehörten zur Partei." „Ihr (der neuscholastischen Partei) Sitz in Köln war das Priesterseminar, wo ... der Präses Westhoff und der junge Professor Scheeben im Stillen gegen die Bonner Fakultät arbeiteten. Ihre Wirksamkeit als Professoren war zwar so gut wie nichts, und auch die persönliche Achtung, in der sie bei den Alumnen standen, war nicht groß, aber sie verstanden es, bei diesen den Samen der Geringschätzung und des Mißtrauens gegen ihre früheren Lehrer auszustreuen, was sich naturgemäß auch in der Bonner Studentenschaft allmählich verbreitete." „Von den Geistlichen, die in jener Zeit Zöglinge des Seminars gewesen, hörte man immer wieder die

---

Joseph Scheeben, Dr. der Theologie und Philosophie, zum Professor der Theologie im hiesigen Klerikalseminar mit dem statusmäßigen Gehalte von 400 th. Köln 25. Sept. 1860 + Johannes"

59 Heinrich Hubert Maria Ludwigs, Erinnerung an das Priesterseminar, Köln 1903, S. 63 – Hier zitiert nach: Hecker, Chronik, S. 188

60 Dazu: August Franzen, Die katholisch-theologische Fakultät Bonn im Streit um das Erste Vatikanische Konzil. Zugleich ein Beitrag zur Entstehungsgeschichte des Altkatholizismus am Niederrhein (= Bonner Beiträge zur Kirchengeschichte, Bd. 6), Köln-Wien 1974

61 Heinrich Schrörs, Johann Heinrich Floß (1819–1881), in: Annalen des Hist. Vereins f. d. Niederrhein 117 (1930), S. 3–150, hier: S. 103 u. 117 u. 117 Anm. 150 – Vgl. Hecker, Chronik, S. 178

sonderbarsten Dinge erzählen von dem unwürdigen Treiben in den ‚Vorlesungen' Westhoffs und Scheebens und von dem Schabernack, der ihnen angetan wurde, aber auch von dem Widerwillen, mit dem die Alumnen die ewigen theologischen Nörgeleien gegen Bonn über sich ergehen lassen mußten." Das wird sicher für einen Teil der Seminaristen zutreffend gewesen sein. In der Verallgemeinerung ist es wahrscheinlich eine Übertreibung von Schrörs und ein Zeugnis seines verletzend-kritischen Umgangs mit von ihm weniger geachteten Kollegen[62].

Wenn das Seminar unter Kardinal Geissel zu einem Zentrum römischer Disziplin und neuscholastisch-theologischer Prägung wurde, so lag das allerdings nicht allein an Westhoff und Scheeben. Auch die übrigen Personalveränderungen der fünfziger und sechziger Jahre verrieten Programm. Unkel berichtet[63]: „Die theoretische und praktische Ausbildung der Alumnen in der Liturgie übertrug Geissel am 6. Mai 1861 dem ehrwürdigen Pfarrer Dr. Kirch[64] an St. Andreas, der unter schwierigen Verhältnissen mit großer Hingebung und Begeisterung, auch nach seiner später [1863] erfolgten Ernennung zum Domkapitular, sich der Aufgabe unterzog, dem angehenden Klerus der Erzdiözese das Verständnis für die Schönheiten des römischen Ritus, welchen er als Kaplan an der deutschen Nationalkirche der Anima in Rom [1851–1853] an der Quelle studiert hatte, zu eröffnen. Kirch ist auch Verfasser des Buches über die Liturgie der Erzdiözese Köln[65], worin er die Alleinberechtigung des römischen Ritus für die Erzdiözese nachweist." Hecker bemerkt zu dieser Veröffentlichung Kirchs[66], daß dieses Buch „nach seinem Erscheinen großes Befremden beim Kölner Klerus erregt haben wird". Auch der Bonner Pastoraltheologe Franz-Joseph Peters habe es neuerdings abgelehnt[67]. Nach Cronenbergs Bistumsgeschichte[68] habe man Kirch als „Seele der Richtung" bezeichnet, „welche von der anderen Seite mit Vorliebe die römische genannt wurde ... Die Urteile über diesen Mann waren sehr geteilt; ein großer Teil des Klerus war ihm wenig sympathisch. Dr. Kirch war ein durchaus frommer Priester, eine tüchtige Arbeitskraft, außerordentlich fleißig und in den kirchlichen Kurialgeschäften sehr bewandert. Er hatte mehrere Jahre in Rom studiert und dort auch den theologischen Doktorgrad erworben. Bei seinem außerordentlich guten Willen verstand er es

---

[62] Zu Heinrich Schrörs: Norbert Trippen, Heinrich Schrörs (1852–1928), in: Rheinische Lebensbilder 10 (1985), S. 179–198 (mit Literaturübersicht) – Eine etwas liebenswürdigere, wenn auch ironische, keineswegs unkritische Schilderung des mit Spitznamen „Baas" genannten Präses Westhoff bietet ein Seminarist seiner Zeit (1865/66) in seinen späteren Lebenserinnerungen: Alexander Schnütgen, Kölner Erinnerungen, Köln 1919, S. 73

[63] Unkel, S. 384

[64] Matthias Heinrich Kirch (1818–1874), 1851–1853 Kaplan an der Anima in Rom (Dr. theol.), 1854–1861 Pfarrer an St. Andreas in Köln, 1861 Professor für Liturgie am Priesterseminar, ab 1863 auch Domkapitular: Hecker, Chronik, S. 195 f.; Bernards, Heuser (vgl. oben Anm. 57), S. 318 f. – Kirch verdrängte im Fach Liturgie Heuser!

[65] Die Liturgie der Erzdiözese Köln, Köln 1868 (anonym) – Vgl. Hecker, Chronik, S. 196

[66] Hecker, Chronik, S. 196

[67] Franz Josef Peters, Beiträge zur Geschichte der kölnischen Meßliturgie, Köln 1951, S. 13 u. 20

[68] Franz Peter Eduard Cronenberg, Geschichte der Erzdiözese Köln während der letzten 120 Jahre (1761–1881), Aachen 1882, S. 852

doch nicht, immer das Richtige zu treffen – er war nicht Diplomat. Seine Reformbestrebungen waren zu sehr radikaler Natur, so daß dieselben bei vielen Anstoß erregten. Es hatte den Anschein, als ob er alles, auch das Kleinste, in der Erzdiözese nach römischem Muster umgestalten wollte. Selbst aus dem Dome wollte er den altkölnischen Ritus verdrängen und ging dabei mit einer so peinlichen Kleinlichkeit zu Werke, daß er bei anderen Domkapitularen auf den entschiedensten Widerspruch stoßen mußte."

Auf der gleichen Linie wie Kirchs Berufung zum Seminarprofessor für Liturgie 1861 lag die Bestellung des jungen Priesters Friedrich Koenen zum Gesanglehrer am Seminar am 31. Januar 1863[69], der dann im Laufe des Jahres auch Domkapellmeister wurde. Hinter dieser Entscheidung stand der Streit des Kardinals mit dem Domkapitel um die musikalische Gestaltung der Gottesdienste im Dom[70]. Unter Domkapellmeister Leibl hatte die Dommusik in ärgerniserregender Weise weltlich-konzerthaften Charakter angenommen. Geissel suchte dem 1854 mit einer allgemeinen Verordnung des Generalvikars für die Diözese im „Kirchlichen Anzeiger" beizukommen, wodurch in der Advents- und Fastenzeit sowie bei feierlichen Seelenämtern in allen Kirchen der Erzdiözese der Gebrauch jedes musikalischen Instruments außer der Orgel untersagt sowie in den drei letzten Tagen der Karwoche auch der Gebrauch der Orgel verboten wurde. Das Domkapitel bezeichnete sich jedoch als von den Anordnungen des Generalvikars exemt und lehnte Änderungen ab. Geissels nächste Maßnahme war eine Bestimmung des Kölner Provinzialkonzils von 1860[71], die den Gebrauch von Musikinstrumenten außer der Orgel beim Gottesdienst auf das geringste Maß beschränkte und verbot, in den mehrstimmigen Gesängen die Sopran- und Altstimmen durch Damen zu besetzen. An ihre Stelle sollten Knabenstimmen treten.

Waren damit die rechtlichen Klarstellungen getroffen, an denen auf Dauer auch das Domkapitel nicht vorbeikam, so ging es nun um die Schaffung personeller Voraussetzungen für einen Wandel, wobei Dom und Seminar als Einheit gesehen wurden. Unkel berichtet[72]: „Einen Fortschritt in der Liturgie bedeutete es, als Kardinal Geissel am 8. August 1861 für jedes Semester ein Examen im gregorianischen Choralgesang anordnete. Den Unterricht in diesem Zweige der Seminarbildung erteilte wenigstens

---

69 Friedrich Koenen (1829–1887), 1862 zum Studium der Kirchenmusik nach Regensburg gesandt, 31, 5. 1863 zum Gesanglehrer am Priesterseminar ernannt, im Sommer 1863 auch Domkapellmeister, 1873 Vizepräses des Allgemeinen Cäcilienverbandes: Hecker, Chronik, S. 197ff.

70 Dazu: Karl Gustav Fellerer, Die Kölner Dommusik und die kirchenmusikalische Reform im 19. Jahrhundert, in: Der Kölner Dom – Festschrift zur Siebenhundertjahrfeier 1248–1948, Köln 1948, S. 324–340; Trippen, Domkapitel, S. 129; vgl. auch Pfülf, Geissel II, S. 189ff.

71 Acta et Decreta Concilii Proviciae Coloniensis in civitate Coloniensi Anno Domini 1860 Pontificatus Pii P. P. IX decimo quarto celebrati, Coloniae 1862, S. 97f. (Pars Secunda, Caput V.: De capitulis cathedralibus) – An der Vorbereitung und Durchführung der Synode war übrigens Präses Westhoff nicht unwesentlich beteiligt, der Geissel bei dessen 25jährigem Bischofsjubiläum am 13. 8. 1862 das erste fertiggestellte Exemplar der „Acta et Decreta" überreichte: Hecker, Chronik, S. 177; Bernards, Heuser (vgl. Anm. 57), S. 315f.

72 Unkel, S. 384

seit 1843 der Rektor der v[on] Grooteschen Familienkirche ‚am Elende' Albert Gereon Stein[73], der Herausgeber des ersten Diözesan-Gebet- und Gesangbuches ... Ihm stand vom Herbste 1860 bis zum Frühjahr 1862 der Neopresbyter Heinrich Böckeler[74], während er das Kölner Konservatorium unter Ferdinand Hiller besuchte, beim Gesangunterrichte zur Seite." Doch drängte Stein, damals Pfarrer an St. Johann Baptist, Ende 1862 auf Entpflichtung vom Seminar.

Inzwischen hatte Geissel jedoch 1862 den jungen Kaplan Friedrich Koenen zum Studium der Kirchenmusik in Regensburg bei Franz Xaver Witt freigestellt[75]. In Köln wurde gleichzeitig neben der bisherigen Domkapelle ein neuer Domchor gegründet, dessen Männer- und Knabenstimmen Koenen dirigierte, wenn er in Köln war. Es scheinen die Proben dieses Chores gewesen zu sein, die Koenen mit Unterstützung Baudris und Kirchs im Seminar hielt und die geschilderte Verstimmung bei Präses Westhoff auslösten.

Als die Vollendung des Dominneren in Sicht war, ordnete Geissel am 20. Juli 1863 an: Sobald die Domorgel an ihrer neuen Stelle aufgestellt sein werde, solle jede Mitwirkung von Frauenstimmen bei den Hochämtern und Kapitelsgottesdiensten ausgeschlossen sein. „Dies bedeutete das Ende der alten Domkapelle, und der im 80. Lebensjahr stehende Domkapellmeister Leibl trat in den Ruhestand." Koenen wurde daraufhin vom Kapitel als Nachfolger angestellt, und man beauftragte ihn mit der Bildung eines Männer- und Knabenchores, der zu Allerheiligen 1863 im vollendeten Dom erstmals eine Haßler-Messe sang.

Koenens Spannungen mit Westhoff klingen in einer Notiz bei Hecker an[76]: Am 21. September 1865 „erhält Koenen die Erlaubnis des Erzbistumsverwesers Baudri, eine Wohnung außerhalb des Seminars zu beziehen. Er begründete sein Gesuch u.a. damit, daß er im Seminar nicht Klavier spielen dürfe und daß er dort kein Abendessen erhalte, wenn die Probe des Domchores mit dem Abendessen der Kommunität kollidiere".

Westhoffs Unbehagen gegenüber Koenen gründete, wie wir wissen, in seiner Sorge um Ordnung und Disziplin im Seminar, nicht in Koenens musikalischer Qualifikation oder in dessen starker Fixierung auf gregorianischen Choral und die Palaestrina-Schule. Darin war Koenen nur die musikalische Facette des Geissel-Westhoffschen Systems, das in Scheeben sein dogmatisches Haupt, in Kirch den liturgischen Assistenten und im Präses selbst den disziplinären Leiter hatte. Die inspirierenden Ideen wie die konkreten Ausformungen stammten aus Rom. Ziel war, das kirchliche Leben

---

73 Albert Gereon Stein (1809–1881), 1833 Priester, 1837–1849 Rektor der Kirche „Am Elend", 1849–1862 Pfarrer an St. Johann Baptist in Köln, ab 1862 Pfarrer an St. Ursula in Köln, 1838 (nicht erst 1843!) – 1863 Gesanglehrer am Priesterseminar: Hecker, Chronik, S. 165–168

74 Heinrich Böckeler (1836–1899), 1860–1862 Hilfsgesanglehrer am Priesterseminar, 1871 Domchordirigent in Aachen, 1881 Direktor der von ihm gegründeten Kirchenmusikschule (Gregoriushaus) in Aachen: Hecker, Chronik, S. 194

75 Hecker, Chronik, S. 197; zum folgenden vgl. auch ebd., S. 128

76 Ebd., S. 198

und vor allem den nachwachsenden Klerus der Kölner Erzdiözese im Geist der Treue zum Papsttum auszurichten.

Zur guten Ordnung des Seminars unter Kardinal Geissel gehörte schließlich noch die wirtschaftliche Absicherung. Der seit 1826 als Rendant und Ökonom tätige Gerhard Gruben bedurfte unter Geissel mit zunehmendem Alter der Entlastung, die von Johann Wilhelm Bausen, Christian Johann Maximilian Hohensee und Johann Wilhelm Rodenberg geleistet wurde[77], wobei zeitweilig Ökonomie und Rendantur getrennt waren. 1856 wurde Gruben kurz vor seinem Tode entpflichtet. Am 26. Mai 1859 wurde Johann Peter Fabricius[78] wieder zum Ökonom und Rendanten ernannt und blieb es bis 1895. Über ihn bemerkt Unkel[79]: „Ein sehr geschäftskundiger Mann, der früher zehn Jahre lang Bürgermeister einer sehr ausgedehnten Landbürgermeisterei gewesen, noch spät in den geistlichen Stand getreten war und eine Anstellung als Vikar in Lindlar gefunden hatte, schied mit Bedauern aus der liebgewonnenen Seelsorge, um nach dem Wunsche des Kardinals von Geissel die beiden Verwaltungszweige der Ökonomie und Rendantur in seiner Hand wieder zu vereinigen. Seiner tüchtigen Verwaltung ist es ohne Zweifel mit zu verdanken, daß die Vermögenslage des Seminars sich stetig besserte. Dieselbe war jedoch schon zur Zeit, als Fabricius in die Verwaltung eintrat, eine solche, daß Kardinal Geissel ernstlich an die Erwerbung des ganzen ehemaligen Jesuitenkollegiums ... denken konnte ...“, was sich durch den erwähnten Vertrag vom 5. Dezember 1860 zwischen Seminar, Gymnasial- und Stiftungsfonds und Rheinischer Eisenbahngesellschaft erübrigte.

2. Unter Erzbischof Paulus Melchers (1866–1875): Vom Vorabend des I. Vatikanischen Konzils bis zur Schließung während des Kulturkampfes

Als Kardinal Geissel am 8. September 1864 nach längerem Krebsleiden starb, hinterließ er das Priesterseminar ebenso wie die Erzdiözese in bester Ordnung. Geissel war eine herausragende Bischofspersönlichkeit mit beachtlichem diplomatischen und administrativen Geschick. Seine Volksfrömmigkeit, Theologie und Klerusdisziplin nach römischen Maßstäben lenkende Tendenz wurde vom größeren Teil des Klerus wie des Kirchenvolkes akzeptiert und lag innerhalb der gesamtkirchlichen Grundströmung seiner Zeit. Geissels problematische Art des Umgehens mit einzelnen Priestern und Klerusgruppen (Domkapitel, Fakultät, Hermesianern, Unterzeichnern von Adressen 1848) führte jedoch nach seinem Tode zu einem eineinhalbjährigen erbitterten Kampf um seine Nachfolge[80], den der Heilige Stuhl nach Übereinkunft mit dem

[77] Personalien: Hecker, Chronik, S. 126, 181 u. 185

[78] Johann Peter Fabricius (1818–1908), 1841–1850 Bürgermeister von Scheven (zeitweise auch von Bleibuir und Dreiborn), 1857 Priester, 1859–1895 Ökonom und Rendant des Priesterseminars: Hecker, Chronik, S. 186

[79] Unkel, S. 386f.

[80] Umfassende Darstellung: Trippen, Domkapitel, S. 104–138 (Geissels Umgang mit dem Domkapitel) bzw. S. 157–254 (Erzbischofswahl 1864/66)

preußischen Staat am 8. Januar 1866 durch die Ernennung des Osnabrücker Bischofs Paulus Melchers[81] zum neuen Erzbischof von Köln beendete, wobei er das Wahlrecht des Kölner Domkapitels für diesesmal aufhob.

Melchers war durch die nachfolgenden Ereignisse, vor allem durch das I. Vatikanische Konzil, dessen im Erzbistum Köln besonders heftige Auswirkungen und den sich alsbald anschließenden Kulturkampf nur eine relativ kurze und zudem sehr unruhige Zeit des bischöflichen Wirkens beschieden, die für das Seminar nur geringe Spuren in den Akten hinterlassen hat[82]. Dafür gewinnt gerade für diesen Abschnitt Karl Unkels Darstellung[83] die Qualität eines zeitgenössischen Augenzeugenberichtes: Unkel war 1866/67 Alumne des Seminars und wurde am 21. Dezember 1867 in Köln zum Priester geweiht[84]. Was er nicht mehr selbst im Seminar erlebt hat, klingt sehr nach gesammelten Aussagen von Beteiligten. So fehlen die bei Unkel sonst vorhandenen Quellenhinweise. Unkel berichtet: „Der neue Erzbischof trat in wohlgeordnete Verhältnisse ein und fand für die Betätigung seines glühenden Seeleneifers" – Melchers war weit mehr als sein Vorgänger ein seelsorglich eingestellter Bischof[85] – „ein weites und dankbares Feld. Besondere Liebe wendete er seinem Priesterseminar zu. Wenn aber von seiner diesbezüglichen Tätigkeit wenig in die Akten gekommen ist, so erklärt sich dies wohl durch seine Neigung, überall persönlich an Ort und Stelle zuzusehen und einzugreifen". Auch aus heutiger Sicht ist Unkel zuzustimmen, wenn er fortfährt: „Auch war das Seminar ja jetzt so eingerichtet, daß *große* Änderungen vorderhand nicht nötig schienen ..."

Allerdings zeigte sich sofort eine wesentliche Ausnahme, die Unkel nicht verschweigt: Der neue Erzbischof mußte bei seinem Umgang mit dem Seminar „mit

---

81 Paulus Melchers (1813–1895), 1852–1857 Generalvikar in Münster, 1857–1866 Bischof von Osnabrück (ab 1858 auch Apostolischer Vikar der Nordischen Missionen), 1866–1885 Erzbischof von Köln, 1885 Kardinal: Erwin Gatz, in: Gatz, Bischofslexikon, S. 493–497; Ders., Paulus Melchers als Seelsorger, in: Annalen des Hist. Vereins f. d. Niederrhein 177 (1975), S. 144–163 (mit Übersicht über die ältere Literatur); Rudolf Lill, Der Bischof zwischen Säkularisation und Kulturkampf (1803–1885), in: Peter Berglar und Odilo Engels (Hrsg.), Der Bischof in seiner Zeit ... Festgabe für Joseph Kardial Höffner ..., Köln 1986, S. 349–396, hier: S. 386–392 – „Melchers ..., suchte das Werk seines Vorgängers ... auf allen Ebenen fortzusetzten, mit eher noch vorsichtigerer Grundhaltung" (Ebd., S. 388); Eduard Hegel, Das Erzbistum Köln zwischen der Restauration des 19. Jahrhunderts und der Restauration des 20. Jahrhunderts, Köln 1987, S. 81–83

82 Es handelt sich um ganz wenige Schriftstücke in den allgemeinen Seminarakten: HAEK – CR 8 A 1.2,1 und HAEK – CR 8 A 1.9; umfangreicher sind naturgemäß die Verwaltungs- und Ökonomieakten dieser Jahre. Dort sind auch in einem von Unkel gesichteten Bande, in dem man sie nicht vermutet hätte, die Schriftstücke zur staatlichen Schließung des Seminars im November 1875 abgeheftet: HAEK - CR 8 A 2 (Verwaltung und Ökonomie). 6,1: Die Etats und Rechnungen des Erzb. Seminars und darauf bezügliche Verhandlungen, auch den Staatszuschuß betreffend. 1820–1875

83 „Das Seminar unter dem Erzbischof Paulus Melchers (1866–1875) (Der Kulturkampf)": Unkel, S. 410–441

84 Zum Weihedatum vgl. Totenzettel in HAEK. Der Seminaraufenthalt in diesem Zeitraum ergibt sich aus dem Weihedatum

85 Dazu vor allem: Erwin Gatz, Paulus Melchers als Seelsorger (vgl. oben Anm. 81)

dem ehrwürdigen hochbetagten Präses Westhoff rechnen, der sich in Abweichungen von der gewohnten Linie schwer zu finden wußte. Nachdem diesen die Gebrechen des Alters schon seit mehreren Jahren gehindert hatten, sich mit der gewohnten vollen Hingabe seinem Amte zu widmen, legte er dasselbe im Herbste 1868 nieder. Er starb in der Pflege der Alexianerbrüder zu Neuss am 6. Mai 1871." Da auch Subregens Heuser nach seiner Ernennung zum Domkapitular 1869 und seiner Rückkehr vom Konzil 1870 im Frühjahr 1871 seine Ämter im Seminar niederlegte, konnte Melchers die Ämter des Präses und des Subregens mit Männern seines Vertrauens neu besetzen.

Für das Präsesamt fiel seine Wahl auf Domkapitular Dr. Ludger Kleinheidt[86]. Unkel schreibt: „Westhoff mußte es zur Genugtuung gereichen, daß einer seiner ausgezeichnetsten Schüler vom Erzbischof zu seinem Nachfolger ausersehen war." Kleinheidt, der aus Essen stammte, war nach kurzer Kaplanstätigkeit in Krefeld von 1854 bis 1859 Repetent am Bonner Konvikt gewesen und hatte in dieser Zeit in Freiburg den theologischen Doktorgrad erworben. Es schlossen sich sechs Jahre einer erfolgreichen Wirksamkeit als Religionslehrer am Neusser Gymnasium an. 1865/66 war Kleinheidt dann kurz Pfarrer an St. Maria in der Kupfergasse in Köln, bevor er 1866 zum Domkapitular ernannt wurde. Unkel schreibt[87]: „Nachdem er so auf den verschiedensten Gebieten des kirchlichen Lebens, in der Seelsorge wie im wissenschaftlichen Unterrichte und in der Diözesanverwaltung reiche Erfahrungen gesammelt hatte, war der mit scharfem Verstande wie großer Willenskraft begabte, seeleneifrige und selbstlose Mann für die so wichtige und verantwortungsvolle Aufgabe ... wohl ausgerüstet. Am 11. Oktober 1868 bestellte ihn der Erzbischof zum Präses seines Priesterseminars."

Daß Melchers viel an seinem Priesterseminar gelegen war, zeigte auch seine Wahl für das Amt des Subregens: Am 30. April 1871 ernannte er seinen Geheimsekretär Dr. Ludger Theodor Wilhelm Pingsmann[88] für dieses Amt. Dieser war seit 1867 Geheimsekretär des Erzbischofs gewesen und hatte ihn zum I. Vatikanischen Konzil begleitet. Am Seminar dozierte er Liturgik und verwaltete das Subregentenamt über die Schließung der Kulturkampfjahre hinaus bis 1899.

Mag man Unkels lobende Bemerkungen über Regens Kleinheidt als schmeichelnde Huldigung vor dem soeben als Generalvikar und Domdechant Verstorbenen empfinden, so gewinnen sie doch sehr an Farbe durch die Schilderung von Einzelheiten aus Kleinheidts Regentenjahren[89]: „Mit ihm zog neues, frisch pulsierendes Leben

---

86 Friedrich Ludger Kleinheidt (1830–1894), 1868–1875 Präses des Priesterseminars, 1886–1894 Generalvikar, 1894 Domdechant. Zu seinen sonstigen Stationen vgl. die nachfolgende Darstellung: Hecker, Chronik, S. 201ff.; Trippen, Domkapitel, S. 259 mit Anm. 9 (Übersicht über die ältere Literatur) u. 526 (Reg.); Eduard Hegel, in: Gatz, Bischofslexikon, S. 387f. – HAEK – CR 8 A 1.2,1, Bl. 272: „Actum Cöln im Erzbischöflichen Priesterseminar am 16. Oktober 1868 morgens 11 Uhr" (Protokoll der Amtseinführung Kleinheidts) – Das nachfolgende Zitat: Unkel, S. 412

87 Unkel, S. 412f.

88 Ludger Theodor Wilhelm Pingsmann (1832–1905), 1867–1871 Geheimsekretär des Erzbischofs Melchers, 1871–1899 Subregens des Priesterseminars (Professor für Liturgik), 1898 Domkapitular, 1900 Offizial: Hecker, Chronik, S. 204f.

89 Unkel, S. 413ff.

in die Anstalt ein. Verschiedene Änderungen in der bisherigen Lebensweise wurden zum Schutz für die Gesundheit der Alumnen eingeführt. Da dem Hause seit 1860 kein Garten mehr zur Verfügung stand[90], auch das Gebäude selbst den Anforderungen einer gesunden Lebensweise nicht in alleweg entsprach, so wurde den Alumnen, welche bisher nur zweimal wöchentlich Gelegenheit hatten, sich draußen in freier Luft zu bewegen, der tägliche Spaziergang (mit Ausnahme des Beichttages) gestattet oder vielmehr zur Pflicht gemacht. Kleinheidt duldete nicht, daß die Alumnen den Spaziergang von der Witterung abhängig machten. ‚Später', pflegte er zu sagen, ‚müssen Sie bei jedem Wetter hinaus zu Unterricht und Krankenbesuch und müssen sich darum jetzt schon gegen die Ungunst der Witterung abhärten'. Während der von Allerheiligen bis zum Tage der Priesterweihe, welche gewöhnlich Ende August oder anfangs September stattfand, dauernde Seminarkursus früher keine Unterbrechung duldete, wurden jetzt Osterferien für die Dauer von zehn Tagen eingeführt[91]. Gab der Tisch bisher den Alumnen mitunter zu Klagen Anlaß, von jetzt an verstummten dieselben gänzlich, denn es wurde für Professoren und Alumnen derselbe Tisch eingeführt, der allen Anforderungen vollkommen genügte. Im Verkehr mit den Alumnen wußte Kleinheidt zwar mit großer Kraft, wo es einmal notwendig erschien, sein Ansehen geltend zu machen, aber auch durch freundliche Teilnahme dieselben an sich zu fesseln, so daß er gleichsam nur als der erste unter Seinesgleichen erschien."

Daß Präses und Erzbischof sehr ähnliche Vorstellungen vom Seminar hatten, machen die folgenden Bemerkungen Unkels deutlich: „Seit Kleinheidt an der Spitze des Seminars stand, war der Erzbischof durch keine Rücksichten mehr beschränkt, dieser ihm so sehr am Herzen liegenden Anstalt seine volle Sorge zuzuwenden und zu betätigen. Das größte Gewicht legte Erzbischof Paulus mit Recht darauf, über den Beruf zum geistlichen Stande bei den einzelnen Kandidaten sich möglichste Gewißheit zu verschaffen. Dazu sollten u. a. die von den Alumnen üblicherweise einzureichenden Lebensläufe dienen... Eines Tages, am 5. Dezember 1870, sandte er dem Präses die eingereichten vitae mit dem Bemerken zurück, daß ‚viele derselben zu dürftig, oberflächlich und bloß äußerlich gehalten sind und deshalb ihrem Zwecke wenig oder gar nicht entsprechen, welcher vorzugsweise darin besteht, daß die Alumnen ihren Vorgesetzten Kenntnis geben von den Hauptumständen ihres Lebens und von denjenigen äußeren und inneren Erfahrungen, welche ihre Überzeugung von dem Berufe zum geistlichen Stande begründet haben – selbstredend insofern dieselben sich überhaupt zur Mitteilung eignen und nicht lediglich ad forum internum gehören'..."

Gatz und Lill haben bereits den immensen Fleiß des Erzbischofs Melchers gewür-

---

[90] Das Seminar hatte bis 1860 ein Mitbenutzungsrecht am ehemaligen Jesuitengarten, dem „Botanischen Garten", der seitdem mit dem Hauptbahnhof bebaut war

[91] Hecker berichtet (S. 202): „Unter Kleinheidt wurde im Seminar Semesterordnung eingeführt; vorher gab es Jahreskurse, die von Allerheiligen bis gegen den 1. September (Weihetag) ohne Unterbrechung dauerten"

digt[92], der auch an seinem Verhalten dem Seminar gegenüber deutlich wird. Unkel weist auf die häufigen Besuche hin: „Alle Samstage erschien er im Seminar, um den Predigtübungen beizuwohnen. Dann predigten jedesmal zwei Alumnen. Die Kritik hatten zuerst diejenigen beiden Alumnen, welche am vorhergehenden Samstage die Predigt gehabt; nach ihnen gab der Präses und zuletzt der Erzbischof selbst sein Urteil ab. Der Erzbischof pflegte seine Kritik stets so einzurichten, daß der schüchterne Anfänger nicht entmutigt wurde. Die angehenden Prediger warnte er vor allzu schroffen Urteilen, wie sie die Jugend nicht selten liebt, und hielt auf apostolisch einfache Redeweise. Da mußte denn zuweilen ein Prediger, der einen blühenden Stil liebte, aus dem Munde des Erzbischofs die Warnung vernehmen: ‚Diese Predigt war fast zu schön'."

Ein Seminar kann unter einem Zuwenig ebenso wie unter einem Zuviel an bischöflicher Sorge und Ingerenz leiden. Wie haben die damaligen Studenten das auffallend intensive Interesse des Erzbischofs Melchers am Seminar empfunden? Unkel meint: „Die Alumnen sahen den Erzbischof gern kommen. Denn er pflegte die Gelegenheit zu benützen, um die Kandidaten des Priestertums mit feurigen Worten für ihren heiligen Beruf zu begeistern und sie zu ermuntern, durch ernstes Streben nach Selbstvervollkommnung und fleißiges Studium sich auf ihren Beruf würdig vorzubereiten."

Wenn man dem Schweigen der Quellen und des Zeitzeugen Unkel vertrauen darf, haben das I. Vatikanische Konzil, die heftigen Debatten der Öffentlichkeit, die ihm vorausgingen, es begleiteten und ihm folgten, im Seminar kein Echo gehabt. Man darf vermuten, daß es dabei eine Differenz gab zwischen den persönlichen Ansichten und Gesprächen einzelner Alumnen und dem öffentlichen Leben und dem Lehrbetrieb des Seminars. Die Seminaröffentlichkeit dürfte von ungeteiltem Einverständnis mit der infallibilistischen Konzilsmehrheit und den Ergebnissen des Konzils bestimmt gewesen sein. Der von Geissel hinterlassene und von Melchers ergänzte Lehrkörper sprach mit einer Stimme.

Während der heftige Wellenschlag der innerkirchlichen Ereignisse das Seminar kaum tangiert zu haben scheint, wurde der Kulturkampf von außen zur unausweichlichen Katastrophe. Im Gegensatz zum Nationalsozialismus 60 Jahre später, den man im Seminar verschwieg, auf den die künftigen Kapläne innerhalb des Seminarprogramms nicht vorbereitet wurden[93], sah Erzbischof Melchers den Kulturkampf kommen und versuchte, die Seminaristen darauf vorzubereiten. Unkel berichtet[94]: „Als schon wenige Jahre nach seinem Amtsantritte der sogen[annte] Kulturkampf seine deutlichen Schatten vorauswarf, unterließ Erzbischof Paulus bei seinen Besuchen im Seminar nicht, die jungen Kleriker auf die der Kirche bevorstehenden Stürme aufmerksam zu machen und sie zur Treue gegen die Kirche, auch wenn sie schwere Opfer fordere, zu ermutigen. Eine seiner ergreifenden Ansprachen, welche den damaligen Alumnen unvergeßlich bleiben wird, hielt er, als die Staatsregierung die Veröffent-

92 Gatz, Paulus Melchers als Seelsorger (vgl. oben Anm. 81); Lill, Der Bischof ... (vgl. oben Anm. 81), S. 388
93 Vgl. unten S. 159–164
94 Unkel, S. 416

lichung der Enzyklika Pius' IX. vom 5. Februar 1875[95] verbot, in welcher die Maigesetze für nichtig erklärt wurden, ‚weil sie der göttlichen Einrichtung der Kirche schlechthin widersprechen'."

Für die Darstellung der Ereignisse, die infolge der Kulturkampfgesetze im November 1875 zu einer fast elfjährigen Schließung des Seminars führten, verwertet Unkel die kirchlichen Akten in Köln, die interessanterweise nicht in der Abteilung „Seminar-Anstalt überhaupt", sondern „Verwaltung und Ökonomie" abgelegt sind[96]. Für den Fortbestand des Seminars waren vor allem einige Paragraphen des preußischen Gesetzes vom 11. Mai 1873 „über die Vorbildung und Anstellung der Geistlichen"[97] bedrohlich, die dann auch zum Konflikt führten. In § 4 waren zur Voraussetzung für das geistliche Amt erklärt „die Ablegung der Entlassungsprüfung auf einem deutschen Gymnasium, die Zurücklegung eines dreijährigen theologischen Studiums auf einer deutschen Staatsuniversität sowie die Ablegung einer wissenschaftlichen Staatsprüfung." In § 6 war immerhin zugestanden: „Das theologische Studium kann in den bei Verkündigung dieses Gesetzes in Preußen bestehenden, zur wissenschaftlichen Vorbildung der Theologen bestimmten kirchlichen Seminaren zurückgelegt werden, wenn der Minister der geistlichen Angelegenheiten anerkennt, daß dieses Studium das Universitätsstudium zu ersetzen geeignet sei." Die in § 4 erwähnte „wissenschaftliche Staatsprüfung" sollte nach § 8 erweisen, „ob der Kandidat sich die für seinen Beruf erforderliche allgemeine wissenschaftliche Bildung, insbesondere auf dem Gebiete der Philosophie, der Geschichte und der deutschen Literatur erworben habe."

Zur Ausführung der in diesen Paragraphen getroffenen Anordnungen kam es nicht, weil die preußische Regierung den Hebel bei einigen weiteren, eher praktischen Maßregeln ansetzte. So hieß es in § 9: „Alle kirchlichen Anstalten, welche der Vorbildung der Geistlichen dienen ..., stehen unter Aufsicht des Staates. Die Hausordnung und das Reglement über die Disziplin in diesen Anstalten, der Lehrplan ... derjenigen Seminare, für welche die im § 6 bezeichnete Anerkennung erteilt ist, sind dem Oberpräsidenten der Provinz von dem Vorsteher der Anstalten vorzulegen. Die Anstalten unterliegen der Revision durch Kommissarien, welche der Oberpräsident ernennt."

Da man in Berlin offenbar mit kirchlichem Widerstand gerechnet hatte, war in § 13 verfügt: „Werden die in den §§ 9–11 enthaltenen Vorschriften oder die getroffenen Anordnungen der Staatsbehörden nicht befolgt, so ist der Minister der geistlichen Angelegenheiten ermächtigt, bis zur Befolgung die der Anstalt gewidmeten Staatsmittel einzubehalten oder die Anstalt zu schließen." Berufung gegen Anordnungen oder

---

[95] Enzyklika „Quod nunquam" an die Bischöfe Preußens vom 5. 2. 1875: ASS 8 (1875), S. 253ff.; deutscher Text: Nikolaus Siegfried, Actenstücke betreffend den preußischen Culturkampf nebst einer geschichtlichen Einleitung, Freiburg 1822, S. 267–270

[96] In: HAEK – CR 8 2.6,1 (vgl. oben Anm. 82) – Es handelt sich um Generalvikariatsakten ebenso wie Schriftstücke aus Seminarbeständen, die im übrigen nicht exakt chronologisch geordnet sind. Es ist eilige Ablage bzw. Abheftung vor Schließung des Generalvikariats 1876 zu vermuten

[97] Gesetzestext: Siegfried, Actenstücke (vgl. oben Anm. 95), S. 177–181

Verfügungen nach diesem Paragraphen sollten ohne aufschiebende Wirkung nur beim Gerichtshof für die kirchlichen Angelegenheiten in Berlin möglich sein.

Die preußischen Bischöfe mußten gegen dieses Gesetz – wie gegen alle Kulturkampfgesetze – Widerstand leisten, wollten sie nicht die Einmischung des Staates in ureigenste kirchliche Angelegenheiten gutheißen. Entsprechend schrieben sie am 26. Mai an das Preußische Staatsministerium[98], „daß wir nicht im Stande sind, zum Vollzuge der am 15. d[ieses] M[onats] publizierten Gesetze mitzuwirken".

Wie rasch der Staat den kirchlichen Widerstand zu brechen gedachte, läßt Unkels Darstellung erkennen[99]: „Genau zwei Monate nach Erlaß des Gesetzes, am 11. Juli 1873 morgens 8½ Uhr, erschienen im Priesterseminar die beiden Kommissare des Oberpräsidenten der Rheinprovinz, Regierungsrat Schnitzler und Gymnasiallehrer Linnig vom katholischen Gymnasium an St. Aposteln in Köln, um auf Grund des mehrerwähnten Gesetzes eine Revision des Seminars vorzunehmen. Der Präses Kleinheidt händigte den Herren die Statuta und die Tagesordnung des Seminars ein[100] und erklärte dabei folgendes zu Protokoll: ‚Ich übergebe vorliegende Pièces nur zur Kenntnisnahme unter Protest und ausdrücklicher Bezugnahme auf die Kollektiv-Eingabe des Preußischen Episkopates an das Gesamt-Ministerium vom 26. Mai dieses Jahres. Übrigens ist das Seminar eine zur theologisch-praktischen Ausbildung der Geistlichen bestimmte Anstalt. In welchen Disziplinen Unterricht erteilt wird, darf ich nicht mitteilen[101]. Ebensowenig darf ich den Herren die Beiwohnung des Unterrichtes, der übrigens in einem Coetus erteilt wird, gestatten. Mitteilung über die Mittel, aus welchen das Seminar erhalten wird, muß ich ebenfalls ablehnen. Übrigens dürften diese im Wesentlichen als bekannt vorauszusetzen sein[102]. In Betreff der am

98 Collektiveingabe des preußischen Episkopats, dem Königlichen Staatsministerium vorgelegt am 26. Mai 1873: Siegfried, Actenstücke, S. 188f.

99 Unkel, S. 419ff. – Unkel referiert hier den die Vorgänge protokollierenden Brief Kleinheidts an Melchers vom 11. 7. 1873 (Original): HAEK - CR 8 A 2.6,1 (Blätter nicht nummeriert!)

100 Es dürfte sich um die „Statuta" vom 4. 11. 1855 und die Tages (bzw. Haus)ordnung vom 31. 10. 1855 handeln: Vgl. oben S. 92ff.

101 Nach § 9 des Gesetzes vom 11. Mai 1873 waren lediglich „Hausordnung und das Reglement über die Disziplin" für „Knabenseminare, Klerikalseminare, Prediger- und Priesterseminare, Convicte etc". unterschiedslos vorzulegen, der Lehrplan jedoch nur für Knabenseminare „sowie diejenigen Seminare, für welche die im § 6 bezeichnete Anerkennung ertheilt ist". Insofern brauchte der Präses nach dem Wortlaut des Gesetzes für das der praktischen Ausbildung dienende Priesterseminar (ohne theologischen Gesamtstudiengang) weder Unterrichtspläne vorzulegen noch – wie er wohl andeuten wollte – eine Inspektion des Unterrichts zuzulassen

102 Bis 1848 hatte es eine an französische Gesetzesbestimmungen vom 6. November 1813 anknüpfende staatliche Aufsicht und Mitwirkung bei der Vermögens- und Wirtschaftsverwaltung des Seminars gegeben. Oberpräsident von Bardeleben reflektierte sie an Hand der Oberpräsidial- und der Erzbistumsakten in einem Bericht an Kultusminister von Goßler am Ende des Kulturkampfes (Bardeleben an Goßler am 12. 6 1884 [Entwurf]: LHA-Ko-403/15835, S. 35–102, hier: S. 77–86). Sie erstreckte sich auf die Genehmigung von Immobilienverkäufen und Löschungsbewilligungen für Hypotheken (ebd., S. 83). „Nach Erlaß der Verfassungsurkunde [d. h. nach 1848 bzw. 1850] ist die Staatsbehörde anscheinend,

Seminar fungierenden Lehrer beziehe ich mich auf eine vor wenigen Wochen der Polizeibehörde abgegebene Erklärung. In sanitäts-, feuer- und baupolizeilicher Hinsicht steht der Revision nichts entgegen'. Darauf zeigte der Präses den beiden Herren die Räume des Seminars, wobei sich, wie dieselben protokollarisch erklärten, nichts zu erinnern fand."

Es ist nicht wahrscheinlich, daß die beiden staatlichen Kommissare unangekündigt zu dieser Revision erschienen und daß Präses Kleinheidt unvorbereitet, gleichsam aus dem Stehgreif, juristisch so geschickt und korrekt agierte. Es darf vorausgesetzt werden, daß auf eine Ankündigung der Kommissare hin Vorüberlegungen bezüglich eines angemessenen Verhaltens angestellt wurden. Die wenigen erhaltenen Schriftstücke lassen erkennen, daß sowohl der Seminarverwaltungsrat wie der Rechtsanwalt und spätere Bistumskanzler Julius Bachem sich an den Überlegungen über die einzuleitenden Schritte beteiligten[103].

Ohne längeres Zögern reagierte der Staat auf die Ablehnung der Seminarrevision mit den Strafsanktionen, die in § 13 des Gesetzes vom 11. Mai 1873 vorgesehen waren. Am 20. August 1873 teilte das Oberpräsidium in Koblenz Melchers mit[104], daß „von dem Herrn Minister der geistlichen Angelegenheiten [Adalbert Falk] auf Grund des § 13 des genannten Gesetzes die Verfügung getroffen worden [ist], daß bis zur Befolgung der gesetzlichen Vorschriften die dem Priesterseminar gewidmeten Staatsmittel einzubehalten seien". Von der Gesamtsumme von 7470 Talern waren bisher 4000 Taler an das Konvikt in Bonn weitergeleitet worden. Dieser Betrag sollte nunmehr direkt nach Bonn fließen, während die Zahlungen an das Seminar eingestellt würden.

Unter der Voraussetzung, es mit einem Rechtsstaat zu tun zu haben, legte Erzbischof Melchers am 24. Oktober 1873 Verwahrung gegen diese staatliche Maßnahme

---

soweit nicht die Genehmigung von Schenkungen und Legaten ... in Frage stand, niemals um Erteilung einer Genehmigung zu einem Rechtsgeschäft angegangen worden. Was die *Etats* des Seminars betrifft, so sind dieselben bis zum Erlaß der Verfassungsurkunde *stets* dem Ministerium eingereicht und dort festgestellt worden. ... Die *Rechnungen* des Seminars sind entgegen der Vorschrift des Artikels 80 des Dekrets vom 6. November 1813 dem Kultusminister *nicht* eingereicht worden" (ebd., S. 84 f.)

103 HAEK – CR 8 A 2.6,1 enthält ein Protokoll des Seminarverwaltungsrats vom 4. 9. 1873 in Sachen Sperrung des Staatszuschusses für das Seminar (s. unten) sowie auf der Rückseite einen Vermerk Bachems: „Entwurf einer Rechtsverwahrung zu Händen des Ober-Präsidiums der Rheinprovinz ergebenst beigefügt. 22. 10. 73 (gez.) Bachem" – Leider fehlt dieser Entwurf, der möglicherweise die Vorlage zu Melchers' Schreiben an Oberpräsident von Badeleben vom 24. 10. 1873 war (s. unten S. 111 mit Anm. 105) – Zu Julius Bachem (1845–1928), seit 1873 Rechtsanwalt in Köln, 1869–1914 mit Hermann Cardauns Schriftleiter der „Kölnischen Volkszeitung", 1876–1890 Zentrumsabgeordneter im preußischen Landtag, Mitbegründer der Görres-Gesellschaft, nach dem Kulturkampf Kanzler des Erzbistums: Wilhelm Kosch, Biographisches Staatshandbuch, Bd. 1, Bern 1963, S. 50 (Literaturübersicht)

104 Der Oberpräsident der Rheinprovinz i.V. Villers an Melchers am 20. 8. 1873 (Original): HAEK – CR 8 A 2.6,1 – Die gleiche Verfügung erhielt Kleinheidt als Seminarpräses, der – offenbar von der Ausfertigung für Melchers nichts wissend – diesem am 25. 8. 1873 eine Abschrift mit Begleitschreiben zuschickte (Auf dem Begleitschreiben findet sich am Rande der Seminarverwaltungsratsbeschluß und die Notiz Bachems, vgl. oben Anm. 103)

beim Oberpräsidenten ein[105]: „Wie Hochdieselben bemerken, bildet der in Frage stehende Zuschuß von 7470 Thr. eine Position der Gesamtdodation des Erzbistums Köln, wie solche in den Verhandlungen zwischen den Vertretern des Päpstlichen Stuhles und der Staatsbehörde über die Errichtung dieses Erzbistums vereinbart und festgestellt worden ist. Ich vermag daher ein Recht der Königl[ichen] Staatsregierung nicht anzuerkennen, eigenmächtig einen Teil dieser Dotation einzubehalten resp[ective] die Modalitäten der Auszahlung eines anderen Teiles einseitig zu ändern. Indem ich hiermit gegen diese Maßregeln förmlich Verwahrung einlege, behalte ich mir und meinen Rechtsnachfolgern die Geltendmachung der durch dieselben geschädigten Rechte des erzbischöflichen Stuhles vor."

Melchers rekurrierte nicht ungeschickt – zweifellos juristisch beraten – auf die völkerrechtliche Qualität von „De salute animarum", über die sich der preußische Staat nicht durch ein Landesgesetz und nachfolgende Verwaltungsverfügungen hinwegsetzen konnte. Doch waren die Eingriffe in das Seminar 1873 nur ein leises Vorspiel zu dem, was noch kommen sollte. Unkel berichtet[106]: „Der Kulturkampf nahm seinen Fortgang. Am härtesten wurden davon die Bischöfe betroffen. Auch über den Erzbischof von Köln wurde Gehaltssperre verhängt, es erfolgten hohe Geldstrafen wegen maigesetzwidriger Anstellungen [von Geistlichen]. Die Erzdiözese sah endlich mit ängstlicher Spannung der drohenden Gefangennehmung ihres Oberhirten entgegen und hörte nicht auf, denselben mit Beweisen unerschütterlicher Glaubenstreue und rührender Anhänglichkeit zu überhäufen." Gatz ergänzt die Angaben aus seiner umfassenderen Kenntnis[107]: „Im Frühjahr 1874 folgte die Pfändung seines Vermögens, und wenig später mußte er wegen Zahlungsunfähigkeit ersatzweise eine sechsmonatige Gefängnisstrafe antreten."

Folgen wir wieder der farbenreichen Darstellung von Unkel: „Am Samstage vor dem Palmsonntag des Jahres 1874, dem 28. März, hatte der Erzbischof im Hohen Dom die erhabene Handlung der Priesterweihe vorgenommen. Am Palmsonntage trafen von allen Seiten aus der Erzdiözese Sonderzüge in Köln ein von solchen, die dem Erzbischof ihre Treue und Ergebenheit bezeigen wollten, denn es hatte sich das Gerücht verbreitet, daß die Gefangennehmung des verehrten Oberhirten unmittelbar bevorstehe. Am Dienstag, den (!) 31. März, morgens 8 Uhr trat das Befürchtete ein. Eine Stunde später versammelte der Präses des Seminars die Alumnen und gab ihnen eine genaue Darstellung des Ereignisses, bei dem er als Augenzeuge zugegen gewesen. ‚Ganz besonders', sagt er, ‚hat der Hochwürdigste Herr vor seiner Abführung mir das Seminar anempfohlen und mehrmals mir aufgetragen: ‚Sagen sie doch den Herren im Seminar, daß sie meiner im Gebete gedenken, damit ich in dem bevorstehenden Kampfe die nötige Kraft und Ausdauer finde'. Am Schluße seiner Mitteilungen suspendierte der Präses die Vorlesungen für den Tag und führte die tief ergriffenen

105 Melchers an Oberpräsident von Bardeleben am 24.10.1873 (von Melchers handschriftlich überarbeiteter und abgezeichneter Entwurf): HAEK – CR 8 A 2.6,1
106 Unkel, S. 422f.
107 Gatz, Melchers, in: Gatz, Bischofslexikon, S. 496

Alumnen in die Kirche, wo sie für den gefangenen Erzbischof den Rosenkranz beteten, was von da an täglich, so lange seine Haft dauerte, geschah."

Nach Verbüßung seiner Haft in der Königlichen Strafanstalt am Klingelpütz in Köln kam Melchers am 9. Oktober 1874 wieder frei. „Der Erzbischof verließ denselben [den Kerker], wie er ihn betreten hatte, ungebeugten Mutes, in unentwegter Treue gegen sein heiliges Amt. An eine Befolgung der Maigesetze war bei ihm jetzt so wenig wie früher zu denken." Die erneute Zuspitzung seiner Situation und sein Entweichen in das Exil in den Niederlanden am 13. Dezember 1875 wurden durch die Schließung des Seminars im November eingeleitet.

Über die Einzelheiten unterrichtet uns ein Bericht Kleinheidts an Melchers vom 2. November 1875[108]: „Es erschienen nämlich Freitag, den 29., u[nd] Samstag, den 30. Oktober dieses J[ahres], die beiden hiesigen Regierungsräte Schnitzler und Linnig als Kommissarien des Herrn Oberpräsidenten von Bardeleben[109], um einer Verfügung des Ministers der geistlichen Angelegenheiten vom 30. Sept[ember] c[urrentis] gemäß das Seminar von neuem einer Revision zu unterziehen und mir dabei gleichzeitig zu eröffnen, daß falls die Revision nicht vollständig, besonders hinsichtlich des Unterrichts, gestattet würde, die Schließung des Seminars erfolgen werde. Nachdem ich gleich bei dem ersten Besuche den Kommissarien erklärt hatte, daß ich nicht mehr gestatten könne, als ich auch vor zwei Jahren gestattet hätte, machte ich gleich darauf Ew. Erzbischöflichen Gnaden Mitteilung von diesem Revisions-Versuch. Anderen Tages erschienen die Kommissarien wieder, um definitiven Bescheid entgegenzunehmen. Ich erklärte ihnen, daß ich auch jetzt – nach Rücksprache mit Ew. Erzbischöflichen Gnaden – nicht in der Lage sei, eine weiter gehende Revision gestatten zu können, wie am Tage vorher und vor zwei Jahren geschehen sei. Gleichzeitig verwahrte ich mich mündlich und schriftlich gegen die beabsichtigte Maßnahme."

Den Text seiner Verwahrung teilte Kleinheidt dem Erzbischof in seinem Brief mit. Kleinheidts wichtigstes, aber letztlich erfolgloses Argument gegen das staatliche Vorgehen bot eine unscharfe Formulierung im § 13 des Gesetzes vom 11. Mai 1873. Dort war für den Fall der Nichtbeachtung der Gesetzesbestimmungen vorgesehen, daß der Kultusminister ermächtigt sei, „bis zur Befolgung die der Anstalt gewidmeten Staatsmittel einzubehalten oder die Anstalt zu schließen"[110]. Kleinheidt deutete in seinem Sinne die Bestimmung so, daß die Strafsanktionen nur alternativ zur Anwendung kommen dürften und daß, nachdem der Staat sich einmal für die eine Alternative (Sperrung der Staatsgelder) entschieden habe, die andere Alternative (Schließung der Anstalt) ungesetzlich sei.

Bereits am 4. November 1875 wandte sich der Kölner Regierungspräsident von Bernuth in inhaltlich gleichen Schreiben an Melchers und Kleinheidt[111], um die Schlie-

---

108 Kleinheidt an Melchers am 2. 11. 1875 (Original): HAEK – CR 8 A 2.6,1

109 Heinrich Albert Moritz von Bardeleben (1814–1890), 1858–1866 Regierungspräsident in Minden, 1866–1872 Regierungspräsident in Aachen, 1872–1889 Oberpräsident der Rheinprovinz: Bär, Behördenverfassung, S. 153 u. 198

110 Siegfried, Actenstücke, S. 178

111 Bernuth an Melchers am 4. 11. 1875 (ebenso an Kleinheidt) (Originale): HAEK – CR 8 A

ßung des Seminars zu verfügen: Da Kleinheidt der Revision des Seminars erneut Widerstand entgegengesetzt habe, „so hat der Herr Oberpräsident auf Grund der ihm von dem Herrn Minister der geistlichen p. p. Angelegenheiten erteilten Ermächtigung und in Anwendung des § 13 des Gesetzes über die Vorbildung und Anstellung der Geistlichen vom 11. Mai 1873 verfügt, daß das qu. Seminar zu schließen sei, bis der Herr Erzbischof Dr. Melchers und Sie sich den Vorschriften der § 9–11 des zitierten Gesetzes und der auf Grund desselben von den Staatsbehörden getroffenen Anordnungen unterwerfen. Als Zeitpunkt der Schließung hat der Herr Oberpräsident den 10. d[ieses] M[ona]ts festgesetzt". Um alle Illusionen zu zerstören, war dem Schreiben an Kleinheidt die Bemerkung angefügt: „In dem ich Sie im Auftrage des Herrn Oberpräsidenten von dieser Verfügung hierdurch ergebenst in Kenntnis setze, habe ich Ihnen zugleich mit Rücksicht auf Ihren schriftlichen Protest vom 30. v[origen] M[ona]ts zu eröffnen, daß nach den Bestimmungen des bezogenen § 13 die früher erfolgte Einbehaltung der für die Anstalt bestimmten Staatsmittel die spätere Schließung derselben im Falle fortdauernder Renitenz keineswegs hindere." Mochte der Gesetzestext tatsächlich in seiner Unschärfe das „entweder – oder" Kleinheidts möglich erscheinen lassen; es war abzusehen, daß die staatliche Seite im Sinne des „sowohl – als auch" vorgehen würde.

Dennoch unterließ Erzbischof Melchers nichts, um das Unheil aufzuhalten oder doch wenigstens hinauszuzögern. Am 5. November 1875 schrieb er an Oberpräsident von Bardeleben[112]: „Ew. Hochwohlgeboren ist es nicht unbekannt, aus welchen Gründen ich mich nicht für befugt erachten kann, zur Ausführung der Vorschrift des allegierten Gesetzes mitzuwirken, und weshalb ich nicht im Stande bin, den von dem Seminarpräses Dr. Kleinheidt eingelegten Widerspruch gegen die staatliche innere Revision des Seminariums zu beseitigen. Ich halte mich aber auch überzeugt, daß die von demselben erhobene Einrede gegen die Anwendung des allegierten § 13 begründet ist ..." Er bittet deshalb die Einrede dem Kultusministerium zu unterbreiten, „jedenfalls aber eine Verlängerung des gestellten Termins zur Schließung des Seminars hochgeneigtest bewirken zu wollen, indem es ganz unmöglich ist, die Schließung einer Anstalt, in welcher 55 Alumnen sich befinden, in der kurzen Frist von fünf Tagen zur Ausführung zu bringen, wenn nicht eine unerhörte Härte zur Anwendung gebracht werden soll, welche jedenfalls diese Zöglinge nicht verdient haben. Es würde kaum ein Monat dazu genügen können ..."

Bardeleben antwortete schon am folgenden Tage[113], er sehe sich nicht in der Lage den Einspruch Kleinheidts dem Minister zu unterbreiten. Finanzsperre und Schließung könnten zweifellos auch konjunktiv zur Anwendung kommen. „Dieser Grundsatz ist übrigens schon in anderen Fällen zur Anwendung gelangt."

2.6,1 – Zu Otto von Bernuth, Regierungspräsident in Köln: August Klein, Die Kölner Regierungspräsidenten 1816–1966. Ihr Leben und Wirken, in: 150 Jahre Regierungsbezirk Köln, Berlin 1966, S. 62–121, hier: S. 94–98

112 Melchers an Bardeleben am 5. 11. 1875 (eigenh. Originalentwurf): HAEK – CR 8 A 2.6,1

113 Bardeleben an Melchers am 6. 11. 1875 (Original): HAEK – CR 8 A 2.6,1

Bezüglich der Fristverlängerung bemerkte der Oberpräsident, „daß nach den von mir getroffenen Bestimmungen keineswegs schon am 10. d[ieses] M[ona]ts eine zwangsweise Exmission der Alumnen aus der Anstalt stattfinden soll. Vielmehr wird der Herr Regierungspräsident von Bernuth an dem gedachten Tage, wenn nicht seitens Ew. Erzbischöflichen Gnaden resp[ective] des Regens das Erforderliche behufs Schließung der Anstalt angeordnet sein sollte, sich vorläufig darauf beschränken, die Erteilung des Unterrichts zu verhindern, dagegen den Alumnen eine angemessene Frist zum Verlassen der Anstalt gewähren." Man legte damit – selbstverständlich vergeblich – Erzbischof Melchers nahe, die Schließung des Seminars seinerseits einzuleiten. Deshalb hieß es auch zum Schluß: „Die tunlichste Schonung aller Beteiligten dürfte dadurch sich herbeiführen lassen, daß die geistliche Behörde ihre Mitwirkung zur Durchführung der erforderlich gewordenen Maßregel nicht versage."

Den weiteren Ablauf der Dinge hielt Kleinheidt wiederum in einem Brief an den Erzbischof am 10. November fest[114]: „Heute Morgen gegen 10 Uhr erschien im hiesigen Erzbischöflichen Priesterseminar der Regierungsrat von Fischer-Treuenfeld im Auftrage des Oberpräsidenten von Bardeleben und des hiesigen Regierungspräsidenten von Bernuth, begleitet vom Bezirks-Polizeikommissar Giermann und einem Aktuar, um sich zu überzeugen, ob die am 4. c[urrentis] verfügte und auf heute festgesetzte Schließung des Seminars erfolgt sei, ev[entuell] um sie vorzunehmen. Auf meine Frage, was die Schließung bedeute, erklärte er, daß damit die Sistierung des Unterrichts und die Entlassung der Alumnen gemeint sei. Als ich ihn weiter fragte, ob die Exmission der Superioren auch darin liege, erklärte er: Nein. Er zitierte darauf selbst – da ich meine Mitwirkung verweigerte – in Begleitung des Polizeikommissars die Herren: Subregens Dr. Pingsmann und Prof. Dr. Scheeben auf mein Zimmer und eröffnete ihnen und mir, daß, weil der Unterricht noch nicht sistiert sei und die Alumnen noch nicht entlassen seien, er den Unterricht durch Versiegelung der Hörsäle sistieren werde und die Dozenten eine Strafe von je 150 M[ark] zu gewärtigen hätten, wenn sie den Untericht nicht einstellten. Wir erklärten alle drei unter Protest und mit Rücksicht auf die angedrohte Gewalt, den Unterricht einstellen zu wollen. Darauf wurde mir noch besonders eröffnet, daß die Alumnen sich noch bis zum 24. c[urrentis] excl[usive] im Hause aufhalten dürften; für den Fall aber, daß sie am 24. c[urrentis] noch im Hause sein würden, hätten sie gewaltsame Exmission und ich eine Strafe von 150 M[ark] zu gewärtigen. Es wurde über die Verhandlung ein Protokoll aufgenommen, darauf zur Versiegelung der Hörsäle geschritten und nur das Museum, weil es während der Winterzeit gleichzeitig zum Aufenthalt der Alumnen dient, frei gelassen.

Am 24. c[urrentis] wird eine neue Revision stattfinden, bei der konstatiert werden soll, ob die Entlassung der Alumnen inzwischen erfolgt sein wird oder nicht."

Unter dem Vorwand, daß Oberpräsident Bardeleben sich geweigert habe, seinen Einspruch dem Minister vorzutragen, und mit erneuter Vertretung des Arguments, daß das Gesetz vom 11. Mai 1873 in § 13 Finanzsperre *oder* Schließung lediglich *alterna-*

---

[114] Kleinheidt an Melchers am 10. 11. 1875 (Original): HAEK – CR 8 A 2.6,1

tiv vorsehe, wandte sich Melchers – gewiß nicht mit Hoffnung auf Erfolg – am 14. November 1875 an Minister Falk[115]: „Indem ich demzufolge gegen diese Maßregel hierdurch Rechtsverwahrung einzulegen mich für verpflichtet erachte, ersuche Ew. Exzellenz ich ebenso ehrerbietig als angelegentlich, die getroffene Verfügung, in Folge deren bereits seit dem 10. d[ieses] M[onats] jede Lehrtätigkeit in der Anstalt sistiert ist, und am 24. d[ieses] M[onats] die sämtlichen Zöglinge das Seminar verlassen sollen, hochgeneigtest wieder aufheben zu wollen, damit nicht auch diese für den Bestand der Kirche unentbehrliche Anstalt, deren Existenz nicht nur in kirchlichen Vorschriften, sondern auch in dem Staatsvertrage, welcher der Päpstlichen Bulle ‚De salute animarum' zu Grunde liegt, ihre rechtliche Begründung und Garantie erhalten hat, als ein Opfer des sogenannten Kulturkampfes dem Untergange gewidmet werde zum unersetzlichen Schaden für das Seelenheil meiner Erzdiözesanen sowohl als auch für die gute Sache in Staat und Kirche überhaupt."

Die Antwort Minister Falks war ein Brief von sieben Zeilen[116] mit dem Hinweis, „daß wenn Sie sich durch die verfügte Schließung des dortigen Priesterseminars beschwert fühlen, Ihnen nur überlassen bleiben kann, in Gemäßheit der Vorschrift in Absatz 3 des § 13 des Gesetzes vom 11. Mai 1873 gegen die getroffene Anordnung Berufung bei dem Königlichen Gerichtshofe für kirchliche Angelegenheiten einzulegen." Abgesehen von der Aussichtslosigkeit einer solchen Berufung war die darin liegende Anerkennung dieses Gerichtshofes, der sich anmaßte, Bischöfe für abgesetzt zu erklären und vor Ablauf einer Jahresfrist Melchers selbst den Prozeß machen sollte, das letzte, wozu der Kölner Erzbischof sich bereitfinden konnte.

Über das (vorläufige) Ende des Priesterseminars schreibt Unkel, dem höchstwahrscheinlich Zeugenberichte zur Verfügung standen[117]: „So war denn, wie vorauszusehen, das Schicksal des Seminars unabwendbar geworden. Als der Erzbischof am 22. November in das Seminar kam, um von den Alumnen Abschied zu nehmen, wischte er sich die Tränen aus den Augen und sagte: ‚Ich habe am Seminar nur Freude erlebt': Die Alumnen überreichten ihm ein Huldigungsschreiben[118], in welchem sie die gewaltsame Schließung des Seminars beklagen, dem Erzbischof ihren Dank aussprechen, Treue im aufgezwungenen Kampfe geloben und der Hoffnung auf einen baldigen glücklichen Ausgang desselben Ausdruck geben." Die Adresse trägt die Unterschrift sämtlicher 55 Seminaristen, darunter der spätere Seminarpräses und Weihbischof Peter Joseph Lausberg und andere angesehene Kölner Priester der Jahrzehnte um 1900[119].

---

115 Melchers an Falk am 14.11.1875 (eigenh. Originalentwurf): HAEK-CR 8 A 2.6,1 – Adalbert Falk (1827–1900), 1872–1879 preußischer Kultusminister. „Die sog. ‚Maigesetze' von 1873 waren sein Werk": Kosch, Biogr. Staatshandbuch (vgl. oben Anm. 103), Bd. 1, S. 309 (Literaturangaben)

116 Falk an Melchers am 22. 11. 1875 (Original): HAEK – CR 8 A 2.6,1

117 Unkel, S. 433 ff.

118 Orignal: Hochwürdigster Herr Erzbischof! Gnädigster Herr! ... Köln, den 22. November 1875: HAEK – CR 8 A 1.9

119 Zu Lausberg s. unten S. 131 – Weitere später angesehene Priesterpersönlichkeit unter den Unterzeichnern z. B. Domkapitular Arnold Steffens (1851–1923) – Die Adresse trägt den

Unkel fährt fort: „Den Seminarpräses ersuchten die Alumnen, die Behörden davon in Kenntnis zu setzen, daß sie nur in Rücksicht auf die angedrohte Gewalt das Seminar verließen. Am 23. November waren zum letzten Male der Seminarvorstand und die Seminaristen zum gemeinschaftlichen Mittagsmahle versammelt. Bei der auch an diesem Tage beibehaltenen Tischlesung ... hatte der Vorleser die Worte gelesen: ‚... demütige und unbeugsame Bekenner des alten, echten Glaubens, Verächter aller irdischen Ehre, unzugänglich den Schmeicheleien und den Schrecken der Welt'. In diesem Augenblicke gab der Präses mit der Schelle das Zeichen zum Schlusse und führte, wie es alle Tage zu geschehen pflegte, die Alumnen zur Anbetung des allerh[eiligsten] Sakramentes in die Kirche. Alsdann richtete er einige Abschiedsworte an dieselben und entließ sie. Die Alumnen fanden freundliche Aufnahme in verschiedenen Seminaren Süddeutschlands und des Auslandes."

Das Ende des Priesterseminars war zugleich der Beginn der Katastrophe für den Erzbischof: „Als ihn der Oberpräsident der Rheinprovinz dann Ende 1875 amtlich zur Amtsniederlegung aufforderte, entzog er sich der erneut drohenden Verhaftung durch die Flucht in die Niederlande [am 13. Dezember 1875], wo er im Franziskanerkloster zu Maastricht für fast zehn Jahre eine Bleibe fand und lange sein Inkognito wahren konnte. Von hier aus setzte er die geistliche Leitung seines Sprengels notdürftig fort, während in Köln nach seiner staatlich erklärten Absetzung (1876) ein Staatskommissar die Verwaltung des Kirchenvermögens wahrnahm."[120]

Über das Schicksal des Seminars während der folgenden Jahre schreibt Hecker zusammenfassend[121]: „Das Seminar blieb bis Oktober 1886 geschlossen. Der Vorstand und die Professoren behielten ihre Wohnräume im Seminar. Nach der Schließung des Seminars widmete Kleinheidt sich nicht nur Aufgaben der Diözesanverwaltung[122], sondern war auch eifrig bemüht um die rechtliche Stellung des Seminars." Sein Nachfolger Ludwigs schreibt dazu 1903[123]: „Was in diesem langen Zeitraum durch den Seminar-Präses zur rechtlichen Sicherung des verödeten Seminars, ferner auf dem Gebiete der Seelsorge in der Stadt Köln und namentlich für die Erhaltung des schwer gefährdeten kirchlichen Lebens in der verwaisten Erzdiözese geschehen, das weiß die Erzdiözese und braucht hier nicht weiter ausgeführt zu werden. Bald nachdem Erzbischof Philippus [Krementz] am 15. Dezember 1885 den Stuhl des hl. Maternus bestiegen, sah sich Kleinheidt durch das Vertrauen des neuen Oberhirten als Generalvikar an die Spitze der Verwaltung der ganzen großen Erzdiözese gestellt."

---

handschriftlichen Randvermerk Melchers': „Am 22. November 1875, als ich zum letzten Male vor der gewaltsamen Austreibung der Alumnen das Pr. Seminar besuchte und von denselben Abschied nahm. + P. ad acta! + P."

120 Gatz, Melchers, in: Gatz, Bischofslexikon, S. 496

121 Hecker, Chronik, S. 202 f.

122 Kleinheidt stand neben dem ehemaligen Subregens Heuser, dem Düsseldorfer Dechanten Kribben und dem Essener Religionslehrer (und späteren Erzbischof) Fischer am Ende des Kulturkampfes bei staatlichen Stellen in dem Verdacht, als Geheimdelegat Melchers' an der Notverwaltung des Erzbistums beteiligt gewesen zu sein: Akten dazu: LHA-Ko-403/16053 und 16054 (vgl. Trippen, Domkapitel, S. 261)

123 Ludwigs, Erinnerungen an das Priesterseminar, S. 106

IV. Das Seminar im Kaiserreich (1886–1918)

Von Norbert Trippen

Unter den das kirchliche Leben beeinträchtigenden Maßnahmen des preußischen Staates während des Kulturkampfes war die Schließung der Priesterseminare und Theologenkonvikte am folgenreichsten, da die Wirkungen noch – oder zum Teil erst – nach Jahrzehnten spürbar wurden. Dadurch wurde die Ausbildung und Weihe von Priestern bis zu zehn und mehr Jahren unterbunden. In Bonn war das Konvikt von Juli 1875 bis November 1887, in Köln das Priesterseminar von November 1875 bis Oktober 1886 geschlossen. Zwar haben nicht wenige Kölner Priesteramtskandidaten in süddeutschen, österreichischen, belgischen Seminaren oder am Germanikum in Rom ihre Studien aufnehmen oder vollenden können[1]. Das Eichstätter Priesterseminar wuchs zeitweilig in die Rolle eines preußischen Exil-Seminars hinein. Doch war den außerhalb Preußens zum Priester Geweihten noch auf lange Jahre die Anstellung in der Heimat verwehrt. Auch war ihre Zahl gering gegenüber den durchschnittlich fünfzig und mehr Neupriestern, die vor dem Kulturkampf jährlich in den Dienst der Seelsorge im Erzbistum eingetreten waren. Als am 15. Dezember 1885 der neue Erzbischof Philippus Krementz (1819–1899)[2] sein Amt in Köln antrat, waren 153 von 817 Pfarreien

---

[1] In HAEK – CR 8 A 1.9 findet sich ein „Verzeichnis derjenigen Seminar-Alumnen der Erzdiözese Köln, welche nach abgelegtem Examen pro introitu sich in den Seminarien zu Eichstätt etc. befinden" für das WS 1885/86. Es enthält die Namen von 24 Kandidaten in den Seminarien von Eichstätt, Roermond, Rom und Innsbruck. – Für dieses Kapitel benutzte Archivalien:

Historisches Archiv des Erzbistums Köln, Kabinettsregistratur (HAEK – CR 8 A)

1.1,3	Die innere Einrichtung des Seminars in Beziehung auf praktische Ausbildung der jungen Kleriker sowie Verzeichnisse der Alumnen. 1861–1930
1.2,2	Das Vorsteher- und Lehrerpersonal. 1886–1940
1.8	Seminargottesdienst und Verbindung mit dem Pfarrgottesdienst von Mariä Himmelfahrt. 1835–1939
1.9	Die im Seminar befindlichen Priesteralumnen und deren Verhältnis zur Anstalt überhaupt und Aushilfe in den hiesigen Pfarrkirchen.

Landeshauptarchiv Koblenz, Abt. 403: Oberpräsidium der Rheinprovinz (LHA – Ko – 403)

15835	Die zur Vorbildung der kath. Geistlichen bestimmten Diözesananstalten. 1884–1902
15963	Errichtung einer Anstalt zur Heranbildung kath. Geistlicher für die Erzdiözese Köln. 1845–1916
15966	Besetzung der Lehrstellen an dem erzbischöfl. Seminar zu Köln. 1842–1929

[2] Philippus Krementz (1819–1899), 1867–1885 Bischof von Ermland, 1885–1899 Erzbischof von Köln, 1893 Kardinal: Erwin Gatz, in: Gatz, Bischofslexikon, S. 411–415; Ders., Philipp Krementz (1819–1899), in: Rheinische Lebensbilder 6 (1975), S. 121–147 (Literaturübersicht); Trippen, Domkapitel, S. 257–293 u. 527 (Reg.); Ders., Der Bischof im Zeitalter der Industrialisierung, des Nationalismus und der Weltkriege (1885–1945), in: Berglar – Engels (Hrsg.), Der Bischof in seiner Zeit..., Köln 1986, S. 397–427, hier: S. 398–402; Hegel, Geschichte des Erzbistums Köln, Bd. 5, S. 85–89

unbesetzt und ein Ausfall von schätzungsweise 450 jungen Priestern zu verkraften[2a].

Auch der preußische Staat, für den die Priester als Volkserzieher von Interesse waren, hatte die Folgen eines auf diese Weise künstlich erzeugten Priestermangels im Blick. Längst, bevor sich durch die Beförderung Erzbischof Melchers' zum Kurienkardinal und die Einwilligung des Bischofs Krementz in seine Versetzung von Frauenburg im Ermland nach Köln im Sommer 1885 ein Durchbruch in der Beilegung des Kulturkampfes ohne Gesichtsverlust für den Staat abzeichnete, dachte man in Berlin über die künftige Gestaltung der Priesterausbildung nach. Am 10. März 1884 forderte Kultusminister von Goßler den rheinischen Oberpräsidenten in einem vertraulichen Schreiben zu detaillierter Berichterstattung über die geschichtliche Entwicklung, Rechts-, Lehr- und Staatsaufsichtsverhältnisse aller der Priestererziehung dienenden Einrichtungen in der Rheinprovinz auf[3]: „Im Hinblick auf die Entwicklung der kirchenpolitischen Verhältnisse ist es mir erwünscht, über die Gestaltung der Vorbildung der katholischen Geistlichen in den älteren Provinzen der Monarchie näher unterrichtet zu werden, namentlich darüber, wie in dieser Beziehung bei der Ausführung der Bulle ‚De salute animarum' in den einzelnen Diözesen verfahren worden ist."

Der Minister zählte die verschiedenen Gattungen der Einrichtungen bis hin zu den Knabenkonvikten auf, unterschied Voll- und Ordinandenseminare, nannte die einzelnen Häuser für Köln und Trier und bezeichnete dann seine konkreten Erwartungen: Stiftungsgeschichte, Rechtspersönlichkeit, „Statuten, Hausordnungen oder sonstige(n) urkundliche(n) Beweismittel in Ansehung der Leitung, des Lehrerpersonals, des Lehrplans sowie der Unterrichts- und Erziehungsmethode ..."

Worauf es dem Minister vor allem ankam, verschwieg er nicht: „Zweifelsfrei festzustellen, in welchem Umfange und in welcher Form die Staatsaufsicht sowohl in Betreff der Vorsteher, der Lehrer und der sonstigen Angestellten als auch hinsichtlich des Unterrichts und der Erziehung sowie in Betreff der Vermögensverwaltung geübt worden ist, ob auf diesem Gebiete zwischen den staatlichen und kirchlichen Behörden in einzelnen, näher darzulegenden Fällen etwa Differenzen entstanden sind und welchen Verlauf dieselben genommen haben. In Beziehung auf die Handhabung der Staatsaufsicht wird bei der Darstellung der Sach- und Rechtslage die Zeit vor und nach Erlaß der Verfassungsurkunde [von 1848 bzw. 1850] genau zu unterscheiden sein."

Der Minister forderte nicht nur dazu auf, die nachgeordneten Behörden an dem Bericht zu beteiligen, sondern „das zur Beurteilung dienliche Material durch tunlichst eingehende Erörterung möglichst vollständig zugänglich zu machen", auch Verweise auf frühere Vorgänge zu vermeiden, vielmehr „die gegenwärtig von mir gewünschte

---

[2a] Zahl der Priesterweihen 1865–1875: 705; 1876–1886 (= Schließung des Priesterseminars): 246 – Quelle: Hegel, Geschichte des Erzbistums Köln, Bd. 5, S. 199 (Zahl der jährlichen Priesterweihen 1816/19 bis 1962)

[3] Goßler an Bardeleben am 10. 3. 1884 (Original): LHA – KO – 403/15835, S. 7–12 – Gustav Heinrich Konrad von Goßler, 1879 Unterstaatssekretär, 1881–1891 Kultusminister: Lüdicke, Kultusminister, S. 10; Kosch, Biogr. Staatshandbuch, Bd. 1, Bern 1963, S. 414

Sach- und Rechtsdarstellung gefälligst so einzurichten, daß dieselbe ein vollständiges und in sich abgeschlossenes Ganzes bildet."

Kein Zweifel: Der Minister wollte umfassend, detailliert, genau und dokumentiert unterrichtet werden! Bardeleben bat am 18. März 1884 für den Kölner Teil seines Berichtes den Kölner Regierungspräsidenten, den Bonner Universitätskurator und wohl auch den „Königlichen Kommissarius für die erzbischöfliche Vermögensverwaltung in der Diözese Köln" um die vom Minister nahegelegte Amtshilfe[4]. Doch außer deren umfangreichen Berichten über das Kölner Seminar, das Bonner Konvikt und die Knabenkonvikte in Neuss und Münstereifel[5] ließ sich Bardeleben durch den Erzbistumskommissar bzw. den Kölner Regierungspräsidenten auch die Originalakten der erzbischöflichen Kabinettsregistratur aus Köln kommen[6]. Bardelebens auf dieser (und der entsprechenden Trierer) Basis erstellter Bericht an den Minister vom 12. Juni 1884 hat einen Umfang von 239 Spalten und stellt eine beachtliche, wenn auch durch die Eile der Kompilation und die Unvollständigkeit des Quellenmaterials bisweilen lückenhafte Rechts- und Wirkungsgeschichte der Seminarien und Konvikte (im Bistum Trier und) im Erzbistum Köln aus staatlicher Sicht dar[7]. Der preußische Kultusminister war dadurch vor Wiedereröffnung dieser kirchlichen Anstalten besser über diese unterrichtet, als jeder neue Bischof es sein konnte.

Es ist sehr wahrscheinlich, daß dieser Bericht Bardelebens und vergleichbare Berichte aus anderen preußischen Provinzen bei der Abfassung des ersten Friedensgesetzes zur Beilegung des Kulturkampfes vom 21. Mai 1886[8] herangezogen wurden. Schon vier Tage nach der Unterzeichnung des Gesetzes durch den König (Kaiser) schrieb Minister Goßler an Erzbischof Krementz[9], um dessen „gefällige Mitwirkung zur Ausführung dieses Gesetzes in Anspruch zu nehmen, welches neben manchen anderen wichtigen Erleichterungen, die es dem kirchlichen Leben darbietet, vornehmlich dazu bestimmt ist, den geistlichen Oberen die erwünschte Freiheit der Bewegung in der Heranbildung des Klerus und in der Handhabung der Disziplin über den Klerus zu gewähren."

---

[4] Entwurf zu einem entsprechenden Anschreiben an die Regierungspräsidenten in Düsseldorf, Köln und Trier, an den Universitätskurator in Bonn und das Provinzial-Schulkollegium in Koblenz vom 18. 3. 1884: LHA – Ko – 403/15835, S. 12 – Der Kommissar für die erzbischöfliche Vermögensverwaltung in Köln findet sich nicht unter den Adressaten, dürfte aber (nach seiner Antwort zu schließen) ebenfalls angeschrieben worden sein

[5] Universitätskurator Beseler an Bardeleben am 22. 4. 1884: LHA – Ko – 403/15835, S. 25–32; Kommissar Kramer (Erzbistum) an Bardeleben am 2. 4. 1884: Ebd., S. 331–367

[6] Verzeichnis der für Oberpräsident von Bardelebens Bericht nach Berlin benutzten Kölner Akten: LHA – Ko – 403/15835, S. 385 f. (von Bardeleben paraphiert am 14. 6. 1884)

[7] Bardeleben an Goßler am 12. 6. 1884 (Entwurf): Ebd., S. 35–274

[8] Text: Johannes B. Kißling, Geschichte des Kulturkampfes im Deutschen Reiche, Bd. 3: Der Kampf gegen den passiven Widerstand. Die Friedensverhandlungen, Freiburg 1916, S. 460 ff.

[9] Durch Umdruck vervielfältigtes, an die einzelnen preußischen Bischöfe adressiertes, von Minister Goßler unterzeichnetes Schreiben vom 25. 5. 1886; Exemplar an Erzbischof Krementz: HAEK – CR 8 A 1.1,3

Der Minister erläuterte dann des näheren: „Durch die im Art. 1 erfolgte Aufhebung der wissenschaftlichen Staatsprüfung für die Kandidaten des geistlichen Amts ist zugleich der in der Novelle vom 31. Mai 1882[10] vorgesehene Nachweis über das fleißige Hören von Vorlesungen auf dem Gebiet der Philosophie, Geschichte und deutscher Literatur in Fortfall gekommen.

Durch die Artikel 2 und 4 ist die Wiedereröffnung der zur Vorbildung der Geistlichen dienenden kirchlichen Anstalten unter Modalitäten gewährleistet, welche es den geistlichen Oberen ermöglichen, alsbald diese für die Heranbildung eines tüchtigen und dem Bedürfnis genügenden Priesterbestandes wichtigen Anstalten wieder in Wirksamkeit treten zu lassen ..."

Ein weiterer Abschnitt des Briefes klingt fast wie eine demütige Bitte um eine Gefälligkeit: „Ich darf vertrauen, daß die Herren Bischöfe gern von der ihnen hiernach gegebenen Möglichkeit zur Wiedereröffnung der Diözesananstalten Gebrauch machen wollen, und ich werde denselben bereitwilligst die Hand reichen, um dieses Ziel zur Durchführung zu bringen." Die im Gesetz erhaltengebliebenen Elemente der Staatsaufsicht über die Priesterausbildungsstätten nannte der Minister nur in verklausulierter Form: „Danach sehe ich der gefälligen Zusendung derjenigen Vorlagen und Mitteilungen, welche der Wiedereröffnung der einzelnen Anstalten vorauszugehen haben, ergebenst entgegen, und werde ich alsdann nicht säumen, nachdem den vorgeschriebenen Voraussetzungen genügt sein wird, das Weitere sowohl wegen der im Art. 2 vorgesehenen öffentlichen Bekanntmachung als auch wegen der Zahlbarmachung der für die einzelnen Anstalten etatsmäßig ausgesetzten Staatsmittel zu veranlassen." Das bedeutete nach dem für die Priesterseminare „zur theologisch-praktischen Vorbildung" einschlägigen Artikel 4 des Gesetzes[11]: „Dem Minister der geistlichen Angelegenheiten sind die Statuten dieser Anstalten und die für dieselben geltende Hausordnung einzureichen sowie die Namen der Leiter und Lehrer, welche Deutsche sein müssen, mitzuteilen." Das war die auf die Priesterseminare angewandte, im Vorfeld der Friedensgesetze so heftig umkämpfte „Anzeigepflicht" für definitive kirchliche Stellenbesetzungen. Im Gegenzug hob Artikel 5 „die in den §§ 9–14 des Gesetzes vom 11. Mai 1873 enthaltenen besonderen Vorschriften wegen der Staatsaufsicht" über die Priesterbildungseinrichtungen auf.

Zum Schluß seines Schreibens kündigte Minister Goßler zur Durchführung die Einschaltung des Oberpräsidenten an und äußerte die Hoffnung, „daß es im Interesse der Befestigung der friedlichen Beziehungen zwischen Staat und katholischer Kirche unter Mitwirkung der Herren Bischöfe gelingen möge, auch diesem neuesten kirchenpolitischen Gesetze bei dessen Ausführung überall die Wege zu ebnen."

Der äußerst konziliante, entgegenkommende und um Kooperation werbende Ton dieses Ministerschreibens beruhte wohl darauf, daß es sich um ein Zirkular an alle preußischen Bischöfe handelte. Für Köln allein wäre eher eine etwas kühlere Tonart zu

---

[10] Gesetz, betreffend Abänderung der kirchenpolitischen Gesetze. Vom 31. Mai 1882: Kißling, Kulturkampf (vgl. Anm. 8), Bd. 3, S. 458 f.

[11] Kißling, Kulturkampf, Bd. 3, S. 461.

erwarten gewesen. Zum Entsetzen Berlins hatte Krementz alsbald nach seiner Amtseinführung bei Besetzung der wichtigsten Bistumsposten auf die Vertrauensleute seines Vorgängers zurückgegriffen, z. B. den letzten Seminarpräses Dr. Kleinheidt am 25. Januar 1886 zum Generalvikar ernannt[12]. Er schien sich bei solchen Personalentscheidungen auf Melchers bzw. auf den Trierer Bischof Korum zu stützen[13], der sich schon bald nach seiner staatlich geförderten Berufung nach Trier 1881 als ein aus staatlicher Sicht verhängnisvoller Fehlgriff erwies, weil in ihm „eine überlegende Intelligenz und ungewöhnliche Willenskraft mit strengster kirchlicher Haltung und ausgesprochenem Unabhägigkeitssinn gegenüber dem Staate sich paarten".[14]

Daß die Berliner Befürchtungen hinsichtlich des Trierer Einflusses auf den neuen Kölner Erzbischof auch in Seminarsachen nicht unberechtigt waren, zeigt die Bitte Generalvikar Kleinheidts an das Trierer Generalvikariat um Abschriften der von Trier nach Berlin gesandten oder noch zu sendenden Statuten und Hausordungen des Trierer Seminars vom 6. Juli 1886[15]. Die Antwort des Trierer Generalvikariats vom 9. Juli erläuterte die erwünschten Abschriften: Man habe sich im wesentlichen an die vor dem Kulturkampf gültigen Ordnungen gehalten, sie lediglich auf das unumgänglich Notwendige gekürzt bzw. an die neue rechtliche und politische Lage adaptiert.

Genau nach diesem Trierer Muster verfuhr man in Köln. Am 25. August teilte Krementz dem Kultusminister „auf das sehr gefällige Schreiben vom 25. Mai c[urrentis] ..., die Eröffnung kirchlicher Anstalten betreffend" mit[16], daß er beabsichtige, „das hiesige Priesterseminar am 15. Oktober c[urrentis] wieder zu eröffnen. Die Statuten desselben und die Hausordnung füge ich ... bei. Die Namen der Leiter und Lehrer des Priesterseminars sind folgende: Präses ist H[err] Christian Moritz Wermelskirchen[17]; Subregens ist Herr Dr. Ludger Theodor Wilhelm Pingsmann; Professoren sind die Herren Dr. Matthias Joseph Scheeben, Dr. Peter Karl Alois Kreutzwald[18] und Friedrich Koenen ..." Die Errichtung eines Konviktes in Bonn und „ähnlicher Anstalten für

---

[12] Dazu: Trippen, Domkapitel, S. 261–276

[13] Michael Felix Korum (1840–1921), 1869 Professor am Priesterseminar in Straßburg, 1880 Münsterpfarrer in Straßburg, 1881–1921 Bischof von Trier: Alois Thomas, in: Gatz, Bischofslexikon, S. 406–408 (Literaturübersicht)

[14] Johannes Heckel, Die Beilegung des Kulturkampfes in Preußen, in: Zeitschrift der Savigny-Stiftung für Rechtsgeschichte 50, Kan.Abt. 19 (1930), S. 215–353, hier: S. 277f.

[15] Kleinheidt an Generalvikariat Trier am 6. 7. 1886 (Entwurf): HAEK - CR 8 A 1.1,3; Generalvikariat Trier an Generalvikariat Köln mit Anlagen am 9. 7. 1886 (Original): Ebd.

[16] Krementz an Goßler am 25. 8. 1886 (handschr. Entwurf Kleinheidts): HAEK - CR 8 A 1.1,3

[17] Moritz Christian (so die Reihenfolge der Vornamen bei Hecker!) Wermelskirchen (1840–1887), 1864 Priesterweihe, 1873 Konrektor bzw. Rektor der St. Marienkirche in Aachen, 24. 8. 1886 Ernennung zum Seminarpräses: Hecker, Chronik, S. 209 – Expediatur und Ernennungsurkunde: HAEK - CR 8 A 1.2,2 (In diesem Aktenstück findet sich eine vollständige Sammlung von Ernennungsvorgängen und Totenzetteln für Vorstand und Professoren des Seminars ab 1886 bis 1929). Zu Pingsmann, Scheeben und Koenen s. oben Kap. 3

[18] Peter Karl Aloys Kreutzwald (1850–1918), 1876 Priesterweihe in Eichstätt, Studien in Rom, 1879–1886 Hilfsseelsorger in seiner Heimat Kommern, 1886–1918 Generalvikar der Erzbischöfe Krementz, Simar, Fischer und Hartmann: Hecker, Chronik, S. 210ff.; Eduard Hegel, in: Gatz, Bischofslexikon, S. 415f.; Trippen, Domkapitel, passim (S. 527 Reg.)

Gymnasiasten" habe er im Sinn und werde zu gegebener Zeit nähere Mitteilung machen.

Die von Krementz eingesandten „Statuten für das Erzbischöfliche Priesterseminar zu Köln"[19] stimmen fast wörtlich mit Geissels Ordnung vom 31. Oktober 1855 überein. Bei der nur stilistischen Überarbeitung sind aus den „Domestiken" die „Dienstboten" geworden, aus dem „Sozius" der „Begleiter", aus dem „Haustus Cerevisiae" der „Vespertrunk". Das Schweigegebot im Speisesaal und auf den Gängen sowie das Verbot, sich Bücher ins Seminar kommen zu lassen (1855, Nr. IV und XIV) waren aus optischen Gründen gestrichen, dafür war neu eingeführt: „Während des Mittag- und Abendessens wird vorgelesen und Stillschweigen beobachtet". Wie wir aus Unkels Schilderung des letzten Mittagsessens vor dem Kulturkampf wissen[20], gab es die Tischlesung bereits vorher, sie wurde jetzt lediglich in die Statuten aufgenommen.

Der preußische Kultusminister mußte an den vorgelegten Statuten wie an den präsentierten Personen des Seminarkollegiums erkennen, daß man in Köln genau da wieder anfangen wollte, wo man am 23. November 1875 aufgehört hatte. Eher zähneknirschend antwortete Minister Goßler am 15. September 1886 durch seinen Unterstaatssekretär von Lucanus[21], daß er „gegen die vorgelegten Statuten und die Hausordnung für das dortige Priesterseminar Bedenken nicht zu erheben habe". Etwas pedantisch wies er Krementz jedoch darauf hin, daß er eben doch nicht ganz korrekt in seiner Eingabe vom 25. August vorgegangen war, indem er den Erzbischof bat, „noch gefälligst mitzuteilen, ob die namhaft gemachten Leiter und Lehrer der Anstalt Deutsche sind."

Am 16. Oktober 1886 fand die Wiedereröffnung des Seminars statt. Das von Präses Wermelskirchen abgefaßte Protokoll berichtet das Nähere[22]: „Heute erschienen im großen Museum des hiesigen Priesterseminars zur Feier der Wiedereröffnung desselben Herr Generalvikar Dr. Kleinheidt als Vertreter des Hochwüdigsten Herrn Erzbischofs Dr. Philipp Krementz, ferner die Herren Seminarpräses Wermelskirchen, Subregens Dr. Pingsmann, Professor Dr. Scheeben, Prof[essor] Koenen, Prof[essor] Dr. Kreutzwald, Seminarrendant Fabricius und 21 Alumnen. Der Herr Generalvikar Dr. Kleinheidt gab zunächst der Freude Ausdruck, daß nach elfjähriger Unterbrechung endlich die Wiedereröffnung des Seminars stattfinden könne, und dankte im Namen des Hochwürdigsten Herrn Erzbischofs allen Hochw[ürdigen] Bischöfen, welche während der Zeit der Schließung des Kölner Priesterseminars die Priesteramtskandidaten der Erzdiözese in ihre Seminare so bereitwillig aufgenommen und auf ihren erhabenen Beruf mit dem besten Erfolg vorbereitet hätten. Dann sprach er die Erwartung aus, daß der Vorstand des Seminars, getreu den Traditionen der Anstalt,

---

[19] „Statuten für das Erzbischöfliche Priesterseminar zu Köln" und „Tagesordnung": Kopie Kleinheidts vom 5. 10. 1886: HAEK – CR 8 A 1.1,3; Abschrift in den Oberpräsidialakten: LHA – Ko – 403/15963, S. 165–170

[20] S. oben S. 116

[21] Lucanus an Krementz am 15. 9. 1886 (Original): HAEK – CR 8 A 1.1,3; Abschrift in den Oberpräsidialakten: LHA – Ko – 403/15963, S. 163 f.

[22] Verhandelt zu Köln, den 16. Oktober 1886: HAEK – CR 8 A 1.1,3

sich auch fortan bemühen werde, die Alumnen zu tüchtigen und seeleneifrigen Priestern heranzubilden, und ermahnte die Alumnen, ihren Vorgesetzten die schuldige Ehrerbietung und den pflichtmäßigen Gehorsam zu leisten. Darauf ließ er durch Herrn Subregens Dr. Pingsmann die Anstellungsurkunde des neuernannten Herrn Seminarpräses Wermelskirchen vorlesen, übergab dieselbe dem Ernannten mit dem Wunsche ‚ad multos annos' und erklärte im Namen des Hochwürdigsten Herrn Erzbischofs das Priesterseminar für eröffnet ..."

Nicht nur aus politischen Rücksichten dem Staate gegenüber, auch aus innerster Überzeugung aller Beteiligten fuhr man nach 1886 da fort, wo man 1875 aufgehört hatte. Die einzige, allerdings einschneidende Änderung bestand darin, daß der Seminarkurs von zwei auf drei Semester ausgedehnt wurde, was der Seminarvorstand zehn Jahre später als eine außerordentlich glückliche Einrichtung pries und verteidigte[23]. Im übrigen wurde das Seminar nach den Maßstäben der Priestererziehung, die von den Jesuiten entwickelt waren und am Germanikum in Rom praktiziert wurden, die Präses Westhoff in Köln eingeführt hatte und die neuerdings am Trierer Seminar unter Regens Endres einen kräftigen Stützpunkt hatten[24], weitergeführt: neuscholastisch in der theologischen Basis, römisch in den liturgischen Formen, in der Frömmigkeitsprägung und in der Disziplin, gregorianisch im Sinne des Cäcilianismus in der Kirchenmusik[25]. Eine klösterliche, nach außen ganz abgeschlossene Zurückgezogenheit und Aszese sollte die Entscheidung für den Priesterberuf vertiefen und eine religiöse Praxis unverlierbar einüben helfen. Die pastorale Einführung blieb auf punktuelle Predigt- oder Katecheseversuche beschränkt. Die Auseinandersetzung mit der sozialen, politischen oder kulturellen Umwelt war vom Seminar ausgeschlossen bzw. wurde für den geistlichen Prozeß als störend betrachtet. Diese Seminarkonzeption hat sich nur geringfügig durch die nachfolgenden Umbrüche modifiziert und ist in ihrer Grundsubstanz bis zum Ende des Zweiten Vatikanischen Konzils – wie in Köln, so auch in anderen deutschen Seminaren – bestimmend geblieben. Sie wurde von Lehrenden wie Alumnen als vorgegeben und selbstverständlich akzeptiert. Deshalb wurde sie auch durch wechselnde Regenten- und Professorenpersönlichkeiten nicht erschüttert.

Die Tätigkeit des neuen Präses war nur von kurzer Dauer. Hecker berichtet (die einschlägigen Akten auswertend)[26]: „Präses Wermelskirchen nahm es mit seinem Amt

23 Vgl. dazu unten S. 126f. – In einem Schreiben Präses Ludwigs' an Krementz vom 6. 2. 1896 (HAEK – CR 8 A 1.1,3) heißt es unter 5.: „In voller Würdigung der ganzen Wichtigkeit gerade des Seminarkursus wurde die höchst erwünschte und überaus segensreiche Ausdehnung des Seminarkursus von 2 Semestern auf 3 Semester von Sr. Eminenz im Jahre 1886 mit Wiedereröffnung des Seminars angeordnet."

24 Dazu: Trippen, Domkapitel, S. 320 Anm. 81; Alois Thomas, in: Gatz, Bischofslexikon, S. 406–409 (Korum), hier: S. 408 (vgl. auch Literaturangaben ebd., S. 409)

25 Zu den kirchenmusikalischen Strömungen um die Jahrhundertwende: Matthäus Bernards, Zu Bischof Simars Leitgedanken und Maßnahmen am Vorabend der Pianischen Neuordnung. Kirchenmusikalische Reform aus dogmatischer Besinnung und pastoraler Sorge, in: Kirchenmusikalisches Jahrbuch 50 (1966), S. 181–197 – Es geht zwar hier um die Bemühungen Bischof Simars in Paderborn, doch hat Köln an der gleichen Grundströmung im deutschen Bereich partizipiert

26 Hecker, Chronik, S. 209

sehr ernst und stellte an sich selbst die höchsten Anforderungen. Das ihm liebgewordene Tabakrauchen z. B. versagte er sich gänzlich. Schon bald zeigte sich bei ihm ein Gemütsleiden, das ihn schließlich arbeitsunfähig machte. Nur zwei Semester lang blieb er Präses. Seit 28. Mai 1887 befand sich der schwer erkrankte Präses bei den Alexianerbrüdern zu Marienthal bei Henri-Chapelle (Belgien). Der Vorsteher dieses Hauses berichtete [am] 31. Mai 1887 an den Erzbischof, die Nervenkrankheit scheine schon im Dezember 1886 ausgebrochen zu sein. Wenige Monate nach seinem Ausscheiden aus dem Seminar, [am] 16. November 1887, starb er in geistiger Umnachtung eines plötzlichen Todes in Bonn."

Inzwischen war in Bonn ein provisorisches Konvikt gefunden[27], und Erzbischof Krementz nutzte die Gelegenheit, beide Häuser in Bonn und Köln auf eine gemeinsame Linie zu bringen, indem er zwei befreundete, im Kulturkampf bewährte, von Bischof Korum ihm empfohlene Priester zu deren Leitern bestellte: Franz Heinrich Hubert Düsterwald wurde Direktor des Bonner Konvikts[28], Heinrich Hubert Maria Ludwigs Präses des Priesterseminars[29]. Beide waren bei den staatlichen Stellen im höchsten Grade personae minus gratae. Der Kölner Regierungspräsident von Sydow schrieb auf Befragen am 28. Oktober an den Oberpräsidenten[30]: „Ludwigs ist Jesuiten-Zögling und in seiner Richtung und Haltung dem Jesuitismus zugetan. Die Berufung desselben, die wohl dem Einflusse des Generalvikars Kleinheidt und des Bischofs Korum, der mit Ludwigs in Innsbruck studiert hat, zuzuschreiben ist, zum Seminar-Präses scheint auf Jahre hinaus die jesuitische Erziehung der jungen Kleriker sichern zu sollen. Dabei bemerke ich noch ehrerbietig, daß der Erzbischof bei einer Unterredung, welche ich mit ihm am 20. Februar 1886 hatte, das schon damals bestehende Gerücht, daß Ludwigs zum Seminar-Präses designiert sei, bestimmt in Abrede nahm."

Der Ton des Kölner Regierungspräsidenten in diesem Schreiben zeigt, daß die in den Kulturkampf verwickelten Provinzbehörden 1887 noch starrer waren als die inzwischen auf Frieden mit der Kirche bedachten Stellen in Berlin. Sydows Zorn wuchs noch, als neben Ludwigs als Seminarpräses auch noch Düsterwald als Koviktsdirektor ins Spiel kam. Am 5. November 1887 schrieb er über beide an Bardeleben nach Koblenz[31], sie seien beide über Jahre hin gemeinsam Kapläne an St. Alban in Köln gewesen. Düsterwald habe „durch seine rege Mitarbeiterschaft an dem von dem

---

27 Zur Geschichte des Bonner Konvikts nach dem Kulturkampf: Norbert Trippen, Geschichte des Collegium Albertinum in Bonn 1885–1903, in: Annalen des Hist. Vereins f. d. Niederrhein 176 (1974), S. 172–227

28 Zu Franz Heinrich Hubert Düsterwald (1842–1920), 1887–1900 Direktor des Konvikts in Bonn, 1900 Pfarrer an Groß St. Martin in Köln, 1903 Domkapitular: Trippen, Albertinum (vgl. Anm. 27)

29 Heinrich Hubert Maria Ludwigs (1840–1921), 1868–1886 Kaplan an St. Alban in Köln, 1886 Pfarrer an Lyskirchen in Köln, 1887–1900 Präses des Priesterseminars, 1900 Domkapitular: Hecker, Chronik, S. 213 f.

30 Sydow an Bardeleben am 28. 10. 1887 (Original): LHA – Ko – 403/15966, S. 21 ff. – Zu Regierungspräsident Clodwig von Sydow: August Klein, Die Kölner Regierungspräsidenten 1816–1966 ..., in: 150 Jahre Regierungsbezirk Köln, Berlin 1966, S. 62–121, hier: S. 98 f.

31 Sydow an Bardeleben am 5. 11. 1887 (Original): LHA – Ko – 403/15963, S. 213 ff.

p. Ludwigs redigierten ‚Rheinischen Merkur' und an dem hiesigen ‚Sonntagsblatt', von denen namentlich der erstere ein Hetzblatt schlimmster Sorte ist, in den abgelaufenen Jahren nicht wenig zur Fanatisierung der unteren Volksschichten bei Wahlen und sonstigen Gelegenheiten beigetragen ..."

In Wirklichkeit war Ludwigs eher eine geistliche als eine politsch-kämpferische Gestalt, was man staatlicherseits auch bald begriff. Er war richtig verstanden als Vertreter der überlieferten Traditionen der Kleruserziehung. In einem Bericht der Kölner Regierung an das Oberpräsidium im Jahre 1900 heißt es, Ludwigs habe bei den Seminaristen den Spitznamen „das Nönnchen" oder „ehrwürdige Mutter" gehabt[32].

Wie unterschiedlich man ein und dieselben Tatbestände bewerten kann, verdeutlicht eine Auswahl aus Nachrufen auf Ludwigs[33]: „Unvergessen bleiben ... seine Verdienste um die Gründung des Rheinischen Sonntagsblattes. In den kritischen Jahren des unseligen Kulturkampfes verteidigte der Verblichene als Schriftleiter dieses wackeren Herolds der Rechte der katholischen Kirche die bedrohte Freiheit der Kirche gegen Staatsallmacht und engherzige Unduldsamkeit mit spitzer Feder ...[34]. Annähernd 1000 Priester sind unter seiner gewissenhaften, weisen und gütigen Leitung in das heilige Priestertum eingeführt worden ..."

Konnte Präses Ludwigs dreizehn Jahre hindurch dem Seminar eine Linie geben, so war auf den Professorenstellen durch unglückliche Umstände ein häufigerer Wechsel zu verzeichnen. Im Sommer 1887 verstarb der Kirchenmusiker Koenen mit 58 Jahren. Ein Jahr später traf das Seminar durch den Tod des erst 53 jährigen Matthias Joseph Scheeben ein schwerer Verlust[35]. An Koenens Stelle trat am Dom und am Seminar Karl Hubert Cohen[36], der ein Vierteljahrhundert erfolgreicher Wirksamkeit erreichte. Dagegen folgte Scheebens Nachfolger, der Germaniker Joseph Schroeder[37], schon nach einem Jahr der Tätigkeit am Seminar einem Ruf an die neugegründete katho-

---

32 So der Vertreter des Kölner Regierungspräsidenten an den Oberpräsidenten in Koblenz am 26.4.1900: LHA-Ko-403/16055, S. 347ff. (vgl. Trippen, Domkapitel, S. 433 mit Anm. 59)

33 Hecker, Chronik, S. 213f.

34 Nach dem Totenzettel blieb es Ludwigs nicht erspart, „im Kulturkampf wegen Wahrnehmung kirchlicher Rechte vor den Gerichtsschranken stehen zu müssen": Ebd., S.213f.

35 Über Tod und Begräbnis Scheebens berichtet Ludwigs: Ludwigs, Erinnerungen an das Priester-Seminar, S. 61–66

36 Karl Hubert Cohen (1851–1938), 1875 Priesterweihe, Studium der Kirchenmusik in Regensburg (Stiftsvikar der Alten Kapelle), 1881–1887 Domvikar, Chordirektor und Chorallehrer am Priesterseminar in Bamberg, 1887–1912 Seminarprofessor für Kirchenmusik, bis 1909 auch Domkapellmeister in Köln, 1888–1925 Diözesanpräses der Cäcilienvereine, 1909 Domkapitular: Hecker, Chronik, S. 215f.

37 Joseph Schroeder (1849–1903), 1873 Priesterweihe in Rom (Germanikum), 1874–1887 Professor an belgischen Seminaren, 1887 Pfarrverwalter an St. Johann B. in Köln, 1888/89 Professor für Dogmatik und Moral am Priesterseminar in Köln, 1889–1898 Professor für Dogmatik an der Kath. Universität Washington, 1898–1903 Professor in Münster, 1902/03 Erster Rektor der Universität Münster, 1903 als Pastoraltheologe nach Straßburg berufen, doch alsbald verstorben: Hecker, Chronik, S. 217ff.; Eduard Hegel, Geschichte der katholisch-theologischen Fakultät Münster 1773–1964, Bd. 2, Münster 1971, S. 87f.

lische Universität in Washington. Erst sein Nachfolger Christian Berrenrath[38] sollte wieder zu einer tragenden Säule des Seminarkollegiums über Jahrzehnte werden: Christian Berrenrath, 1884 als Germaniker zum Priester geweiht, trat nach kurzen Seelsorgeeinsätzen 1889 die Nachfolge Schroeders als Professor für Dogmatik und Moral an. Diese Lehrtätigkeit übte er volle 40 Jahre aus. Der bei der Wiedereröffnung 1886 zum Professor für Kirchenrecht ernannte Peter Karl Aloys Kreutzwald schied 1892 wieder aus, um zunächst Offizial, später Generalvikar zu werden. Sein Nachfolger Heinrich Joseph Ludolf Hermes[39] starb nach zweieinhalb Jahren der Wirksamkeit am Seminar. Für ihn übernahm Franz Peter Witteler[40] 1895 die Seminarprofessur für Kirchenrecht, 1899 wechselte er zur Liturgik und übernahm 1898 das Subregentenamt in der Nachfolge Pingsmanns bis 1912. Das Kirchenrecht vertrat von 1899 bis 1916 Joseph Heinrich Peter Vogt[41]. 1896 wurde mit dem Jesuitenpater Carl Christian Stephan Beißel[42] erstmals ein Spiritual ernannt, was im Hinblick auf Seminaristenzahlen bis zu 142 einfach unumgänglich wurde.

Über das Leben im Seminar am Ende des 19. Jahrhunderts erfahren wir aus den Akten fast nichts, aus den später von Ludwigs veröffentlichten „Erinnerungen"[43] wenig. Die Seminaristenzahlen stiegen seit der Wiedereröffnung des Seminars stetig an, schwankten jedoch durch den Dreisemesterzyklus zwischen Winter- und Sommersemester um ein Drittel[44]. Trotz der hohen Neupriesterzahlen machten sich jedoch Mitte der neunziger Jahre die Ausfälle der Kulturkampfzeit bemerkbar, zumal das Anwachsen der Großstädte und Industrieansiedlungen die Gründung zahlreicher neuer Pfarreien und damit neuer Priestereinsatzstellen notwendig machte. So scheint man 1895 ernsthaft erwogen zu haben, dem Priestermangel – etwas kurzsichtig! –

---

[38] Christian Berrenrath (1857–1941), 1884 Priesterweihe in Rom (Germanikum), 1889–1929 Professor für Dogmatik und Moral am Priesterseminar, 1912–1914 auch Subregens, 1914–1929 Präses des Seminars: Hecker, Chronik, S. 243 f.

[39] Heinrich Joseph Ludolf Hermes (1842–1895), 1869–1873 weiterführende kanonistische Studien in Löwen, 1873–1892 Kaplan an St. Maria im Kapitol in Köln, 1892–1895 Professor für Kirchenrecht am Priesterseminar: Hecker, Chronik, S. 220 f.

[40] Franz Peter Witteler (1847–1917), 1871–1895 Domvikar in Köln, 1895 bzw. 1898–1912 Seminarprofessor bzw. Subregens in Köln, 1912 Kanonikus in Aachen: Hecker, Chronik, S. 222

[41] Joseph Heinrich Peter Vogt (1865–1937) dürfte der Priester sein, der im Erzbistum Köln die vielseitigsten Anstellungen fand: 1888/89 Kaplan in Elberfeld, 1889/91 Kaplan an der Anima in Rom, 1891 Domvikar in Köln, 1893–1899 Geheimsekretär des Erzbischofs, 1898–1916 Seminaprofessor für Kirchenrecht (Nebentätigkeiten am Offizialat), 1914–1916 Subregens, 1916 Domkapitular, 1918–1931 Generalvikar, 1922–1930 Domdechant, 1930/31 Dompropst, 1931–1937 Erster Bischof von Aachen: Hecker, Chronik S. 226 f.; Trippen, Domkapitel, passim (S. 534 Reg.); Erwin Gatz, in: Gatz, Bischofslexikon, S. 779 f. (Literaturübersicht)

[42] Carl Christian Stephan Beißel SJ (1841–1915), 1864 in Köln zum Priester geweiht, 1865–1870 Kaplan in Aachen, 1871 Eintritt in den Jesuitenorden, 1896–1900 Spiritual am Kölner Priesterseminar: Hecker, Chronik, S. 224 f.

[43] Heinrich Maria Ludwigs, Erinnerungen an das Priester-Seminar. Ein Beitrag zur Chronik des Erzbischöflichen Priester-Seminars zu Köln, Köln 1903 (enthält die Schilderung besonderer liturgischer und sonstiger Feiern)

[44] Ludwigs, Erinnerungen, S. 190: Die Zahl der Alumnen des Kölner Priesterseminars (1887–1899)

dadurch vorübergehend abzuhelfen, daß man den Seminarkursus wieder auf zwei Semester reduzierte und dadurch einmalig einige Dutzend Neupriester vorzeitig gewann. In den Generalvikariatsakten findet sich eine Aufstellung (möglicherweise von Generalvikar Kreutzwald selbst), in der die Entwicklungen von Seelenzahl, Zahl der Pfarreien und der Priester des Erzbistums zwischen 1872 und 1895 dargestellt und in Relationen gebracht sind[45]. „Resultat: Der Priestermangel in der Erzdiözese Köln ist größer als je zuvor; selbst im Kulturkampf war er nicht so schlimm. Zwar hat die Zahl der Priester seit 1888 zugenommen, nämlich von 1477 auf 1612 ... In derselben Zeit ist aber die Zahl der Katholiken um 241 928 gestiegen ... Die Zunahme des Klerus ist also hinter derjenigen der Seelenzahl erheblich zurückgeblieben."

Ludwigs erhielt daraufhin von Krementz den Auftrag, einschlägiges Zahlenmaterial zu sammeln und zu dem Projekt einer Verkürzung der Seminarzeit Stellung zu nehmen. Er antwortete am 6. Februar 1896[46] und trat mit Entschiedenheit für die Beibehaltung des Dreisemesterzyklus ein: Während in den Jahren 1886–1890 noch ein Überhang von 88 Sterbefällen gegenüber den Neugeweihten unter den Priestern zu verzeichnen gewesen sei, sei dieser in den Jahren 1891–1895 auf zwei zurückgegangen. In den Jahren 1894/95 sei bereits ein Überhang von fünf Neugeweihten zu verzeichnen gewesen. Auch die absehbare Entwicklung in der näheren Zukunft deute in die gleiche Richtung. „Ich glaube, mich unter Hinweis auf obige Statistik der Hoffnung hingeben zu dürfen, daß Ew. Eminenz den Alumnen und uns, ihren Lehrern und Erziehern, die für das Erziehungswerk so notwendige Ruhe huldvoll, wie bisher, gewähren wollen ... Die trotz der dreisemesterlichen Seminarvorbildung und trotz aller der täglichen, regelmäßig bis zur Erschöpfung gesteigerten Mühen und Arbeiten, mit welchen wir unter Gebet und Tränen uns plagen, der Erzdiözese und ihrem Oberhirten brauchbare und zuverlässige Priester auszubilden, noch immer – freilich und Gott sei Dank nur vereinzelt vorkommende Tatsache, daß der eine oder andere sich seines priesterlichen Berufes unwürdig zeigt, läßt mich Ew. Eminenz auf das dringendste bitten, einer momentanen, bald behobenen Verlegenheit willen nicht in dem einmal bestimmt vorgezeichneten und innegehaltenen Erziehungsplane, welcher doch auch schöne Früchte gebracht, eine m[eines] E[rachtens] nicht segenverheißende Abänderung vorzunehmen ..." Wie er von einem der Bonner Repetenten wisse, werde der Dreisemesterzyklus auch in Bonn unter den Studenten für eine „Errungenschaft" gehalten.

Ludwigs hatte damit bei Krementz mit den stärksten Argumenten gefochten. Da Krementz ein waches Interesse und nach Ausweis von Ludwigs' „Erinnerungen" einen guten persönlichen Kontakt zum Seminar hatte[47], dürfte die Argumentation des Prä-

---

45 HAEK – CR 8 A 1.1,3 (ohne Titel und Unterschrift)

46 Ludwigs an Krementz am 6. 2. 1896 (Begleitschreiben), Anlage 1: Statistischer Überblick ... (4 Seiten), Anlage 2: Summarium der Personalstatistik des Klerus der Erzdiözese Köln von 1886 bis 1896 (1 Seite), Anlage 3: Folgerungen aus der Statistik (3 Seiten): HAEK – CR 8 A 1.1,3 – Die nachfolgenden Zitate sind verschiedenen Anlagen entnommen

47 Krementz pflegte seinen Namenstag (3. Mai) im Seminar zu feiern: Ludwigs, Erinnerungen, S. 50–60: Die Namensfeste des hochwürdigsten Herrn Erzbischofs Philippus

ses ihre Wirkung nicht verfehlt haben[48]. Der Ruf nach vorgezogenen Weihen zur Entlastung der angespannten Personallage dürfte aber auch von einer sehr vordergründig-praktischen Situation unterstützt worden sein: Das Seminargebäude war in einen bedrohlichen baulichen Zustand geraten und bedurfte einer kostspieligen Sanierung. Ludwigs berichtete[49], man habe schließlich die Baufälligkeit festgestellt. „Sobald dieses konstatiert war, wurden alle Hemmnisse, welche dem von vielen Seiten längst gewünschten Neubau oder Umbau sich entgegenstellten, überwunden. Lang wurde geschwankt, ob ein Neubau außerhalb der Stadt oder ein Umbau des alten Seminars als das Zweckmäßigste erscheine". Anfang 1895 wurde ein großes Terrain in [Köln-] Kriel erworben[50] und an Bauplänen gearbeitet. Doch wegen der zu großen Entfernung vom Dom und der zu hohen Kosten beschränkte man sich auf die Gebäudesanierung auf der Marzellenstraße, die jedoch fast nur die Grundmauern stehen ließ.

Die Arbeiten begannen im Herbst 1895 zunächst abschnittweise bei laufendem Betrieb. Diese Methode ließ sich jedoch nicht durchhalten. Ludwigs berichtet[51]: „Die Alumnen des Kursus 1895 wurden statt Ende August bereits am 2. Juli 1896 geweiht, damit die Sommerbauzeit ausgenutzt werden könnte. Dann begannen wir die Ferien, welche so lange dauerten, bis die Zöglinge des Collegium Albertinum in die Ferien gingen. Sobald diese das dortige Collegium verlassen hatten, bezogen wir die Räume dieser Anstalt in Bonn, begannen dort am 17. Augusut 1896 unsere Vorlesungen und setzten dieselben fort bis zum 8. Oktober, um welche Zeit wir den Konviktoristen wieder das Feld räumen mußten. Anfangs Oktober waren in der Kapelle des Collegium Albertinum die heiligen Weihen. – Mittlerweile wurde im Kölner Priesterseminar unter dem Aufgebot aller Kräfte weitergearbeitet. Schon am 30. November 1896 war der Umbau so weit vollendet, daß an diesem Tage das Wintersemester 1896 wieder im Seminar zu Köln eröffnet werden konnte."

Es ist nicht auszuschließen, daß die hier angedeuteten Raumkalamitäten der Umbauphase Generalvikar Kreutzwald einen nicht unerwünschten Anlaß boten, wegen des vorübergehend spürbaren Priestermangels Weihen vorzuziehen bzw. die Seminarzeit wieder grundsätzlich auf zwei Semester bzw. ein Jahr zu reduzieren.

In die inneren Verhältnisse des Seminars am Ende des 19. Jahrhunderts erhalten wir durch den besonderen Umstand Einblick, daß Kardinal Krementz im Frühjahr 1897 (also unmittelbar nach Vollendung des Umbaus) eine kanonische Visitation seines Priesterseminars vornehmen wollte. Am 26. März 1897 kündigte er Ludwigs seine

---

[48] Unter den Fragen, die *1897* zur Vorbereitung einer kanonischen Visitation des Seminars Ludwigs vorgelegt wurden, lautete die Frage 157: „Wie lange dauert der Seminarkursus?" Ludwigs vermerkte als Antwort: „Drei Semester" – Vgl. dazu unten S. 129 f.

[49] „Der Umbau des Priesterseminars. – Geschichte und Baugeschichte desselben": Ludwigs, Erinnerungen, S. 115–122, hier: S. 115 f.

[50] Korrespondenz zwischen dem Seminarverwaltungsrat, dem Oberpräsidium in Koblenz und dem Regierungspräsidium in Köln wegen der Genehmigung von Grundstückskäufen in Kriel Januar/März 1895: LHA – Ko – 403/15963, S. 313–316 u. 323 f.

[51] Ludwigs, Erinnerungen, S. 121 f.

Absicht an[52] und forderte ihn auf, auch die Professoren und die Alumnen zu unterrichten. Am 25. Mai übersandte er einen – von Generalvikar Kreutzwald erstellten? – Katalog von 235 Fragen[53], die Ludwigs bis zum Peter- und Paulstag 1897 beantworten sollte. Die Reinschrift seiner Antworten auf die „Quaestiones in visitatione Seminarii" trägt tatsächlich das Datum 28. Juni 1897[54]. Da Krementz erkrankte, fand jedoch die Visitation nicht statt. Am 28. März 1899 beauftragte der Erzbischof zwar Weihbischof Fischer mit der Durchführung[55]. Doch ist aus den Akten nicht erkennbar, ob die Visitation tatsächlich stattgefunden hat, zumal der Kardinal am 6. Mai 1899 starb. Immerhin gewährt uns die Beantwortung des Frageschemas durch Präses Ludwigs vom 28. Juni 1897 aufschlußreiche Informationen über das Seminar: über die Seminargeschichte, über das Gebäude und die Vermögensverhältnisse, vor allem aber „III. In Betreff des Lebens im Seminar bzw. der formellen Verhältnisse des Seminars."

Unter der Rubrik „Vorstand" lautete die 134. Frage: „Ist die dauernde Anstellung eines eigenen Spirituals im Semester notwendig, und eventuell, wie ist der Wirkungskreis desselben zu umgrenzen?" Ludwigs: schrieb daneben: „Mündlichem Berichte vorbehalten. Ein immer leicht erreichbarer, im aszetischen Leben erfahrener, gereifter *Beichtvater* ist notwendig. *Spiritual* ist der Präses, und er kann im Interesse seiner Autorität und der Einheit der Erziehung ohne schwere Schädigung des Seminars auf diese Eigenschaft nicht verzichten, wohl eine temporäre Stellenvertretung oder anderweitige Entlastung wünschen."

Hier kommt ein eigenartiges, um nicht zu sagen: eigenwilliges Selbstverständnis des Präses zum Vorschein. Vielleicht war es aber auch nur eine persönliche Verstimmung gegenüber dem seit einem Jahr als Spiritual wirkenden Pater Beißel.

Frage 168 lautete: „Sind die Alumnen gegen ihre Vorgesetzten ehrerbietig und gehorsam?" Ludwigs antwortete: „In dieser Beziehung habe ich seit meiner nahezu zehnjährigen Amtsführung auch nicht die mindeste Rüge zu erteilen Anlaß gehabt." Auf die gleiche Antwort verwies Ludwigs zur 167. Frage. „Sind die Alumnen untereinander verträglich?"

Die Angst vor nicht kontrollierter Freiheit der Seminaristen, die wir unter Präses Westhoff beobachtet hatten[56], klingt in der 180. Frage an: „Üben nicht die Ferien gemäß ihrer Lage oder ihrer Ausdehnung einen nachteiligen Einfluß auf die aszetische Ausbildung der Alumen?" Ludwigs Antwort offenbart eine pädagogische Großzügigkeit und Weitsicht: „Wenn die nachdrücklichen Mahnungen und Weisungen,

---

52 Krementz an Ludwigs am 26. 3. 1897 (paraph. Entwurf): HAEK – CR 8 A 1.8; dort auch lat. Entwurf der Visitationsankündigung an Vorstand und Klerus des Seminars vom 19. 3. 1897

53 Krementz an Ludwigs am 25. 5. 1897 (paraph. Entwurf): HAEK – CR 8 A 1.*8* – Dort auch erster handschriftlicher Entwurf des Katalogs mit „Fragen, welche bei der kanonischen Visitation des Erzbischöflichen Priesterseminars zu Köln beantwortet werden sollen"

54 Ludwigs an Krementz am 28. 6. 1897 (Reinschrift des Begleitbriefs) mit Reinschrift des von Ludwigs handschriftlich beantworteten und mit Anlagen ergänzten Fragenkatalogs: HAEK – CR 8 A 1.*1,3*

55 Krementz an Fischer am 28. 3. 1899 (Reinschrift-Original mit voller Unterschrift des Kardinals – Wurde der Brief nicht expediert?): HAEK – CR 8 A 1.*1*,3

56 Vgl. oben S. 96 ff.

welche jedesmal vor den Ferien gegeben werden, irgendwie Beachtung finden, sind die Ferien nicht nur ohne nachteiligen Einfluß, sondern nach der Auffassung berühmter Seminarvorsteher eine sehr erwünschte Zeit der Bewährung, die, falls sie noch nicht völlig erlangt war, in der folgenden Seminarzeit zu erlangen ist, bevor die Stützen des Seminars dauernd für den jungen Priester fallen ...“

Unter der Rubrik „Die wissenschaftliche Ausbildung der Alumnen“ war unter Nr. 187 gefragt: „In welcher Weise wird die Anwendung der lateinischen Sprache gefördert?“ Ludwigs antwortete: „In den Vorlesungen werden vielfach lateinische Lehrbücher zu Grunde gelegt. Bei der sehr wahrnehmbaren Dekadenz der Handhabung der lateinischen Sprache seitens der Alumen in den letzten Jahren dürfte indes, namentlich schon während des akademischen Trienniums, die Anwendung der lateinischen Sprache mehr in Betracht zu ziehen sein ... Am Schlusse eines jeden Semesters wird von allen Alumnen in allen Fächern eine Klausurarbeit, in den meisten Fächern in lateinischer Sprache, angefertigt.“

Sehr aufschlußreich sind auch die Ausführungen des Präses zum Komplex „Die leibliche Verpflegung und die Erholung der Alumnen“. Unter Nr. 204 wurde gefragt: „Welcher Art sind die den Alumnen gewährten Erholungen?“ Antwort: „Lediglich Wandeln durch das Quadrum und ungezwungene Konversation. Außerdem gehen sie täglich von 1–2 1/2 Uhr nach Tisch auf den ihnen vorgeschriebenen Wegen kolonnenweise unter Führung eines Dux spazieren.“ Auf die Frage 217 nach den Zeitungen und Zeitschriften schrieb Ludwigs: „Der Präses dringt zu Anfang jedes Semesters und häufig während desselben auf das Nachdrücklichste auf Benutzung der Zeit nur für die Aufgaben des Seminars, warnt daher nachdrücklich vor der Beschäftigung mit anderen Gegenständen und warnt auch vor Zeitverlust durch Lesung von Zeitungen etc. In Folge hiervon werden im Seminar nur wenige Zeitungen gehalten, meist nur einige Lokalblätter mit ihren Nachrichten über die Heimat der Alumnen und einige wenige K[ölnische] Volkszeitungs- und [Bonner] Reichszeitungsexemplare.“ Unter Nr. 218 wurde ergänzend gefragt: „Wird hierüber eine Kontrolle geübt und wie?“ Ludwigs: „Sämtliche Zeitungen und Briefe werden vor der Verteilung auf das Zimmer des Präses gebracht, welcher die Zeitungen revidiert.“ Die Fragen nach der Erlaubtheit des Rauchens und der Gesellschaftsspiele beantwortete der Präses mit einem knappen „Nein“.

Es ist nicht erkennbar, aus welchem Grunde der nur kurz als Erzbischof von Köln wirksame Hubertus Simar (1835–1902)[57] Präses Ludwigs am 1. April 1900 ablöste. Er hatte gleichzeitig mit dem ihm befreundeten Bonner Konviktsdirektor Düsterwald 1887 sein Amt übernommen. Vielleicht wollte Simar Ludwigs deshalb auch gleichzeitig ablösen, als er in Bonn mit einem neuen Vorstand eine großzügigere und dem Stu-

---

[57] Hubert Theophil Simar (1835–1902), 1859 Priesterweihe in Köln, 1860–1891 Dozent bzw. Professor der kath.-theol. Fakultät Bonn in verschiedenen Disziplinen, 1891–1899 Bischof von Paderborn, 1899–1902 Erzbischof von Köln: Eduard Hegel, in: Gatz, Bischofslexikon, S. 705 ff. (Literaturübersicht); Trippen, Der Bischof im Zeitalter der Industrialisierung ... (vgl. Anm. 2), S. 402 ff.; Trippen, Domkapitel, passim (S. 533 Reg.); Hegel, Geschichte des Erzbistums Köln, Bd. 5, S. 91

dium an der Universität mehr Raum gebende Linie gab[58]. Während allerdings Düsterwald lediglich Pfarrer an Groß St. Martin wurde, erhielt Ludwigs zugleich mit seiner Entpflichtung vom Seminar die Ernennung zum Domkapitular.

Sein Nachfolger, Präses Peter Joseph Lausberg[59], hatte zu den Alumnen gehört, die am 23. November 1875 das Seminar in Folge des Kulturkampfes hatten verlassen müssen, nachdem er zwei Tage zuvor zum Priester geweiht worden war. Die Kulturkampfjahre hatte er in verschiedenen seelsorglichen Aufgaben, vor allem als Religionslehrer, in Belgien verbracht. 1889 wurde er Domvikar in Köln, 1893 Pfarrer an St. Mariä Empfängnis in Düsseldorf. Er leitete das Seminar bis zu seiner Erhebung zum Weihbischof im Frühjahr 1914. Über seine Regententätigkeit liegen lediglich einige anerkennende Sätze aus Nachrufen bei seinem Tode 1922 vor[60]. Sein später berühmtester Seminarist war 1909/10 Josef Frings aus Neuss, der 1973 in seinen Lebenserinnerungen notierte[61]: „Das Kölner Priesterseminar brachte es damals fertig, aus Theologen, die drei Jahre als Studenten in Bonn gelebt hatten, Priester zu schaffen, die in der Praxis Großes geleistet haben und von denen kaum einer entgleist ist."

Die Lebensverhältnisse und das Lehrprogramm des Seminars dürften unter Lausberg die gleichen gewesen sein wie zur Zeit seines Vorgängers Ludwigs. Hecker berichtet[62]: „Präses Lausberg gab im Seminar allabendlich die Betrachtungspunkte" – ein Spiritual wurde nach dem Abgang von P. Beißel nicht mehr ernannt! – „ferner gab er Pastoral (Sakramentenverwaltung, Seelsorge-Einführung), praktische Homiletik, praktische Katechetik." Dabei kamen ihm seine Erfahrungen als Großstadtpfarrer und früher als Religonslehrer zugute.

Im Lehrkörper des Seminars gab es wenig Wechsel. Bezeichnend für die politischen Verhältnisse der Zeit war die Beauftragung des Polenseelsorgers und späteren Pfarrers an St. Maria in der Kupfergasse Joseph Mazurowski[63] mit dem Unterricht in polnischer Sprache sowohl am Bonner Konvikt wie am Seminar 1909–1928. Dadurch sollten – unter Absprache und Finanzierung durch den Staat – deutsche Priester befähigt werden, den seelsorglichen Bedürfnissen der Polen im Essener Raum entsprechen zu können. Ebenfalls einen politischen Hintergrund dürfte die am 24. Januar 1912

---

58 Dazu: Trippen, Albertinum (vgl. oben Anm. 27), S. 213–219

59 Peter Joseph Lausberg (1852–1922), 21. 11. 1875 Priesterweihe in Köln, 1876–1889 Seelsorger und Religionslehrer an verschiedenen Orten Belgiens, 1889–1893 Domvikar und Kanzlist am Generalvikariat in Köln, 1893–1900 Pfarrer an St. Mariä Empfängnis in Düsseldorf, 1900–1914 Präses des Priesterseminars, seit 1914 Domkapitular und Weihbischof in Köln: Hecker, Chronik, S. 229f.

60 Gesammelt von Hecker: Chronik, S. 229f.

61 Für die Menschen bestellt. Erinnerungen des Alterzbischofs von Köln Josef Kardinal Frings, Köln 1973, S. 13

62 Hecker, Chronik, S. 229

63 Joseph Mazurowski (1885–1961), in Zempelburg (Krs. Flatow) geboren, 1908 Priesterweihe in Köln, als Kaplan ab 1909 Polenseelsorger im Nebenamt, 1909–1928 nebenamtlicher Lehrer der polnischen Sprache an Konvikt und Seminar, 1914–1918 nebenamtlicher Seelsorger für russische Kriegsgefangene, 1928–1942 Pfarrer an St. Peter in Essen, 1942 Pfarrer an St. Maria in der Kupfergasse in Köln: Hecker, Chronik, S. 233

erfolgte Ernennung des Maximilian Herzog zu Sachsen zum Seminarprofessor gehabt haben[64]. Bis 1914 hielt er Vorlesungen über die liturgische Erklärung der Psalmen und predigte in der St. Mariä Himmelfahrtskirche. 1914 wurde er Feldgeistlicher und kehrte später nicht wieder an das Seminar zurück. In der Kirchenmusik löste Professor Johannes Schulte[65] 1912 den Domkapitular Cohen ab. 1913 trat der spätere Bonner Pastoraltheologe Franz Joseph Peters[66] in das Seminarkollegium ein.

Der letzte Präses des Seminars an der Marzellenstraße und der letzte Regens, der den Titel „Präses" trug, wurde 1914 Professor Christian Berrenrath[67]. Er hatte – als Germaniker aus den gleichen theologischen und geistlichen Wurzeln lebend – schon 1889 nach dem kurzen Intermezzo Joseph Schroeders die Professur von Matthias Joseph Scheeben übernommen. Seit 1912 hatte er in der Nachfolge Wittelers bereits als Subregens gewirkt. Er brachte es auf volle 40 Jahre der Wirksamkeit am Seminar. Sein letzter Subregens Heinrich Engels[68] schrieb in Berrenraths Totenzettel[69]: „Ungezählten Priestern, ja den weitaus meisten, die heute noch in den Diözesen Köln und Aachen als Lehrer und Seelsorger arbeiten, ist er hier ein leuchtendes Muster echt priesterlichen Lebens und seelsorglichen Wirkens geworden; ungezählten blieb er über die Zeit der Vorbereitung hinaus auch im späteren Leben ein immer wieder gern aufgesuchter Führer und Berater in den Schwierigkeiten, die das verantwortungsvolle Seelsorgsamt namentlich jüngeren Geistlichen nur zu leicht bereitet." Die Wertschätzung Berrenraths kam schon früh während seiner Professorenzeit zum Ausdruck, als ihm die Seminaristen zum silbernen Priesterjubiläum einen Kelch von beachtlichem Wert schenkten[70].

Gleichzeitig mit Berrenrath wurde Gerhard Jordanus Susen[71] zum Seminarprofessor ernannt, was er bis 1929 blieb. „Durch tiefgründiges Wissen auf kanonistischem und rubrizistischem Gebiet war er zum Lehramt für diese Fächer hervorragend geeignet." Als Subregens wirkte von 1916 bis 1921 der spätere Trierer Bischof Franz Rudolf

---

[64] Maximilian Herzog zu Sachsen (1870–1951), 1896 Priesterweihe in Eichstätt, bewegtes Seelsorger- und Dozentenleben, gelegentlich als Kandidat für Bischofsstühle erwähnt, 1912–1914 Seminarprofessor in Köln: Hecker, Chronik, S. 234–237; Trippen, Domkapitel, S. 298 mit Anm. 22 u. 531 (Reg.) – Pfarrer Heinrich Meier, DDR 90 Karl-Marx-Stadt, ist mit einer umfassenden Würdigung des Prinzen Max von Sachsen befaßt.

[65] Johannes Schulte (1866–1934), 1898–1934 Domvikar, 1909–1921 Domkapellmeister in Köln, 1912–1921 Seminarprofessor für Choral- und Kirchengesang: Hecker, Chronik, S. 238

[66] Franz Joseph Peters (1875–1957), 1913–1925 Professor für Homiletik, Katechetik, Pädagogik und Ritus am Kölner Priesterseminar, 1924–1941 Professor für Pastoraltheologie in Bonn: Hecker, Chronik, S. 241 f.

[67] Zu Berrenrath vgl. oben Anm. 38

[68] Heinrich Engels (1872–1943), 1919–1921 Pfarrer an St. Quirin in Neuss, 1921–1929 Subregens des Seminars (Professor für Sakramentenpastoral und Seelsorgeeinführung), 1923 Domkapitular, 1937 Offizial: Hecker, Chronik, S. 253

[69] Ebd., S. 244

[70] Beschreibung: Gisbert Knopp – Wilfried Hansmann, Kunstwerke im Kölner Priesterseminar, Köln 1983, S. 28

[71] Gerhard Jordanus Susen (1871–1932), 1899–1901 Studium in Rom (Anima), 1914–1929 Professor für Moraltheologie und Rubrizistik bzw. Kirchenrecht: Hecker, Chronik, S. 245

Bornewasser[72]. Gleichzeitig war er Professor für Pastoraltheologie. Erstmals wurde im Jahre 1917 in Wilhelm Joseph Schwer[73] ein Seminardozent für Vorlesungen über die soziale Frage berufen. Schwer nahm sein Fach 1921 an die Bonner Fakultät mit.

Als Regens Berrenrath sein Amt angetreten hatte, brach nach wenigen Monaten der Erste Weltkrieg aus, der die politischen Strukturen Europas veränderte, aber auch einen tiefen Bewußtseins- und Wertgefügewandel unter den Menschen auslösen sollte. Wenn man die restriktiven Bestimmungen des Visitationsschemas von 1897 zu Außenkontakten der Seminaristen oder bezüglich der Zeitungslektüre bedenkt, ist man vielleicht nicht ganz so verwundert, daß weder der Krieg, noch die Novemberrevolution von 1918 Spuren in den Seminarakten hinterlassen haben. Die Zahl der Neugeweihten (1913: 85; 1914: 82; 1915: 75; 1916: 48; 1917: 23; 1918: 29; 1919 7; 1920: 45)[74] läßt erkennen, daß Einberufungen zum Militär von Bonn aus und Verluste durch Gefallene auf die Zahl der Seminaristen und damit wohl auf das Innenleben des Seminars durchschlugen. Eine Erforschung der Wirtschaftsakten würde ausweisen, daß der Hunger der deutschen Bevölkerung während der fortschreitenden Kriegsjahre auch am Priesterseminar nicht vorüberging. Doch leider fehlt uns eine Seminarchronik dieser Zeit, die uns über die geistige und seelische Rückwirkung der Kriegsereignisse auf das Leben im Seminar und das Empfinden seiner Bewohner Auskunft geben könnte.

---

72 Franz Rudolf Bornewasser (1866–1951), 1894 Priesterweihe in Köln, 1915 Dechant des Dekanates Jülich, 1916–1921 Subregens des Kölner Priesterseminars, 1921 Stiftspropst und Weihbischof mit Sitz in Aachen, 1922 Bischof von Trier: Hecker, Chronik, S. 246 f.; Alois Thomas, in: Gatz, Bischofslexikon, S. 65 ff. (Literaturübersicht)

73 Wilhelm Joseph Schwer (1876–1949), 1917–1921 Lehrbeauftragter des Priesterseminars für soziale Fragen, 1921–1941 Professor der kath.-theol. Fakultät Bonn für christliche Gesellschaftslehre: Hecker, Chronik, S. 248 f.

74 Weihejahrgangslisten: Handbuch des Erzbistums Köln, 26. Ausgabe, Bd. 2, Köln 1966, S. 853 ff.; Hegel, Geschichte des Erzbistums Köln, Bd. 5, S. 199 (Zahl der jährl. Priesterweihen)

V. Die Zeit nach dem Ersten Weltkrieg und die Verlegung des Seminars nach Bensberg (1918–1933)

Von Norbert Trippen

1. Die ersten Nachkriegsjahre und ihre besonderen Schwierigkeiten

Die politischen Umwälzungen, die das Ende des Ersten Weltkrieges auslöste, hatten auf das Leben im Seminar keine unmittelbaren Auswirkungen. Da schon 1920 wieder 45 Kandidaten zur Priesterweihe anstanden[1], ist davon auszugehen, daß die aus Krieg und Gefangenschaft heimkehrenden früheren Theologiestudenten sich alsbald in Bonn und Köln wieder einfanden, um ihren Weg zur Weihe fortzusetzen. Sie fanden im Kölner Seminar den alten Vorstand und die alte Seminarordnung vor. Allerdings trat insofern eine Änderung ein, als bis 1925 die Studienzeit wieder auf ein Jahr verkürzt wurde – wohl mit Rücksicht auf den Verlust einiger Jahre bei den Kriegsteilnehmern, die wirtschaftlichen Schwierigkeiten des Studiums in der Nachkriegszeit und den Priestermangel[2].

Einschneidende Veränderungen brachte eher der Wechsel auf dem erzbischöflichen Stuhl von Felix Kardinal von Hartmann (1851–1919)[3] zu Karl Joseph Schulte (1871–1941)[4] mit sich. Während Hartmanns Amtszeit sich weitgehend mit der Dauer des

[1] Zahl der jährlichen Priesterweihen 1816/19 bis 1962: Eudard Hegel, Das Erzbistum Köln zwischen der Restauration des 19. Jahrhunderts und der Restauration des 20. Jahrhunderts (= Eduard Hegel (Hrsg.), Geschichte des Erzbistums Köln, Bd. 5), Köln 1987, S. 199; vgl. auch die Weihejahrgangslisten: Handbuch des Erzbistums Köln, Bd. 2, Köln [26]1966, S. 852–868 bzw. Handbuch des Erzbistums Köln. Personaler Teil, Köln [27]1985, S. 172–191

[2] Die Verkürzung des Seminarstudienganges auf zwei Semester zwischen 1919 und 1925 ist durch überlebende Zeugen und die in Anm. 15 vorgestellte „Senioren-Chronik" eindeutig belegt

[3] Felix Kardinal von Hartmann (1851–1919), 1890 bischöflicher Kaplan in Münster, 1903 Domkapitular, 1905 Generalvikar, 1911 Bischof in Münster, 1913–1919 Erzbischof von Köln, 1914 Kardinal: Eduard Hegel, in: Gatz, Bischofslexikon, S. 286 ff. (mit Literaturübersicht); Trippen, Domkapitel, S. 414–463 u. 524 (Reg.); Ders., Der Bischof im Zeitalter der Industrialisierung, des Nationalismus und der Weltkriege (1885–1945), in: Berglar – Engels (Hrsg.), Der Bischof in seiner Zeit ... Festgabe für Joseph Kardinal Höffner, Erzbischof von Köln, Köln 1986, S. 397–427, hier: S. 407–412 (mit Literaturübersicht); Hegel, Geschichte des Erzbistums Köln, Bd. 5 (vgl. Anm. 1), S. 95–97

[4] Karl Joseph Kardinal Schulte (1871–1941), 1905–1910 Professor für Apologetik und Kirchenrecht in Paderborn, 1910–1920 Bischof von Paderborn, 1920–1941 Erzbischof von Köln, 1921 Kardinal: Ulrich von Hehl, in: Gatz, Bischofslexikon, S. 680–682 (mit Literaturübersicht); Ders., Karl Joseph Schulte (1871–1941), in: Rheinische Lebensbilder 9 (1982), S. 261–274 (mit Literaturübersicht); Trippen, Domkapitel, S. 467–515 u. 532 (Reg.); Ders., Der Bischof im Zeitalter der Industrialisierung (vgl. oben Anm. 3), S. 413–418; Ulrich von Hehl, Katholische Kirche und Nationalsozialismus im Erzbistum Köln 1933–1945 (=Veröff. d. Kommission f. Zeitgeschichte, Reihe B: Forschungen, Bd. 23), Mainz 1977 (passim); Hegel, Geschichte des Erzbistums Köln, Bd. 5 (vgl. Anm. 1), S. 99–103

Ersten Weltkrieges deckte, der neben sozial- und innenpolitischen Auseinandersetzungen die Kräfte dieses Erzbischofs vor allem band, brachte Bischof Schulte von Paderborn neben sozialpolitischen Erfahrungen ein ausgeprägtes Interesse an der Priestererziehung mit.

Schon bald, nachdem der unmittelbar nach seiner Einführung in Köln zum Kardinal erhobene Erzbischof Schulte sich einen Überblick über die Kölner Verhältnisse verschafft hatte, schritt er zu einer äußeren und inneren Neuordnung des Seminars. Noch als Folge des Krieges war das Seminar unter Kardinal von Hartmann zu seinem 2. Spiritual gekommen: Pater Ferdinand Ehrenborg SJ[5] war 1914 zum Rektor des Collegium Germanikum in Rom berufen worden, hatte jedoch bei Kriegseintritt Italiens das Land verlassen müssen. Von 1919 bis 1925 wirkt er als Spiritual am Seminar in Köln und zugleich als zweiter Seelsorger im nahegelegenen Gefängnis Klingelpütz. Providentiell und Schultes Interessen offenbarend war die wenige Tage nach seiner Einführung 1920 erfolgte Ernennung des Dr. Paul Heusgen zum „Seminarbibliothekar"[6]. Heusgen sollte 1929 der erste Direktor der von Kardinal Schulte begründeten „Diözesan- und Dombibliothek" in Köln werden, an die die wertvollen und umfangreichen Bestände der Seminarbibliothek übergingen, nachdem das Priesterseminar lediglich mit einer bescheidenen Handbibliothek nach Bensberg übergesiedelt war[7].

Durch die Beförderung des Subregens Franz Rudolf Bornewasser zum Stiftspropst in Aachen war 1921 die Stelle des Subregens neu zu besetzen. Schulte berief den schon 48jährigen Pfarrer an St. Quirin in Neuss, Heinrich Engels[8], der bereits knapp zwei Jahre später 1923 durch die Ernennung zum Domkapitular ausgezeichnet wurde und im Seminar als Professor Sakramentenpastoral und Seelsorgeeinführung lehrte. Seine Berufung war offensichtlich als Stützung und Entlastung des hochangesehenen, jedoch schon alternden Präses Berrenrath gedacht. Einige Monate später, am 1. Oktober 1921, berief Schulte Johannes Mölders zum Domkapellmeister und zum Professor für Choral- und Kirchengesang am Priesterseminar[9]. Die letzten Ernennungen am

---

[5] Ferdinand Ehrenborg SJ (1862–1941), 1900–1904 Spiritual am Priesterseminar in Mainz, 1904–1914 Spiritual am Germanikum in Rom, 1914–(1915)1919 Rektor des Germanikum, 1919–1925 Spiritual am Kölner Seminar: Hecker, Chronik, S. 250

[6] Paul Heusgen (1874–1948), 1903–1905 Kirchenrechtsstudien und Anima-Kaplan in Rom, 1905–1912 Assistent am Coll. Josephinum in Münstereifel, 1912–1920 Pfarrer in Morenhoven, 1920–1929 Seminarbibliothekar, 1929–1945 Direktor der Diözesanbibliothek: Hecker, Chronik, S. 251 f.

[7] Dazu: Wilhelm Schönartz, Die Erzbischöfliche Diözesan- und Dombibliothek Köln – Ihre Entstehung und ihre Entwicklung, in: Wilhelm Schönartz (Hrsg.), Die Erzbischöfliche Diözesan- und Dombibliothek zu Köln. Festschrift zur Einweihung des Neubaus der Bibliothek am 10. November 1983, Köln 1985, S. 3–11

[8] Heinrich Engels (1872–1943), 1909–1919 Pfarrer an St. Marien in Mülheim/Ruhr, 1919–1921 Oberpfarrer an St. Quirin in Neuss, 1921–1929 Subregens des Seminars, ab 1923 Domkapitular, 1929–1937 Generalvikariatsrat, 1937 Offizial: Hecker, Chronik, S. 253

[9] Johannes Mölders (1881–1943), 1912–1918 Stiftsvikar und -kapellmeister in Aachen, 1918–1921 Pfarrer in (Neuss-)Uedesheim, 1921 bis zu seinem Tode durch einen Luftangriff 1943 Domkapellmeister und Seminarprofessor in Köln bzw. in Bensberg: Hecker, Chronik, S. 254 f.

Seminar in Köln erfolgten 1925 durch den Wechsel im Amt des Spirituals von Pater Ehrenborg zu Pater Carl Albert Haggeney SJ[10] und durch die Berufung von Johannes Ballof zum Professor für Liturgiewissenschaft und Religionspädagogik[11].

Hatte Kardinal Schulte so durch einige personelle Veränderungen in das Seminar eingegriffen, so folgten am 2. Oktober 1921 auch neue „Statuten"[12] zur inhaltlichen Formung des Lebens im Seminar. Im Gegensatz zu den Statuten von 1855 und 1886 beschränkten sie sich nicht auf eine nüchterne Aufzählung von Vorschriften und Verboten, versuchten vielmehr begründend und erläuternd eine geistliche Vision der Seminarerziehung und des Seminarlebens zu vermitteln.

Inhaltlich gab es nur zwei Neuerungen gegenüber den voraufgehenden Ordnungen: Einmal waren die Kommuniondekrete Papst Pius' X. und die Bestimmungen des c. 1367 des CIC von 1917[13] eingearbeitet. So hieß es in Nr. 3 der Statuten: „Morgen- und Abendgebet, Betrachtung, Anhörung der hl. Messe und Breviergebet finden gemeinschaftlich statt. Wöchentlich einmal gehen die Alumnen zur Beicht; an Sonn- und Feiertagen sowie an den Herz-Jesu-Freitagen empfangen sie die hl. Kommunion gemeinschaftlich in Chorkleidung; überdies sollen sie im Sinne der Kirche bestrebt sein, täglich zum Tisch des Herrn zu gehen."

Die (letzte) Nr. 16 der Statuten trägt die persönliche Handschrift Schultes: „Bei Verstößen gegen die Tagesordnung und die vorstehenden Vorschriften sollen sich die betreffenden Alumnen unaufgefordert beim Präses melden. Vor allem ist der Senior als Vertrauensmann des Vorstandes und der Alumnen verpflichtet, für die Beobachtung der Haus- und Tagesordnung Sorge zu tragen und etwa einreißende Unordnungen dem Präses mitzuteilen." Man spürt deutlich, daß Erzbischof Schulte, der als Student selbst wegen abendlichen Besuchs einer CV-Verbindung aus dem Collegium Albertinum in Bonn verwiesen und aus der Liste der Kölner Priesteramtskandidaten gestrichen worden war[14], eine erheblich gewandelte Einstellung zu Hausordnungen gewonnen hatte. Neu für Kölner Verhältnisse war das Amt des Seniors der Studenten, den Schulte als „Vertrauensmann des Vorstandes und der Alumnen" verstanden wissen wollte.

---

[10] Carl Albert Haggeney SJ (1868–1945), 1911–1921 Spiritual am Priesterseminar in Fulda, 1925–1937 Spiritual des Kölner Priesterseminars: Hecker, Chronik, S. 258 f.

[11] Johannes Ballof (1882–1943), 1907–1925 Religionslehrer bzw. Studienrat an verschiedenen Schulen, 1925–1943 Professor für Liturgiewissenschaft, Religionspädagogik, später auch Rubrizistik am Kölner Priesterseminar: Hecker, Chronik, S. 256 f.

[12] Von Kardinal Schulte unterzeichnete Kopie in den Erzbistumsakten: HAEK – CR 8 A 1.1,3 (Die innere Einrichtung des Seminars in Beziehung auf praktische Ausbildung der jungen Kleriker sowie Verzeichnisse der Alumnen, Bd. 3: 1861–1930)

[13] C. 1367 C.I.C. v. 1917: „Curent Episcopi ut alumni Seminarii: 1. Singulis diebus communiter matutinas et serotinas preces recitent, per aliquod tempus mentali orationi vacent, sacrificio Missae intersint; 2. Semel saltem in hebdomada ad sacramentum paenitentiae accedant et frequenter, qua par est pietate, Eucharistico pane se reficiant; 3 ...; 4 ...; 5 ..."

[14] Dazu: Trippen, Domkapitel, S. 428; vgl. auch Norbert Trippen, Zur Geschichte des Collegium Albertinum in Bonn 1885–1903, in: Annalen d. Hist. Vereins f. d. Niederrhein 176 (1974), S. 172–227, hier: S. 190 f.

Etwas anders setzte der erste Senior, Dr. Heinrich Rösseler, den Akzent. In der von ihm begonnenen „Senioren-Chronik“[15] schrieb er: „Gegen Ende des Sommersemesters 1921 teilte der Präses des Seminars ... den Alumnen des 1. Semesters mit, S. Eminenz ... hege den Wunsch, daß nach dem Vorbild des Paderborner Priesterseminars auch im Kölner Seminar das Amt eines Seniors eingeführt werde. Der Senior solle als von den Seminaristen erwählte Vertrauensperson die Wünsche der Alumnen zur Kenntnis des Vorstandes bringen und andererseits den Vorstand bei der Durchführung der von ihm getroffenen Anordnungen unterstützen.“ Für die Wahl war eine 3/4-Stimmenmehrheit erforderlich, die nicht immer erreicht wurde, was dem Präses das Recht zur Ernennung des Seniors zuspielte. „Zu den Obliegenheiten des Seniors“, so schrieb Rösseler, „gehört auch die Führung dieser Chronik“.

Dieser Chronik, die zunächst sehr gewissenhaft im Abstand von ein paar Tagen fortlaufend geschrieben wurde, am Ende der zwanziger Jahre zu summarischen Semesterberichten überging und mit dem Sommersemester 1936 endete, verdanken wir ein außerordentlich lebendiges und buntes Bild des letzten Jahrzehnts im Seminar an der Kölner Marzellenstraße, der wirtschaftlich und politisch bewegten zwanziger Jahre unseres Jahrhunderts.

Als Gesamteindruck ergibt sich: An der strengen Disziplin, den inzwischen zum Teil überholten Frömmigkeits- und Andachtsformen, dem überwiegend theologischen und wenig pastoralen Ausbildungskonzept wurde nach dem Ersten Weltkrieg nichts geändert. Die Seminaristen waren damit im allgemeinen zufrieden. Als bedrükkend wurde höchstens die Enge des Gebäudes mitten in der Großstadt mit dem relativ kleinen Quadrum als einzigem Erholungsort an frischer Luft empfunden. Das galt vor allem für die ersten Nachkriegsjahre, als durch den Rückstau des Krieges die Zahl der Seminaristen (die später wieder absank!) ständig über 130 lag[16].

Der Rhythmus des Seminarlebens war durch die minutiöse Tagesordnung vom frühen Morgen bis zum Abend, einschließlich der mehrfach wöchentlich in festgelegten Gruppen und auf vorgeschriebenen Wegen eingeplanten Mittagsspaziergänge in die Stadt, bestimmt. Sonntags war die Teilnahme am Kapitelsamt im Dom vorgesehen, im übrigen war die Mariä-Himmelfahrtskirche der Ort des regelmäßigen Gottesdienstes und für Tonsur, Minores, Subdiakonats- und Diakonenweihe die Weihekirche. Sie wird deshalb immer wieder als „Ecclesia nostra“ bezeichnet.

---

[15] Dr. Heinrich Rösseler (1894–1960), ab 1928 Studienrat am Dreikönigs-Gymnasium in Köln, ab 1947 Fachleiter am Staatlichen Studienseminar Köln: Handbuch des Erzbistums Köln, Köln [25]1958, S. 1013; Totenzettel: Sammlung HAEK – Die *„Senioren-Chronik“* im Format 17 x 21 cm enthält handschriftliche Eintragungen der Senioren vom Wintersemester 1921/22 bis zum Sommersemester 1936. Für die Semester vom Winter 1931/32 bis zum Sommer 1934 fehlen Eintragungen. Sie werden vom Winter 1934/35 bis zum Sommer 1936 noch einmal aufgenommen. Die Seniorenchronik befindet sich im Seminar-Archiv. Sie ist nur auf den ersten 75 S. paginiert und wird deshalb nach den Eintragungsdaten zitiert. Zu ihrer Qualität vgl. auch weiter unten im Text

[16] Nach der Seniorenchronik: WS 1921/22: 135; SS 1922: 135; WS 1922/23: 136; SS 1923: 137; WS 1923/24: 107; SS 1924: 92; WS 1924/25: 64; SS 1925: 54

Im Jahresrhythmus wird regelmäßig das Erlebnis der Karwoche im Dom, einschließlich der „Römerfahrt", hervorgehoben, eines Bußgangs am Nachmittag des Palmsonntags vom Dom zu sieben Hauptkirchen der Stadt[17]. Im Herbst stand die Teilnahme an der Ursulaprozession am Beginn des Semesters. Der Albertus-Tag in St. Andreas, das Ewige Gebet in der Mariä-Himmelfahrtskirche am 16. Januar[18] waren weitere häufig hervorgehobene Tage. Hierbei, wie vor allem bei der Gestaltung einer Seminar-Weihnachtsfeier am 2. Weihnachtstage, spielte ein Seminarchor unter Leitung von Professor Mölders eine wesentliche Rolle, die von den Senioren häufiger gerühmt wird. Mit einer heute schwer erklärbaren Begeisterung und Dankbarkeit werden Semesterausflugstage im Sommer nach Großkönigsdorf oder später nach Bensberg dargestellt. Die Seminaristen beteiligten sich an gelegentlichen Sammlungen für caritative Zwecke und stifteten ihr Nikolaus- und Weihnachtsgebäck für Kölner Waisenhäuser.

Die Lage des Seminars inmitten der Großstadt brachte nicht nur Nachteile mit sich. Trotz der ängstlich gedrosselten Außenkontakte wurde den Seminaristen (im Gegensatz zur späteren Zeit in Bensberg) durch Ausnahmen von der Tages- und Hausordnung gestattet, den kunsthistorischen Reichtum der Stadt Köln zu betrachten und an besonderen Veranstaltungen teilzunehmen. Professor Neuß[19] kam häufiger in jedem Jahr aus Bonn nach Köln, um Gruppen von Seminaristen durch Kölner Kirchen zu führen, Domvikar Ditges[20] veranstaltete Domführungen, Dr. Eschweiler vom Schnütgen-Museum[21] hielt regelmäßig sehr gelobte Museumsführungen.

Im Wintersemester 1922/23 wurde die Teilnahme an Vorträgen einer „Liturgischen Woche" ermöglicht. Im Mai 1924 konnten die Vorträge einer Thomas von Aquin gewidmeten Woche besucht werden. Gleiches galt für eine „Literaturwoche" und kir-

---

[17] Zur „Römerfahrt" in Köln während des 19. und frühen 20. Jahrhunderts: Norbert Trippen, Gottesdienst und Volksfrömmigkeit im Kölner Dom während des 19. Jahrhunderts, in: Hugo Borger (Hrsg.), Der Kölner Dom im Jahrhundert seiner Vollendung, Bd. 2: Essays zur Ausstellung der Historischen Museen der Stadt in der Josef-Haubrich-Kunsthalle Köln 16. Oktober 1980 bis 11. Januar 1981, Köln 1980, S. 182–198, hier: S. 194 f.

[18] Der Tag des „Ewigen Gebetes" am 16. Januar wurde bei der Verlegung des Seminars nach Bensberg 1929 nach dort übertragen, blieb bei der erneuten Verlegung des Seminars an die Eintracht(Kardinal-Frings-)straße in Köln 1958 erhalten und wurde bei der Neufestsetzung des Kalendariums des Ewigen Gebetes für das Erzbistum Köln ab 1. 1. 1987 wiederum für das Erzbischöfliche Priesterseminar reserviert: Amtsblatt des Erzbistums Köln 126 (1986), Nr. 258, S. 364

[19] Wilhelm Neuß (1880–1965), ab 1905 Religionslehrer, 1913 Privatdozent für Kirchengeschichte in Bonn, 1917 bzw. 1920–1949 ao. bzw. o. Professor für Kirchengeschichte der kath.-theol. Fakultät Bonn, 1936 nichtres. Domkapitular in Köln: Handbuch des Erzbistums Köln, Köln [25]1958, S. 1003; Totenbriefe und zahlreiche Nachrufe gesammelt in HAEK

[20] Leo Ditges (1978–1955), 1919 bzw. 1921–1928 Sakristanpriester bzw. Domvikar in Köln, 1928–1955 Pfarrer in Köln-Müngersdorf: Handbuch des Erzbistums Köln, Köln [24]1954, S. 910; Totenzettel: Sammlung HAEK

[21] Jakob Eschweiler (1894–1965), 1918 Priester des Erzbistums Köln, 1922 zum Kunststudium beurlaubt, zeitweilig „Assistent" am Schnütgen-Museum in Köln, 1925–1938 Direktor des Erzbischöflichen Diözesan-Museums: Handbuch des Erzbistums Köln, Köln [25]1958, S. 958

chenmusikalische Veranstaltungen 1924 sowie für die „Jahrtausendausstellung" 1925, durch deren Abteilungen der Museumsassistent Dr. Eschweiler die Seminaristen in mehreren Gruppen führte.

Eine von den Seminaristen nach Ausweis der Seniorenchronik besonders geschätzte Abwechslung und zugleich eine Ausweitung des Studienprogramms in Richtung der pastoralen Praxis stellte die Gestaltung der Wochen nach Weihnachten dar: Verbandspräsides und -referenten, erfolgreiche Religionslehrer an Berufsschulen oder Vertreter caritativer Einrichtungen kamen zu Vortragsveranstaltungen oder ganzen Arbeitstagen ins Seminar, um Einblicke in künftige Betätigungsfelder der angehenden Kapläne zu vermitteln.

Als Beispiel für das Programm solcher Tage sei der Ertrag des späteren Bonner Professors Dr. Alfons Bolley[22] für das Jahr 1925 zitiert: „Für die Tage nach Weihnachten hatte unser Herr Präses uns wieder eine angenehme Abwechslung zugedacht. Am 28. 12. kam Herr Prälat Pieper (M[önchen]gladbach)[23] und sprach vormittags und nachmittags über den Gemeinschaftsgedanken mit Rücksicht auf die Tätigkeit des Seelsorgspriesters. Am folgenden Tage redete Dr. Konermann, Diözesanpräses der Arbeitervereine Münster[24], vor einem dankbaren Publikum über Probleme der Arbeiterseelsorge. Der nächste Tag sah abermals Aug[ust] Pieper im Seminar. Am 2. Januar sprach Dr. A[nton] Heinen (M[önchen]gladbach)[25] über Volksbildungsfragen. Die folgende Woche brachte wieder eindrucksvolle Vorträge. Der Montag gehörte dem Herrn Prälaten Mosterts (Düsseldorf),[26] und am Dienstag stand der Generalpräses des katholi-

---

22 Alfons Bolley (*1898), 1926 Priester des Erzbistums Köln, Religionslehrer und Studienrat an verschiedenen Schulen im Bereich des Erzbistums bzw. ab 1958 des Bistums Essen, 1959 Honorarprofessor für Religionspsychologie an der kath.-theol. Fakultät in Bonn: Handbuch des Erzbistums Köln, Köln [24]1954, S. 900; Handbuch des Bistums Essen, Essen [1]1960, S. 392

23 August Pieper (1866–1942), 1889 Priester des Bistums Paderborn, 1892–1903 Generalsekretär des Volksvereins f. d. kath. Deutschland in Mönchengladbach, 1903—1919 Generaldirektor ebd., Zentrumsabgeordneter des preuß. Landtages und des Reichstages bis 1918, nach 1919 weiterhin in leitenden Aufgaben des Volksvereins: Horstwalter Heitzer, August Pieper (1866–1942), in: Zeitgeschichte in Lebensbildern, hrsg. v. Jürgen Aretz, Rudolf Morsey, Anton Rauscher, Bd. 4, Mainz 1980, S. 114–132 (Quellen- und Literaturübersicht ebd. S. 273 f.); Horstwalter Heitzer, Der Volksverein für das Katholische Deutschland im Kaiserreich 1890–1918 (=Veröffentlichungen d. Kommission f. Zeitgeschichte, Reihe B: Forschungen, Bd. 26), Mainz 1979 (passim)

24 Bernhard August Konermann (*1881), 1907 Priester des Bistums Münster, Dr. theol., Msgr., 1921 Diözesanpräses der KAB in Münster: Schematismus der Diözese Münster 1944, S. 42

25 Anton Heinen (1869–1934), 1893 Priester des Erzbistums Köln, 1898–1909 Lehrer und Rektor einer Mädchenschule in Eupen, 1909–1929 Mitglied der Zentralstelle und Dezernent für Volkserziehung und Volksbildung beim Volksverein in Mönchengladbach, 1925 Ehrendoktor der kath.-theol. Fakultät Bonn: Heitzer, Volksverein (vgl. Anm. 23), passim (S. 34 Anm. 145: Daten und Literatur)

26 Carl Mosterts (1874–1926), 1900 Priester des Bistums Münster, 1908 Gründer des „Katholischen Jungmännerverbands Deutschlands", seit 1913 Generalpräses, 1920 Gründung der „Deutschen Jugendkraft", 1922 des „Hauses Altenberg": Franz-Josef Wothe, in: LThK 7 (1962), Sp. 658 f.; Ders., Carl Mosterts, Kevelaer 1959

schen Gesellenvereins Hürth[27] vor uns und begeisterte uns für das große Kolpingwerk. Für den Donnerstag hatte Herr Prälat Berrenrath wieder zwei Redner geladen, Generalsekretär Braun von der Borromäuszentrale in Bonn[28] und Pfarrer Täpper[29] von St. Peter in Köln, der einen Einblick in die Mädchenseelsorge gab." Generalpräses Hürth erreichte es mit den Jahren sogar, den Seminaristen jeweils einen Nachmittagsurlaub zum Besuch des Kölner Kolpinghauses zu erwirken. Dabei durften die Seminaristen sogar an einer Kaffeetafel Platz nehmen, was deshalb hervorzuheben ist, weil ihnen sonst – noch in Bensberger Zeit – strikte verboten war, außerhalb des Seminars etwas anzunehmen. Selbst nach einer Ministration oder Predigt durften sie keine Einladung in ein Pfarrhaus annehmen.

Diese Ausgangsmöglichkeiten und Sonderveranstaltungen im Seminar dürften von dem eher ängstlichen Präses Dr. Berrenrath nicht ohne Billigung Kardinal Schultes ermöglicht worden sein. Vor seiner schweren Herzerkrankung 1927[30] scheint dieser sich nicht zu häufig, aber doch mit warmem Interesse um das Seminar gekümmert zu haben. Er übernahm regelmäßig selbst den Vorsitz beim Presbyteratsexamen und verbrachte ganze Tage zu sorgfältigen Skrutinien im Hause. Bis 1927 spendete er außer der Priesterweihe auch die übrigen Weihen meistens selbst. Er bildete den Mittelpunkt der häuslichen Weihnachtsfeier jeweils am 26. Dezember und nutzte diese Gelegenheit zu dankbar aufgenommenen geistlichen Ansprachen an die Alumnen. Diese Feiern werden häufiger als „Familienfeiern" gerühmt und der Erzbischof als „Vater" seiner geistlichen Söhne bezeichnet.

Farbenreicher als in den sich wiederholenden Schilderungen des Semesterverlaufs wird die Seniorenchronik bei der Darstellung der außergewöhnlichen Ereignisse, wie sie in jenen Jahren vor allem durch die wirtschaftliche Not und die politischen Veränderungen auf das Seminarleben einwirkten. Eine erste Notiz dieser Art vermerkte

---

27 Theodor Hürth (1877–1944), 1900 Priester des Erzbistums Köln, 1902–1914 Lokalpräses des Gesellenvereins Köln-Zentral, 1924–1944 Generalpräses des Kolpingwerkes: Heinz Albert Raem, Theodor Hürth (1877–1944), in: Zeitgeschichte in Lebensbildern, hrsg. v. Jürgen Aretz, Rudolf Morsey, Anton Rauscher, Bd. 5, Mainz 1982, S. 71–87 (Quellen- und Literaturverzeichnis ebd, S. 284 f.); Heinz-Albert Raem, Katholischer Gesellenverein und Deutsche Kolpingsfamilie in der Ära des Nationalsozialismus (= Veröff. d. Kommission f. Zeitgeschichte, Reihe B: Forschungen, Bd. 35), Mainz 1982 (passim)

28 Johannes Braun (1879–1958), 1905 Priester des Bistums Trier, 1909–1912 Sekretär des Borromäusvereins, 1912–1924 Generalsekretär, 1924–1934 Direktor des Generalsekretariates, ab 1934 geschäftsf. Direktor und stellv. Vorsitzender des Borromäusvereins: Wilhelm Spael, Das Buch im Geisteskampf. 100 Jahre Borromäusverein, Bonn 1950 (passim, S. 392 Reg.); Totenzettel: Sammlung HAEK

29 Hugo Täpper (1880–1943), 1916 Generalsekretär der kath. Jungfrauenkongregationen und der kirchlichen weiblichen Standesvereine der Erzdiözese, 1919 Direktor des Diözesan-Caritasverbandes, 1932 Pfarrer an St. Andreas (vorher einige Jahre an St. Peter) in Köln und Dechant des Dekanates Köln-Altstadt: Handbuch des Erzbistums Köln, Köln [23]1933, S. 830; Totenzettel: Sammlung HAEK

30 Die Anteilnahme der Seminaristen am Verlauf der Krankheit, „die engste Verbundenheit mit dem geistigen Vater", wird gerade am Eintrag des SS 1927 in die Seniorenchronik deutlich

am 11. November 1921: „In § 11 der neuen Statuten war festgesetzt: ‚Speisen und Getränke sich zutragen zu lassen oder solche auf dem Zimmer zu haben, ist nicht gestattet.' Auf Antrag des Herrn Präses wurde diese Bestimmung einstweilen aufgehoben mit Rücksicht auf die noch immer schwierige Ernährungslage." Ein Jahr später war die wirtschaftliche Not noch drückender geworden. 136 Alumnen hatten sich am 19. Oktober 1922 zum neuen Semester eingefunden. Der Senior vermerkte[31]: „Gerne sind wir in das Seminar gekommen. Denn die Ferienzeit mit ihrer schier beängstigenden wirtschaftlichen Entwicklung hat uns das aller materiellen Sorge ledige Seminarleben noch mehr schätzen gelehrt ... Der Herr Rendant[32] freilich, der in diesen Zeiten mehr als sonst ein entscheidendes Wort zu sprechen hat, zuckt bedenklich die Achseln und hat auf alle Fragen, wie es wohl im Winter gehen werde, ein beunruhigendes ‚Ignoramus!'"

Am folgenden Tage fuhr der Senior fort: „Der Herr Präses begrüßt um 10 Uhr die Alumnen und führt die Herren des 1. Semesters in Geist und Ordnung des Seminars ein. Auch von der wirtschaftlichen Notlage spricht er und mahnt zu gesteigerter Sparsamkeit. Er teilt mit, daß eine Vereinigung von Landwirten den hochherzigen Entschluß gefaßt hat, das Seminar mit Lebensmitteln, vor allem mit Kartoffeln, zu versorgen. Eine erste Sendung von Kartoffeln ist gestern bereits eingetroffen, just zur gleichen Zeit, da die Alumnen einzogen. An anderen Lebensmitteln müssen wir uns aber, wie der Herr Prälat ankündigt, eine weitere monatliche Einschränkung gefallen lassen. Das gilt vor allem bei Fleisch und Margarine. Wegen dieser Schwierigkeiten ist es den Alumnen weiterhin gestattet, sich von der Heimat eine Ergänzung zur Seminarverpflegung kommen zu lassen."

Außer um die Verpflegung war es offenbar auch um die sonstige Versorgung des Hauses, zumal die Beheizung, dürftig bestellt. So fährt der Senior fort: „Da die Bettdecken des Seminars zum Teil schon sehr abgenützt sind und daher keinen ausreichenden Schutz vor der Kälte während der Nacht bieten, empfiehlt Herr Prälat, sich von Hause noch eine weitere Decke kommen zu lassen." Am 22. Oktober 1922 vermerkt die Chronik: „Heute wird die Heizung angesteckt. Ihre Tätigkeit ist schon seit den ersten Stunden des Semesters herbeigesehnt worden. Aber viele sind enttäuscht. In den oberen Stockwerken verbreitete sich eine recht gemütliche, in den unteren aber eine sehr bescheidene Wärme. Aber wir sind auch dafür dankbar und freuen uns, daß sie nicht, wie ursprünglich angeordnet war, während des Winters in Ruhestellung verharrt. Zum Glück hat der Herr Kardinal nach der Fuldaer Bischofskonferenz eine andere Anweisung gegeben ..."

Der Mangel im Seminar hing zu einem erheblichen Teil mit der bereits angelaufenen Inflation zusammen, die im Verlaufe des folgenden Jahres groteske Dimensionen

---

31 Senior: Jakob Rill (1895–1929), 1923 Priesterweihe, 1926–1929 Religionslehrer am Lyzeum B.M.V. in Essen: Personalschematismus der Erzdiözese Köln 1929, S. 30; Direktorium ... 1930, S. 51 (Todesdatum)

32 Rendant: Gerhard Franz Ferdinand Kühling (1866–1943), 1913–1943 Rendant und Ökonom des Priesterseminars: Hecker, Chronik, S. 239 f.

mit entsprechenden Auswirkungen auf das Seminarleben erreichte. Am 30. Oktober 1922 lesen wir in der Seniorenchronik: „Der Akad[emische] Bonifatiusverein, der seither seine Gelder zum Einkauf der an die Alumnen des Seminars zu verkaufenden Gegenstände von der Rendantur bezog, sieht sich nach anderen Geldquellen um. Er erhebt von jedem der Herren eine Anleihe in Höhe von 100 M., die am Ende des Semesters zurückgezahlt werden soll. Zugleich eröffnet er ein Fundbüro, das gefundene Gegenstände verwaltet und dem Verlierer aushändigt. Von freiwilligem Finderlohn erhofft er eine Festigung seiner geschwächten Kasse."

„6. Nov[ember] 1922. Heute traf ein Auto ein, das freiwillig gespendete Lebensmittel für das Seminar enthielt. Der Inhalt: Getreide, Gemüse und Kartoffeln wurde(n) von einigen Alumnen unter Vorantritt des Herrn Kersting dem Seminarkeller einverleibt"[33].

Wie sich auch später (während des Zweiten Weltkrieges und danach) noch zeigen sollte, wecken solche extremen Notsituationen unvermutete Talente. So trug der Senior am 16. Dezember 1922 ein: „Herr Professor Mölders teilte heute mit, daß seine Bemühungen um Beschaffung von Lebensmitteln einen guten Erfolg gehabt haben. Etwa 170 Landwirte haben sich verpflichtet, während der drei folgenden Jahre alljährlich je drei Zentner Getreide dem Seminar kostenlos zu überlassen. Daneben treffen noch Spenden von Kartoffeln, Gemüse und dergleichen ein. Auf diese Weise sind wir vor der Not bewahrt, und der Gedanke, das Seminar nach Weihnachten zu schließen, kann jetzt endgültig fallen gelassen werden. Es war eine Erleichterung für die Alumnen, als der Herr Präses im Kolleg eine dahingehende Erklärung abgab. Die Wirkungen der freiwilligen Spenden sind sicht- und fühlbar. Beim Frühstück und beim Vespertrunk steht gutes Schwarzbrot und echtes Weißbrot auf den Tischen. Auch Butter oder Margarine zeigt sich wieder regelmäßig."

Doch stand das eigentliche Notjahr 1923 erst noch bevor. Es kündigte sich zunächst mit einer vordergründig nur politischen Notiz an, die aber Ausdruck der Gesamtlage, auch für die äußere Situation des Seminars, werden sollte. Am 26. Januar notierte der Senior: „Ernsteste Tage sind für unser Volk angebrochen. Die französische Armee ist in das Ruhrgebiet einmarschiert und findet dort bei ihren Anordnungen einen stolzen Widerstand."

Offenbar machte in dieser Notzeit nicht nur die Beköstigung von 130 Seminaristen, sondern auch die Besoldung einer allzu großen Zahl von Neupriestern Schwierigkeiten. 1921 waren 117, 1922 131 Priester geweiht worden, 1923 sollten es 129 werden[34]. Das veranlaßte Kardinal Schulte anläßlich der Skrutinien im Januar 1923 zu der Ankündigung an die Seminaristen[35], „daß es schon schwierig sein werde, für die jetzt zu weihenden Neupriester Stellen in der Erzdiözese zur Verfügung zu stellen, und daß die

33 Dompropst i. R. Dr. Carl Gielen (Seminarist 1922/23) entsinnt sich, dieser Sonderlieferungen. Als einer der „Kräftigsten" habe er immer zu den Seminaristen gehört, die die Kartoffelsäcke entladen und in den Keller transportieren mußten

34 Vgl. Liste der Priesterweihen: Hegel, Geschichte des Erzbistums Köln, Bd. 5, S. 199 (vgl. oben Anm. 1)

35 Seniorenchronik, Eintragung zum 26. 1. 1923

Herren des 1. Semesters daran denken müßten, ihre priesterliche Tätigkeit in der Diaspora zu beginnen." Durch die alsbald auf weniger als die Hälfte absinkende Zahl der Neugeweihten scheint das Problem vorerst nicht akut geworden zu sein. Es sollte verschärft in den dreißiger Jahren wieder auftreten[36].

Schon anläßlich der Subdiakonatsweihe am 17. Februar 1923 hatte der Senior vermerkt: „Der Besuch war jedoch weniger zahlreich, da in den von Franzosen besetzten Teilen des Rheinlandes der Zugverkehr schon seit Wochen still liegt." Am Beginn des neuen Semesters einige Wochen später schrieb der Nachfolger[37]: „Heute, am Feste des hl. Joseph, traten 80 Subdiakone und 57 Introituren das neue Semester an. Mit der Elektrischen, auf Autos und Lastautos sind sie aus allen Teilen der von den Franzosen besetzten Erzdiözese herbeigeeilt; nur ganz wenige hatten an diesem Tage keine Fahrgelegenheit gefunden." Über die belastete Stimmung der Studenten schreibt der Senior am folgenden Tage: „Der Senior begrüßt beim Morgenkaffee die Neueingetretenen. Die dunkle Wolke feindlicher Invasion umnachtet unsere Erzdiözese in diesem Augenblick – voll Sorge ist unser Inneres. Wie soll sich da unser Zusammenleben gestalten? ..."

Während die Eintragungen des Sommersemesters von einer etwas kritisch-depressiven Mentalität des Seniors zeugen, scheint der Senior des folgenden Wintersemesters[38], der uns den Höhepunkt der Inflation und aller daraus folgenden Not aus der Perspektive des Seminars schildert, mit einer eher heiter-gelassenen Gemütsart beschenkt gewesen zu sein. Er begann seine Eintragungen am 18. Oktober 1923: „Beim Abendessen sind alle Alumnen – bis auf vier – zur Stelle; auch diese sind bis zum Abendgebet eingetroffen. Der Eisenbahnbetrieb ruht stellenweise noch immer, und das vielberufene decorum clericale mußte es sich oft gefallen lassen, auf Fuhrwerken oder Lastautos mit Kisten und Kasten dem heiligen Köln zugeführt zu werden. Aber erschwerende Umstände entschuldigen ja immer."

Der Höhepunkt der Inflation im November 1923 brachte es zuwege, daß die peinlich gehandhabte, das Seminar nach außen abschirmende Hausordnung gelockert werden mußte. Der Senior notierte am 7. November: „Der Bonifatius-Verein sieht sich wegen der ungeheuren Valuta-Schwankungen außerstande, den Verkauf von Schreibwaren etc. fortzusetzen. Der Senior schlägt dem Herrn Präses vor, einen Nachmittag im Monat zum Besuch der Geschäfte freizugeben. – Der hochw[ürdigste] Herr Kardinal erlaubt, daß zur Deckung des Notwendigsten an Schreibmaterial etc. die Seminaristen jeden zweiten Donnerstag im Monat ihre Einkäufe in der Stadt besorgen dürfen. Diese von der Seminar-Ordnung wesentlich abweichende Ausnahme" – so hob der Senior hervor – „wird von der Kommunität mit Dank hingenommen."

---

36 Vgl. dazu unten S. 149 f. und S. 164 f.

37 Joseph Heinz (1886–1956), Priesterweihe 1923 in Köln, 1938–1956 Pfarre an St. Josef in Krefeld-Traar (Bistum Aachen): Personalschematismus der Diözese Aachen 1956, S. 33 (Der Schematismus 1960, S. 50, nennt als Ernennungsdatum des neuen Pfarrers von Traar 1956)

38 Der Name läßt sich nicht ermitteln. Das letzte Blatt des Sommersemesters 1923 (auf dem wahrscheinlich die Wahl und der Name des neuen Seniors gestanden haben) ist herausgetrennt worden, wie eine zurückgebliebene Falz erkennen läßt

Die sich zuspitzende wirtschaftliche Not jener Wochen sollte noch weitere Auswirkungen auf die Seminarordnung haben. Am 8. November schrieb der Senior in die Chronik: „Die Einhüllungen in Mäntel, Decken, Filzpantoffeln würden coram publico schwerlich mit dem ‚decorum clericale' zu vereinbaren sein. – Wegen der bösen Kohlennot sollen nur die drei Säle geheizt und zum Studium benutzt werden. Jeder einzelne bekommt einen bestimmten Platz. Das Silentium wird noch einmal besonders betont ... Die Ordnung macht den Alumnen alle Ehre", meint der Senior in einer Bemerkung am 12. November, „jeder betreibt sein Studium so frei und ungestört wie früher als ‚homo privatus'".

Wichtiger noch als die „Schreibwaren" erwiesen sich die Bücher zum Studium. Am 13. bzw. 17. November berichtet die Chronik: „Der Bücherverkauf ist mit großen Schwierigkeiten verknüpft. Auf Vorschlag des Seniors finden sich die Vertreter der Buchhandlungen in den Mittagsstunden zu einer Besprechung mit Vertretern des Seminars ein. Die Verkaufsbedingungen und -vergünstigungen werden eindeutig fixiert und dem Herrn Präses zur Bestätigung vorgelegt. Sie treten vom Tage der Bekanntgabe in Kraft. Außerdem erklären sich die Buchhandlungen bereit, an den Einkaufstagen ihre Geschäfte den Alumnen zu ungezwungener Besichtigung zu öffnen."

Welchen Nöten die geordnete Wirtschaftsführung des Seminars in diesen Wochen ausgesetzt war, illustriert eine Chroniknotiz vom 19. November 1923: „Der Pensionspreis beträgt pro Tag eine Silbermark. Das waren zu Semesterbeginn 400 Millionen. Infolge des rapiden Marksturzes sind es heute 40 Milliarden, und dieser Mißstand wird verstärkt durch die täglichen Kursschwankungen. Wenn das Geld für einen Monat von Hause ankommt, reicht es – in besonders krassen Fällen – nur für fünf Tage. In Zukunft gilt der neue Kurs von Montag für die ganze Woche bis zum Samstagmittag. Der Pensionspreis kann bis zum 1. Jan[uar 1924] im voraus bezahlt werden."

An dieser Stelle läßt der Senior etwas vom Mißbehagen des gütigen, aber um die gestörte Ordnung des Seminars besorgten Präses Berrenrath durchblicken: „Der erste Monat des Semesters ist herum. Der Herr Präses kommt in freundlichen Worten auf die Einhaltung der Hausordnung zu sprechen. Die schwierigen Verkehrsverhältnisse bedingen oft eine Durchbrechung der Hausordnung, das gemeinsame Studium verursacht doch manche Störung für den einzelnen. Die Schwierigkeiten läßt der Vorstand in ihrer ganzen Größe gelten, – aber sie sollen uns zu desto ernsterer Berufsauffassung und gewissenhafter Selbstschulung anspornen."

Wenige Tage später erfolgte der Währungsschnitt, der die Rückkehr zu stabileren Verhältnissen einleitete. Unter dem 23. Dezember 1923 schilderte der Senior die Auswirkungen auf das Seminar: „Nun hat die Not ein Ende ... Die Heizung brennt. Einige behaupten sogar, es sei warm auf ihren Zimmern. Aber das ist die zweite Frage, die jedenfalls nicht ohne weiteres allgemein bejaht werden kann ..."

Für den Präses gab es am Ende dieser schwierigen Monate offenbar eine bange Sorge, wie die aus zwingenden Notwendigkeiten außer Kraft gesetzten Regeln der Hausordnung wieder einzuführen seien. So notierte der Senior unter dem 29. Februar

1924: „Das Semester beschließt der Herr Präses nachmittags um 4 Uhr im letzten Kolleg mit einem Rückblick. Zu Beginn war eine glatte Durchführung des Seminarbetriebes sehr in Frage gestellt. Geldsorgen, Kohlennot, Verkehrsschwierigkeiten beeinträchtigten zuweilen die ungezwungene, ganze Hingabe an die Sache. Eine ernste Gewissenserforschung tut jedem not. Was während des Semesters nicht erreicht wurde, soll wenigstens durch die volle Ausnutzung der Exerzitien nachgeholt werden."

Die Seniorenchronik spricht fortan nicht mehr von der materiellen Armut des Seminarlebens, nicht weil sie mit dem Währungsschnitt im November 1923 behoben gewesen wäre, eher schon, weil man an sie gewöhnt war und sie den Ablauf des Seminarlebens und die Einhaltung der dort geltenden Ordnungen nicht mehr so berührte wie während der Turbulenzen der Jahre 1922/23. Das bestätigt uns ein überlebender Zeuge jener Jahre: Prälat Georg Alfes, der uns in seinen Lebenserinnerungen[39] über seinen Einzug in das Priesterseminar zum Sommersemester 1924 berichtet, es sei „eine wahre Not gewesen, die Textilien für Soutane und Soutanelle zu beschaffen." „Wir wurden freundlich und gütig empfangen und in unsere Zimmer eingewiesen. Diese waren alle gleich bescheiden, zumal was ihre Einrichtung betraf. Wir inspizierten Bett und Schrank, Stuhl und Tisch mit Büchergestell, Stehlampe und Stehpult, wahrscheinlich aus dem vorigen Jahrhundert stammend. Bild der Armut, an dem der hl. Franziskus seine Freude gehabt hätte. Ich wollte nun doch mein Zimmer etwas verschönern und ging in den nächsten Laden" – gleich der erste Verstoß gegen die geheiligte Hausordnung! – „um eine bunte Tischdecke zu erstehen, die dann auch aufgelegt wurde."

Georg Alfes kommt zu dem Schluß: „Vergleiche mit einem modernen Priesterseminar würden den großen Unterschied zwischen beiden Zeiten erkennen lassen. Es wurde uns bewußt, daß solches Wohnen zur Seminar-Askese gehörte und ein Stück Einübung in gelebte Armut und Selbstentäußerung praktizieren sollte."

Die Armut des Seminarlebens stellte jedoch nicht die einzige Herausforderung der angehenden Priester dar. Die Enge des Zusammenhausens unter einer äußerst strengen Ordnung und Disziplin war eine harte Schule. Wie sind die jungen Leute damit fertiggeworden? Die von den Senioren als jugendlichen Zeitzeugen abgefaßte Chronik gibt ein überraschend positives Bild: Präses Berrenrath und die übrigen Priester des Seminars wurden in der Lauterkeit ihrer Absichten anerkannt und genossen liebevolle Zuneigung. Die Strenge der Erziehung lag im Zuge der zuende gegangenen preußischen Ära, wurde aber darüber hinaus in ihren geistlichen Dimensionen als Voraussetzung einer gelingenden priesterlichen Existenz auch innerlich akzeptiert.

Auch hier können einige rückschauende Gedanken von Georg Alfes als Illustration dienen[40]: „Wir haben uns aber oft gefragt: Warum diese Strenge? Warum diese einseitige Gehorsamsforderung? Was stand dahinter? Eine vorwiegend legalistische Denk-

---

[39] Georg Alfes, Teils heiter – Teils wolkig. Stationen eines Priesterlebens 1900–1984, Engelskirchen 1984 – Nachfolgende Zitate: S. 33 f.

[40] Ebd., S. 34

richtung? Ein Mangel an Vertrauen? Die Meinung, allein der Gehorsam sei für die Kirche Christi die unverzichtbare Haltekraft? Die Furcht, Freiheit verführe allzu leicht zum Mißbrauch? Wir wissen es nicht, erfuhren es auch nicht von den Dozenten, weil alles im abgesteckten Rahmen verlief, weil formale und instruktive Anweisungen für das künftige Amt im Vordergrund standen. Jedenfalls waren die geistig und geistlich Aufgeschlossenen unter uns für die vom hl. Paulus verkündete Freiheit offen ..."

Die Seniorenchronik verzeichnet keine Spannungen mit dem Vorstand um die zu große Strenge, eher gelegentlich Spannungen unter den Studenten selbst um das an einander erlebte Ungenügen zwischen Semestergruppen, auch um Elemente des Gemeinschaftslebens, die aus Jugend- und liturgischer Bewegung der Zeit in das Haus sich Eingang verschafften. Ein in sich unbedeutender, aber für junge Seminaristen damals erhellender Konfliktsstoff war die Verteilung der nicht ausreichenden Plätze im Chorgestühl des Domes bei den sonntäglichen Domgottesdiensten. Wir lesen in der Chronik unter dem 29. Oktober 1921: „Zur Vermeidung des Hastens und Drängens bei der Besetzung der Chorstühle im Dom wurde angeordnet, daß die 74 zur Verfügung stehenden Chorplätze" – es waren in Wirklichkeit über 100; doch scheinen damals die Kapitulare und sonstigen Domgeistlichen ihren Chorverpflichtungen noch umfassender nachgekommen zu sein! – „von den Diakonen und abwechselnd von je einem Drittel des 1. Semesters besetzt werden sollen, während die übrigen Herren in den davorstehenden Bänken Platz nehmen."

Da die Seminarmannschaft jährlich wechselte, nutzte eine einmalige Anmahnung einer solchen Ordnung nicht auf Dauer. So lesen wir im Bericht des Seniors für das Sommersemester 1928[41]: „Schade und betrüblich, wenn man gezwungen ist, einer Gruppe von Herren direkt zu verbieten, von den Chorstühlen Beschlag zu nehmen, weil trotz allen Mahnens sonst ein ärgerniserregendes Jagen auf die Chorstühle begann. Doch das sind eben die Widerstände, die Kanten und Ecken, welche das Zusammenleben im Seminar und die harte, strenge Zucht mit geeigneten Mitteln abschleifen muß (sic!)." Eine ähnliche Quelle des Mißbehagens, die häufigere Besserungsversuche auslöste, war das gemeinsame Rezitieren der Psalmen beim Breviergebet.

Tieferreichende Spannungen unter Studentengruppen macht der Senior des Sommersemesters 1923 deutlich[42]. Die zu Ostern eingetretene Gruppe erregte durch ihr Verhalten den Unmut der älteren Studenten. Am 3. April 1923 fand eine Aussprache der Kommunität ohne Vorstand statt, von der der Senior berichtet: „Es wird vom Senior verlangt, daß er scharf und schneidig autoritativ auftreten soll. Der Senior lehnt das ab. Das Seminar sei keine Kaserne, er werde nie Diakone mit Rekruten verwechseln. Aus innerer, freier Selbstbestimmung müßten Träger des Hl. Geistes die Ordnung lieben und bejahen. Sie sei ein lebendiger, unmittelbarer Befehl des Bischofs. Darum sei jede Bestimmung wichtig und bedeutend. Nie habe ein Offizier der alten

---

[41] Dr. Heinrich Holtkamp (*1899), 1928 Priesterweihe, 1952 Pfarrer in Essen-Bredeney: Handbuch des Erzbistums Köln, Köln [24]1954, S. 937

[42] Zu Joseph Heinz s. o. Anm. 37

Armee gemault gegen das Exerzierreglement des Königs, dieser innere Widerstand, dieses Protestieren des Herzens gegen die Seminarordnung müsse unbedingt aufgegeben werden, dürfe nicht das traurige Proprium des jungen Klerus werden. Auch müßten die Nörgeleien gegen den Vorstand als oberflächlich verschwinden. Denn der Vorstand erfülle lediglich die strenge Weisung des Bischofs, seinen Befehlen strikte Geltung zu verschaffen. Es müsse restlos gebrochen werden mit der Menschenfurcht und der pauperistischen Gesinnung, alle die Werte, die wir doch in unserer Seminarordung nicht weniger haben wie (!) der preuss[ische] Offizier in s[einen] Exerzierreglement, geringschätzig zu betrachten. Wir müßten vielmehr stolz darauf sein, uns rühmen, sie gern, freudig und genau erfüllt zu haben."

Diese Philippika des Seniors an seine Kommilitonen, die für die damalige Generation und ihre Mentalität ein nicht untypisches Beispiel liefert, umfaßte noch weitere Punkte. Über ihre Wirkung notierte er: „Die Aussprache endete mit dem allgemeinen festen Vorsatz, in dieser Gesinnung das neue Semester zu beginnen." Daß es diesem Vorsatz wie so vielen anderen guten Vorsätzen erging, zeigt der Eintrag des gleichen Seniors gut einen Monat später, am 5. Mai 1923: „Immer wieder wird das Wesen der Seminarordnung erörtert. Manche meinen, einzelne Bestimmungen, etwa das Verbot, ein Geschäft zu besuchen, sei[en] vom gesunden Menschenverstand aus doch nicht so wichtig. Andere aber erwidern mit Recht, wenn der Oberst kommandiere ‚Rechtsum!', und alle befolgen den Befehl, nur der ein[e] und andere macht ‚Linksum', so sei das vom Standpunkt des Bürgers eine Kleinigkeit, was wird aber der Oberst dazu sagen und sagen müssen? – Gewiss, Ordnung ist nicht das Ganze des Lebens, sie ist das Gefäß, sein Inhalt ist die Innerlichkeit. Ist das Gefäß defekt, so kommt auch der Inhalt zu Schaden. Erst aus der Harmonie von Ordnung und Innerlichkeit resultiert der Friede. Darum ist es die Aufgabe des Seminarvorstandes, mit aller Strenge auf vollkommene Durchführung der Ordnung Bedacht zu nehmen."

Ein weiterer Bereich, an dem sich gelegentlich der Unmut der zunehmend unter Einflüssen der liturgischen Bewegung stehenden Seminaristen entzündete, bildeten die Liturgiegestaltung, die Gebetsgebräuche und der Stil der Frömmigkeit. Schon am 23. März 1923 hatte der Senior notiert: „Es wird dem Vorstand die Bitte unterbreitet, die drei bzw. fünf Vater unser bei der Adoratio nach Tisch wegfallen [zu lassen] und statt dessen des Mittags den Hymnus Adoro te, des Abends Pange lingua beten zu lassen. In gemeinschaftlichem Gebet werden täglich von der Kommunität etwa zwanzig Vater uns gebetet. Das Vater unser richtet sich nach den Vorschriften des Heilandes primär an den Vater."

Umfassender äußerte sich der Senior des Sommersemester 1926[43] über die Problematik des geistlichen Lebens im Seminar. Die Kommunität versammelte sich zu Beginn des Semesters zu einer grundsätzlichen Aussprache über die diesbezüglichen Mängel und formulierte einstimmig Verbesserungsvorschläge. Dem Senior ist zuzu-

---

[43] Peter Richrath (1902–1960), 1938–1945 Pfarrektor an St. Konrad in Neuss, ab 1945 Pfarrer an Dreikönigen in Neuss, zuletzt Stadtdechant: Handbuch des Erzbistums Köln, Köln [25]1958, S. 1012; Totenzettel: Sammlung HAEK

stimmen, wenn er schreibt: „Ich halte die Vorschläge für so charakteristisch für die Situation und auch jetzt noch [d.h.: nach Ende des Semesters, in dem sie beschlossen wurden!] für so wichtig für das Leben im Seminar, daß ich es mir nicht versagen kann, sie hier niederzuschreiben. 1. Morgen- und Abendgebet: Es wird vorgeschlagen, an Stelle des jetzigen Morgen- und Abendgebetes Prim und Komplet zu nehmen ... Bei Ablehnung dieses Vorschlages solle um ein neues M[orgen-] u[nd] A[bend]gebet gebeten werden, das kerniger, knapper und responsorialer gehalten sei unter Ersetzung der Pater noster durch Responsorien und Reduzierung der täglichen 3(drei) Litaneien auf zwei ... – 2. Breviergebet: Bessere Verteilung der Horen. Aufteilung der großen Komplexe! Nur so schien uns ein würdiges Brevier*gebet* ermöglicht werden zu können. Angeregt wurde auch, daß das Eindringen in den liturgisch-aszetischen Gehalt des Breviers einen Platz im offiziellen Unterricht des Seminars wiederfinden möchte. – 3. Seminarmesse: Das gemeinschaftliche Gebet solle nur noch an drei Tagen statt an vier Tagen sein. An den drei Tagen solle aber auch wirklich gemeinsam gebetet werden und zwar solle das Gebet sich möglichst stark an die hl. Messe und an die Gebete des Missale anschließen. Auch die Lieder sollten sich anpassen. Das gemeinsame Rezitieren einzelner Teile wird angeregt, wie überhaupt als Ideal einer gemeinsamen Seminarmesse die missa recitata gesehen wird. Zur Vorbereitung auf die hl. Kommunion solle gemeinsam das Confiteor gebetet werden." Diese Vorschläge lassen ahnen, wie Gebet und Meßgestaltung bisher ausgesehen hatten.

Der Senior stellte schließlich enttäuscht den Mißerfolg der gutgemeinten Initiative fest: Die Vorschläge wurden von Berrenrath entweder abgelehnt oder an die Eigeninitiative der Seminaristen zurückverwiesen, an der es dann fehlte. Aus den Kommentaren des Seniors erfahren wir dann noch beiläufig, daß „in jeder Seminarmesse im Monat Oktober" der Rosenkranz gebetet wurde. „Es konnte nicht erreicht werden, daß wir im Monat Juni nicht zweimal [täglich!] die Herz-Jesu-Litanei beten mußten. In diesem Monat beteten wir jeden Tag vier Litaneien, morgens und mittags die Herz-Jesu-Litanei". Zum Schluß äußerte der Senior die gewiß kaum zu bestreitende Überzeugung der Kommunität, „daß hier im Seminarleben wirklich etwas geändert werden muß, daß hier ein innerer Neubau[44] not tut, sollen nicht schwerste Schäden entstehen."

Für die politische Einstellung der damaligen Seminaristen gibt ein Eintrag der Seniorenchronik über das Sommersemester 1927 ein beredtes Zeugnis[45]. Aus besonderem Anlaß geriet der Senior mit dem Seminarrendanten Kühling aneinander: „Es war

[44] Hier ist auf die Grundsteinlegung zu dem neuen Seminargebäude in Bensberg angespielt, die im gleichen Semester stattfand

[45] Senior für das Sommersemester 1927 war Wilhelm Vospohl (1899–1974), ab 1929 Berufsschul-Religionslehrer in Köln, 1943–1949 Stadtjugendseelsorger für die weibl. Jugend in Köln, ab 1949 Referent für das berufsbildende Schulwesen im Kölner Generalvikariat. Der Eintrag über den nachfolgenden Vorfall in die Seniorenchronik stammt jedoch von Vospohls Nachfolger: Hans Geulen (*1902), überwiegend als Religionslehrer tätig, 1945–1967 in Oberhausen als Realschulpfarrer, Msgr.: Handbuch des Bistums Essen, Bd. 2, Essen ^{2}1974, S. 667f.

am Tage unserer Pfarrprozession [von St. Mariä-Himmelfahrt], als die Seminaristen beim Auszuge aus der Kirche an der Seminarfront eine große Fahne entdeckten aus einem Jahrhundert, das heute nicht mehr existiert. Sie bestand aus den Farben Schwarz-Weiß-Rot und zeigte im weißen Feld einen gekrönten Adler." Der Vorfall habe Zuschauerreaktionen ausgelöst, so daß der Senior sich bemüßigt fühlte, den verantwortlichen Rendanten auf die Gefahren hinzuweisen, „die durch solche Dinge unserer eigenen Arbeit später drohen. Mag man denken, wie man will: Es war unklug, durch Aushängen dieser Fahne draußen den Anschein zu erwecken, als würden im Seminar die jungen Priester in einem Geiste erzogen, der der heutigen Zeit total fremd, ja feindlich ist ... Über diese Dinge ging also der Streit, und es war dem Senior nicht leicht, den Herrn Rendanten zu überzeugen, daß die Seminaristen keine Monarchisten sind. Als dieses schließlich geglückt war, ging der Herr Rendant auf die Vorschläge, die Fahne praktisch in Küche oder Haushalt zu verwerten oder sie uns auf gütige Weise gegen eine Kirchenfahne auszutauschen, nicht ein ..." Statt einer sachlichen Einigung kam es zu einem versöhnlichen Händedruck, „im Herzen nur noch die eine trostvolle Hoffnung, daß schwarz-weiß-rote Fahnen nicht zu den Schätzen gehören, die Rost und Motten nicht verzehren."

2. Die Pläne zur Verlegung des Seminars aus der Stadt

Bereits im Jahre 1924 entwickelte Kardinal Schulte mit seinen Beratern Pläne zu einem Seminarneubau außerhalb der Stadt, für den in Bensberg schließlich nach anderen Projekten ein geeignetes und hinreichend großes Gelände an der Weierhardt erworben wurde[46]. Für Schultes Neubaupläne war ein doppelter Grund bestimmend.

Einmal machte die Enge des Gebäudes an der Marzellenstraße und seine Lage inmitten des Großstadtverkehrs sich immer drückender bemerkbar. Zwar war die Zahl der Weihen ab 1925 erheblich geringer als in den Jahren davor[47]. Doch führte der mit

---

[46] Über die frühen Überlegungen und über den Erwerb des Geländes in Bensberg s. den Bericht des späteren Regens Hermann Joseph Hecker in der von ihm 1929 angelegten „Chronik des Erzbischöflichen Priesterseminars", S. 1–19 – Die *Chronik* wurde von den Regenten Hecker, Frings, Lieser, Frotz und Peifer kontinuierlich geschrieben und umfaßt zwei Bände: 1. Band: 1929–1953; 2. Band: 1953–1968. Über das Schicksal des 1. Bandes berichtet Hecker auf dem Titelblatt: „Die für das Priesterseminar in Bensberg angelegte Chronik wurde nach der Beschlagnahme des Seminars im Mai 1941 nach Köln in das Gen.-Vikariatsgebäude, Marzellenstr., gebracht, bald aber zur Sicherung in einem eisernen Schrank des Diözesanarchivs, Eintrachtstraße, niedergelegt. Am 29. Juni 1943 wurde dieses Gebäude bei einem englischen Fliegerangriff zerstört. Seminar-Rendant Kühling und Seminarprofessor Domkapellmeister Mölders fanden hierbei den Tod. Die Chronik wurde durch Einwirkung des Feuers stark beschädigt. Im Jahre 1945 wurde die vorliegende Neuschrift bzw. Abschrift angefertigt, und zwar von den Regenten selbst, mit der Ausnahme, daß der Abschnitt, der von Regens Dr. Frings geschrieben war, durch eine Ordensschwester abgeschrieben wurde". Das verkohlte Originalexemplar liegt im HAEK, Depositum Priesterseminar. Das Chronik-Werk wird künftig zitiert: Seminarchronik I bzw. II

[47] 1925: 25; 1926: 53; 1927: 69; 1928: 84; 1929: 64: Hegel, Geschichte des Erzbistums Köln, Bd. 5, S. 199

dem Sommersemester 1925 wieder auf drei Semester verlängerte Studiengang am Seminar zu Seminaristenzahlen von 130–140[48]. Kardinal Schulte beabsichtigte darüber hinaus schon bei der Planung des Neubaus, in Bensberg den Seminaraufenthalt auf vier Semester auszudehnen[49].

Die Not der Enge im Zusammenleben so zahlreicher junger Leute, vor allem die unzureichenden Erholungsmöglichkeiten, fanden häufiger ihren Niederschlag in der Seniorenchronik. So heißt es im Sommersemester 1927 angesichts von 139 Seminaristen[50]: „Dieser Umstand mußte auf Drängen aller vom Senior des öfteren im Laufe des Semesters den Herren des Vorstandes dargetan werden mit der dringenden Bitte, weitgehendste Erholungsmöglichkeiten zu schaffen. Die Herren des Vorstandes brachten diesen Bitten größtes Verständnis entgegen, betonten aber, nur durch Verlängerung der Mittagsspaziergänge an den Tagen, an welchen sich eine Gelegenheit dazu bot, abhelfen zu können."

Im Winter wurden die Mißstände des Hauses auf der Marzellenstraße nicht minder als im Sommer empfunden[51]: „Das neue Wintersemester war in einigen Zimmern recht warm, in den meisten aber recht kalt, im ganzen Betrieb recht lau. Wenn der Chronist wahr berichten soll, so kann er nicht verhehlen, daß die großen Semester sich nicht leicht in den Geist des Hauses finden konnten. Von einigen wenigen wurde ein Gedanke geschürt, der beim Gros gute Schule machte, und dies war der des unbedingten Selbstbewußtseins, das seine Grenzen nicht kennt. Damit machten sich viele das Seminar zu einer Stätte, wo man zu Grunde gehen müsse, wenn es keine Ausnahmen von Ordnung und Sitte gebe. Dieser eingebildete Geist des Martyriums schuf in vielen eine Mattheit, die sich auch körperlich zeigte. Es wurde zur Mode, am Seminar ‚zu leiden' oder ‚kaputt zu gehen', und man schuf so eine Luft, in der wirklich nicht schön leben war..."

Daß dieser „Koller" viel mit den beengten Lebensverhältnissen zu tun hatte, umschrieb der nachfolgende Senior des Sommersemesters 1928[52] mit mehr humorigen als bitteren Worten: „Noch einmal hatte das ehrwürdige Gebäude – diese seltsame Insel der ‚Heiligen' in der Großstadt Köln – einen heißen Sommer hindurch etwa 130 Seminaristen. Treffend war der Ausspruch unseres Subregens: Als er jedem seinen Platz im Hörsaal angewiesen hatte, konstatierte er lakonisch: ‚Voll wie ein Ei'".
Der Innendruck des Hauses war so stark, daß sich Präses Berrenrath zur Lockerung in Sachen Sonderausgänge entschloß. „Bei den Herren Geistlichen in der Stadt erregte dieser Vorfall allgemeines Erstaunen, wenn nicht gar Befremden." – Der Klerus hat

[48] Die Verlängerung des Studiengangs auf drei Semester im Sommer 1925 und die Seminaristenzahlen ergeben sich aus der Seniorenchronik

[49] Die Verlängerung des Seminarstudiengangs auf volle zwei Jahre war durch c. 1365 C.I.C. nahegelegt, der den Zeitraum des gesamten theologischen Studiums auf sechs Jahre (zwei Jahre Philosophie, vier Jahre Theologie) festlegte. Bei vier Jahren Universitätsstudium in Bonn verblieben für das Priesterseminar zwei Jahre

[50] Senior: Wilhelm Vospohl (s. oben Anm. 45)

[51] Senior: Hans Geulen (s. oben Anm. 45)

[52] Dr. Heinrich Holtkamp (s. oben Anm. 41)

sich offenbar schon damals um eine hinreichend strenge Disziplin in der Kleruserziehung gesorgt! – „Gleiches Erstaunen rief die in den ersten Wochen des Semesters getroffene Neuerung hervor, daß der Ausgang an den Mittwochen bis zum Kaffeetrinken (4 Uhr) verlängert wurde. Diese freien Stunden mittwochs wurden gut ausgenutzt: zum Stadtwald, zum Flugplatz, vor allem aber zum Königsforst brachten die Straßenbahnen die Licht- und Luft-hungrigen Seminaristen, und selbst im Regenwetter wurde die volle Zeit zum Ausgang genutzt." Der Senior fügte hinzu: „An dieser Stelle spricht deshalb der Chronist Se[iner] Eminenz, dem hochwürdigsten Herrn Kardinal, und den Herren des Vorstandes, welche soviel Verständnis für die junge Generation zeigten, den gebührenden Dank aus."

Auf dem Hintergrud der Enge-Erfahrungen an der Marzellenstraße fand der Bensberger Neubauplan bei den Seminaristen uneingeschränkte Zustimmung. Seit 1925 wurde in jedem Sommersemester der gemeinsame Ausflug nach Bensberg gelenkt, um zunächst den Bauplatz in Augenschein zu nehmen, dann den Fortgang der Bauarbeiten zu bewundern. Vielleicht wären die Seminaristen in ihrer Begeisterung etwas zurückhaltender gewesen, wenn sie von einer zweiten Motivation und Absicht des Erzbischofs bei diesem Projekt gewußt bzw. Kenntnis genommen hätten.

Georg Alfes hat in seinen Lebenserinnerungen im Rückblick auf sein Seminarjahr 1924/25 die Armut und Askese des Seminarlebens betont. „Von dieser Askese war auch die Hausordnung erfüllt, die uns in die Hand gegeben und immer wieder exegesiert wurde. Sie war streng, vielleicht sogar strenger als manches Klosterleben."[53] Kardinal Schulte war jedoch die Weltabgeschiedenheit des Seminars noch nicht weitgehend genug. In seiner Predigt bei der Grundsteinlegung des Bensberger Seminargebäudes in Gegenwart des Nuntius Pacelli[54] wies Schulte zunächst auf die Ungunst der Kölner Seminarverhältnisse hin, um dann fortzufahren: „Es handelt sich jedoch um weit mehr noch als bloß um Hygiene. Unserem priesterlichen Nachwuchs sollte wenigstens einmal in der Ausbildungszeit, wenigstens im Priesterseminar, jene wohltuende Stille und jene Abgeschiedenheit von der Welt zuteil werden, die zur Vorbereitung auf die h. Weihen gehören und die über das ganze spätere priesterliche Leben Segen verbreiten. Man kann sich nicht leicht in übertriebener Weise vorstellen, welchen Hemmnissen die geistige und geistliche Konzentration unserer Theologiestudierenden während ihrer Ausbildungsjahre ausgesetzt ist[55]. Immer ernster drängte daher die Frage der Verlegung des Seminars von seinem jetzigen Platze ..."

So wurde die Verlegung des Seminars nach Bensberg nicht nur ein Bauprogramm (das an anderer Stelle dieses Bandes beschrieben ist), sondern eine Neugestaltung, zumindest eine Modifizierung, des inneren Konzepts. Kardinal Schulte stellte dafür zunächst ein neues Seminarkollegium zusammen. Von den am Kölner Seminar wir-

---

53 Alfes, Stationen eines Priesterlebens (vgl. oben Anm. 39), S. 33

54 In der Seminarchronik I (vgl. oben Anm. 46), S. 28–36, hier: S. 31

55 In der Seniorenchronik und in Berichten überlebender Zeitzeugen wird häufiger auf das Gefälle von Strenge und Disziplin zwischen den Bonner Konvikten und dem Seminar hingewiesen. Nach Schultes Intentionen sollte im Seminar erreicht werden, was unter den Voraussetzungen des Universitätsbetriebes in Bonn nicht durchzusetzen war

kenden Herren konnten bzw. wollten nicht mehr mit nach Bensberg gehen: der hochverdiente, aber inzwischen über siebzigjährige Präses Berrenrath, Subregens Engels und Professor Susen. Seminarbibliothekar Heusgen blieb wegen Gründung der „Diözesan- und Dombibliothek“ mit dem Hauptbestand der Seminarbibliothek in Köln. So konnten nur die Professoren Mölders und Ballof sowie der Spiritual P. Haggeney mit nach Bensberg gehen, von denen Mölders wegen seines Amtes als Domkapellmeister nicht im neuen Seminar Wohnungen nehmen konnte.

Als neuen Regens nahm Schulte den Bensberger Pfarrer Hermann Joseph Hecker[56] in Aussicht. Als einer, der Regens Hecker noch als Seminarist erlebt hat, charakterisiert ihn Eduard Hegel[57]: „Er war, wie Weihbischof Stoffels es formulierte, ein eifriger, selbstlos wirkender, idealer und vorbildlicher Seelsorger, der ein kräftig pulsierendes religiöses Leben (in seiner Pfarrei) entwickelt hat! In seinem Charakter und in der Handhabung der Disziplin mochte er wohl dem ... Präses Kleinheidt am nächsten stehen. Die klösterliche Abgeschiedenheit und der feierliche Ernst des Bensberger Seminarlebens, wie Hecker es gestaltete, entsprachen aber auch ganz den Vorstellungen des Oberhirten, an die sich Hecker unbedingt gebunden fühlte. Die Alumnen und auch der Diözesanklerus übten jedoch Kritik. Diese richtete sich freilich noch mehr gegen den Subregens Wilhelm Heinen[58], dessen Enge in moraltheologischen Fragen und krankhafte Ängstlichkeit ihn in seiner Stellung nicht tragbar erscheinen ließen.“ Den gleichen Eindruck bestätigt ein anderer Zeitzeuge, Hugo Poth[59]: „Sicherlich war es unklug, dem gestandenen Dogmatiker, dem liebenswürdigen und immer hilfsbereiten, wenn auch gehemmten und ängstlichen Subregens Heinen das Fach Moraltheologie anzuvertrauen. Er spürte die Resistenz seiner Hörer und wurde zunehmend unsicherer.“ An anderer Stelle ergänzt Hegel allerdings: „In der Predigtkunst, in die er ebenfalls einzuführen hatte, war er dagegen ein Meister.“

Auch die beiden weiteren Neuberufungen für das Bensberger Seminar hat Hegel kurz und treffend charakterisiert[60]: „Theologisch bedeutend war Carl Feckes[61], ein intimer Kenner der Theologie Scheebens; er hat ihr durch seine eigenen Arbeiten zur Ekklesiologie und Mariologie zu jener Beachtung verholfen, die ihr zu Lebzeiten des

---

[56] Hermann Joseph Hecker (1879–1960), 1917–1929 Pfarrer an St. Nikolaus in Bensberg, 1929–1937 Regens des Priesterseminars, 1937 Domkapitular und Generalvikariatsrat, 1946 Domdechant, 1948 Dompropst in Köln: Hecker, Chronik, S. 263 f.

[57] Hegel, Geschichte des Erzbistums Köln, Bd. 5, S. 243

[58] Wilhelm Heinen (1885–1955), 1917–1923 Religionslehrer am Schwesternzlyzeum U. L. F. in Eschweiler, 1923–1929 Repetent am Collegium Albertinum in Bonn, 1929–1937 Subregens am Priesterseminar, 1937 Seelsorgeamtsleiter in Köln: Hecker, Chronik, S. 265

[59] Pfarrer Msgr. Dr. Hugo Poth (*1905, Seminarist 1931–1933) in einem Brief an den Autor am 5. 2. 1986

[60] Hegel, Geschichte des Erzbistums Köln, Bd. 5, S. 245

[61] Carl Feckes (1894–1958), 1918 Priester des Erzbistums Köln, 1921–1924 weiterführende Studien an der Gregoriana in Rom, 1924–1929 Dozent an der Albertus-Magnus-Akademie Köln, ab 1929 Professor für Dogmatik am Priesterseminar: Hecker, Chronik, S. 266 ff.; Dieter Froitzheim, Personalchronik des Kölner Priesterseminars 1951–1976. Ergänzungen zur Chronik H. J. Heckers (= Studien zur Kölner Kirchengeschichte, Bd. 12), Siegburg 1976, S. 22 f.

großen Theologen versagt geblieben war. Ebensowenig wie sein Vorbild hat Feckes die Tiefe seiner Gedanken den Seminaristen in einer entsprechenden Form vorzutragen verstanden; dennoch blieb diese den Hörern nicht verborgen. Der Tillmann-Schüler Joseph Klein[62] dozierte zunächst Kirchenrecht, später auch Moraltheologie, ein philosophisch und theologisch gebildeter Mann, der seine Vorlesungen mit viel wissenschaftlicher Problematik befrachtete." Wie manche überlebende Zeitzeugen dem Autor mitteilten, brachte vor allem Klein den Studenten sehr viel Verständnis und menschliche Hilfsbereitschaft entgegen und trug so zur Entkrampfung der engen Seminaratmosphäre bei. Trotz seines späteren Übertritts zur altlutherischen Kirche steht er bei diesen früheren Studenten in hohem Ansehen.

Das Leben im neuen Priesterseminar sollte noch abgeschiedener, noch strenger und straffer reglementiert sein, als es in Köln gewesen war. Das ergab sich nicht allein aus der Lage auf stadtferner Bergeshöhe; die in Köln in begrenztem Umfang gewährte Teilnahme an kulturellen Angeboten der Stadt fiel weg. Auch die von Hecker bereits vor der Eröffnung des Seminars entworfene, von Kardinal Schulte am 3. April 1929 genehmigte Tagesordnung[63] (die Statuten von 1921 wurden unverändert übernommen[64]), läßt die strengere Seminarauffassung erkennen. Zwischen 5.30 Uhr und 21.30 Uhr waren Gebetszeiten, Vorlesungen, Übungen und Studium minutiös festgelegt. Der zunächst zweimal wöchenlich vorgesehene, später tägliche Ausgang in der Mittagsstunde (einmal dreistündig) mußte in festgelegten Gruppen vorgenommen werden. Für diese Spaziergänge von montags bis freitags gab es eine Kleiderordnung. Johannes Zingsheim schreibt[65]: „Es war Pflicht, auf den Spaziergängen Soutanelle und *Hut* zu tragen!" Weihbischof Ernst Tewes[66] erinnert daran, „daß die Seminaristen vor jeder Weihe damals ein Juramentum ablegten, in dem auch wohl etwas über ‚geistliche Kleidung' gesagt war. Jedenfalls erinnere ich mich noch sehr gut an die Einführung in dieses Juramentum vonseiten des Regens Hecker: Selbst wenn die kirchliche Kleiderordnung einmal anders aussehen würde, wir wären jedenfalls an Soutane, Talar, Soutanelle durch das Juramentum für immer gebunden!"

In der Handhabung dieser bisweilen überzogen strengen Seminarordnung ging Regens Hecker noch weiter als Erzbischof Schulte[66a]. Hecker hatte bei Erstellung der

---

62 Joseph Klein (1896–1976), 1922 Priester des Erzbistums Köln, 1926–1929 Kirchenrechtsstudien und Promotion an der Gregoriana in Rom, 1929–1949 Professor für Kirchenrecht am Priesterseminar, ab 1949 Professor für Philosophie in Göttingen, später Übertritt zur altlutherischen Kirche: Hecker, Chronik, S. 269; Froitzheim, Personalchronik, S. 23

63 Abschrift: Seminarchronik I, S. 49ff.; HAEK – CR 8 A 1.1,3 (Durchschrift in den Erzbistumsakten)

64 Abschrift: Seminarchronik I, S. 43–46

65 Johannes Zingsheim (*1913, Seminarist 1936–1938) in einem Brief an den Autor am 23. 1. 1986

66 Weihbischof Dr. Ernst Tewes in Münschen (Seminarist in Bensberg 1932–1934) in einem Brief an den Autor am 12. 2. 1986

66a Weihbischof DDr. Augustinus Frotz hat den Verfasser in einem Brief am 29.10.1984 auf das von zahlreichen älteren Priestern bestätigte Verbot Heckers an die Seminaristen hingewiesen, sich zu einem Mittagsschlaf auf das Bett zu legen. Lediglich ein „Nickerchen" auf dem

Seminarordnung die Verschließbarkeit der Seminaristenzimmer zum Thema gemacht[67]: „Was das Nichtverschließen der Alumnenzimmer betrifft, so macht Herr Subregens Engels darauf aufmerksam, daß es doch Situationen gebe, in denen die Alumnen es nicht über sich bringen würden, auf das Verschließen des Zimmers zu verzichten. Mehrere Mitglieder des neuen Vorstandes weisen darauf hin, daß während der Nacht wenigstens die Zimmer verschlossen sein müßten, sonst könnte z.B. ein Nachtwandler viel Aufregung und Schrecken verursachen; im Albertinum zu Bonn habe früher die fehlende Verschlußmöglichkeit die Konviktoristen zur Selbsthilfe getrieben, was in vielen Fällen zu Beschädigungen der Türen geführt habe."

Der gewiß strenge Erzbischof antwortete Hecker am 2. April 1929: „Die Alumnenzimmer müssen sämtlich verschließbar sein, und das Schließen und Öffnen muß bei Tag und bei Nacht den Alumnen überlassen bleiben. Die Alumnen sollen aber Anweisung bekommen, wann erwartet wird, daß die Tür geöffnet bzw. geschlossen sei; im übrigen müssen sie auch hinsichtlich dieses Punktes als normale, gesunde, gewissenhafte junge Menschen, die binnen kurzem vollkommen selbständig sein werden, bewertet und behandelt werden."[68]

Hecker, mit dessen Berufung der ehrwürdige Präses-Titel abgeschafft und der an den übrigen deutschen Priesterseminaren übliche Titel „Regens" eingeführt wurde, legte – beginnend mit der Vorgeschichte des Bensberger Seminargebäudes – eine Chronik an, die von seinen Nachfolgern bis 1968 fortgeführt wurde. Durch ihre überwiegend sachlichen und schematisierten Eintragungen gewinnt sie – zumindest unter Regens Hecker – selten die Farbigkeit und Plastizität, die wir von der Seniorenchronik gewohnt sind[69].

3. Die ersten Jahre im Bensberger Seminar

Über die Anfänge des Seminarlebens in Bensberg berichtet Hecker[70]: „Die ersten Alumnen des neuen Seminars hielten am 7. Mai 1929 nachmittags ihren Einzug. Die

Stuhl war erlaubt. Dabei sollte man einen Schlüsselbund in der Hand halten, der einen durch sein Fallen aufweckte. Trotz seiner Strenge habe Hecker den ungeteilten Respekt der Seminaristen gefunden, da er nichts von ihnen erwartete, was er nicht zunächst sich selbst abverlangte

67 Hecker an Schulte am 31. 3. 1929 (Original): HAEK – CR 8 A 1.1,3

68 Schulte an Hecker am 2. 4. 1929 (Original): Seminar-Archiv, Ordner 6: Erzbischof – Anweisungen, Besprechungen, Korrespondenz; Kopie und eigenh. Entwurf Schultes: HAEK – CR 8 A. 1.1,3 – Zu dem letzten Satz schrieb Prof. Dr. Wilhelm Kübel in Bonn (*1909, Seminarist 1933–1935) am 19. 1. 1986 an den Autor: „Aus dem Brief von Kardinal Schulte hat mich der Passus ‚junge Menschen, die binnen kurzem vollkommen selbständig sein werden', den ich damals natürlich nicht kannte, besonders berührt. Von diesem Erziehungsauftrag haben wir kaum etwas gespürt. Während meiner Seniorenzeit habe ich darüber eine längere Aussprache mit dem damaligen Subregens Heinen geführt, nach meiner Erinnerung ohne Erfolg"

69 Vgl. oben S. 149 mit Anm. 46

70 Seminarchronik I, S. 41

Gesamtzahl betrug 129 ... 59 Studierende begannen ihr erstes Semester; für die letzteren tritt die neue Regelung in Kraft, daß die Seminarausbildung vier Semester, also zwei Jahre, dauern soll ... Jedem Seminaristen wurde ein eigenes Zimmer angewiesen." Bei der Eröffnungsandacht verlas der neue Regens einen „Hirtenbrief Sr. Eminenz über das Priesterseminar", der „gleichsam die Eröffnungsurkunde für das Seminar in Bensberg ist."

Eine praktische Frage brachte der Umzug nach Bensberg mit sich: die Teilnahme der Seminaristen am sonntäglichen Domgottesdienst. Hecker vermerkt in der Chronik[71]: „An allen Sonn- und Feiertagen fährt zwecks Teilnahme am Hochamt in der Domkirche eine Abteilung der Seminaristen in der Zahl von etwa 40 in einem Postkraftwagen nach Köln; jedesmal fährt ein Vorstandsmitglied mit. Die Kosten trägt die Erzbistumskasse ..." Selbst für die Busfahrt war Stillschweigen urgiert!

Die Zahl der Seminaristen stieg in Bensberg bis zum Sommersemester 1932 auf 193 an, „so daß noch ein Dienerzimmer freigemacht werden mußte, damit alle Unterkommen fänden."[72] Zwar ging die Zahl durch das Ausscheiden der Kandidaten des neugegründeten Bistums Aachen ab 1933 wieder etwas zurück. Doch hatte die Fülle des Hauses ungeahnte Auswirkungen. Bezeichnend für die Mentalität und die Sorgen des Regens Hecker ist sein Eintrag in die Chronik im Sommer 1932[73]: „Die vielfach nicht den Forderungen des Anstandes entsprechende Kleidung weiblicher Personen hat uns veranlaßt, zur Besuchszeit durch eine unserer Ordensschwestern an der Straßenpforte Aufsicht führen zu lassen, damit Anverwandte von Seminaristen zurückgewiesen würden, wenn ihre Kleidung nicht einwandfrei wäre."

Doch war der sonntägliche Besucherstrom, der zeitweilig auf die Eltern eingeschränkt werden mußte, nur ein Randproblem der großen Seminaristenzahl. Die Erzdiözese Köln (in ihrem durch die Abtrennung des Bistums Aachen verringerten Umfang) hat niemals vorher einen so zahlreichen Priesternachwuchs erreicht wie in den dreißiger Jahren unseres Jahrhunderts. Die Zahl der jährlichen Priesterweihen schwankte zwischen 70 und 90[74]. Es dürfte kaum exakt zu ermitteln sein, aus welchen Ursachen und Motiven die Zahl der Priesterberufe in Köln und anderen westdeutschen Bistümern solche Ausmaße annahm, zumal in den süd- und ostdeutschen Diözesen die Zahlen der jährlichen Neupriester in bescheideneren Grenzen blieben, doch dürften die liturgische Bewegung, vor allem aber die vom Jugendhaus Düsseldorf und von Altenberg inspirierte Jugendbewegung für die hohe Zahl der Priesterberufe in den westdeutschen Diözesen entscheidend gewesen sein. Zahlreiche Priesteramtskandidaten sind direkt aus den katholischen Jugendverbänden, zumal aus der „Sturmschar" und dem Schülerbund „Neudeutschland", aber auch aus dem von Romano

71 Ebd., S. 51f.
72 Seminarchronik I, S. 88
73 Ebd., S. 90
74 1933: 71; 1934: 74; 1935: 84; 1936: 84; 1937: 68; 1938: 85: Hegel, Geschichte des Erzbistums Köln, Bd. 5, S. 199

Guardini auf Burg Rothenfels geformten „Quickborn“[75], hervorgegangen. Es mag auch sein, daß die wirtschaftliche und politische Krisenstimmung der späten zwanziger und frühen dreißiger Jahre zu einer tieferen Sinnsuche und Entschiedenheit beigetragen und manchen angehenden Priester motiviert hat.

Während Hecker caritative Initiativen, z. B. eine Brotverteilungsaktion an bedürftige Bensberger Familien in den Jahren der Wirtschaftskrise, förderte, machte die Gestaltung der „Nach-Weihnachtstage“ den Wandel zwischen Köln und Bensberg in Richtung einer größeren Abgeschiedenheit des Seminars deutlich. Im Winter 1931/32 schrieb Hecker selbst in die Chronik[76]: „Im Seminar zu Köln erschienen in den letzten Jahren während der Weihnachtsoktav mehrere Diözesanpräsides größerer Vereinigungen, um eine Reihe Vorträge über ihr Arbeitsgebiet zu halten. Wir begannen bald, dies zu ändern, da in der Seelsorge-Einführung, die wöchentlich in einer Stunde gehalten wird, auch die Vereins-Seelsorge ausführlich behandelt wird. Wohl kommen auch jetzt noch einige Diözesanpräsides zu Vorträgen, aber diese Vorträge werden über die Semester verteilt. Herr Verbandspräses Dr. Otto Müller (Kath. Arbeitervereine)[77] kommt in jedem Semester etwa dreimal, ebenso Herr Relgionslehrer Houben (Diözesanreferent für den Religionsunterricht in der Berufsschule)[78], Herr Generalpräses Hürth (Kath. Gesellenvereine) einmal in jedem Semester. In der Weihnachtswoche 1930 hielt Herr Religionslehrer Kaaf aus Aachen[79] eine Reihe von Vorträgen über den Religionsunterricht in der Berufsschule, in der Weihnachtswoche 1931 Herr Religionslehrer Friedrichs aus Münster[80] über denselben Gegenstand.“ Es war offensichtlich Heckers Absicht, den Seminaristen die erforderlichen Informationen vermitteln zu lassen, doch die in Köln so sehr begrüßte Unterbrechung des Seminarbetriebes zwischen Weihnachten und Epiphanie zu vermeiden.

---

[75] Auf eine nicht unwesentliche Zahl ehemaliger Quickborner unter den Seminaristen machten Prof. Dr. Wilhelm Kübel (Bonn) und Msgr. Friedrich Eink (Köln) den Autor aufmerksam

[76] Seminarchronik I, S. 84 f.

[77] Otto Müller (1870–1944), 1894 Priester des Erzbistums Köln, ab 1918 Verbandsvorsitzender der kath. Arbeitervereine Westdeutschlands, als Widerstandskämpfer gegen den Nationalsozialismus im Zuchthaus Berlin-Tegel verstorben: Kosch, Biogr. Staatshandbuch I, S. 887; Albert Heinemann, Otto Müller, priesterlicher Dienst am Nächsten, in: Arbeit und Opfer, hrsg. v. Kettelerhaus GmbH Köln, Köln 1972, S. 91–154; Jürgen Aretz, Katholische Arbeiterbewegung und Nationalsozialismus. Der Verband katholischer Arbeiter- und Knappenvereine Westdeutschlands 1923–1945 (= Veröff. d. Kommission f. Zeitgeschichte, Reihe B: Forschungen, Bd. 25), Mainz 1978 (passim, S. 250 Reg.)

[78] Karl Joseph Houben (1880–1959), 1906 Priester des Erzbistums Köln, seit 1912 Religionslehrer an Berufsschulen, 1932 Referent für Religionsunterricht an Berufsschulen im Generalvikariat, 1938 Pfarrer in Düsseldorf-Lohausen: Handbuch des Erzbistums Köln, Köln [25]1958, S. 977; Totenzettel: Sammlung HAEK

[79] Franz Kaaf (*1878), 1903 Priester des Erzbistums Köln, seit 1912 Religionslehrer an Berufsschulen und Diözesanreferent in Aachen: Personalschematismus der Diözese Aachen 1933, S. 11 u. 49, Ebd., 1938, S. 34

[80] Reinhold Friedrichs (*1886), 1912 Priester des Bistums Münster, Religionslehrer an Berufsschulen des Bistums Münster, 1945 nichtres. Domkapitular in Münster: Kleiner Schematismus der Diözese Münster 1929, S. 9; Schematismus der Diözese Münster 1952, S. 8

Zwar werden in diesen Jahren die Eintragungen in die Seniorenchronik zu nachträglichen summarischen Berichten (statt der anfangs à-jour gemachten, oft sehr lebendigen Einträge); doch gibt uns die Seniorenchronik immer noch zeitgenössische Auskünfte auf die nicht unwichtige Frage: Wie haben die Seminaristen das neue Seminar in Bensberg und die Verschärfungen der Seminardisziplin angenommen?

Zunächst überwog die Freude an dem gewonnenen „Lebensraum", der sich im ersten Seniorenbericht über das Sommersemester 1929 niederschlug[81]: „Wir wußten, unter welch riesigen Opfern dieses neue, gesunde, schöne Seminar entstanden ist ..., wußten, daß es von den kleinen Gaben der kleinen Leute, von den Beiträgen unserer Priester und so vieler anderer erbaut ist ..." Die Presbyteranden wären zwar für das letzte Semester lieber in Köln geblieben; die Umstellungen seien als lästig empfunden worden. „Was aber an Anstrengungen dieser Art auch gewesen sein mag, das schöne, gesunde Haus, der prächtige Garten hoben alles auf. Wer in den heißen Tagen in Köln das Quadrum als Erholungsplatz gekannt hat, kann eigentlich nur die Frühlingspracht des Bensberger Seminargartens ganz in sich aufgeommen haben ..." Nicht weniger zufrieden äußerte sich der Senior des nachfolgenden Wintersemesters 1929/30 über die äußeren Vorzüge des Hauses[82]: „Nur diejenigen Herren, die einen Winter im alten Seminar zu Köln erlebt haben, werden den großen Unterschied zwischen beiden Häusern ermessen können. Wie angenehm war doch der Aufenthalt im neuen Hause während des Winters, in den freundlichen Zimmern und Sälen, in der Wandelhalle und in der Kapelle mit einer wohltuenden Wärme. Dazu kam die einzigartig schöne Umgebung mit ihren Bergen und Wäldern, die zu durchwandern wir reichlich Gelegenheit hatten ..."

Es scheint ein Jahr gedauert zu haben, bis nach der berechtigten Freude über die äußere Verbesserung auch die problematischen Seiten der neuen Bensberger Situation empfunden wurde. Wir ahnen etwas davon beim Bericht des Seniors des Sommersemesters 1930, des später sehr angesehenen Msgr. Jakob Holl[83]: „Es gehört zum Wesen des Priesterseminars, daß es durch seine Stille, durch das Gleichmaß seiner Lebensordnung, durch die Gleichart seiner Bewohner – kurz durch Ausschaltung alles ‚Interessanten' – die Anwendung eines überzeitlichen Maßstabes erleichtert und den Scharfblick für das Fehlerhafte übt. Es ist möglich, daß der Verzicht auf das Interessante zur Resignation oder aber zur Psychose führt. Diese Gefahr zu bannen, war unsere erste Aufgabe[94].

---

81 Senior: Paul Heinen (*1904), Priesterweihe in Köln, Kaplan in Essen, dann in St. Maternus in Köln bis 1937: Personalschematismus der Erzdiözese Köln 1937, S. 37

82 Senior: Heinrich Bollenrath (1896–1976), 1949–1976 Pfarrer an Christi Auferstehung in Köln-Lindenthal: Handbuch des Erzbistums Köln, Bd. 2, Köln [26]1966, S. 757

83 Jakob Holl (1905–1966), 1940–1955 Pfarrvikar bzw. Rektoratspfarrer in Bensberg-Moitzfeld, ab 1955 Direktor der Fernsehstelle des Erzbistums Köln: Handbuch des Erzbistums Köln, Bd. 2, Köln [26]1966, S. 787

84 Pfarrer Msgr. Dr. Hugo Poth in Köln (*1905, Seminarist 1931–1933) in einem Brief an den Autor am 5. 2. 1986: „Gespannt war die Atmosphäre im Priesterseminar in den Jahren 1931–

Unsere zweite Aufgabe aber bestand darin: Es galt, jene Gerechtigkeitspsychose abzudrosseln, die uns als trauriges Erbe in dieses Semester hinein mitgegeben war..., zu erkennen, daß selbst eine aus der Gerechtigkeit geborene Kritik zerstörend wirken kann, daß aber die Liebe immer erbaut... Wir haben es versucht mit Taubeneinfalt und mit Schlangenklugheit; über tausend menschliche Armseligkeiten sind wir dabei gestolpert. Aber der Wille hat uns nie verlassen. Sollte ein solcher Wille ohne Segen geblieben sein?"

Trotz solcher gelegentlicher Stimmungsschwankungen ist festzuhalten: Im allgemeinen wurden Abgeschiedenheit und Strenge des Seminars von den damaligen Seminaristen überraschend positiv oder doch zumindest gelassen aufgenommen, wobei der rheinische Humor gewiß über manche Engpässe hinweghalf. Dieser Eindruck der Seniorenchronik wird von damaligen Seminaristen aus der Rückschau von heute bestätigt. So schreibt Heinrich Flatten[85]: „Wir Seminaristen von 1932 bis 1934 waren eine ausgesprochen vergnügliche und fröhliche Schar junger Menschen, die sich zu allermeist an der Strenge des Hauses nicht wundrieb. Vielleicht trug dazu nicht wenig bei, daß wir unter den Professoren, die mit uns das Leben im Hause teilten, in persönlichen Kontakt auf Verständnis stießen." Nicht viel anders sieht die Bensberger Zeit Friedrich Eink, der 1929 zur ersten Bensberger Gruppe gehörte[86]: „Wir empfanden die Zeit nicht als notwendiges Übel, sondern als eine wirklich notwendige Vorbereitung auf unseren priesterlichen Dienst,... auch als schon in der Gegenwart frohmachendes Erlebnis der Gemeinschaft im geistlichen Beruf." Vielleicht ist die Stimmung unter den Seminaristen der ersten Bensberger Jahre am zutreffendsten und ausgewogensten umschrieben in dem, was der heutige Münchener Weihbischof Ernst Tewes im Rückblick auf seine Bensberger Seminarzeit 1932–1934 schreibt[87]: „Wir haben die überzogene Strenge sehr empfunden, aber die Stille und Ruhe des Hauses doch auch sehr genossen. Wie es unter solchen Gemeinschaften zu gehen pflegt, brach bei diesem oder jenem gegen Ende des Semesters auch schon mal ein ‚Koller' unter mancherlei psychologischem Druck aus. Vielen von uns hat in solchen und ähnlichen Situationen Prof. Klein geholfen, dem manche, trotz seines späteren Weges, noch dankbar sind."

Während die politischen und wirtschaftlichen Wirren der Jahre nach dem Ersten Weltkrieg erhebliche Auswirkungen auf das Leben im Seminar an der Marzellenstraße gezeitigt hatten, blieb das Bensberger Seminarleben von der Not der Wirtschaftskrise zwischen 1929 und 1931 sowie von der sich abzeichnenden politischen Veränderung in Deutschland scheinbar unberührt. Doch sollte das nicht so bleiben!

1933. Das strenge Regiment des von allen geachteten Regens Hecker und die Vorlesungen von Subregens Heinen erzeugten das Klima einer potentiellen Rebellion ... Es entstand eine Art Massenpsychose, der sich jedoch einige bewußt entzogen."

85 Offizial i. R. Professor Dr. Dr. Heinrich Flatten in Köln (1907–1987, Seminarist 1932–1934) in einem Brief an den Autor am 18. 1. 1986

86 Msgr. Friedrich Eink in Köln (*1906, Seminarist 1929–1931) in einem Brief an den Autor am 31. 1. 1986

87 Brief an den Autor vom 12. 2. 1986

VI. Das Seminar in der Zeit des Nationalsozialismus und des Zweiten Weltkrieges (1933–1945) *

Von Norbert Trippen

1. Das Seminar und seine politische Umwelt

Ulrich von Hehl hat bei den Vorarbeiten zu dem Werk „Priester unter Hitlers Terror. Eine biographische und statistische Erhebung“[1] ermittelt, daß 35,9% aller katholischen Weltpriester in Deutschland in Ausübung ihres Dienstes mit dem nationalsozialistischen System in Konflikt geraten sind. Bei einem nicht unerheblichen Teil der aktenkundig gewordenen Fälle handelt es sich um junge Kapläne, die wegen ihrer Jugendarbeit auffielen und von der Gestapo zu Verhören zitiert wurden. Deshalb legt sich die Frage nahe, in welcher Weise die jungen Theologen während ihrer Ausbildungszeit auf die kommenden Schwierigkeiten vorbereitet wurden und in welchem Maße die politischen Veränderungen nach 1933 wie auch die zunehmenden Unterdrückungsmaßnahmen des Systems gegen kirchliche Einrichtungen das Leben in einem Priestersseminar beeinflußt haben.

Nach Ausweis der Seminarchronik, der Verlesungspläne[2], der Seniorenchronik, aber auch nach den Aussagen heute noch lebender Zeugen haben die politischen Veränderungen, selbst der wachsende Druck auf kirchliche Einrichtungen und katholische Verbände, das Seminarleben bis zum Beginn des Zweiten Weltkrieges nicht berührt. Weder das „Ermächtigungsgesetz“ von 1933 noch die Enzyklika Pius' XI. „Mit brennender Sorge“ von 1937, weder die Unterdrückung der katholischen Jugend noch die „Reichskristallnacht“ 1938 haben im Seminarleben zu aktenkundig gewordenen Irritationen geführt[3].

---

* Dieses Kapitel ist die überarbeitete Fassung des Beitrages „Das Kölner Priesterseminar in den Jahren 1933–1945“, in: Annalen des Hist. Vereins f. d. Niederrhein 188 (1985), S. 197–223. Sonderdrucke dieses Beitrages wurden seinerzeit an eine Reihe noch lebender Seminaristen jener Jahre mit der Bitte um Korrekturen und Ergänzungen versandt. Die erhaltenen Zuschriften und weiteres Material wurden der Überarbeitung zugrunde gelegt. Den an den jeweiligen Stelle genannten Mitbrüdern sei für ihre Hilfe aufrichtig Dank gesagt. Ebenso danke ich dem Vorstand des Hist. Vereins für den Niederrhein für die Erlaubnis zum Nachdruck

1 Priester unter Hitlers Terror. Eine biographische und statistische Erhebung. Bearbeitet von Ulrich von Hehl (= Veröff. d. Kommission f. Zeitgeschichte, Reihe A: Quellen, Bd. 37), Mainz 1984, S. XLII f.

2 Historisches Archiv des Erzbistums Köln, Kabinettsregistratur: 13.8: Lehrpläne resp. Studienordnung f. d. Priesterseminar (HAEK – CR 13.8)

3 Gespräch mit Prälat Dr. Paul Berndorff in Köln (*1913, Seminarist 1936–1938) am 25.8.1986 (Bestätigtes Protokoll): „Vor unserer Diakonenweihe im Sommer 1937 war der Religionsunterricht aus den Schulen verbannt worden. Weihbischof Hammels ging in seiner Predigt

Eduard Hegel, der in den Jahren 1935 bis 1937 Alumne des Kölner Priesterseminars war, bestätigt das aus seiner Erinnerung: „Politische Dinge wurden nicht erwähnt, nicht einmal kirchenpolitische. Einmal wurde der Haussenior veranlaßt, den Regens zu fragen, ob eine Führerrede über eine außenpolitische Frage übertragen werden könne. Er lehnte ab mit dem Bemerken, die Übertragungsmöglichkeit sei im Seminar sehr ungünstig, so daß der Vorstand sich entschlossen habe, nicht einmal eine Papstansprache übertragen zu lassen ... Es entsprach einfach nicht dem Stil von Regens Hecker und ebensowenig den Intentionen des Kardinals Schulte, Fragen der Politik im Seminar aufkommen zu lassen."[4]

Daß es nicht überall so war, mag ein Vergleich der Passauer Seminarchronik[5] mit den wenigen Spuren erhellen, die sich in Kölner Seminaraufzeichnungen finden. In der Passauer Chronik lesen wir etwa[6]: „1933. 1. Februar: Hitler Reichskanzler. Wir hören im Refektor seine Programmrede. In vier Jahren kommt das Paradies? Die Alumnen glauben's nicht recht! Reden kann er ja ... 5. März: Durch die Reichstagswahl vollzieht sich ein radikaler Umschwung nach rechts im politischen Deutschland; die sog[enannte] ‚Nationale Revolution'. Für die Lage der katholischen Kirche versprechen wir uns wenig Gutes." Unter dem 21. März 1937 wird über die Verlesung der Enzyklika „Mit brennender Sorge" berichtet: „Mögen nun doch auch dem letzten noch die Augen geöffnet werden bezüglich der religiösen Lage in Deutschland." Auch sonst spürt man bei der Lektüre der Passauer Chronik, wie die fortschreitenden Entwicklungen und Verschärfungen empfunden und bewertet wurden.

Das Kölner Seminar in Bensberg stellt sich dagegen fast als eine Oase heiler Welt dar. Sicherlich war Regens Hecker ebenso wie der ihm 1937 nachfolgende Regens Dr. Josef Frings[7] zu vorsichtig, um Eindrücke und Empfindungen gegenüber den zunehmenden Greueln des nationalsozialistischen Systems einer offiziellen Chronik oder dem zensierten Postverkehr anzuvertrauen. Auch ist unzweifelhaft, daß die Ablehnung des Systems unter den Professoren wie den Studenten einhellig war. Gelegent-

---

anläßlich unserer Diakonenweihe darauf ein. Die Weihekandidaten wußten nicht, was die Veranlassung zu den Ausführungen des Weihbischofs war." – Prof. Dr. Wilhelm Kübel in Bonn (*1909, Seminarist 1933–1935) in einem Brief an den Verfasser vom 19. 1. 1986: „Ein Coaetane ... erinnerte sich daran, daß der sogenannte Antimythus im Seminar verteilt wurde."

4 Prof. DDr. Eduard Hegel in Bonn (*1911, Seminarist 1935–1937) in einem Brief an den Verfasser vom 27. 10. 1984

5 Franz X. Eder (Hrsg.), Festschrift 150 Jahre Priesterseminar St. Stephan in Passau 1828–1978, Passau 1978, darin: Aus der Seminarchronik 1928–1978, S. 127–200

6 Ebd., S. 140 bzw. 154

7 Josef Kardinal Frings (1887–1978), 1924–1937 Pfarrer an St. Joseph in Köln-Braunsfeld, 1937–1942 Regens des Priesterseminars, 1942–1969 Erzbischof von Köln, 1946 Kardinal: Hecker, Chronik, S. 272 f.; Eduard Hegel, in: Gatz, Bischofslexikon, S. 210–213 (mit Literaturübersicht); Trippen, Der Bischof im Zeitalter der Industrialisierung ... Festgabe für Joseph Kardinal Höffner, Erzbischof von Köln, Köln 1986, S. 397–427, hier: S. 419–422; Hegel, Geschichte des Erzbistums Köln, Bd. 5, S. 105–109; Pro hominibus constitutus. Gedenkausstellung des Historischen Archivs des Erzbistums Köln zum 100. Geburtstag von Josef Kardinal Frings am 6. Februar 1987. Katalog – Bearbeitet von Josef van Elten, Köln 1987

lich kam es vor, daß einzelne Seminaristen wegen ihrer Tätigkeit in Jugendbünden in Gestapo-Verhöre und sogar Volksgerichtsprozesse verwickelt waren[8]. Doch scheinen weder Lehrplan noch Lebensrhythmus des Seminars von den Ereignissen in der „Welt" tangiert worden zu sein. Unverändert standen z. B. in der allgemeinen Pastoral die Standesseelsorge, die Verbandsseelsorge und die Einrichtung des Pfarrarchivs auf dem Programm. Eine Ausnahme bildeten die regelmäßigen und sehr geschätzten Arbeitstage mit den Jugendseelsorgern (Jakob Clemens, Augustinus Frotz[9]), in denen die Realitäten des Alltags deutlich zur Sprache kamen.

Frotz berichtet darüber aus seiner Erinnerung: „Mit Jakob Clemens war ich mir darüber einig, die Situation der Jugend im NS-Staat deutlich darzustellen, Hilfen zu geben und Mut zu machen. Als ich einmal von Regens Frings gebeten wurde, im Bensberger Seminar einen Jugendseelsorgekurs zu halten, war ich höchst überrascht, als mein erster Mitarbeiter Hans Schroer – ein Laie – von Kardinal Schulte nicht gerne gesehen und erst angenommen wurde, als wir ein ganz detailliertes Programm eingereicht hatten ... Der Erzbischof fürchtete, wir könnten als junge Leute unklug reden und es könnten daraufhin von Hörern Dinge weitererzählt werden, die dem Seminar unter den Augen des Bischofs zum Verhängnis würden. So mußten wir also deutlich, aber dennoch klug vorgehen"[10].

Nur wenige Bemerkungen der Chronik des Regens zwischen 1933 und 1939 lassen erahnen, daß man in besonderen Zeiten lebte. So bemerkte Regens Hecker zum Presbyteratsexamen am 7. Februar 1934[11]: „Der Herr Kardinal war diesmal verhindert, den Vorsitz bei der Prüfung zu führen, da er am Nachmittag dieses Tages in Berlin eine Unterredung mit dem Herrn Reichskanzler Hitler hatte; diese Unterredung fand auf Bitten des Herrn Reichskanzlers statt und galt den kirchenpolitischen Schwierigkeiten." Daß im engen Rahmen des Möglichen Distanz zu den Einrichtungen des NS-

---

[8] HAEK – CR 8 A 1.4,3 (Erzbischöfliches Priesterseminar: Aufnahme und Beurlaubung von Alumnen): Am 5. 4. 1937 teilte der Theologiestudent E. L. dem Generalvikariat mit: „Inzwischen erhielt ich vom Volksgerichtshof, Berlin, eine Vorladung zur Hauptverhandlung in Sachen R. Nach Ansicht des Rechtsanwalts kann der Prozeß 14 Tage in Anspruch nehmen ... Die bisherige Ungeklärtheit meiner beruflichen Situation zusammen mit dem zu erwartenden Prozeß, der mich jetzt und besonders in nächster Zeit seelisch-psychisch stark beansprucht, lassen in mir den Wunsch aufkommen und die Bitte aussprechen, mir nach dem Prozeß noch Erholungszeit zu gewähren, sollte dadurch auch mein Eintritt ins Seminar aufs nächste Semester verschoben werden müssen." E. L. ist dann nicht in das Seminar eingetreten. – Domkapitular Dr. Jakob Schlafke in Köln (*1912, Seminarist 1936–1938) erinnert sich an den Mitseminaristen W. W., der etwa zur gleichen Zeit über Monate in einen Prozeß in Sachen „Sturmschar" verwickelt war

[9] Jakob Clemens (1890–1963), 1927–1938 Diözesanpräses und Generalsekretär des Katholischen Jungmännerverbandes, 1938–1963 Pfarrer an St. Engelbert in Köln-Riehl – Augustinus Frotz (*1903), 1934–1944 Stadtpräses bzw. Diözesanjugendseelsorger für die männliche Jugend in Köln, 1944–1963 Regens des Priesterseminars, seit 1962 Weihbischof in Köln: Hecker, Chronik, S. 280 f.; Handbuch des Erzbistums Köln. Personaler Teil, Köln [27]1985, S. 25 f.

[10] Brief von Weihbischof Frotz an den Autor vom 29. 10. 1984

[11] Seminarchronik I, S. 102 f.

Systems gewahrt wurde, wird durch die folgende Bemerkung deutlich[12]: „Mit Rücksicht auf das von der Regierung veranlaßte Deutsche Winterhilfswerk erschien es richtiger, in diesem Winter nicht unmittelbar an Ortsarme Brot auszugeben, sondern die Pfarrcaritas und den St. Vinzenz-Verein in der Pfarre Bensberg mit Beiträgen zu unterstützen." Mehrfach fand in Bensberg die bis dahin unübliche westdeutsche Bischofskonferenz statt, wobei Hecker sich unter Verzicht auf inhaltliche Andeutungen auf die Registrierung der Zimmerverteilung unter den Bischöfen beschränkte. Im Frühjahr 1935 heißt es[13]: „Am 20. April hißten wir wegen des Geburtstages des Herrn Reichskanzlers die Flaggen. Bis zum Ende dieses Semesters haben wir uns auch bei vaterländischen Anlässen der kirchlichen Fahnen zum Beflaggen des Hauses bedient. Einigemale (Ende 1933?) brauchten wir neben einer kirchlichen Fahne die schwarz-weißrote Fahne bei weltlichen Feiern"[14]. Im Herbst 1935 berichtete Hecker dann vom Reichsflaggengesetz bezüglich der Hakenkreuzfahne und den kirchlichen Adaptationsbestimmungen des Kölner Generalvikariats. „Am Seminargebäude wurde die Hakenkreuzfahne zum erstenmal beim Erntedankfest, am 6. X. 1935, gehißt."[15]

Etwas Lockerer und ironischer klingen die Zeitverhältnissse in der Chronik der Senioren an. Es kam gelegentlich vor (wie bereits im Jahrzehnt zuvor im Priesterseminar auf der Kölner Marzellenstraße!), daß bei der Wahl des Hausseniors keiner der Kandidaten die geforderte Zweidrittelmehrheit der Stimmen erreichte, so daß der Regens den Ersten im Alphabet zum Senior ernannte. Dieser Vorgang wurde so kommentiert: „Es war dies ja die Zeit, wo der Parlamentarismus sich allenthalben totlief". Oder an anderer Stelle: „Der Chronist wagt nicht zu entscheiden, ob der Durchbruch des antidemokratischen Gedankens im Seminar oder der Eigensinn bestimmter Gruppen und Kreise der Grund war, den überkommenen Rest freier Selbstbestimmung verfallen zu lassen." Im Sommersemester 1935 häuften sich in unerklärlicher Weise Blinddarmentzündungen und -operationen, nach denen Regens Hecker einige Tage Erholungsurlaub gewährte. In der Seniorenchronik erfährt man, daß die Seminaristen dafür die Bezeichnung „Kraft-durch-Freude-Urlaufsfahrten" prägten.

Prälat Dr. Paul Berndorff, der von 1936 bis 1938 Seminarist war, berichtete dazu[16]: „Die Häufung der Blinddarmentzündungen wurde mit der Benutzung des Zinngeschirrs im Seminar und seiner gelegentlichen chemischen Behandlung in Zusammenhang gebracht. Der Chirurg des Bensberger Krankenhauses benutzte die Operation und Nachbehandlung der Seminaristen, um ihnen in reichlicher Menge Kriminalromane zu überlassen, die auf diese Weise ins Seminar eingeschleppt wurden."

---

[12] Ebd., S. 105

[13] Ebd., S. 129

[14] Die bereits 1927 in Köln zum Anstoß gewordene schwarz-weiß-rote Preußenfahne (vgl. oben S. 148f.) war entgegen dem Rat des damaligen Seniors an den Rendanten Kühling offenbar noch nicht „in Küche oder Haushalt" verwandt worden!

[15] Seminarchronik I, S. 132

[16] Protokoll des Gesprächs des Autors mit Prälat Dr. Berndorff vom 25. 8. 1986 (vgl. oben Anm. 3)

Von der Weihnachtsfeier 1935 berichtete der Senior: „Den Mittelpunkt bildete die Ansprache des ... Subregens: Christentum und Germanentum damals, heute und in Zukunft." Die in der Weihnachtsoktav üblichen Vorträge der Verbandspräsides fielen 1935 aus. „Der immer gern gehörte Diözesanpräses des Jungmännerverbandes, H. H. Clemens, war durch seine Verhaftung verhindert." Im Sommer 1936 lesen wir in der Seniorenchronik: „Ein außergewöhnliches Ereignis von erstmaliger Bedeutung für das neue Seminar bedarf noch besonderer Erwähnung. Eine stattliche Anzahl unserer Herren mußten (sic!) infolge der Einführung der allgemeinen Wehrpflicht in B[ergisch] Gladbach zur Musterung erscheinen. Es war ein ungewohntes Bild für das Seminarleben, als man morgens die Wehrpflichtigen in Laienkleidern in der Kapelle sah[17], die uns dann nachmittags in fröhlicher Stimmung mit den üblichen Insignien von der Musterung geschmückt beim Kaffee wieder begrüßten. Alle wurden für tauglich befunden, und dem alten preußischen Offizier tat es weh, daß solch eine junge, starke, gesunde Mannschaft nicht Soldat wird. Sind unsere Herren auch studienhalber zurückgestellt und als Subdiakone vom Heeresdienst befreit: alle aber sind bereit, Kriegsdienst zu leisten als Offiziere in der militia Jesu Christi; ihre ganze Lebenskraft wollen sie für das Gottesreich einsetzen und damit auch für das Vaterland." Hier dürfte etwas von der Mentalität damaliger Theologiestudenten durchschimmern!

Man kann die weitestgehende Abschirmung des Seminarlebens von den politischen Tagesereignissen, aber auch von den alles umfassenden Gleichschaltungsversuchen des nationalsozialistischen Systems unter einem doppelten Aspekt sehen: Es war sicher ein beachtlicher Erfolg, in jenen Jahren, in denen keine Familie ihren Sonntag unbehelligt von Hitlerjugendveranstaltungen gestalten konnte, einen intensiven geistlichen, theologischen und pastoralen Ausbildungsgang für durchschnittlich 150–160 angehende Priester von jeder Einflußnahme von außen freizuhalten. Augustinus Frotz stellt aus der Rückschau fest[18]: „Trotz der Abschirmung des Seminars nach außen waren die aus ihm hervorgehenden Kapläne durchweg frische, muntere junge Leute und sind weit überwiegend fähige und einsatzbereite Seelsorger geworden. Sie kamen aus gesunden, christlich-katholischen Familien mit mehreren Geschwistern, brachten eine solide Gymnasialbildung mit und die Erfahrung aus der liturgischen und der Jugendbewegung. Sie hatten außer in Bonn während ihrer Freisemester bei hervorragenden, selbständig gesuchten Professoren studiert und standen während der Ferien mit beeindruckenden Priesterpersönlichkeiten im Bistum in Verbindung."

Zu einer ähnlichen Wertung kommt Weihbischof Tewes[19]: „Wir standen mitten drin in der Auseinandersetzung der damaligen Tage und der Zeit, wenn sich das auch nicht in Dokumenten etc. oder auch auffallend im Seminarleben niedergeschlagen

---

17 Prälat Dr. Berndorff am 25. 8. 1986 (vgl. oben Anm. 3): „Ein unbeschreibliches Vergnügen für uns und zugleich eine Besorgnis für den Regens war die Musterung in Bergisch Gladbach, zu der wir uns Zivilanzüge von zu Hause schicken ließen. Bei der Musterung mußten wir, wie alle anderen, im ‚Adamskostüm' antreten."

18 Brief an den Autor vom 29. 10. 1984

19 Weihbischof Dr. Ernst Tewes in München (Seminarist in Bensberg 1932–1934) in einem Brief an den Autor am 12. 2. 1986

haben mag. Wir waren uns voll bewußt darüber, was vor uns stand. Ich erinnere mich noch wie gestern an ein entscheidendes Gespräch, das ich als Diakon im Sommer 1933 hatte, und in dem ich gesagt habe: Wir werden noch das schreckliche Ende dieses Systems erleben."

Die Prägung der jungen Priester, auch durch das Priesterseminar, konnte den Parteiinstanzen nicht verborgen bleiben. Innerhalb eines totalitären Systems war eine so unabhängige Prägung des Priesterstandes ein ungeheuerlicher und auf Dauer nicht zu duldender Vorgang.

Andererseits müssen wir rückschauend angesichts des Schadens und der Flut von Verbrechen, die der Nationalsozialismus bewirkt hat, fragen: Kann man eine so ausgeprägte Absonderung angehender Priester von der gesellschaftlichen und politischen Umwelt verantworten? Hätte nicht zumindest eine gezielte Vorbereitung der Weihekandidaten auf das, was sie erwartete, erfolgen müssen? Wenn man die weltanschauliche Immunität der jungen Theologen gegen das System ausnahmslos voraussetzen konnte, wäre doch die Einübung in praktische Verhaltensregeln zweifellos hilfreich, ja gefordert gewesen.

2. Die Probleme aus zu zahlreichem Priesternachwuchs

Die politischen Ereignisse aus dem Seminar herauszuhalten, wurde erleichtert durch den Eindruck einer gefestigten Geschlossenheit – im Inneren des Seminars wie im Leben der Gemeinden, aus denen die Seminaristen kamen. Und sie kamen in überreicher Zahl[20]! Selbst für eine Großdiözese wie Köln war das Fassungsvermögen für die jährlich so zahlreichen Neupriester bald überschritten.

Über die sich abzeichnenden Schwierigkeiten und die Versuche, sie zu bewältigen, schrieb Regens Hermann Joseph Hecker im Sommer 1935 in die Seminarchronik[21]: „Seit 2–3 Jahren wird es immer schwieriger, für die neugeweihten Priester eine Anstellung in der Seelsorge zu finden, weil die finanzielle Leistungsfähigkeit der Kirchengemeinden sehr gesunken ist. Manche erhalten eine Stelle ohne eigenen Haushalt und wohnen im Pfarrhaus oder in einer klösterlichen Anstalt; andere werden in fremden Bistümern untergebracht; nicht wenige erhalten nur vorübergehende Beschäftigung von kürzerer oder längerer Dauer. Wegen der Schwierigkeit der Anstellung wird seit Ostern 1934 die Zahl bei der Annahme von Theologie-Studierenden durch das Erzbischöfliche Generalvikariat erheblich beschränkt"[22].

Die Not mit der Anstellung zu zahlreicher Neupriester erreichte ihren Höhepunkt 1939, als durch eine durch den Kriegsbeginn vorgezogene Priesterweihe die Zahl der

---

[20] Vgl. oben S. 133 mit Anm. 74

[21] Seminarchronik I, S. 128

[22] Prof. Dr. Wilhelm Kübel in Bonn (vgl. oben Anm. 3) in einem Brief an den Autor vom 19. 1. 1986: „Die Beschränkung der Zahl der Priesteramtskandidaten in der Mitte der dreißiger Jahre nannte Generalvikar Teusch 1960 in seiner Rede anläßlich der Verleihung der Ehrendoktorwürde der Kath.-Theol. Fakultät Bonn ‚geistliche Geburtenbeschränkung'."

Neupriester auf 115 stieg. Der inzwischen zum Domkapitular und Personaldezernenten beförderte Regens Hecker schrieb schon am 24. Januar des Jahres an seinen Nachfolger Dr. Josef Frings[23]: „Heute schreibe ich an den Herrn Stadtdechanten in Essen zwecks Unterbringung von Neupriestern. Einige können nach Freiburg, Rottenburg und Danzig gehen. Entsendung nach Sudetendeutschl[and] haben wir abgelehnt. Jedoch ist dem Herrn Kardinal Bertram [von Breslau] unsere Bereitschaft mitgeteilt worden, durch Neupriester solche Lücken auszufüllen, die in einigen Diözesen dadurch entstehen, daß ältere Kapläne nach Sudetendeutschl[and] geschickt werden."

3. Der Wechsel im Seminarvorstand 1937 und der Ausbruch des Krieges 1939

An dieser Stelle ist das personelle Revirement zu nennen, das Kardinal Schulte im Sommer 1937 am Seminar vornahm. Während der Kardinal bis 1927 häufiger im Kölner Seminar sichtbar wurde, hat er sich – wohl durch sein Herzleiden bedingt – in Bensberg sehr zurückgehalten. Zwar besaß er im Seminargebäude eine Wohnung, doch wurde er für die Studenten nur gelegentlich auf der Orgelbühne der Kapelle sichtbar. Der einzelne Seminarist begegnete dem Erzbischof lediglich vor den höheren Weihen anläßlich des Skrutiniums[24].

Dennoch blieb Kardinal Schulte an der Priesterausbildung sehr interessiert, und es wird ihm nicht verborgen geblieben sein, daß die personelle Besetzung des Seminars keine ideale war. So kam es 1937 zu einer „Wachablösung": Regens Hecker wurde als Domkapitular und Generalvikariatsrat nach Köln berufen; Subregens Heinen übernahm die Leitung des neueingerichteten Seelsorgeamtes in Köln. Spiritual Haggeney übernahm die gleiche Funktion für die Laienbrüder seines Ordens am Kolleg in Bad Godesberg.

Der zum Regens ausersehene Pfarrer an St. Joseph in Köln-Braunsfeld, Dr. Josef Frings, war über seine Berufung sehr überrascht und keineswegs erfreut[25]. In ihm verband sich rheinischer Humor mit einer skrupelhaften Ängstlichkeit in Gewissensfragen in eigenartiger Weise, wobei die zuletzt genannte Persönlichkeitskomponente das Amt des Regens nicht eben erleichterte. Gleichzeitig wurden der Düsseldorfer Religionslehrer Wilhelm Kutsch[26] zum Subregens und der Repentent am Collegium Leoninum in Bonn Heinrich Fritsch[27] zum Spiritual ernannt.

---

23 Hecker an Frings am 24. 1. 1939 (handschriftlich): Seminar-Archiv, Ordner 9: Generalvikariat – Anordnungen für das Priesterseminar

24 So versichern verschiedene der damaligen Seminaristen in Briefen an den Autor

25 Dazu: Für die Menschen bestellt. Erinnerungen des Alterzbischofs von Köln Josef Kardinal Frings, Köln 1973, S. 15 f.; van Elten, Pro hominibus constitutus (vgl. oben Anm. 7), S. 20 u. 21

26 Wilhelm Kutsch (1897–1978), 1922/23 Seminarist in Köln, 1923–1928 Kaplan an Herz-Jesu in Köln, 1928–1937 Religionslehrer an der St. Anna-Schule in Düsseldorf, 1937–1942 Subregens des Priesterseminars, 1942 Pfarrer an St. M. Empfängnis in Düsseldorf: Hecker, Chronik, S. 274

27 Heinrich Fritsch (1901–1964), 1923/24 Seminarist in Köln, nach verschiedenen seelsorgerli-

Wie hat sich diese Veränderung in der Seminarspitze auf das Klima des Hauses ausgewirkt? Da die Seniorenchronik mit dem Sommersemester 1936 aufhört, sind wir auf Berichte von Zeitzeugen angewiesen. Gustav van de Loo schreibt[28]: „Mit Frings, unserem späteren Erzbischof, bin ich Ende August 1937 ins Priesterseminar zu Bensberg eingetreten, er als Regens und ich als 24jähriger Alumnus. Damit wurde die Ära ‚Hekker' abgelöst, aus der ich nur vom Hörensagen Dunkles munkeln hörte. Die es wissen mußten aus eigener Erfahrung, die 2.-4.-Semester, erklärten sehr bald, daß ein neues Klima in Bensberg eingezogen sei. Schon die Tatsache, daß Frings drei Streicher zu einem Quartett bat und mit ihnen gelegentlich bei Feiern musizierte, spricht Bände. Daß er wöchentlich ins nahe Hallenbad zum Schwimmen ging, neideten ihm nicht wenige. Wir mußten uns begnügen mit *dem* Seminarsport: ‚Ringtennis'. Aber trotz mancher neuen Züge im Seminarleben blieb es bei der ‚Oase': Wir lebten wie auf einem anderen Stern. Die sich anbahnende weltgeschichtliche Umwälzung wurde weder angedeutet, noch vorbereitet oder auch nur zur Kenntnis genommen. Sie traf uns ahnungslos, die wir sozusagen in den Zweiten Weltkrieg hineingeweiht wurden (Mein erster Kaplanstag war der 1. 9. 1939!)". Nach dankbaren Erinnerungen an Professor Klein und Subregens Kutsch schreibt van de Loo: „Es war typisch für die anfangs erwähnte Klimaänderung, daß wir unsere Sorgen und Anliegen auch vor dem Regens äußern konnten, ohne in Gefahr zu geraten, deswegen ‚gefeuert' zu werden. Der Regens hörte dann wohl zu mit einer Miene, die zu besagen schien: ‚Ihr werdet euch auch noch die Hörner abstoßen'."

Paul Berndorff, der noch drei Semester unter Regens Hecker erlebt hatte, bestätigt diese Angaben[29]: „Regens Frings stand auf dem Standpunkt: Die Theologenausbildung muß allein der Bischof verantworten. Frings war zwar in der Handhabung der Ordnung großzügiger. Die Ordnung selbst hat er, zumindest in dem von mir erlebten ersten Semester seiner Regententätigkeit, nicht in Frage gestellt. Er vertrat wohl den Standpunkt: Die Ordnung ist vom Erzbischof aufgestellt; wir müssen uns damit zurechtfinden." Zur Illustration fügt Berndorff hinzu: „Ich entsinne mich, als Diakon Regens Frings bei der Patroziniumsmesse in der Bensberger St. Nikolaus-Kirche ministriert zu haben. Während der Regens anschließend im Pfarrhaus zum Kaffee geladen wurde, mußten Diakon und Subdiakon ins Seminar zurückkehren. Denn es war verboten, Häuser zu betreten."

Es sollten dem neuen Regens nur zwei Jahre einer „normalen" Weiterführung des Seminars verbleiben. Das abgeschirmte Dasein des Priesterseminars ging mit dem Ausbruch des Zweiten Weltkrieges am 1. September 1939 zuende. „Für den Fall eines Krieges war das Haus als Lazarett vorgesehen. Man nahm an, die Mehrzahl der Theo-

---

chen Einsätzen 1935 Repetent am Collegium Leoninum in Bonn, 1937–1955 Spiritual des Priesterseminars: Hecker, Chronik, S. 275; Dieter Froitzheim, Personalchronik des Kölner Priesterseminars 1951–1976 (= Studien zur Kölner Kirchengeschichte, Bd. 12), Siegburg 1976, S. 26

[28] Pfarrer Gustav van de Loo in Köln (*1913, 1937–1939 Seminarist in Bensberg) in einem Brief an den Autor vom 1. 9. 1986

[29] Protokoll des Gesprächs mit Prälat Dr. Berndorff am 25. 8. 1986 (vgl. oben Anm. 3)

logen werde in solchem Falle sogleich zum Sanitätsdienst oder zum Dienst mit der Waffe eingezogen werden."[30] Tatsächlich begann mit dem 4. September die Belegung des Hauses durch ein erstes Lazarett. Ihm sollten bis 1945 verschiedene andere folgen, die bis zu 1000 Verwundete aufnahmen und versorgten. „Die Wohnungen der Professoren und des Herrn Kardinals blieben unberührt; ferner: Kapelle, Sakristei, Ritussaal und Bibliothek und einige Zimmer im 3. Stock."[31] Auch die Küche wurde von den Seminarschwestern für die Militärverwaltung weitergeführt. Das Verhältnis zum Lazarett und zu den militärischen Verwaltungsstellen blieb, von kleineren Zwischenfällen abgesehen, bis 1941 gut, was durch die Anwesenheit verschiedener Seminarprofessoren und des Assistenten Dr. Berresheim gesichert war, der für die Seminarrendantur tätig blieb und dazu als Lazarettpfarrer für die Verwundeten zur Verfügung stand. In dieser Funktion konnte er sogar über die Beschlagnahme und Enteignung des Hauses 1941 bzw. 1942 hinaus im Seminargebäude verbleiben[32].

Wichtiger als das Schicksal des Bensberger Gebäudes wurde das Weiterleben der Institution Priesterseminar. Kardinal Schulte entschloß sich zunächst, die für Februar 1940 zur Priesterweihe anstehende Gruppe von 38 Diakonen im Hinblick auf mögliche Einberufungen bereits Anfang Oktober 1939 zu weihen. „Für das Seminar wurde das Erzbischöfliche Exerzitienhaus in Altenberg, das frühere Jugendhaus und ursprüngliche Zisterzienserkloster, bereitgestellt."[33] Am 14. Oktober 1939 konnte das erste Semester in diesem Hause mit 70 Seminaristen unter sehr engen Verhälntnissen begonnen werden. Regens Frings berichtete: „Trotzdem fühlten sich die Alumnen bald heimisch in Altenberg. Viele kannten das Haus aus ihrer Jungmännerzeit. Es ist sehr gemütlich eingerichtet und trägt dem Geschmack der Jugend und ihrem Sinn für Primitivität und Romantik Rechnung."

Musterungen und Einberufungen führten dazu, daß im Verlaufe des Wintersemesters 1939/40 weitere Weihen vorgezogen wurden. Dennoch vermerkte Regens Frings zum Semesterschluß: „Alle freuten sich, daß das Semester einen so ungestört harmonischen Verlauf genommen hatte. Der Regens gab unter allgemeiner Zustimmung der Meinung Audruck, es sei wohl das schönste Semester gewesen, das wir im Seminar erlebt hätten." Also selbst der Kriegsausbruch und seine erheblichen Konsequenzen für das Seminarleben tangierten offenbar den Kern des Seminarbetriebes nicht.

---

30 Seminarchronik I, S. 178

31 Ebd.

32 Prälat Dr. Heinrich Berresheim in Bensberg (*1908, Seminarist in Bensberg 1931–1933) wirkte seit 1936 als Assistent des Regens am Priesterseminar und blieb bis 1945 bzw. 1946 durch alle Veränderungen der Wahrer der Kontinuität im Bensberger Seminargebäude. Prälat Berresheim hat die Geschichte des Hauses und seiner Tätigkeit dort auf Grund seiner gesammelten Unterlagen und persönlicher Erinnerungen dargestellt. Die maschinenschriftliche, paginierte Darstellung (ein Ordner) und die gesammelten Akten und Aufzeichnungen aus seinen verschiedenen Tätigkeitsfeldern für das Haus in Bensberg und die Verwundeten im Lazarett hat Prälat Berresheim dem Historischen Archiv des Erzbistums Köln überlassen und sich mit der Benutzung durch den Verfasser freundlicherweise einverstanden erklärt

33 Seminarchronik I, S. 183

Das blieb auch in den nächsten beiden Semestern so, obgleich der Krieg immer neue Anpassungen erforderlich machte. Im Sommersemester 1940 sank die Zahl der Seminaristen von anfangs 84 durch Einberufungen zum Militär auf 40. Zu Beginn des Wintersemesters 1940/41 schrieb Regens Frings in die Chronik[34]: „Im Altenberger Dom waren während der Ferien die bunten Fenster zum größten Teil herausgenommen und durch Klarglas ersetzt worden. Die ästhetische Wirkung dieser Maßnahme war fürchterlich. Am 1. Abend versuchten wir, bei abgeblendeten Lichtern eine Eröffnungsandacht im Dom zu halten, die aber sowohl dem Regens wie dem neuen Pfarrer von Altenberg (Reiner Hütten) einen richterlichen Strafbefehl von 105 RM einbrachte. Von da ab verlegten wir unseren Gottesdienst in die Kapelle des Hauses Altenberg und besuchten nur noch sonntags das Hochamt im Dom ... Das Leben in Altenberg verlor durch das Ausfallen des Domes viel von seinem besonderen Reiz."

4. Beschlagnahme und Enteignung des Seminargebäudes in Bensberg[35]

War das Wintersemester 1940/41 noch – mit den kriegsbedingten Einschränkungen – unproblematisch verlaufen, so sollten das Seminar in den folgenden Monaten harte Schläge treffen. Zunächst verstarb am 10. März 1941 plötzlich Erzbischof Kardinal Schulte. Jeder Interimsverwalter einer Diözese, selbst wenn es eine so herausragende Persönlichkeit wie Emmerich David[36] war, hatte dem nationalsozialistischen Staat gegenüber eine geschwächte Stellung. Es scheint, daß diese Situation für die nachfolgend zu schildernden Schläge gegen das Priesterseminar nicht ohne Bedeutung war.

Zunächst ergab sich zu Beginn des Sommersemesters, daß die Militärverwaltung das Bensberger Haus für Lazarettzwecke vorübergehend nicht mehr benötigte. Nach entsprechenden Verhandlungen konnte Regens Frings mit 21 Seminaristen am 25. April in einen Flügel des Bensberger Seminars zurückkehren[37]. Doch schon am nächsten Tage teilte das Reichssicherheitshauptamt (RSHA) in Berlin dem Leiter der Staatspolizeistelle Köln mit[38]: „Der Inspekteur der Nationalpolitischen Erziehungs-

---

34 Seminarchronik I, S. 198 f.

35 Eine kurze, das vorhandene Aktenmaterial auswertende Darstellung der Enteignungsgeschichte des Bensberger Seminargebäudes bietet: Ulrich von Hehl, Katholische Kirche und Nationalsozialismus im Erzbistum Köln 1933–1945 (= Veröff. d. Kommission f. Zeitgeschichte, Reihe B: Forschungen, Bd. 23), Mainz 1977, S. 218 f.

36 Emmerich David (1882–1953), 1920–1930 Rektor des Priesterkollegs am Campo Santo Teutonico in Rom, 1931–1952 Generalvikar in Köln: Handbuch des Erzbistums Köln, Bd. 1, Köln [26]1966, S. 67 f.; Eduard Hegel, in: Gatz, Bischofslexikon, S. 117 f.

37 Seminarchronik I, S. 203 f.

38 Reichssicherheitshauptamt (Berlin) an Leiter der Staatspolizeistelle Köln am 26. 4. 1941, in: Wilhelm Corsten (Hrsg.), Kölner Aktenstücke zur Lage der katholischen Kirche in Deutschland 1933–1945, Köln 1949, S. 334 – Die Originale der von Corsten in der Seminarenteignungssache abgedruckten Aktenstücke und der dazugehörige Schriftverkehr des Kölner Generalvikariates finden sich in HAEK – CR 8 A 2.3,12 (Verwaltung des Seminarvermögens 1941 ff.)

anstalten ... hat hierher mitgeteilt, daß er zum Zwecke der Erweiterung der Nationalpolitischen Erziehungsanstalt in Bensberg das Erzbischöfliche Priesterseminar in Bensberg dringend benötige." Wie man zum Ziele zu kommen gedachte und welche Wege dazu angemessen erschienen, macht die nachfolgende Anweisung deutlich: „Es ist vor allem anzugeben, ob hinreichende Gründe vorliegen bzw. festgestellt werden können, die eine Beschlagnahme und Einziehung des Seminars rechtfertigen." Das hieß im Klartext: hinreichende Gründe waren zu konstruieren[39]. Wenig später erhielt Regens Frings erste Vorwarnungen für das, was ihm bevorstand: Am 11. Mai legte ihm ein Reichsbahninspektor aus Bensberg nahe, den Seminarkomplex der Reichsbahn zum Kauf anzubieten[40]. „Andernfalls drohe unmittelbare Gefahr, daß das Haus genommen werde zugunsten der der SS unterstehenden Nationalpolitischen Erziehungsanstalt Bensberg. Ich erwiderte, ich wolle die Anregung weitergeben, glaubte aber nicht, daß man ihr stattgeben werde. Denn wenn wir verkaufen, gäben wir die Rechtsansprüche auf das Haus für immer auf, und mit der Kaufsumme könnten wir nichts anstellen. Werde uns aber das Haus genommen, so würden wir Protest einlegen und hätten die Zuversicht, daß wir im Laufe der Zeit wieder zu unserem Eigentum kämen."[41]

Eine weitere, nur schlecht getarnte Aktion hat Frings nicht ganz durchschaut: Ein Vermessungsrat vom Katasteramt in Bensberg wollte Haus und Gebäude des Seminars durch seine Volontäre vermessen lassen. „Es solle das eine Prüfungsaufgabe für die jungen Leute sein, und zudem fehlten im Katasterregister noch genaue Vermessungsangaben über das Objekt ... Herr Rotterdam [der Architekt des Priesterseminars] zerstreute meine anfänglichen Bedenken."[42]

Wie unkompliziert und ohne Rechtshemmungen ein totalitäres System beim Raub eines begehrten Objekts vorgeht, macht eine Eintragung von Regens Frings in der Seminarchronik deutlich[43]: „Am 13. Mai erschienen zwei Beamte der Kölner Geheimen Staatspolizei und wollten die Bibliothek einsehen. Am 15. Mai erschienen dieselben (Brodesser und Mehring) wieder und eröffneten dem Regens, das Haus nebst Mobiliar sei staatspolizeilich sichergestellt. Bis 13 Uhr des folgenden Tages müßten Vorstand und Alumnen das Haus verlassen haben, andernfalls würden weitere polizeiliche Maßnahmen getroffen. Persönliches Eigentum dürfe herausgeschafft

---

39 Noch eindeutiger war in dieser Hinsicht die Anweisung des RSHA an die Staatspolizeistelle Köln vom 16. 4. 1941 bezüglich der beabsichtigten Beschlagnahme der Benediktinerabtei Siegburg. Dort hieß es: „Es ist auf jeden Fall zu versuchen, hinreichendes belastendes Material, das eine Beschlagnahme und Einziehung des Klosters rechtfertigen könnte, zu finden": Hehl, Erzbistum Köln (vgl. Anm. 35), S. 216

40 So berichtete Frings in einem Brief an Kapitularvikar David am 11. 5. 1941 (Kopie): Seminar-Archiv, Ordner 9: Generalvikariat – Anordnungen für das Priesterseminar

41 Die Darstellung von Regens Frings wird bestätigt und ergänzt durch die Darstellung von Prälat Berresheim „Warnungen": Darstellung Berresheim (vgl. oben Anm. 32), S. 101 f.

42 Berresheim berichtet, daß schon 1940 ein SS-Arzt von Prof. Feckes ein Exemplar der Seminarfestschrift von 1929 wegen der darin enthaltenen Pläne und Darstellungen des Objektes erbat, um sie an die SS in Berlin weiterzuleiten: Darstellung Berresheim, S. 101

43 Seminarchronik I, S. 204 f.

werden. Die Schwestern und der Rendant dürften bleiben. Der Regens fragte, aus welchem Grunde die Maßnahme erfolge. Als die Antwort kam, über die Gründe könne man sich nicht äußern, legte er in Gegenwart des Assistenten Dr. Berresheim Protest gegen die Maßnahme ein. Er fragte noch, ob die Sicherstellung nur für die Kriegszeit gelte, worauf die Antwort erfolgte, nein, sie gelte nicht nur für die Kriegsdauer... Nach Rücksprache mit dem Herrn Kapitularvikar wurden die Alumnen am folgenden Morgen nach Hause geschickt, und der Vorstand verließ Bensberg. Mittags um 13 Uhr (16. Mai) erschien die Stapo wieder und übergab das Haus dem Militär. Die weltlichen Angestellten wurden dienstverpfichtet und vereidigt."

Die Übergabe des Hauses an die Militärverwaltung kann man nur als Tarnung der wirklichen Absichten bezeichnen. Am 19. Mai 1941 machte die Stapo Köln Vollzugsmeldung an das RSHA in Berlin. Über Frings hatte sie herausgefunden[44]: „Gegen ihn wurde am 7. 5. 1937 beim Oberstaatsanwalt in Köln ein Strafverfahren wegen Vergehens gegen das Sammlungsgesetz eingeleitet. Das Verfahren wurde gemäß § 153 St.P.O. eingestellt. Am 25. 11. 1940 wurde Frings vom Amtsgericht in Köln wegen Nichtverdunkelns des Altenberger Doms, der von den Insassen des zeitweilig nach Altenberg verlegten Priesterseminars benutzt wurde, zu 100.– RM Geldstrafe oder 20 Tagen Haft verurteilt[45]. Am 13. 5. 1941 wurde die Hausbibliothek des Priestersemiars von Beamten der Staatspolizeistelle Köln überholt. Dabei wurde die Broschüre ‚Sturm über Rußland', die im Reichsgebiet verboten ist, vorgefunden." – „Wahrscheinlich ein Lehrer des Priesterseminars" habe mit Blaustift folgende Randglossen zu entsprechenden Textstellen geschrieben: „Auch bei uns in Deutschland sind Teufel am Werk. Aber am Ende siegen doch wir"... „Wenn wir nicht aufpassen und zur Stange halten, auch in Deutschland"... „Wenn wir Katholiken hier in Deutschland nicht so stark wären, hätten die N[ational] S[ozialisten] aus unseren Kirchen Turnsäle und Heime daraus [sic!] gemacht." Unter einem Bilde Pius' XI. habe gestanden: „Unser Sieger". Der Berichterstatter folgerte: „Aus diesen Randbemerkungen geht eindeutig hervor, in welchem Geist die Zöglinge des Priesterseminars gegen den Staat und gegen die Bewegung erzogen werden." Er berichtete dann über die Beschlagnahme und den Protest des Regens. „Der Kapitularvikar will gegen die Sicherstellung gleichfalls Einspruch erheben. Ich bitte, diese Einsprüche von dort aus abzulehnen."

Der Kapitularvikar wandte sich jedoch wegen seiner begrenzten Möglichkeiten zunächst an höhere kirchliche Stellen. Am 17. Mai 1941 schrieb er einen Bericht an den päpstlichen Nuntius Cesare Orsenigo in Berlin[46]. Nach Darstellung des Vorgefallenen hieß es: „Heute war ich persönlich in der hiesigen Staatspolizeistelle, um die kirchlichen Rechte geltend zu machen und auch die einstweilige Weiterführung des Seminars in einem anderen Gebäude der Erzdiözese sicherzustellen. Letzteres wurde grundsätzlich zugesagt, ebenso die Herausgabe aller religiösen Einrichtungsgegenstände des Seminars... Die Angabe eines Grundes für das Vorgehen wurde mit Ent-

---

[44] Staatspolizeistelle Köln an RSHA Berlin am 19. 5. 1941: Corsten, Kölner Aktenstücke, S. 334f.

[45] Vgl. dazu oben S. 168 mit Anm. 34

[46] Kapitularvikar David an Nuntius Orsenigo am 17. 5. 1941 (Entwurf): HAEK – CR 8 A 2.3,12

schiedenheit verweigert." Das Zugeständnis der Fortführung des Seminars und die Verweigerung der Benennung von Gründen für die Beschlagnahme machen deutlich, wie wenig stichhaltig man den späteren Vorwurf der „Volks- und Staatsfeindlichkeit" des Seminars bei den NS-Stellen selbst einschätzte.

Die Beschlagnahmung des Seminars ist im Zusammenhang mit der gleichzeitig laufenden Enteignungswelle von Klöstern und sonstigen kirchlichen Einrichtungen zu sehen[47]. Kapitularvikar David wies den Nuntius jedoch auf die besonderen Umstände in diesem Falle hin: „Da das Bensberger Seminar nicht einem Orden oder einem anderen durch das Konkordat weniger geschützten Rechtssubjekt, sondern der Erzdiözese Köln gehört und eine ihrer wesentlichen Anstalten ist, würde es sich bei einer wirklichen definitiven Enteignung wohl um den ersten Fall im Altreich handeln, in dem auch bei engster Auslegung des Textes eine ganz eindeutige Verletzung des Artikels 5 des Preußischen Konkordates und Artikels 17 des Reichskonkordates unbestreitbar gegeben wäre." Orsenigo möge deshalb „zunächst einmal an die Vertragstreue des Konkordatspartners appellieren"[48].

Da es über eineinhalb Monate völlig ruhig blieb, legte David am 4. Juli bei der Staatspolizeistelle Köln vorsorglich Einspruch gegen die Beschlagnahme ein und forderte erneut einen schriftlichen Beschlagnahmungsbescheid sowie die Nennung der Gründe[49]. Zur gleichen Zeit (7. Juli) ließ David durch die Rechtsanwälte Josef Hecking und Bistumsjustitiar Karl Hauke eine juristisch argumentierende Eingabe an das Innenministerium in Berlin richten[50], die in der Aussage gipfelte: „Es entspricht dem geltenden Recht, daß eine polizeiliche Verfügung dem Betroffenen schriftlich unter Angabe der Gründe zuzustellen ist. Dagegen hat die Staatspolizeistelle Köln verstoßen. Durch ihre Beschlagnahmeverfügung wurde überdies in das Eigentum unseres Auftragsgebers eingegriffen, das gemäß Art. 153 der Reichsverfassung im Rahmen der gesetzlichen Bestimmungn gewährleistet ist. Hinzu kommt noch, daß durch das Reichskonkordat, das als Deutsches Reichsgesetz verkündet wurde, sowohl staats- wie reichsrechtlich und staatsvertraglich die Vermögensrechte und das Eigentum der Kirche geschütz sind (Art. 1, 17,33 des Reichskonkordats). Dieser Schutz gilt, wie in dem Schlußprotokoll zu Art. 20 zum Ausdruck kommt, in erhöhtem Maße für kirchliche Einrichtungen, die als wesentliche kirchliche Institutionen im eigentlichen

47 Dazu: Ludwig Volk, Episkopat und Kirchenkampf im Zweiten Weltkrieg, I. Lebensvernichtung und Klostersturm 1939–1941, in: Stimmen der Zeit 198 (1980), S. 597–611

48 Nuntius Orsenigo wandte sich am 29. 8. 1941 in einer Verbalnote an das Auswärtige Amt in Berlin wegen zahlreicher Beschlagnahmen kirchlichen Eigentums. Das Bensberger Seminargebäude stand dabei an der Spitze der aufgezählten Objekte. Text der Verbalnote: Dieter Albrecht (Hrsg.), Der Notenwechsel zwischen dem Heiligen Stuhl und der Deutschen Reichsregierung, Bd. 3: Der Notenwechsel und die Demarchen des Nuntius Orsenigo 1933–1945 (=Veröff. d. Kommission f. Zeitgeschichte, Reihe A: Quellen, Bd. 29), Mainz 1980, Nr. 766, S. 561f.

49 David an Staatspolizeistelle Köln am 4. 7. 1941, in: Corsten, Kölner Aktenstücke, S. 335

50 Rechtsanwälte Hecking-Hauke an Reichs- und Preußischen Minister des Innern am 7. 7. 1941, in: Corsten, Kölner Aktenstücke, S. 335f. – Die dazugehörige Korrespondenz mit David findet sich in HAEK – CR 8 A 2.3,12

Sinne und Bestandteil der Diözesanorganisation anerkannt sind. Zu diesen geschützten Einrichtungen gehört auch das Priesterseminar." Die beiden Juristen erinnerten an den Haftungsanspruch gegen das Deutsche Reich und drohten den Gerichtsweg an, falls bis 9. August 1941 keine zufriedenstellende Antwort eingehe[51].

Alle diese Schritte gingen von der damals als Fiktion zu betrachtenden Annahme aus, als habe man es in Berlin mit Organen eines Rechtsstaates zu tun, bzw. man hoffte, durch ein Argumentieren von dieser Fiktion aus das System zu Zugeständnissen zu bewegen. Schließlich gelang es am 18. Juli dem Leiter des Kommissariates der Fuldaer Bischofskonferenz in Berlin, Weihbischof Heinrich Wienken, im RSHA mündlich Auskünfte über die Gründe für die Beschlagnahme zu erhalten[52]. Es waren die schon aufgeführten, ergänzt durch die pauschale Behauptung: „Endlich soll noch im Unterricht gehetzt worden sein." Wienkens Nachricht an David vom 19. Juli gab dieser zwei Tage später an Regens Frings weiter[53]. Dieser nahm zunächst am 26. Juli gegenüber David Stellung: „Das Reichssammelgesetz [sic!] wurde am 4. 11. 34 erlassen mit Wirkung vom 1. 11. 34. Damals war das Seminar ins Bensberg längst bezahlt und schuldenfrei. Es bestand also keine Veranlassung, Sammlungen für dasselbe zu veranstalten, und sie haben auch nicht stattgefunden. Die Broschüre ‚Sturm über Rußland' hat in keinem Augenblick zum Bestande der Bensberger Bibliothek gehört, was aus dem Fehlen des Stempels sowie jeder Signatur klar zu erkennen ist. Die Broschüre ist lediglich durch Beerbung eines verstorbenen Geistlichen, deren wir jährlich mehrere zu beerben pflegen, in die Räume des Seminars gekommen und stand unter diesen Erbschaften in einem gesonderten Regal. Sie sollte auf keinen Fall in die Bibliothek eingereiht werden, sondern bei nächster Gelegenheit verschenkt oder eingestampft werden. Daß in ihr Randbemerkungen standen, hat der Bibliothekar nicht beobachtet, noch sonst jemand. Auch beim Auffinden der Broschüre in meiner Gegenwart hat niemand auf die Randbemerkungen aufmerksam gemacht. Die Helfer des Bibliothekars aus den Jahren, seit 1929, können bezeugen, daß Bücher, in denen man Randbemerkungen fand, stets weggeworfen wurden. Durch Schriftvergleichung könnte festgestellt werden, von wem diese Randbemerkungen stammen und von wem nicht. Zu dem Bibliotheksraum, der ein Kunstschloß besaß, hatten nur die Professoren Zutritt. Daß im Unterricht gehetzt worden sei, ist durch nichts bewiesen und trifft nicht zu."

In Wienkens Information vom 19. Juli waren die angeblichen Verstöße gegen das Sammlungsgesetz nicht näher bezeichnet. Offenbar nach näherer Aufklärung

---

[51] Kapitularvikar David schickte am 15. 7. 1941 Abschriften der Eingabe Hecking-Hauke mit entsprechenden Begleitschreiben an den Chef der Reichskanzlei und an den Reichsminister für die kirchlichen Angelegenheiten. Begleitschreiben: Corsten, Kölner Aktenstücke, S. 336f. bzw. HAEK – CR 8 A 2.3, 12

[52] Brief Weihbischof Wienkens an Kapitularvikar David vom 19. 7. 1941: HAEK – CR 8 A 2.3, 12 – Zu Wienken: Martin Höllen, Heinrich Wienken, der „unpolitische" Kirchenpolitiker (= Veröff. d. Kommission f. Zeitgeschichte, Reihe B: Forschungen, Bd. 33), Mainz 1981

[53] David an Frings am 21. 7. 1941: Seminar-Archiv, Ordner 9: Generalvikariat – Anordnungen für das Priesterseminar. Dort auch Kopie der Antwort Frings' vom 26. 7. 1941. Original: HAEK – CR 8 A 2.3, 12

ergänzte Frings in einem Schreiben am 28. Juli[54]: „Als Pfarrer in Köln-Braunsfeld bin ich einmal beschuldigt worden, gegen das Reichssammlungsgesetz verstoßen zu haben, u[nd] zw[ar] aus folgenden Gründen: Ich leitete als Präses den katholischen Arbeiterverein der Pfarre. Im Jahre 1937 versandte der Schriftführer des Vereins an die Ehrenmitglieder eine hektographierte Aufforderung zur Zahlung des Jahresbeitrags. Die Aufforderung erging an etwa 25 Personen, u[nd] zw[ar] nur an solche, die bisher schon Ehrenmitglieder gewesen waren. Unter diesen war einer, der bisher Mitglied gewesen war, seinen Austritt nicht erklärt hatte, aber ein oder zwei Jahre nicht mehr bezahlt hatte. Dieser zeigte die Sache an, als wäre die Aufforderung auch an Nichtmitglieder ergangen. Nach mancherlei Verhören wurden der Schriftführer und ich zum Appellhofplatz bestellt, wo uns ein Staatsanwalt erklärte, der Minister habe die Sache wegen Geringfügigkeit niedergeschlagen. Wir erhoben sofort Einspruch, insofern darin die Feststellung einer Schuld liege, nahmen aber von einer weiteren Verfolgung der Sache Abstand, als uns versichert wurde, daß wir damit nicht vorbestraft seien. Mit dem Priesterseminar hat die Sache nicht das Mindeste zu tun, da ich damals noch Pfarrer von Köln-Braunsfeld, nicht aber Regens des Priesterseminars war."

Kapitularvikar David nahm diese Informationen zum Anlaß, sich am 31. Juli an das RSHA in Berlin zu wenden[55]. Nach Wiederholung der Informationen, die Bischof Wienken erhalten hatte, wies David die Beschuldigungen gegen das Seminar mit den Angaben von Regens Frings zurück. „Daraus ergibt sich, daß die Sicherstellung zu unrecht erfolgt ist. Ich beantrage deshalb nochmals die umgehende Aufhebung der staatspolizeilichen Sicherstellung." Zu den Vorwürfen verlangte David nähere Angaben. Speziell zu der Broschüre „Sturm über Rußland" schlug David vor: „Sollten ... die Randbemerkungen in der Broschüre als belastend für das Seminar betrachtet werden, so beantrage ich hiermit, durch Inanspruchnahme eines beeidigten Graphologen festzustellen, ob ein Mitglied des Seminarvorstandes der Urheber der Randbemerkungen sein kann."

Doch solche Eingaben beeindruckten die NS-Behörden nicht. Am 30. August veranlaßte die Stapostelle Köln (!) das Grundbuchamt in Bensberg zur Vermerkung der Sicherstellung im Grundbuch[56]. Im September machte Justitiar Hauke im RSHA und bei anderen Stellen in Berlin nochmals den Versuch, nähere Einzelheiten zu ermitteln[57], doch kam er ebenso wenig weiter wie Kapitularvikar David. Inzwischen war das Kölner Generalvikariat ebenso wie das RSHA in Berlin erheblich durch Bomben geschädigt worden.

Unberührt von diesen Auseinandersetzungen auf offizieller Ebene ging das Seminarleben unter den fortschreitenden Einschränkungen des Krieges weiter. Am 3. Juli 1941 wurde der Studienbetrieb des Seminars im Collegium Leoninum in Bonn wieder

[54] Frings an David am 28. 7. 1941, Fundorte wie Anm. 53
[55] David an RSHA Berlin am 31. 7. 1941: Corsten, Kölner Aktenstücke, S. 337f.
[56] Staatspolizeistelle Köln an Amtsgericht – Abt. Grundbuchamt – Bensberg am 30. 8. 1941: Corsten, Kölner Aktenstücke, S. 338f.
[57] Aktennotiz Haukes vom 18. 9. 1941: Corsten, Kölner Aktenstücke, S. 339f.

aufgenommen, das selbst nur noch 35 Theologen zählte[58]. Aus Furcht vor weiteren Einberufungen wurden wiederum Weihen vorgezogen. Als in der Nacht vom 7. zum 8. Juli 1941 bei einem Bombenangriff auf Köln das Generalvikariatsgebäude und die Mariä-Himmelfahrtskirche teilweise ausbrannten, wurden auch Teile der gerade von Bensberg dorthin verbrachten Seminarbibliothek verbrannt. Die fortschreitenden Kriegseinwirkungen werden an einem Chronikeintrag von Regens Frings deutlich[59]: „Der Betrieb während des Sommersemesters war auch dadurch sehr erschwert, daß jede Woche mehrmals nächtlicher Fliegeralarm gegeben wurde und alle im Luftschutzkeller Zuflucht nehmen mußten. Es kam vor, daß 7, 8 Nächte nacheinander gestört waren. Meist dauerte der Alarm 2-3 Stunden, zuweilen länger. Auch in der Nacht vor der Diakonatsweihe mußten alle, einschließlich Bischof, in den Keller."

Das Wintersemester 1941/42 begann mit 17 Seminaristen in Bonn, doch zog das Seminar am 3. Dezember in das Antoniusheim nach Honnef um, wo es das Kriegsende erleben sollte[60]. Herausragendes Ereignis war die Enteignung des Bensberger Seminargebäudes.

Bereits am 13. Dezember 1941 beantragte der Reichsminister für Wissenschaft, Erziehung und Volksbildung beim Innenminister[61], „das wegen Staats- und Volksfeindlichkeit zugunsten des Deutschen Reiches ... eingezogene Priesterseminar in Bensberg (Rhld) dem Deutschen Reich – vertreten durch den Reichsminister für Wissenschaft, Erziehung und Volksbildung – Inspektion der Nationalpolitischen Erziehungsanstalten – zu übereignen ... Der Besitz soll zur Erweiterung der unmittelbar bei dem Priesterseminar gelegenen Nationalpolitischen Erziehungsanstalt Bensberg ausgenutzt werden ..."

Wie wenig alle kirchlichen Schritte des zurückliegenden halben Jahres in Berlin bewirkt hatten, machte die rasche Durchführung der Enteigung deutlich. Bereits am 8. Januar 1942 teilte die Kölner Regierung, vertreten durch den Leiter der Geheimen Staatspolizei, Dr. Schäfer, dem Generalvikariat mit[62]: „Der Reichsminister des Innern hat auf Grund des Gesetzes über die Einziehung volks – und staatsfeindlichen Vermögens vom 14. 7. 33 (RGBL. I, S. 479) festgestellt, daß das Vermögen der Erzdiözese Köln, soweit es dem Erzbischöflichen Priesterseminar in Bensberg zur Verfügung gestellt worden war, volks- und staatsfeindlichen Zwecken gedient hat und daß die Bestrebungen der Insassen des obengenannten Hauses volks- und staatsfeindlich gewesen sind. Auf Grund des Erlasses des Führers und Reichskanzlers vom 29. 5. 41

---

58 Für die folgende Darstellung: Seminarchronik I, S. 205 ff.

59 Ebd., S. 208

60 Der Grund für die erneute Verlegung des Seminars lag in Schwierigkeiten, die sich im Sommer aus dem Nebeneinander von Konvikts- und Seminarbetrieb im Collegium Leoninum ergeben hatten. Frings schrieb darüber in die Seminarchronik (S. 205): „Es war nicht immer leicht, die strenge Seminarordnung gegenüber der wesentlich loseren des Theologenkonvikts durchzuführen. Ein erstes Semster mußte darüber das Haus verlassen."

61 Reichsminister für Wissenschaft, Erziehung und Volksbildung an Reichsminister des Innern am 13. 12. 1941: Corsten, Kölner Aktenstücke, S. 340 f.

62 Aufgenommen in die Kanzelverkündigung Kapitularvikar Davids vom 16. 1. 1942: Corsten, Kölner Aktenstücke, S. 341 f.

(RGBL. I, S. 303) wird hiermit das vorgenannte Institut, Haus und Grundstück in seiner Gesamtgröße von 11,75 ha zu Gunsten des Deutschen Reiches eingezogen. Gegen diese Einziehungsverfügung ist ein Rechtsmittel nicht gegeben."

Kapitularvikar David bewies hohen Mut, indem er trotz seiner gegenüber dem NS-System schwachen Stellung als Interimsverwalter den einzigen Weg der Gegenwehr beschritt, der totalitären Systemen äußerst unangenehm ist: den Weg des öffentlichen Protestes. Am 16. Januar 1942 verfügte er eine Kanzelverkündigung[63], in der er den Gang der Dinge um das Priesterseminar seit Mai 1941 in allen Einzelheiten darlegte. Darin hieß es: „Die Gläubigen der Erzdiözese haben nun ein Recht darauf, von mir zu erfahren, ... ob ihre jetzigen Priester, die aus dem Seminar hervorgingen und ihnen Beispiel und Lehrer allseitiger Pflichttreue sein sollten, wirklich eine volks- und staatsfeindliche Erziehung erhalten haben. Ich weiß, ich brauche diese Frage nur zu stellen, und sie ist für euch alle, die ihr die Lehre und das Leben unserer jungen Priester kennt, auch schon beantwortet." Daß dies nicht der Fall sei, „das beweist auch die vorbildliche soldatische Haltung der dreihundert jetzigen und früheren Seminaristen, die Schulter an Schulter mit ihren Kameraden als Sanitätssoldaten oder mit der Waffe oder als Feldgeistliche Kriegsdienst leisten."

David bekundete seine Hoffnung, doch noch einen Widerruf der Enteignung erreicher zu können, und bat die Gläubigen um ihr Gebet. Obwohl David inzwischen gewiß von der Erfolglosigkeit schriftlicher Eingaben bei NS-Behörden überzeugt war, richtete er, um nichts zu versäumen, am 23. Januar 1942 noch eine Eingabe an den Innenminister, die an Deutlichkeit nichts zu wünschen übrig ließ und in der Feststellung gipfelte: „Daß die Insassen des Bensberger Seminars sich volks- und staatsfeindlicher Bestrebungen schuldig gemacht haben, ist durch nichts bewiesen und wird durch das gesamte Verhalten der Angeschuldigten vor aller Welt widerlegt; eine unwiderlegliche Tatsache aber ist es, daß die Einziehung des Priesterseminars durch ihre unvermeidlichen Auswirkungen eine objektiv in hohem Maße staats- und volksfeindliche Maßnahme ist und als solche in weitesten Kreisen empfunden wird." Weder diese Eingabe noch die auf Davids Meldung hin unternommenen Schritte des Nuntius Orsenigo[64] zeitigten irgendeine Wirkung. Am 6. September 1942 verfügte der Reichsminister für Wissenschaft, Erziehung und Volksbildung an das Amtsgericht Bensberg die entsprechende Berichtigung des Grundbuches[65].

Es ging dem Staat lediglich um die Aneignung des Seminarbesitzes zugunsten der Napola Bensberg. Hätte man den Vorwurf der Volks- und Staatsfeindlichkeit ernstgenommen, wäre gegen die Betroffenen ein Strafverfahren eingeleitet worden. Das Priesterseminar als solches wäre geschlossen worden. Stattdessen lesen wir in der Chro-

---

63 Corsten, Kölner Aktenstücke, S. 341 f. – Dort S. 342 ff. auch die nachfolgend zitierte Eingabe Davids an den Reichsinnenminister vom 23. 1. 1942

64 David an Orsenigo am 19. 1. 1942 (Entwurf). HAEK – CR 8 A 2.3,12 – Verbalnote der Nuntiatur an das Auswärtige Amt vom 9. 2. 1942: Albrecht, Notenwechsel III (vgl. Anm. 48), Nr. 832, S. 603

65 Reichsminister für Wissenschaft, Erziehung und Volksbildung an Amtsgericht Bensberg am 6. 9. 1942: Corsten, Kölner Aktenstücke, S. 344 f.

nik[66]: „Inzwischen wurde in Honnef das Semester ohne besondere Zwischenfälle und in relativ befriedigender Weise zu Ende geführt. Wir empfanden es sehr angenehm, daß wir kaum einmal durch nächtlichen Fliegeralarm in der Ruhe gestört wurden. Die Mahlzeiten ... waren bescheiden, aber liebevoll zubereitet. Die Professoren konnten nicht immer rechtzeitig, zuweilen gar nicht erscheinen, weil durch die langdauernde Kälte im Jan[uar] u[nd] Febr[uar] die Verkehrsverhältnisse schlecht waren." Die Zahl der Weihekandidaten war auf zwei Subdiakone und drei Priester zusammengeschrumpft.

Einen kleinen Denkzettel außer der Enteignung hatten die staatlichen Machthaber sich – allerdings nicht nur für das Kölner Seminar – ausgedacht. Frings notierte[67]: „Das Handbuch [gemeint ist: der Personalschematismus] der Erzdiözese führte die Lehrer am Seminar nicht mehr, wie es seit 100 Jahren in Köln üblich war, als Professoren auf, sondern als Lektoren. Auf eine – salva reverentia – eingelegte Verwahrung des Regens wurde diesem die Antwort zuteil, die Änderung beruhe auf einem im vorigen Jahr von der staatlichen Behörde erlassenen Verbot, den Titel Professor an Seminarien zu verwenden, und auf einem Beschluß der deutschen Bischöfe, fortan den Titel Lektor zu verwenden."

Es muß in Berlin Betroffenheit ausgelöst haben, als bekannt wurde, daß exakt zwei Monate nach Enteignung des Seminars, am 8. März 1942, Regens Frings vom Kölner Metropolitankapitel aus einem Dreiervorschlag des Papstes zum Erzbischof von Köln gewählt worden war. Die hektisch eingeleitete Einziehung von Erkundigungen über seine Person durch die Gestapo ist leider nur noch bei der Gestapoleitstelle Düsseldorf greifbar, da von der Kölner Stelle keine Akten erhalten sind[68]. Der Befund machte den Vorwurf der Volks- und Staatsfeindlichkeit geradezu lächerlich. Gleich die erste Auskunft der Stadt Neuss vom 18. März 1942[69] bescheinigte der gesamten Familie Frings: „Es unterliegt ... keinem Zweifel, daß die Familie Frings den nationalsozialistischen Staat auf Grund ihrer religiösen Einstellung in weltanschaulicher Hinsicht ablehnt. Allerdings liegen keinerlei Beweise dafür vor, daß sie sich im Rahmen der religiösen Bindungen irgendwie staatsfeindlich betätigt hat." Am 9. April 1942 registrierte SS-Hauptsturmführer B. die Auskünfte eines V.-Mannes[70]: „Frings sei ein einfacher, natürlicher und liebenswürdiger Mensch. Als Pfarrer und Regens sei er von tief religiöser und aszetischer Veranlagung. Er sei keine Kämpfer- und auch keine Führernatur. Man könne seine Wahl nur als Verlegenheitswahl bezeichnen." Angesichts dieser Schilderung wirkt die nachfolgende Mitteilung wie ein schlechter Scherz, der die

---

66 Seminarchronik I, S. 219 f.

67 Ebd., S. 220 – Entsprechende Nachricht Davids an Regens Frings vom 28. 2. 1942: Seminar-Archiv, Ordner 9: Generalvikariat – Anordnungen für das Priesterseminar

68 Hauptstaatsarchiv Düsseldorf (HStAD), Bestand RW 58: Akten der Gestapoleitstelle Düsseldorf – Personalakten: 3741 Dr. Josef Frings – Möglicherweise gibt es weitere Aktenbestände in Archiven der DDR (Merseburg?), die von hier aus nicht zugänglich sind

69 Der Oberbürgermeister der Stadt Neuß-Rhein als Ortspolizeibehörde an Staatspolizeistelle Düsseldorf am 18. 3. 1942: HStAD – RW 58, 3741, Bl. 6 f.

70 Aktennotiz des SS-Hauptsturmführers B. „Düsseldorf, den 9. April 1942": Ebd., Bl. 12–14

Grenzen der Informationsmöglichkeiten selbst in einem totalitären System deutlich macht: „Als der V.-Mann die Person des Regens Frings schilderte, erzählte er, daß dieser menschenfreundliche und harmlose Pfarrer vor der Machtübernahme durch einen Zufall gelegentlich einer Zentrumsversammlung auf [den späteren nationalsozialistischen Oberbürgermeister von Köln] Toni Winkelnkemper mit einem Stuhl eingeschlagen habe. Wie die Angelegenheit sich damals zugetragen habe, wisse man zwar nicht mehr genau, sie sei auch allgemein in Vergessenheit geraten und nur durch die Wahl des Frings zum Erzbischof wieder in die Erinnerung zurückgerufen worden."

Es lohnt sich, die Darstellung von Kardinal Frings in seinen Lebenserinnerungen danebenzustellen[71]: Es handelte sich um eine Zentrumsversammlung im Vereinshaus der Braunsfelder Pfarre 1931. Die Versammlung wurde von Nationalsozialisten gesprengt. „Wie auf Kommando erhoben sich die Fremden, rissen von den Stühlen Beine los und warfen sie und andere Gegenstände, wie schwere gläserne Aschenbecher, auf den Vorstandstisch zu. Ich wurde von einem diese Gegenstände an der Stirn getroffen. Sehr schnell verzogen sich dann die Nazis, und es erschien die Polizei. Ich selbst ging noch den Abend zum Arzt ins Krankenhaus, der die Wunde verband, verklebte und dann lächelnd sagte: ‚Edlere Teile sind nicht verletzt.'" Das Amtsgericht Köln habe den Bruder des späteren Oberbürgermeisters Winkelnkemper wegen Hausfriedensbruchs verurteilt. Das Urteil sei jedoch in zweiter Instanz und schließlich vom Reichsgericht aufgehoben worden,weil ein Zeuge beeidete, „daß Winkelnkemper, der neben ihm gesessen habe, nichts geworfen habe".

Der Vorwurf der Volks- und Staatsfeindlichkeit gegen Frings ließ sich also nicht einmal im internen Aktenverkehr der Gestapo aufrechterhalten. So verwunderte es nicht, daß er auf die Erfinder zurückschlug, als die päpstliche Ernennung des Erzbischofs Frings ohne staatlichen Einspruch erfolgte. In einem Wochenbericht des Oberbürgermeisters von Neuss an die Gestapo Düsseldorf hieß es am 26. Mai 1942[72]: „In führenden Kreisen der Katholischen Aktion hat man mit einer Bestätigung des Dr. Josef Frings aus Neuss als Erzbischof von Köln von Seiten der Reichsregierung nicht gerechnet. Man erklärt, daß [die] Auflösung des Priesterseminars in Bensberg auf eine staatsfeindliche Haltung des Vorstandes zurückzuführen sei. Weil Dr. Frings zu diesem Zeitpunkt Präses des Hauses gewesen sei, stehe doch die Bestätigung mit der für die Auflösung maßgebend gewesenen Begründung im Widerspruch." Ähnliches gab ein V.-Mann in Essen zu Protokoll[73]: „Man will hierin eine gewisse Inkonsequenz des Staates erblicken. Auch an ironischen Bemerkungen lasse es der höhere Klerus nicht fehlen."

---

71 Für die Menschen bestellt. Erinnerungen des Alterzbischofs von Köln Josef Kardinal Frings, Köln 1973, S. 35

72 Auszug aus dem Wochenbericht des Herrn Oberbürgermeisters der Stadt Neuß-Rhein vom 26. 5. 1942: HStAD - RW 58, 3741, Bl. 36

73 Außendienststelle Essen (Nohles) an Staatspolizeistelle Düsseldorf (Oberregierungsrat Dr. Albath) am 1. 6. 1942: Ebd., Bl. 38

5. Die letzten Kriegsjahre in Honnef

Der am 5. Mai 1942 publizierte und am 21. Juni konsekrierte neue Erzbischof übertrug die Leitung des immer mehr schrumpfenden, fast nur noch von Kranken und Kriegsversehrten besuchten Seminars kommissarisch dem Direktor des Collegium Albertinum in Bonn, Dr. Ludwig Lieser[74]. Einschneidende Ereignisse für das Seminarleben brachte der Sommer 1943[75]: Am 29. Juni wurden das Erzbischöfliche Haus, das Generalvikariat und die Domherrenkurien in Köln von Bomben zerstört. Lieser berichtete in der Chronik[76]: „All diese Ereignisse hatten für das innere Leben des Seminars merkliche Änderungen zur Folge. Für kurze Zeit nahm selbst unser fliegergeschädigter Oberhirte seine Zuflucht im kleinen Antoniusheim ...“ Auch Generalvikar David und mehrere Domherren „zogen mit starkem Troß an Hilfskräften, dicken Akten und hohen Schränken in unser kleines Seminarheim ein und wurden unsere Hausgenossen. Es verdient der bleibenden Erinnerung übergeben zu werden, daß diese Aufnahme der Obdachlosen der freien Initiative der Alumnen des Seminars zu verdanken war, die aus eigenem Antrieb zu je zweien auf die kleinen Zimmer des Seminars zusammenrückten. Dies mag mit dazu beigetragen haben, daß sich so heterogene Elemente zusammenfügten und sich das Verhältnis von Behörde und Seminar auf das Glücklichste gestaltete. Dazu aber trug nicht wenig der Umstand bei, daß alle diese Herren ihre Amtsmiene vermieden und durch ihr liebenswürdiges Verhalten, vor allem aber durch ihr wahrhaft priesterliches Vorbild die Sympathie und Hochschätzung der Seminaristen erwarben“.

Eindrucksvolle Einblicke in die Lebenssituation des Seminars in diesem Kriegsjahr gibt ein Brief, den Lieser am 1. Juli 1943 an den Erzbischof schrieb[77]: „Die innere Harmonie der Seminargemeinschaft war – auch nach Meinung des Herrn Spirituals – eine recht gute. Die innere Ruhe und das ruhige Arbeiten wurden dagegen durch die Kriegsereignisse insofern beträchtlich gestört, als vier Seminaristen inzwischen zu Hause total fliegergeschädigt und die meisten anderen sonstwie betroffen wurden. D. verlor außerdem seinen Vater durch Krankheit. H. und B. mußten wegen Entzündungen an ihren Verwundungen einige Tage zu Bett. Die nächtlichen Störungen und damit verbundenen Sorgen um die Angehörigen setzten die Leistungsfähigkeit bedeutend herab. Hinzu kommt eine schmackhaft und gut zubereitete, aber nicht ausreichende Kost. Darum muß man die Zusätze von Hause, so peinlich sie an sich sind, zulassen ...“

Im Wintersemester 1943/44[78] gab es noch 13 Alumnen, „von denen die Mehrzahl

[74] Ludwig Lieser (1890–1963), 1938–1944 Direktor des Collegium Albertinum in Bonn, 1942–1944 Kommissarischer Regens des Priesterseminars in Honnef, 1944 Domkapitular und Generalvikariatsrat: Hecker, Chronik, S. 276

[75] Seminarchronik I, S. 226 ff.

[76] Ebd., S. 228 f.

[77] Lieser an Erzbischof Frings am 1. 7. 1943 (Kopie): Seminar-Archiv, Ordner 6: Erzbischof – Anweisungen, Besprechungen, Korrespondenz

[78] Seminarchronik I, S. 229 ff.

schwere Kriegsschäden aufwies". – „Rasch verflogen die Wochen im ernsten Studium. Dankbar verwerteten unsere Leute die ihnen in solch schwerer Zeit gebotene Möglichkeit der Vorbereitung auf den hl. Beruf." Es gab bis zum 3. Januar 1944 Weihnachtsferien. „Die fettlose Kost und die nicht herabgesetzten Studienforderungen gestatteten keine Durcharbeit. Alle bekamen die Grippe, Vorstand und Alumnen."

Das Sommersemester 1944 begann mit der Einführung des neuen Regens Dr. Augustinus Frotz. Die Seminaristenzahl stieg noch einmal auf 17 an, und das Leben in dieser Gemeinschaft war trotz der immer bedrückenderen Kriegslage rege und geprägt. Erst das Wintersemester brachte über die „Insel des Friedens", als die das Haus in Honnef innerhalb der Diözese galt, die Erfahrung der äußersten Kriegsnot. Regens Frotz hat diese Monate bis zur Besetzung Honnefs durch die Amerikaner am 9. März 1945 eindrucksvoll in der Chronik des Seminars geschildert. Als Beispiel für die Stimmungsgegensätze in dieser Notzeit sei folgender Abschnitt der Chronik zitiert[79]: „Scharfe Gegensätze zeigt der 5. Dezember [1944]: Vorabend von St. Nikolaus. Die kleine Kommunität [10] hat einen Nikolausabend vorbereitet. Mehrere Stunden braucht das spritzige Programm voll echten Humors, wie in besseren Tagen ... Das Seminar erlebt frohe Stunden der Entspannung. Daran ändert auch der plötzliche Großalarm nichts und das unheilvolle Dröhnen schwerster Bomberformationen, die über eine Stunde dahinjagen. Das Haus ist sorgfältig abgedunkelt. Wir haben die Hoffnung, daß Honnef nur überflogen wird. Aber die Sorge um die armen Menschen, die es bald wieder trifft, quält furchtbar. Kann man bei diesem Wissen froh sein? Der Krieg hat uns gelehrt, alles aus Gottes Hand entgegenzunehmen, Freud und Leid, und oft zu gleicher Zeit. Wenn nur alles Gott anheimgegeben wird. Und die Freude macht wieder stark, neues Leid zu tragen."

Die Schrecken einer von Unrecht und Krieg erschütterten Welt bestimmten in diesen Monaten das Leben im Seminar. Die Oase heiler Welt in Bensberg, die gegen alle Einflüsse von außen abgeschirmt gewesen war, lag weit zurück. Die grausame Wirklichkeit hatte Hunderte von Bonner Theologiestudenten und Bensberger Seminaristen als Soldaten an die Front verschlagen. Viele von ihnen sind nicht lebend zurückgekehrt. Nur wenige Kriegsversehrte konnten unter schwersten Bedingungen in den letzten Kriegsjahren ihren Weg zum Priestertum weitergehen. Die vorhandenen schriftlichen Zeugnisse vermitteln den Eindruck, daß es um die geistliche Tiefe und menschliche Haltung in Honnef nicht schlechter bestellt war als in der heilen Welt und unter den wohlgeordneten Bedingungen des Bensberger Seminars. Als die Katastrophe des Kriegsendes überstanden war, standen Heimkehrende und Daheimgebliebene vor der Aufgabe eines Neuanfangs unter unvollständig veränderten Bedingungen.

---

[79] Seminarchronik I, S. 241ff.

VII. Das Priesterseminar zwischen Zweitem Weltkrieg und Zweitem Vatikanischen Konzil (1945–1965)

Von Augustinus Frotz

Im Frühjahr 1945 stießen amerikanische Panzerabteilungen bis zum Rhein vor. Im Siebengebirge baute deutsche Artillerie eine Abwehrstellung auf. Das Priesterseminar lag einige Wochen zwischen den Fronten. Am 7. März gelang den Amerikanern der erste Durchbruch zum rechten Rheinufer, gänzlich unerwartet über die unversehrte Eisenbahnbrücke zwischen Remagen und Erpel. Zwei Tage später hielten die ersten amerikanischen Panzer mit Infanterie im Gefolge vor dem Portal des Priesterseminars. Schwer bewaffnete Soldaten irischer Herkunft, den Rosenkranz um den Hals gebunden, hörten sofort mit der Durchsuchung des Hauses auf, als sie vernahmen, es sei hier ein römisch-katholisches Priesterseminar mit Priestern und Ordensschwestern, und der Kölner Erzbischof wohne in der Nähe. Es gab fast ein Fest der Versöhnung, des Friedens. Aber noch zwei Wochen lang hielt der schaurige Granatenwechsel der Gegner an. Das Haus erlitt kaum Schäden, aber im Gartengelände wurden die schönen, hohen Zierbäume zerfetzt und der Boden von Einschlägen zerwühlt. Tag und Nacht blieb das Seminar Zufluchtstätte verängstigter Nachbarn und solcher, deren Wohnungen von den Amerikanern beschlagnahmt worden waren. Die Lebensmittelvorräte schwanden dahin, der Hunger nahm zu. Eine streng gehandhabte Ausgangssperre und die Stillegung aller öffentlicher Verkehrsmittel schufen eine unerträgliche Isolierung von der Außenwelt.

Bald aber gelang es, erste Nachrichten von Bensberg zu bekommen. Es hieß, daß Seminargebäude sei unversehrt geblieben. Die Gefahr habe aber bestanden, noch in letzter Stunde von Deutschen gesprengt zu werden[1]. Es sei von den Amerikanern in Besitz genommen und als Lazarett eingerichetet worden. Zuvor hätten sie alles vorgefunde Bettzeug, alle Textilien auf die Wiesen geworfen, mit Benzin übergossen und verbrannt[2]. Die Seminarchronik vermerkt dazu: „Ob der Nazibazillus und ähnliche Krankheitskeime ebenso sorgfältig und gründlich vernichtet werden?"[3]

1. Das letzte Semester in Honnef-Selhof

Unerwartet schnell gestattete die Militärregierung die Fortführung des Priesterseminars in Honnef-Selhof, obwohl alle übrigen Schulen und Institute geschlossen blie-

[1] Der zu dieser Zeit noch im Bensberger Seminargebäude wohnende Dr. Heinrich Berresheim schreibt am 16. 10. 1986 an die Verfasser: „Die Sprengung in Bensberg war ein Gerede, die Wahrheit nie nachprüfbar."

[2] Dr. Berresheim im gleichen Brief: „Nur die Betteinlagen konnten gerettet werden."

[3] Seminarchronik I, S. 250

ben. So wurde mit einem kühnen Entschluß der Beginn des Sommersemesters für den 9. April vorgesehen, vier Wochen nach dem Erscheinen der Amerikaner. Zwei Seminaristen konnten sich bis nach Honnef durchschlagen, später noch die restlichen sechs. Außer dem Regens und dem Spiritual Heinrich Fritsch standen die Professoren Carl Feckes und Joseph Solzbacher zur Verfügung, gegen Ende des Semesters noch die beiden Professoren Joseph Klein und Theodor Schnitzler[4]. Es konnte sich aber kein rechtes Seminarleben entfalten. In der Seminarchronik heißt es[5]: „Die Raumschwierigkeiten blieben, die Ernährung war unzureichend, den totalen Zusammenbruch des Reiches, das unsagbare Leid des Volkes, das tiefe Dunkel der Zukunft empfindet jeder als persönliche Last." Mit großer Sorgfalt und Liebe wurde der Gottesdienst gefeiert, im Hause selbst die tägliche Eucharistiefeier, das Stundengebet mit Laudes, Vesper und Komplet, die deutsche Komplet an den Samstagabenden draußen in der Honnefer und der Selhofer Pfarrkirche mit den Gemeinden. Seminaristen bildeten wieder eine Ministranten- und Scholagruppe. Die Beteiligung des Volkes an den Gottesdiensten war außergewöhnlich groß, auch der Jugend. Am 25. Juli erhielten von den acht Seminaristen zwei Subdiakone die Diakonatsweihe und drei Diakone die Priesterweihe in der Honnefer Pfarrkirche St. Johann Baptist. In einer frohen Runde zum Ausklang des Tages und des letzten Semesters in Honnef griff das Gespräch unwillkürlich Seelsorgsfragen der kommenden Zeit auf. Die Chronik vermerkt: „Der Wille zum Neubau ist da. Gebe uns der Herr klare Sicht und nimmermüde Hände."[6]

2. Das Seminar als Gast in der Heil- und Pflegeanstalt der Neusser Alexianer-Brüder in Ensen

Nur noch zwei Diakone zählte das Seminar, als das Sommersemester 1945 zu Ende gegangen war, aber bereits 30 Anmeldungen von heimgekehrten, als Introituren aufgenommenen Soldatentheologen lagen vor, und weitere durften erwartet werden. Dazu reichte das kleine Antonius-Heim in Honnef nicht aus. Das Bensberger Haus war nicht zurückzubekommen. Alle Bemühungen bei der Militärregierung hatten keinen Erfolg. Der Bürgermeister von Königswinter bot die Drachenburg an. Sie war zum Teil zerstört, völlig leer, verwahrlost und für Seminarzwecke gänzlich ungeeignet.

---

[4] Joseph Solzbacher (1909–1978), 1932–1934 Seminarist in Bensberg, 1934–1943 Religionslehrer in Leverkusen und zugleich Polenseelsorger, 1941 Dr. theol., 1943/44 Rektor an der Kirche des Marianum in Opladen und Krankenhausseelsorger, 1944–1961 Professor für Religionspädagogik am Priesterseminar, ab 1961 Professor an der Pädagogischen Akademie in Neuss: Hecker, Chronik, S. 282 ff.; Froitzheim, Personalchronik, S. 32–43 (vollst. Schriftenverzeichnis) – Theodor Schnitzler (1910–1982), 1934 Priesterweihe in Rom (Germanikum), 1938 Dr. theol. (Rom), 1943–1960 Seminarprofessor für Liturgik, ab 1960 Pfarrer an St. Aposteln in Köln, Gründer und Leiter des Apostelstifts der Brüderorden und der Erzbischöflichen Liturgieschule in Köln: Hecker, Chronik, S. 277 f.; Froitzheim, Personalchronik, S. 27 ff.

[5] Seminarchronik I, S. 249

[6] Seminarchronik I, S. 252

Ein Flügel der Abtei Siegburg erwies sich auch als zu sehr beschädigt. Mehr Aussicht gewährte das von dem evangelischen Grafen von Mallinckrodt angebotene Schloß Wachendorf bei Euskirchen. Doch auch dieses Projekt mußte nach näherem Zusehen aufgegeben werden.

Als letzten Ausweg machte Professor Schnitzler als Hausgeistlicher in der Ensener Heil- und Pflegeanstalt auf einen leeren Flügel des Hauses aufmerksam. Er besaß weder Dach noch Fenster, bot aber dank der großen Hilfsbereitschaft der Alexianer-Brüder gute Möglichkeiten. Der Erzbischof konnte mit Unterstützung des Herrn Dr. Pirlet[7], dem Erbauer der ersten Autobahn von Köln nach Bonn, die nötigsten Baumaterialien besorgen. Telegraphisch herbeigerufene Seminaristen bildeten mit Regens und Mitgliedern des Seminarvorstandes Arbeitsgruppen und schafften es, in wenigen Wochen das Dach zu dichten, Fenster zu verglasen und die erforderlichen Räume, auch für einige Ordenschwestern, notdürftig herzurichten.

Die Schwestern waren die treuen Cellitinnen aus dem Kölner Mutterhaus in der Jakobstraße, die glücklich waren, wieder im Priesterseminar leben und ihm dienen zu dürfen, nachdem sie am 9. Juli 1945 auf Befehl der Engländer mit dem Assistenten Dr. Heinrich Berresheim das von ihnen noch bewohnte Schwesternhaus am Bensberger Priesterseminar hatten verlassen müssen. Einige von ihnen haben fast ihr ganzes Ordensleben dem Seminar geschenkt, so daß sie hier stellvertretend für alle mit Namen genannt werden müssen: die Schwestern Possidia, Corbiniana und Admirabilis.

Bereits am 14. November 1945 konnte das Wintersemester mit 43 Seminaristen beginnen. Mit sehr viel Mut, hochherziger Bereitschaft, mit starkem Gottvertrauen und zunehmenden Schwierigkeiten im Hause mußten eigene Arbeitskolonnen der Seminaristen die Renovierungsarbeiten fortsetzen, standen doch nur zwei Waschräume und zwei Toiletten für die ganze Kommunität zur Verfügung. Fehlendes Heizmaterial machte oft die Kälte unerträglich, mangelnde Ernährung zehrte an den Kräften. Die Einhaltung eines Vorlesungsplanes war nicht möglich, das Privatstudium infolge der Enge des Zusammenwohnens stark behindert. Nur der durch die Liturgie gegebene geistliche Tagesrhythmus blieb erhalten und erschloß dem Gemeinschaftsleben die inneren Quellen der Durchhaltekraft und der bestmöglichen Vorbereitung auf das Priestertum. Die Grundhaltung der von allen Kriegsschauplätzen und aus Gefangenschaft Heimgekehrten war großartig, typisch ihr Verlangen nach einer Meßstiftung für gefallene und vermißte Theologen und ihr tägliches Gedenken bei der Hl. Messe.

Nicht die Armseligkeit der Inneneinrichtung des Hauses, nicht die äußeren Entbehrungen schafften wachsende Probleme, es war die Schwierigkeit fast aller, so zueinanderzufinden, daß eine Seminargemeinschaft entstehe, wie sie selbst es sich in den Nöten des Krieges vorgestellt und als zu verwirklichen vorgenommen hatten. In

---

[7] Es war unmittelbar nach Kriegsende kaum möglich, ohne persönliche Beziehungen an Baumaterialien zu kommen. Der Statiker Prof. Dr. Josef Pirlet war dem Erzbischof aus seiner Zeit als Pfarrer an St. Joseph in Köln-Braunsfeld bestens bekannt

einem erhaltenen Manuskript notiert der Regens nach vier Semestern in Ensen einige Beobachtungen:

Der Heimkehrer lebt aus dem Bewußtsein, für Gottes gütige Wegführung niemals genug danken zu können. Immer noch sieht er sich in kritischen, oft lebensbedrohenden Situationen. Manche Erlebnisse konnten nicht genügend verarbeitet und geklärt werden. Sie wirken nach wie ein seelisches Trauma. Die stets geforderte Selbstbehauptung hat den Theologen stark auf sich selbst verwiesen. Er ist mehr Individualist als er sich einzugestehen vermag. Das religiöse Leben, wohl als Folge des Lebensstils beim Militär, ist in ihm versteckt. Er zeigt eine gewissen Scheu, seine Frömmigkeit zu manifestieren, wie es die Liturgie mit sich bringt. Entwickelt ist die Liebe zum persönlichen Gebet, zum Lesen der Schrift, zur Meditation.

Der Heimkehrer ist nüchtern geworden, sehr realistisch. Bei den meisten hat die Entscheidung für das Priestertum an Überzeugung und Tiefe gewonnen. Während die einen eine erfreuliche geistige Regsamkeit offenbaren, ist bei anderen die Schwungkraft des Seelischen geschwächt. Den einen sind die Angebote des Seminars mit Begeisterung willkommen, andere nehmen das Seminar in Kauf, um bald in die Praxis zu gelangen.

Der Heimkehrer hat in seiner Militärzeit ein Bild von Männlichkeit angenommen, das ihm einige traditionelle Vorstellungen und Formen fremd erscheinen läßt. Immer wieder hat er sich gegen die Herabwürdigung der Frau zur Wehr setzen müssen. Er braucht Zeit und Hilfe zur Klärung und Reifung.

Der Heimkehrer sucht echte Bruderschaft. Jahrelang hat er die Sehnsucht nach einer wahren Gemeinschaft in sich genährt. Jetzt steht er vor neuen Schwierigkeiten der Verwirklichung. Versuche der Seminarleitung, auch durch eine Hausordnung unterstützend mitzuwirken, werden äußerst kritisch beobachtet und beurteilt. Denn der Heimkehrer will endlich sein Leben in Freiheit selbst gestalten. „Wir wehren uns gegen alles", so sagen sie, „was an Kommando, an Gleichschaltung, an Kommiß erinnert."

Der Heimkehrer sieht mit Recht die ganze Fragwürdigkeit einer bloß äußeren tadellosen Ordnung. Oft hat er nur mit Widerwillen den Schein gewahrt, sich gefügt und dabei die Fähigkeit entwickeln müssen, sich Freiheiten zu verschaffen, ohne aufzufallen. Der Heimkehrer ist durch alle Zeitumstände hindurch in seiner Grundstruktur unverändert geblieben. In der Kommunität stehen sich wie ehedem Konservative und Progressive gegenüber, Beharrende und Suchende. Es schafft nicht nur Gegensätze und Ärger, es bringt auch Möglichkeiten zum Reifen ins Spiel. Immer, das ist erfreulich festzustellen, sind alle redlich bemüht, in den Schwierigkeiten und Problemen des Zusammenlebens, namentlich unter den erschwerten äußeren Umständen der unmittelbaren Nachkriegszeit, voranzukommen. Rheinische Art vergißt dabei auch die Freude nicht.

Eines Tages allerdings geriet der Seismograph des Hauses mächtig ins Zittern, als im ersten Ensener Semester der Erzbischof meinte, die Weihnachtsferien, die er selbst als Regens eingeführt hatte, streichen zu sollen. Das war den Heimkehrern nun wirklich nicht zuzumuten. Der Kompromiß: Heimfahrt für drei Weihnachtstage – ab dem 27. Dezember Pastoralkurs über soziale Fragen der Gegenwart. Kurse und Werkwochen solcher Art wurden durch gemeinsame Themen, Überlegungen und Rücksprachen mit dem Erzbischof für jedes Semesterende mit besonderer Sorgfalt vorbereitet. Der Erzbischof bevorzugte sozialpolitische Fragen[8], die Seminaristen wünschten vorwiegend die Behandlung pastoral-praktischer Themen. Allen gemeinsam lag daran, Referenten mit Lebenserfahrung und dazu besondes lebenskundige Laien einzuladen, Männer und Frauen aus dem geistigen, politischen und wirtschaftlichen Leben. Genannt sei hier die Kölner Stadtverordnete und spätere Kultusministerin, Frau Christine Teusch. Ihre Intelligenz, ihr mutiger Einsatz, vor allem aber ihr fraulich vornehmes und gütiges Wesen, haben die Seminaristen, wie sie offen gestanden, besonders beeindruckt und mit dazu beigetragen, ein tieferes Verständnis für die Frau in Kirche und Gesellschaft von heute zu wecken[9].

Ein denkwürdiger Tag wurde der 28. Dezember 1945, an dem der Erzbischof im Ensener Seminar zum Skrutinium weilte und die Medien seine Erhebung zum Kardinal der Hl. Römischen Kirche bekanntgaben. In der spontanen Bekundung allgemeiner Freude sagte der neue Kardinal: „Größer als diese Ehrung ist das Priestertum selbst. Die Ernennung dreier deutscher Bischöfe ist ein besonderer Hulderweis des Hl. Vaters, eine Großtat in diesen Zeiten. Besonders freut es mich für meinen Mitbruder, Bischof Clemens August von Münster“[10]. Nur aus der damaligen Situation waren solche Worte in ihrem vollen Wahrheitsgehalt zu verstehen. Sie ließen zugleich erkennen, wie es dem Erzbischof gelang, mit wenigen einfachen Worten das im jeweiligen Augenblick Richtige und Notwendige zu sagen.

Etwas gedämpft wurde die Freude in Ensen, als wenige Tage danach bekannt wurde, der Erzbischof habe einem Bonner Vorschlag zugestimmt, das Universitätsstudium um ein neuntes Semester zu verlängern und die Seminarzeit um ein Semester zu kürzen. Am 30. Dezember 1945 hatte im Erzbischöflichen Haus eine Besprechung stattgefunden, an der von der Theologischen Fakultät der Dekan, Professor Neuß, und der Vorsitzende der Prüfungskommission, Professor Lang, teilgenommen hatten, von den

---

[8] In der Seminarchronik (I, S. 273 f.) heißt es am 20. 9. 1946: „Die soziale Frage tritt stark in den Vordergrund. Auch Seine Eminenz wünscht deren intensivere Behandlung im Seminar. Der Diözesanpräses der Arbeitervereine der KAB, Dr. Hermann Josef Schmitt, hält in diesem Semester jede Woche eine Stunde ‚Einführung in die soziale Frage der Gegenwart‘. Die Theologen sind nicht mehr vorgeschult, aber äußerst interessiert.“

[9] Christine Teusch (1888–1968), Dr. hc. Universität Bonn, 1913–1918 und 1933–1936 Lehrerin in Köln, Sozialreferentin, 1920 Gründerin und Leiterin des Sozialreferates im Christlichen Gewerkschaftsbund, Mitglied der Deutschen Nationalversammlung und des Preußischen Landtages (Zentrum), nach 1933 zeitweise in „Schutzhaft“ durch die Gestapo, nach 1945 Stadträtin in Köln und Landtagsabgeordnete der CDU, Mitarbeiterin in zahlreichen Verbänden, seit 1914 Mitglied der Vereinsleitung des Verbandes kath. deutscher Lehrerinnen, 1947–1954 Kultusministerin des Landes Nordrhein-Westfalen: Marilone Emmerich, Gedenken an Christine Teusch, in: Katholische Bildung 79 (1978), S. 556; St. J. Dominica Ballof, Christine Teusch (1888–1968), in: Zeitgeschichte in Lebensbildern, hrsg. v. Rudolf Morsey, Bd. 2, Mainz 1975, S. 202–213 (Literaturübersicht ebd., S. 223 f.).

[10] Seminarchronik I, S. 260.

beiden Theologenkonvikten die Direktoren Dr. Daniels und Teusch[11]. Als Gründe für den Vorschlag wurden angeführt:

- Schaffung einer größeren Freizeit zur Vorbereitung auf den Introitus ins Priesterseminar
- Verlegung einiger Stoffe – besonders aus der Kirchengeschichte-in höhere Semester (Neuß)
- Beseitigung von Examensschwierigkeiten der heimgekehrten Theologen (Lang)
- Einschränkung der aufgeblähten Seminarzeit (Erzbischof!)[12]

Der Vorschlag der Konviktsdirektoren, bei Verlängerung um ein neuntes Semester ein Vorsemester für Sprachstudien und schulmäßige Einführung in die scholastische Terminologie zu planen, wurde von den Professoren zurückgewiesen. Selbst in den Bonner Konvikten herrschte, wie es hieß, alsbald große Aufregung. Man wollte weiter nach acht Semestern ins Priesterseminar. Resolutionen wurden verfaßt und sogar eine Propaganda-Hauszeitung verbreitet[13]. Der übergangene Seminarvorstand setzte sich energisch zur Wehr. Drei Monate nach der Besprechung und der Beschlußfassung im Erzbischöflichen Haus fand am 11. März 1946 in Collegium Albertinum eine Zusammenkunft statt, an der Domkapitular Lieser, die Professoren Neuß und Lang, die Direktoren Daniels und Teusch sowie die Seminarregenten Frotz und Becker von Köln/Ensen und Aachen teilnahmen. Sie einigten sich auf folgendes Protokoll[14]:

„Aachen hält an vier Semestern Priesterseminar fest.
- Das Nebeneinander von zwei verschiedenen Studiengängen der Theologen im gleichen Hause ist nicht tragbar.
- Die Unterbringung einer größeren Zahl von Studierenden in den Bonner Häusern ist kaum möglich.
- Das Seminar in Ensen ist in der Lage, die von Bonn kommenden Theologen für vier Semester wenigstens notdürftig unterzubringen.

Beide Regenten sind der Überzeugung, daß gerade heute die viersemestrige Ausbildung der Seminaristen empfehlenswert ist. Das Seminar hat die Möglichkeit, Lücken in den systematischen Fächern zu schließen und vor allem den bisher mehr theore-

---

11 Albert Lang (1890–1973), 1953–1968 Professor für Fundamentaltheologie an der kath.-theol. Fakultät Bonn: Handbuch des Erzbistums Köln, Bd. 2, Köln ^{26}1966, S. 877 – Hans Daniels (*1906), 1945–1963 Direktor des Collegium Albertinum in Bonn, 1963–1981 Domkapitular, 1965–1981 stellv. Generalvikar in Köln: Handbuch des Erzbistums Köln, Personaler Teil, Köln ^{27}1985, S. 48 – Joseph Teusch (1902–1976), 1927 Priesterweihe, 1934 Domvikar und Leiter der Kölner „Abwehrstelle" gegen den Nationalsozialismus, 1944–1952 Direktor des Collegium Leoninum in Bonn, 1952–1969 Generalvikar in Köln (Domkapitular), ab 1969 Bischöflicher Vikar: Handbuch des Erzbistums Köln, Bd. 1, Köln ^{26}1966, S. 68

12 Erzbischof Frings hatte bereits als Seminarregens Probleme der bestehenden Studienordnung erkannt, konnte aber infolge der aufkommenden unruhigen Seminarsituation nicht an Änderungen denken

13 Seminarchronik I, S. 262

14 Seminarchronik I, S. 263–265

tisch behandelten Stoff unter anderen, mehr seelsorglich-praktischen und religiösen Gesichtspunkten zu beleuchten. Regens Frotz hält eine Überprüfung der Studienordnung im Kölner Priesterseminar für erforderlich.

Bei Anerkennung der oben genannten Gründe erklärt Professor Neuß, er möchte nicht im Wege stehen, wenn durch eine Veränderung der Semesterverteilung andere noch wichtigere Dinge gefährdet würden. Ihm schließen sich die übrigen Herren an.

Das Protokoll wurde dem Erzbischof zugeleitet. Seine Entscheidung: Die neue Studienordnung ist vorläufig suspendiert."

Der Erzbischof hatte nach der Besetzung des rechten Rheinufers durch die Amerikaner die Gelegenheit wahrgenommen, seine Notwohnung in Honnef-Rommersdorf aufzugeben und nach Köln zurückzukehren. Dort begann er auf seine ihm eigene, allbekannte Weise das volle Licht seines Wahlspruches aufleuchten zu lassen: „Pro hominibus constitutus" – in volkstümlicher Übersetzung: „Ich bin für die Leute da." Mit ihm hatte sich auch der Kölner Klerus in den schlimmen Jahren der NS-Gewaltherrschaft hervorragend bewährt. Jetzt nach dem Zusammenbruch, inmitten einer unvorstellbaren materiellen und seelischen Zerstörung, aber auch eines ungebrochenen Willens zum Neubeginn stand der Erzbischof mit seinen Getreuen vor der schwierigen Aufgabe, alle religiösen und kirchlichen Hilfen aufzubieten, um mitzuwirken, die großen Nöte des Volkes zum besseren zu wenden.

Der Seminarvorstand wurde von Anfang an in die Überlegungen und Planungen des Erzbischofs und seines Erzbischöflichen Rates einbezogen. Es ging vor allem um drei Projekte:

- um Hilfen für die Seelsorge durch Beschaffung eines neuen Katechismus, einer Grundordnung für den Gottesdienst, eines neuen diözesanen Gebet- und Gesangbuches
- um Hilfen für die Seelsorge durch Neubelebung des Pastoralblattes, durch Neubesinnung auf Probleme der Priesterausbildung und -fortbildung
- um eine in absehbarer Zeit einzuberufende Diözesan-Synode

a) Hilfen für die Seelsorge: Das neue Gebet- und Gesangbuch

Schon im ersten Ensener Semester kam Domkapitular Lieser ins Seminar und überbrachte den Wunsch des Erzbischofs, es möchte sich Professor Solzbacher um einen neuen Katechismus bemühen, um das Rituale Professor Schnitzler, um das Gesang- und Gebetbuch Regens Frotz. Als erstes übernahm der Seminarvorstand den Auftrag, ein neues Gebet- und Gesangbuch für das Erzbistum Köln vorzubereiten. Eine wichtige Hilfe dazu wurde die Ernennung des als Vikar in der Missionsvikarie Hennen bei Sümmern über Schwerte tätigen Kölner Priesters Johannes Overath als Assistent an das Kölner Priesterseminar[15]. Ihm wurde mit der Ausbildung der Seminaristen in Kir-

[15] Johannes Overath (*1913), 1936–1938 Seminarist in Bensberg, 1943–1946 Pfarrvikar in Hennen, 1946 (1948)–1971 Assistent bzw. Professor für Kirchenmusik am Priesterseminar, 1958

chengesang und Kirchenmusik die Neubearbeitung des Gesangsteiles des Gebetbuches übertragen, Professor Schnitzler bemühte sich um den Andachtsteil, Regens Frotz mit der Gesamtredaktion um den Abschnitt „Persönliche Gebete". Es gelang in kurzer Zeit, die Arbeiten zum Abschluß zu bringen. Im Vorwort des neu gestalteten Gebet- und Gesangbuches vom 19. Juli 1949 schrieb der Erzbischof: „Als sich beim Kriegsende herausstellte, daß der größte Teil der Diözesan-Gebetsbücher vernichtet worden war, standen wir vor der Frage, ob ein unveränderter Nachdruck des Gebetbuches, wie mein hochseliger Vorgänger es im Jahre 1930 herausgegeben hatte, erfolgen oder ob diese einmalige Gelegenheit einer tiefer gehenden Überarbeitung ausgenutzt werden solle ... So entschloß ich mich, von vielen Priestern und Laien dazu aufgemuntert, das altehrwürdige Kölner Diözesan-Gebet- und Gesangbuch, das schon mehrfach neu gefaßt worden war, einer neuen Durcharbeitung unterziehen zu lassen. Große Verdienste erwarb sich dabei der Vorstand des Erzbischöflichen Priesterseminars."[16]

b) Pastoralblatt und Priesterbildung

Prälat Lieser besprach mit dem Seminarvorstand auch den mit dem Erzbischöflichen Rat abgestimmten Wunsch des Erzbischofs, als Hilfe für die Seelsorger das „Pastoralblatt" neu zu beleben. Der Erzbischof denke an die Federführung des Seminarkollegiums in Verbindung mit der Bonner Theologischen Fakultät und praktischen Seelsorgern. Der Seminarvorstand setzte sich sogleich mit den Kollegen des Aachener Priesterseminars in Verbindung. Professor Aussem von Aachen und Professor Schnitzler von Köln erklärten sich bereit, die Schriftleitung zu übernehmen[17].

Noch intensivere Beratungen forderte das drängende Problem der Priesterbildung. Die tiefen Erschütterungen durch Verfolgung und Kriegswirren, durch neue Erfahrungen von gemeinsamer Verantwortung von Priestern und Laien, von Christen insgesamt für eine Neuordung des sozialen, gesellschaftlichen und politichen Lebens hatten auch die Fragen nach dem Dienst und Leben des Priesters neu geweckt und verlangten nach einer entsprechenden Antwort. Welches Bildungsziel ist anzustreben, welche Wege müssen dazu neu beschritten werden? Es war das Thema der Dechanten-

---

Dr. phil., 1980 Ehrendomherr in Köln, 1981 Apost. Protonotar und Rektor des Päpstl. Instituts für Kirchenmusik in Rom: Hecker, Chronik, S. 286 f.; Froitzheim, Personalchronik, S. 44 f.; Handbuch des Erzbistums Köln, Personaler Teil, Köln ^{27}1985, S. 114

16 Um die Fertigstellung des neuen Gesang- und Gebetbuches würdig zu feiern, lud der Verlag J. P. Bachem alle an der Bearbeitung beteiligten zu einem gemeinsamen Abend in das Restaurant Hummelsbroich bei Bensberg ein. Prof. Solzbacher hatte dazu die Entstehungsgeschichte in Reime und Strophen gebracht, Prof. Hermann Schröder diese mit klingenden Noten versehen. Den humorigen Kehrvers aufgreifend dankte der Erzbischof Regens und Professoren des Seminars für die „im Rahmen ihres Amtes" so erfreulich geleistete Arbeit und sicherte ihnen unter lebhaftem Beifall von jeder Neuauflage einige Freiexemplare zu. Und so hieß der Kehrvers: „Die Arbeit lag beim Seminar, doch Köln kassiert das Honorar."

17 Zur Geschichte des Pastoralblattes: Josef Wisdorf, Zum 30. Jahrgang unseres Pastoralblattes, in: Pastoralblatt für die Diözesen Aachen, Berlin, Essen, Köln, Osnabrück 30 (1978), S. 2 f.

konferenz im Februar 1947 und einer nachfolgenden Beratung im Priesterseminar, an der außer dem Seminarvorstand auch die Bonner Konviktsdirektoren teilnahmen. Es galt, das von Domkapitular Lieser in den Konferenzen der Kölner Dechanten und der Konviktsdirektoren der deutschen Bistümer vorgelegte Referat von neuem aufzugreifen[18].

Lieser hatte durch eine weitgestreute Umfrage unter den Kriegstheologen, Priestern und kundigen Laien zu erkennen gegeben, was die neue Zeit vom Priester und von seiner Ausbildung erwarte. Die Frage nach den Erwartungen barg die Gefahr in sich, fern der Wirklichkeit des Lebens übersteigerte Vorstellungen von Sein und Tun des Priesters zu entwerfen. Die Nüchternheit überwog, war aber getragen von einer bewundernswerten Entschiedenheit, der Macht des Bösen in dieser Welt nicht auszuweichen, der Sehnsucht der Menschen nach einem anderen, freien und glücklichen Leben durch die Frohe Botschaft Jesu Christi, durch die Schaffung neuer christlicher Gemeinschaften, entgegenzukommen.

Der Priester müsse der ganz wahre Mensch sein, dessen Wort man vertrauen könne, der die volle Wirklichkeit des Lebens im Guten wie im Bösen, in der Gnade wie in der Sünde, aufweise, den Weg zeige und selbst in allem Widersprüchlichen eine innere Sicherheit, Festigkeit und Gelassenheit besitze, ein Menschenbruder, in dessen Mund das große Wort der Liebe nichts Selbstsüchtiges in sich trage, sondern ein Weg des Zugehens und Verstehens erschließe, eine nie erlahmende Kraft des Zueinanderführens. Das wahrhaft Humane bildete die Grundstruktur des ersehnten Priesterbildes.

Wiederum aus täglicher Erfahrung wurde in dieses Bild eine zweite kräftige Linie eingetragen: die ganz persönliche Bindung an Christus, an den stets gegenwärtigen, rufenden und helfenden dreieinigen Gott. Wie hätten ohne sie diese Theologen durchhalten und ihrer Berufung treu bleiben können, wie ohne die Gemeinschaft Gleichgesinnter zu suchen, ohne die innere Communio mit der großen weltweiten Kirche? Immer standen diese Theologen vor dem totalen Einsatz ihres Lebens. Es war ihre größte Gewissenslast, dies im Dienst eines verbrecherischen Systems tun zu müssen, höchste Gewissensleistung in solcher Not, das Rechte zu bedenken. Die Einsicht, für hohe Ziele des Lebens Opfer bringen zu müssen, ist dadurch vertieft worden. Darum standen diese Theologen den damals bereits aufkommenden Spekulationen über das Kultische im Priestertum, etwa der These Karl Rahners, die kultische Gewalt des Amtspriesters sei unmittelbar als solche nicht existenzbegründend, ziemlich fremd gegenüber[19].

Hatten diese Theologen doch tausendfach erfahren, was die Hingabe des Lebens fordert und bedeutet, wie ihre Bereitschaft zur Hingabe des eigenen Lebens nur aus der innigsten Verbundenheit mit dem Lebensopfer Jesu Christi sinnvoll und hilfreich sein könne. Von solcher Lebenserfahrung her war es zu verstehen, wie die Kriegsgeneration die Eucharistiefeier als „Mitte und Gipfel" des Seminarlebens gesehen hat und

---

18 Ludwig Lieser, Gedanken zum Bilde des Priesters: Manuskript im Seminar-Archiv

19 Karl Rahner, Priesterliche Existenz, in: Zeitschrift für Aszese und Mystik 17 (1942), S. 155–171

das gemeinsame Stundengebet, besonders in seiner feierlichen Form der Matutin, der Laudes und der Vesper, liebte. Die Priesterausbildung jener Jahre sah darum hier ihre erste und dringlichste Aufgabe[20].

c) Vorbereitung einer Diözesan-Synode

Die Diözesan-Synode, 1954 abgeschlossen, sollte ein zeitgemäßes Bild der Kölner Kirche erstellen, klare geistige und religiöse Orientierung bieten, Ordnungsgesetze für die gesamte Seelsorge formulieren und Anregungen für weitere Entwicklungen vermitteln. Der Seminarvorstand wurde gebeten, seinen Möglichkeiten entsprechend an der Vorbereitung führend mitzuwirken: der Regens für die Kapitel Priesterleben und Priesterdienst, Professor Schnitzler für die gottesdienstlichen Fragen, Professor Solzbacher für die katechetischen, Professor Flatten für die kirchenrechtlichen und Professor Overath für die kirchenmusikalischen. Auch diese rege Mitarbeit des Seminarkollegiums fand die hohe Anerkennung des Erzbischofs.

Eine willkommene Neuerung im Ensener Seminar gab es mit der Einrichtung einer Professur für Biblische Theologie, zu der Dr. theol. Alois Theissen berufen wurde. Es war der Wunsch der Seminarleitung und der Seminaristen durch einen eigenen Studiengang von vier Semestern im Sinne der damaligen Bibelbewegung ein tieferes Verständnis der Hl. Schrift, eine Hilfe für das tägliche Leben mit und aus dem Wort Gottes und eine umfassendere Anleitung für die Verkündigung zu bekommen. Der Erzbischof stimmte spontan zu. Für Professor Theissen bedeutete die Berufung an das Kölner Priesterseminar zugleich die Heimkehr nach einer elfjährigen Lehrtätigkeit als Professor der Hl. Schrift im englischen Ushaw-College, Durham[21]. Er begann seine Lehrtätigkeit im Wintersemester 1947/48, dem letzten in Ensen.

---

20 Eine lehramtliche Orientierung gab das am 20. 12. 1935 von Papst Pius XI. herausgegebene „Rundschreiben über das Priestertum". Dieses Rundschreiben über die Würde und die Hochforderungen des katholischen Priestertums bekräftigte die traditionelle Lehre der Kirche und gab Anweisungen für eine zeitgemäße Priesterbildung.
Kardinal Schulte ließ im Kirchlichen Anzeiger für die Erzdiözese Köln 76 (1936), S. 39–45 den ersten und zweiten Teil des Rundschreibens veröffentlichen und erklärte dazu: „In Anbetracht der hohen Wichtigkeit der Darlegungen bestimmen wir, daß die im Folgenden wörtlich wiedergegebenen Grundgedanken des ersten und des letzten Teiles des päpstlichen Rundschreibens im Laufe der nächsten drei Monate an einem Sonn- oder Feiertag in allen Pfarr- und Rektoratskirchen unseres Erzbistums verlesen werden sollen. Darüber hinaus aber wünschen wir, daß Klerus und Gläubige sich recht bald mit dem vollständigen Wortlaut des Rundschreibens über das katholische Priestertum bekannt machen." Der angekündigte vollständige Text ist nicht mehr im Kirchl. Anzeiger erschienen, wohl separat: Unseres heiligen Vaters Pius XI. ... Rundschreiben über das katholische Priestertum (20. Dezember 1935: „Ad catholici sacerdotii"), Autorisierte Ausgabe, lateinischer und deutscher Text, Freiburg 1936

21 Durch die Einführung des neuen Lehrfaches wurden Vorlesungen über exegetische Fragen, die dem Dogmatik-Professor zugewiesen waren, abgelöst. – Alois Theissen (*1908), 1934 Dr. theol. (Bonn), 1935 Priesterweihe in Köln, 1936–1947 Professor der Hl. Schrift am Ushaw-College in Durham, seit 1947 Professor für Hl. Schrift am Priesterseminar, 1963–1970 Subre-

In diesen sechs schwierigen Semestern hatten Vorstand und Seminaristen sich redlich bemüht, in der räumlichen Enge des Hauses, bei drückenden Ernährungsproblemen und ständigem Ausfall von Brennmaterial in einem strengen Winter eine förderliche vita communis zu leben. Die Chronik vermerkt dazu realistisch[22]: „Der Wille des einzelnen ist gut, als Gesamtheit findet man noch nicht zueinander. Aber Dank dem Herrn für alle Wohltaten, besonders für das tägliche Brot, das oft knapp und schlecht war, aber im Vergleich zur allgemeinen Not des Volkes noch einigermaßen ausreichend. Warum sollen wir nicht teilnehmen an der bitteren Not unseres Volkes. Erfreulich ist, daß niemals über das Essen geklagt wurde."

3. Zurück nach Bensberg?

Die erste Nachricht über eine solche Möglichkeit kam am 20. September 1947 von der Kölner Dienststelle der englischen Militärregierung. Die belgische Lazarettverwaltung habe den Befehl erhalten, für ein Vorkommando des Priesterseminars zehn Räume freizugeben[23]. Offensichtlich ein erster Erfolg der Bemühungen des Erzbischofs um die Rückgabe des ganzen Seminargebäudes. Mit großer Dankbarkeit wurde dabei die Hilfe des der englischen Militärregierung im Hauptquartier zu Bünde beigegebenen Msgr. Smith vermerkt[24].

---

gens: Hecker, Chronik, S. 288; Froitzheim, Personalchronik, S. 45; Handbuch des Erzbistums Köln, Personaler Teil, Köln [27]1985, S. 145

22 Seminarchronik I, S. 283

23 Seminarchronik I, S. 284 – Seit April 1945 hatte Erzbischof Frings sich vergebens bemüht, die Besatzungsmächte zu bewegen, das Unrecht der Enteignung des Bensberger Seminargebäudes durch die Nationalsozialisten wiedergutmachen und das Haus seinem rechtmäßigen Eigentümer zurückgeben zu lassen. Mit Schreiben vom 2. 1. 1946 wandte er sich sogar auf Anraten des amerikanischen Bischofs Muench an Papst Pius XII. mit der Bitte, sein Gesuch dem belgischen Gesandten beim Hl. Stuhl vorzutragen. Am 3. 10. 1947 führte Kardinal Frings, um die Beschlagnahme des Bonner Johanniter-Krankenhauses zu vermeiden, Gespräche mit englischen Stellen und bot an, sich in den ersten drei Jahren mit nur 50% des Bensberger Gebäudes zu begnügen und die andere Hälfte den Belgiern zu überlassen. – Der Schriftverkehr zu diesen Vorgängen liegt in HAEK – CR 8 A 2.3 (Die Verwaltung des Seminarvermögens, 1. 1. 1947–31. 12. 1959; es handelt sich um Faszikel II eines kürzlich vom Generalvikariat übernommenen, noch nicht mit einer endgültigen Signatur versehenen Aktenbandes) sowie in weiteren Aktenbänden des HAEK – Der Autor dankt Herrn Archivar Karl-Heinz Tekath für die Kopierung und Ordnung des einschlägigen Aktenmaterials sowie für die Ermittlung von Namen und biographischen Daten des beteiligten britischen Militärpersonals

24 Von Msgr. Richard Smith, der Religious Affairs Branch der britischen Militärregierung in Bünde zugeteilt, sagt Erzbischof Frings in seinem Brief an Papst Pius XII., er habe sich die Sache des Kölner Priesterseminars in Bensberg zu eigen gemacht. Msgr. Smith hat das Erzbischöfliche Haus offen informiert und sich selbst tatkräftig eingesetzt. Das Priesterseminar ist ihm zu besonderem Dank verpflichtet

Die Freude über den nun doch nahe bevorstehenden Exodus und die Heimkehr in das von allen Kundigen gelobte Land war groß. Doch wurden die frohen Erwartungen auf eine harte Probe gestellt. Die Seminarchronik erlaubt es, die letzte Phase des dramatischen Kampfes der „Rückeroberung" des Bensberger Seminars darzustellen und nachzuerleben[25]: Die Belgier als Benutzer des Hauses waren nicht gewillt fortzugehen. Eine als Folge des deutschen Überfalls tiefgründige Abneigung der Belgier gegen alles Deutsche, die sich bis zu Haßäußerungen gegenüber dem Vorkommando des Seminarvorstandes steigerte, ließ nichts Gutes ahnen. Zehn Zimmer im Schwesternhaus wurden geräumt, die Inneneinrichtung zum Fenster hinausgeworfen. Endgültig übersiedeln sollten die beiden Professoren Solzbacher und Theissen mit den zwei Ordensschwestern Possidia und Admirabilis. Das Hauptgebäude war zwar unversehrt erhalten geblieben, aber total verwahrlost. Wenigstens die Seminarkapelle war nicht entweiht worden. Der Herr hatte das Tabernakulum nie verlassen.

Weil die Hoffnung bestand, bald ganz nach Bensberg übersiedeln zu können, galt die erste Sorge der Beschaffung von Nahrungsmitteln. Zwei Ordensschwestern und zwei Gruppen von Seminaristen versuchten im Oldenburger Land ihr Glück und kamen dank der Hilfe von Angehörigen des früheren Seminarspirituals Pater Ehrenborg SJ[26] mit gut 200 Zentnern Kartoffeln bei scharfen Straßenkontrollen durch alle Sperren glücklich nach Bensberg zurück. Der Regens hatte mit seinen Bettelpredigten im Kölner Vorgebirge, vor allem durch Unterstützung des Pfarrers von Ersdorf[27], von den guten Obsternten einen erfreulichen Anteil mitbekommen. Sogar einige junge Ferkel konnten erobert werden. Weil sie aber bei den belgischen Artgenossen untergebracht werden mußten, erhielten sie, um Verwechselungen vorzubeugen, einen kräftigen Abdruck des ehrwürdigen erzbischöflichen Seminarsiegels aufgeprägt.

Das Lazarett war von den Belgiern nicht voll besetzt. Deshalb kam der Gedanke auf, wenigstens einen Teil des großen Hauses zurückzugewinnen. Die Belgier ließen sich darauf nicht ein. Sie zogen es vor, lieber auf das ganze Haus zu verzichten und das Lazarett nach Bonn in das noch beschlagnahmte Johanniter-Krankenhaus zu verlegen. Als diese Absichten in Bonn bekannt wurden und umliegende noch erhaltene Häuser von den deutschen Bewohnern geräumt werden sollten, gab es in der Bevölkerung – besonders in der evangelischen – und im Bonner Stadtrat einen massiven Aufstand, vor allem gegen den Kölner Erzbischof, der wegen der Unterbringung von nur 40 jungen Leuten ein solches Unheil gegen die Bonner Bevölkerung heraufbeschworen habe.

Als der Druck sich durch Bonner Abgesandte und eine den Erzbischof beleidigende Pressekampagne unterstützt ins maßlose steigerte, sah sich der Erzbischof auch aus Rücksicht auf ein gutes ökumenisches Klima gezwungen, der Militärregierung sei-

---

25 Seminarchronik I, S. 284–305

26 Zu P. Ferdinand Ehrenborg vgl. oben S. 135 mit Anm. 5

27 Leo Engels (1889–1961), 1929–1956 Pfarrer in Ersdorf b. Meckenheim: Handbuch des Erzbistums Köln, Köln [25]1958, S. 957

nen vorläufigen Verzicht auf Bensberg kundzutun[28]. Die Nachricht darüber erhielt der Seminarvorstand durch eine Porzer kommunistische Tageszeitung. Sie schlug im Ensener Seminar wie eine Bombe ein. Nach einer stürmischen Nachtsitzung mit den im Hause wohnenden Kollegen versuchte der Regens am frühen Morgen, auf abenteuerlichen Wegen, ohne die ausgefallenen normalen Verkehrsmittel über die Patton-Notbrücke auf das linke Rheinufer durch die Ruinen der schaurig zerschundenen Stadt zum Erzbischof zu kommen, um mit ihm die neue Lage zu besprechen.

Der Erzbischof sah sich unter den gegebenen Umständen außerstande, etwas zu unternehmen. Er erklärte sich aber mit dem Vorschlag des Regens einverstanden, ihm die Verhandlungsvollmacht für die Militärregierung zu übertragen, den wegen seines langjährigen Englandaufenthaltes mit der englischen Sprache bestens vertrauten Professor Theissen als Begleiter mitzugeben und nicht zuletzt für die Fahrt zur Militärverwaltung nach Düsseldorf seinen Dienstwagen mit Fahrer zur Verfügung zu stellen. Eine letzte Bitte, seine Delegation dort anzukündigen, erfüllte der Erzbischof ebenso bereitwillig durch seinen Sekretär Paul Berndorff, der sich dann wieder den Zorn der Engländer über die bekannte „Kohlenklau-Predigt" des Kardinals in der Köln-Riehler St. Engelbert-Pfarrkirche anhören mußte, um es getreu seinem darüber weder erstaunten noch beunruhigten Herrn weiterzugeben[29]. Der Erzbischof wünschte seinen Abgesandten guten Erfolg und gab ihnen die Mahnung mit auf dem Weg, nur keinen Streit anzufangen. Er schickte sogar zur Unterstützung ein Telegramm an Robertson, den Obersten Befehlshaber der englischen Militärregierung, mit der Bitte, den Tei-

---

[28] Am 28. 11. 1947 schrieb Kardinal Frings an Lord Pakenham, damals britischer Deutschlandminister, einen um Ausgleich bemühten Katholiken: „Wir sind glücklich, daß wir endlich – nach acht Jahren – unser eigenes Haus wieder beziehen können. Aber es ist für mich peinlich und für die Evangelischen sehr schmerzlich, daß stattdessen das Johanniter-Krankenhaus in Bonn für die Belgier beschlagnahmt wird. Ich habe der evangelischen Gemeinde in Bonn versprochen, ich würde mich bei Ihnen dahin verwenden, daß auch ihr Haus baldmöglichst freigegeben wird und wieder als Zivilkrankenhaus verwendet werden kann. Das möchte ich hiermit recht eindringlich getan haben." – Am 16. 12. 1947 schrieb Kardinal Frings an den Kommandanten der Britischen Militärregierung im Regierungsbezirk Köln: „Der Umstand, daß bei einer Verlegung des belgischen Militärlazaretts von Bensberg nach Bonn sowohl das evangelische Johanniter-Krankenhaus wie 25 Privatwohnungen beschlagnahmt werden sollen, veranlaßt mich, über die 50% des Priesterseminars in Bensberg hinaus, die ich von Anfang an anbot, einen so großen Teil des Hauses anzubieten, daß eine Verlegung nach Bonn nicht notwendig wird, nötigenfalls das ganze Haus zur Verfügung zu stellen." Kopien beider Briefe von Frings: HAEK – CR 8 A 2.3, Fasz. II (vgl. oben Anm. 23)

[29] Der Heimatverein Alt-Köln hat zusammen mit dem Metallbildhauer Heribert Kreiten eine bronzene Gußtafel gestiftet, die neben der Kanzel der St.-Engelbert-Kirche in Köln-Riehl angebracht ist und das für Köln „historische Ereignis" festhält: „Auf der Kanzel dieser Kirche sagte Kardinal Josef Frings in seiner Sylvesterpredigt 1946: ‚Wir leben in Zeiten, da in der Not auch der einzelne das wird nehmen dürfen, was er zur Erhaltung seines Lebens und seiner Gesundheit notwendig hat, wenn er es auf andere Weise, durch seine Arbeit oder durch Bitten, nicht erlangen kann'. Daraufhin prägte der Kölner Volksmund das Wort ‚Fringsen'." Die Kölnische Rundschau berichtete am 9. 11. 1983: „Frierende Kölner hatten dieses Naturrecht im strengen Nachkriegswinter besonders gern auf den ‚Klüttenklau' im Niehler Hafen angewendet und so ihr Gewissen ein wenig erleichtert."

lungsvorschlag für Bensberg noch einmal zu prüfen und vor einer endgültigen Entscheidung zu berücksichtigen[30].

In Düsseldorf erfuhren die Kölner Unterhändler, die Militärregierung sei über den Verzicht des Kardinals höchst verärgert. Es sei nichts mehr zu besprechen. Nur der Umstand, daß die beiden diensttuenden Sekretäre in der Abteilung Religiöse Angelegenheiten der englischen Militärregierung sich als wohlgesinnte Leute erwiesen, ein Laie, Mr. Gathen, und ein Geistlicher, Father Park, der Professor Theissen als früheren Dozenten im englischen Ushaw-College wiedererkannte, eröffnete einen, wenn auch wenig Erfolg versprechenden Ausweg.

Der Regens fuhr auf deren Rat hin zum englischen Hauptquartier nach Bünde, um weiteres Verständnis für das Verhalten des Kardinals zu wecken und die Dringlichkeit einer erneuten Prüfung der Angelegenheit betreffs Teilung des Gebäudes für Deutsche und Belgier zu unterstreichen. Msgr. Smith vom englischen Hauptquartier in Bünde und sein vorgesehener Nachfolger, Mr. Hawart, begaben sich zum Kardinal nach Köln, nahmen den Teilungsvorschlag entgegen und versprachen ihre Hilfe. Aber wenige Tage danach folgte die bittere Nachricht, die Belgier wollten in Bensberg bleiben und hätten den Teilungsvorschlag abgelehnt. Sie veranstalteten im Hause ein dröhnendes Freudenfest, drohten, dem kleinen Vortrupp im Schwesternhaus Licht und Heizung zu sperren, und gestatteten Besuchern nicht, in ihr Haus zu kommen. Der Regens erhielt auf seine Bitte hin vom Kardinal die Erlaubnis, mit Professor Theissen erneut zur Militärregierung nach Düsseldorf zu fahren und den Versuch zu weiteren Verhandlungen zu wagen. Am 30. Dezember 1947 fand darauf wieder ein Gespräch des Mr. Gathen mit dem Kardinal statt. Die entgültige Entscheidung liege jetzt allein bei dem Deputy Regional Commissionar Barraclough[31]. Msgr. Smith ließ durchblicken, innerhalb der Militärregierung seien Leute daran interessiert, das Bensberger Seminar dem Kölner Kardinal nicht zurückzugeben, zumal sie darüber unterrichtet worden seien, daß Papst Pius XII. einen hohen Vertreter der belgischen Armee in Rom gebeten habe, um die Rückgabe des Kölner Seminars besorgt zu sein. Ein anschließendes Gespräch des Regens mit dem Herrn Kardinal erlaubte dem Seminarvorstand keine Hoffnung mehr. Im Erzbischöflichen Haus häuften sich indessen Dankbriefe und Blumengebinde von Bonn.

Drei Tage später meldete sich der Deputy Regional Commissionar Barraclough bei Kardinal Frings an und fragte ihn, ob er das Seminargebäude in Bensberg zurückhaben wolle oder nicht. Der Seminarvorstand hörte davon, schöpfte einige Hoffnung und hielt mit den tags zuvor aus dem Weihnachtsurlaub zurückgekehrten Seminaristen und Ordensschwesten nächtliche Anbetung mit der Bitte um eine gute Lösung

---

30 Am 18. 12. 1947 richtete Kardinal Frings an General Robertson, den Militärgouverneur der Britischen Zone, ein Telegramm: „Neuer Plan bezüglich Teilung des Gebäudekomplexes Bensberg, bei dem das Seminar sich auf einen kleinen Teil des Hauses beschränkt, liegt vor. Bitte vor endgültiger Entscheidung diesen Plan berücksichtigen": HAEK - CR 8 A 2.3, Fasz. II (vgl. Anm. 23)

31 Brigadier Barraclough war Gouverneur der nördlichen Rheinprovinz mit Amtssitz in Düsseldorf

der Seminarfrage. Am Abend des nächsten Tages gab Barraclough an den Bürgermeister von Bonn die endgültige Entscheidung bekannt: Das Johanniter-Krankenhaus in Bonn bleibt beschlagnahmt, das Priesterseminar in Bensberg wird geräumt. Am folgenden Tag, dem Hochfest der Erscheinung des Herrn und der Hl. Drei Könige, besuchte der Deutschland-Minister, Lord Pakenham, begleitet von Deputy Regional Commissionar Barraclough, den Kardinal und überbrachte ihm persönlich die offizielle Nachricht von der zum 1. Februar 1948 fälligen Räumung des ganzen Seminargebäudes in Bensberg durch die Belgier. Erst am Tage darauf erfuhr das Seminar in Ensen die frohe Botschaft durch eine Notiz in der Tageszeitung! Die Militärregierung selbst hatte den Artikel für Bonn verfaßt, jede weitere Pressekampagne untersagt und Wohnungshilfen für die deutsche Bevölkerung versprochen[32].

In Bensberg legte sich allmählich die Erregung. Durch den belgischen Ortskommandanten erfolgte offiziell die Übergabe des Hauses an den Regens. Er lud den Seminarvorstand in seine Privatwohnung zum Abendessen ein. Bei einem guten Glas Wein bat er um Verständnis für unangenehme Vorkommnisse. Die Heilung der durch den Krieg verursachten seelischen Schäden brauche viel Zeit.

Dankbar und glücklich über die Freigabe des Bensberger Hauses feierte das Seminar in Ensen einen Tag des Ewigen Gebetes. Das letzte Semester in der Fremde war zu Ende. Der Vorstand und die Ordensschwestern bereiteten die Heimkehr nach Bensberg vor. Sinnvoller als unter dem Bild der Gottesmutter hätte es kaum geschehen können. Das kam so. Kardinal Frings hatte die Erlaubnis gegeben, das dem Seminar eigene Bild „Madonna mit dem Veilchen“ von Stephan Lochner aus dem Dombunker zu holen. Weil zum Transport von Kunstschätzen Benzin ausgegeben wurde, konnten zwei Möbelwagen damit versorgt werden, die ausreichten, um das spärliche Eigentum des Seminars von Ensen nach Bensberg zu bringen.

4. Wieder in Bensberg

Es bleibt das Verdienst des als Ökonom tätigen Seminarassistenten Johannes Overath, in unglaublich kurzer Zeit alle für die Renovierung des total verkommenen Seminargebäudes erforderlichen Materialien beschafft zu haben, meist aufgrund persönlicher Beziehungen zu Unternehmern, denen daran lag, für die Kirche etwas zu tun. Mit den Arbeiterkolonnen schafften die Ordensschwestern und Angestellten, Regens und Professoren von früh bis spät, schleppten Möbel, säuberten, ordneten und hielten Wache. Es gehörte zum Stil der ersten Nachkriegszeit, zu „organisieren“. So nannte man das heimliche Wegnehmen erreichbarer Gegenstände, um sie irgendwo zum Aufbau des eigenen Haushaltes zu verwenden oder gegen Lebensmittel einzutauschen.

Weil im ersten Bensberger Semester nur mit 40 Seminaristen zu rechnen war, konnte im übrigen Teil des großen Hauses ein Alten- und Pflegeheim eingerichtet

---

32 Seminarchronik I, S. 304

werden. Es mußte auf volle Selbständigkeit der Seminarverwaltung Wert gelegt werden. Deshalb wurden Angebote der Stadt Köln zur Errichtung eines eigenen Krankenhauses im Seminar abgelehnt. Auch der Wunsch des Domkapitulars Wilhelm Böhler, im Priesterseminar ein Diözesan-Bildungsheim einzurichten, konnte zunächst nicht erfüllt werden. Es wurde als dringender empfunden, die im Haus Altenberg untergebrachten, aus den Köln-Riehler Heimstätten hierhin verlegten Senioren und Pflegebedürftigen aufzunehmen, zumal dadurch Haus Altenberg wieder der Jugendführung mit ihrem Präses Ludwig Wolker überlassen werden konnte[33].

140 Betten standen nur zur Verfügung, die von der Stadt Köln leihweise mitgegeben wurden. Die Leitung der Pflegeabteilung übernahm der Regens, die Verwaltung der von Haus Altenberg übernommenen Senioren Wilhelm Klein, die Pflege Caritasschwestern, die seelsorgliche Betreuung der Seminarspiritual Heinrich Fritsch. Die Gemeinsamkeit von Seminar und Alten-Pflegeheim bot für beide Seiten viele Vorteile: Außer der finanziellen Entlastung des Seminars die Freude der Senioren am frohen Leben der jungen Seminaristen und zugleich deren Einführung in Alten- und Krankenseelsorge durch gelegentliche Mithilfe.

Am 26. April 1948 konnte das Seminarleben wieder beginnen. Die 39 Seminaristen kamen mit gemischten Gefühlen. Alle waren glücklich, ein Einzelzimmer mit dem Blick in die Weite, über die Wälder, die Stadt Bensberg bis zur Rheinischen Tiefebene hin zu bekommen. Etlichen alten Kriegern schien es jedoch trotz aller Enge in Ensen, wie sie sagten, gemütlicher gewesen zu sein. Das Zusammenleben forderte einen neuen Stil, der sich erst allmählich entwickeln konnte.

Als erster Ansatz dazu erwies sich bereits am folgenden Tag die Feier des Seminarpatrons, des Hl. Petrus Canisius. Die Chronik spricht von einem herrlichen Frühlingstag, der die gute Stimmung im ganzen Hause zur vollen Harmonie entfaltete. Der Erzbischof, der selbst nach Rom verreist war, ließ sich durch Weihbischof Ferche vertreten. Eingeladen waren die Herren des Domkapitels mit ihrem Domdechanten, Hermann Joseph Hecker, dem ersten Bensberger Seminarregens, Professor Lang als Vertreter der Bonner Theologischen Fakultät, die beiden Konviktsdirektoren Hans Daniels und Joseph Teusch, der Landrat des Rheinisch-Bergischen Kreises, Herbert Klein, von Bensberg Bürgermeister Wehrheit und Stadtdirektor Höller, der Dechant, Pfarrer Hugo Berger, und, mit besonderm Dank begrüßt, die beiden um die Rückgabe

---

33 Ludwig Wolker kam gerne nach Bensberg, um hier ungestört planen zu können. 1945 von Kardinal Frings zum Rektor von Haus Altenberg ernannt, vom Episkopat erneut mit der Führung der Jugend betraut und als Leiter der Bischöflichen Hauptarbeitsstelle für Jugendseelsorge bestellt, ging er nach eigenen Worten die via crucis. 1946 erlebte er noch einmal bei einer Großverantstaltung der Kölner Jugend mit 5600 seiner Getreuen ein großes Echo seines Rufes nach Wahrheit und Wahrhaftigkeit, nach Freiheit und Ordnung, nach innerer Reifung zum Aufbau eines neuen Reiches im Geiste Christi, in Verbundenheit mit der Kirche. Wolker lag daran, auch unter neuen Formen die Substanz kirchlicher Jugendarbeit für die Zukunft zu retten. Dabei wuchsen die Enttäuschungen, nahm die Müdigkeit zu. Seiner scharfen Beobachtungsgabe entging nicht ein Mentalitätswandel, dem er sich vergebens zu widersetzen suchte

des Seminars besorgten Herren von der Abteilung Religious Affairs der englischen Militärregierung in Düsseldorf, Father Park und Mr. Gathen.

Wohl auf Ersuchen des in Rom weilenden Erzbischofs kam ein Telegramm des Präfekten der Römischen Studienkongregation, des Kardinals Pizzardo, zur Verlesung: „Vehementer gratulantes de reditu Seminarii maioris Coloniensis in pristinam Sedem ..." Nachdem der Beifall verklungen, erhob sich, wie die Chronik berichtet, Domdechant Hecker mit verschmitztem Lächeln und erklärte, diesen Gruß von hoher Warte noch übertrumpfen zu können. Er habe die Ehre, ein Telegramm des Hl. Vaters vorlesen zu dürfen. Papst Pius XII. erinnerte an seine Grundsteinlegung des Seminars 22 Jahre zuvor und gab seinem Wunsch Ausdruck, es möchte wiederum eine Stätte edlen Strebens nach priesterlicher Vollendung im Geiste des Hl. Petrus Canisius werden[34]. – Wer hätte diesem Wunsch nicht aus ganzem Herzen zugestimmt? Wer war sich nicht bewußt, wie schwierig auch auf diesem neu geschenkten „Heiligen Berg" der Aufstieg zu den geistigen Höhen eines Priestertums im Geist des zweiten großen Apostels der Deutschen, des Hl. Petrus Canisius, sein werde!

Am 4. März 1948 war Kardinal Frings zum ersten Mal nach seiner Verweisung aus Bensberg durch die Geheime Staatspolizei wieder in sein Priesterseminar gekommen. Er zeigte sich erfreut über den Fortschritt der Renovierungsarbeiten und genehmigte die Umgestaltung der Seminarkapelle. Es konnte nur versucht werden, den Chorraum zugunsten einer besseren Liturgieentfaltung etwas zu erweitern und umzuformen. Es war deshalb mit dem Architekten Bernhard Rotterdam vorgesehen, die drei nur mit leichtem Stuckmarmor umkleideten, nicht konsekrierten Altäre zu beseitigen, die beiden hinter den Seitenaltären angedeuteten hohen Bögen zu öffnen, die Stufenanlagen nach vorne etwas vorzuziehen und einen neuen umschreitbaren Zelebrationsaltar aufzustellen[35]. Der große neben der Sakristei gelegene Ritussaal wurde mit dem Kartäuser-Christusbild[36] des Seminars als Mittelpunkt durch den Kölner Künstler Willy Strauß zum Oratorium verwandelt. Er diente fortan als Meditationsraum und Statio. Die von Honnef her bekannte Künstlerin Maria Meng erhielt für viele Monate Wohnung im Bensberger Seminar, nahm sich der schadhaft gewordenen Paramente

---

[34] Seminarchronik I, S. 316. – Text der Telegramme: Kardinal Pizzardo: „Vehementer gratulantes de reditu Seminarii Maioris Coloniensis in pristinam Sedem peramanter adprecamur, ut post fata resurgens dilectum Institutum Canisianum plenius in diem vivat, crescat, floreat Patre Luminum large opitulante Sanctoque Patrono intercedente". – Substitut Montini: „Heiliger Vater, erfreut über Rückkehr Kölner Seminaristen in Priesterseminar Bensberg erteilt in Erinnerung an Grundsteinlegung und mit dem Wunsche, daß es wiederum Stätte edlen Strebens nach priesterlicher Vollendung im Geiste Canisius werde, von Herzen besonderen Segen"

[35] Der Streit um die Erlaubtheit der „Versus-populum-Altäre" war noch in vollem Gange. Doch hatte bereits in den dreißiger Jahren Generalvikar David die Pläne der Erbauer des Elisabeth-Krankenhauses in Köln-Hohenlind, Prälat van Ackeren und Architekt Dominikus Böhm, sowohl in der Oberkirche wie auch in der Krypta der Krankenhauskirche die Zelebration versus populum zu ermöglichen, nicht behindert

[36] Zum „Seminarbild" „Der gebundene Christus" s. Knopp-Hansmann, Kunstwerke im Kölner Priesterseminar, S. 14 f.

an und schuf neue, künstlerisch wertvolle hinzu. Mit der Herrichtung der Seminarkapelle und des Oratoriums wurde wohl am deutlichsten der volle Durchbruch der Liturgischen Bewegung im Kölner Priesterseminar erkennbar. Das Stephan-Lochner-Bild erhielt seinen Ehrenplatz an der Stirnseite des Chorraumes der Kapelle.

Das Stephan-Locher-Bild „Madonna mit dem Veilchen" an der Stirnseite des Chorraumes anzubringen, fand nicht allgemeine Zustimmung. Eine kleine Gruppe gab dafür theologische Gründe an: Ein so klar bestimmtes Marienbild lenke vom Altargeschehen ab. Sie wurde beruhigt, als sie die trinitarische Konzeption des Bildes wahrnahm. Eine zweite Gruppe befürchtete eine Gefährdung des Bildes durch Kerzenruß und Temperaturschwankungen. Diese Bedenken mußten aufgegeben werden, als durch Monate hindurch vorgenommene Kontrollen und Messungen ein Fachmann die optimale Hängung des Bildes bestätigen konnte.

Eine dritte Gruppe, dem Kreis des Vorstandes und der Sympathisanten des Diözesanmuseums zugehörig, sann darauf, das Bild baldmöglichst wieder nach Köln zurückzuholen. Um eine Feier des 100-jährigen Bestehens des Vereins für Christliche Kunst und des Diözesanmuseums 1954 vorbereiten zu können, erreichte der Vorsitzende des Vereins, Professor Wilhelm Neuß, bei Kardinal Frings, wie Generalvikar Teusch sich gegenüber dem Regens ausdrückte, eine Anordnung, das Bild aus dem Seminar zu holen und dem Diözesanmuseum zu übergeben. Für das Priesterseminar bestand die Gefahr einer Enteignung des zu seinem Eigentum gehörigen Bildes. So erklärte z. B. Generalvikar Teusch, das Stephan-Lochner-Bild gehöre nicht „Bensberg", sondern der „Marzellenstraße 32". Alle Bemühungen des Seminarvorstandes, zunächst vor allem die Eigentumsrechte klarzustellen, blieben erfolglos.

Am 23. Juni 1954 begann das Drama der Entführung. Am Nachmittag erschienen der Kölner Dombaumeister Willy Weyres mit dem Angestellten des Diözesanmuseums Peter Büllesbach und erklärte dem Regens, sie seien gekommen, um das Madonnenbild nach Köln zu holen. Der Dombaumeister war nicht wenig erstaunt, als plötzlich die Seminarglocke St. Michael „Sturm läutete". Er mußte feststellen, daß der Schlüssel seines Möbelwagens verschwunden war, die gesamte zusammengeströmte Hausgemeinschaft lebhaft protestierte und die Entführung ihrer Madonna zu verhindern suchte. Er gab zu, eine solche Erregung nicht erwartet zu haben. Er sehe, daß hier ein Schritt vom Kunstbild zum Kultbild erfolgt sei, aber er müsse der Anordnung des Kardinals folgen. Später sagte der Kardinal seinem vertrauten Freund und Pfarrer an St. Engelbert in Köln-Riehl, er hätte dem Regens eher ein Leid zufügen können als Professor Neuß, der sich so große Verdienste um die Zurückweisung des Rosenbergschen „Mythus des XX. Jahrhunderts" erworben habe. Als Nothelfer des Seminars erwiesen sich Dompropst Hecker und das Metopolitankapitel, die sich sofort bereit erklärten, die in der Sakramentskapelle des Doms provisorisch aufgestellte Kreuzigungsgruppe leihweise zur Verfügung zu stellen. Heute befindet diese sich wieder im Dom[37].

---

[37] Eine rechtliche Klärung der Eigentumsverhältnisse konnte der Regens bis zu seinem Fortgang aus dem Seminar nicht erreichen. Heute zeigt das Bild im Diözesanmuseum den Hin-

Das große Domjubiläum 1248–1948 war – wie für die Stadt Köln und das ganze Erzbistum – auch für das Priesterseminar wie ein Erwachen zu neuer Lebensfreude. Am zweiten Tag dieses frohen Familienfestes des kölnischen und rheinischen Volkes gab das Seminar auf Veranlassung der Kardinals einen Empfang von internationalem Zuschnitt. Die Seminarchronik berichtet von einer lateinisch verfaßten Begrüßung der hohen Gäste, der zahlreich erschienenen Kardinäle, Bischöfe, Priester und Laien, durch den Regens, an ihrer Spitze mit Kardinal Frings der Päpstliche Legat Kardinal Micara, Kardinal Faulhaber von München-Freising und Kardinal Griffin von Westminster/London, sie erwähnt die herzlichen Worte des Kardinallegaten, die Laudes „Hincmari" der Choralschola und die frohe Stimmung aller, gesteigert durch einen vom Domkapitel gestifteten „Rhein- und Mosel"-Wein als Zeichen der Verbundenheit[38].

Zwei Jahre danach im Heiligen Jahr 1950 rüsteten sich die Diakone des Seminars zu einer ersten Romfahrt, der später noch weitere folgen sollten. Die erste war zugleich eine Dankesbezeugung an Papst Pius XII. und den Päpstlichen Legaten von 1948, Kardinal Micara. Der Blick in die Weite wurde geschärft durch rege Beziehungen des Seminars zu dem Priesterseminar des Erzbistums Melbourne/Australien in Werribee[39] und zu dem Seminar der Missionsbenediktiner in Peramiho/Tansania[40]. Die Verbindung mit Australien wurde von Kardinal Frings schon bald nach Beendigung des Krieges bei seinen Besuchen der Gefangenenlager in England und Schottland hergestellt, um die Not im Priesterseminar und anderen kirchlichen Einrichtungen lindern zu helfen.

---

weis „Leihgabe des Priesterseminars". Ein Aktenband, der die Eigentumsverhältnisse zugunsten des Seminars klärt, befindet sich inzwischen im Seminar-Archiv. -Vgl. auch: Knopp-Hansmann, Kunstwerke im Kölner Priesterseminar, S. 15 f.; Walter Schulten, Kostbarkeiten in Köln. Erzbischöfliches Diözesanmuseum Köln – Katalog, Köln 1978, S. 36 ff.

38 Seminarchronik I, S. 329

39 Die in großen Kisten von Melbourne kommenden Wollsachen und Pelzjacken waren in den kalten Wintermonaten bei fehlendem Heizmaterial und Ernährungsschwierigkeiten eine große Hilfe. Das Kölner Seminar sandte an das Priesterseminar von Melbourne als Zeichen dankbaren Gedenkens einen von einem jungen Künstler dazu angefertigten Kelch. Der damalige Organisator der Hilfsaktion, Kevin Toomy, schrieb am 18. 11. 1986 an das Kölner Generalvikariat: „Es war ein kleines Unternehmen, aber viele gute Freundschaften gingen daraus hervor. Ich hoffe, zur Seligsprechung von P. Rupert Mayer nach München zu kommen und hinterher nach Köln." So konnten Freundschaftsbande neu geknüpft und neu gefestigt werden, vor allem zwischen dem damaligen Verantwortlichen Msgr. Toomy und dem damaligen Seminarregens Frotz.

40 Die 1945 neu gewonnene Freiheit drängte auch das Kölner Priesterseminar, dem Beispiel des Kardinals getreu, wieder mit der Weltkirche in Verbindung zu kommen. Die Damaligen interessierte vor allem die Entwicklung der afrikanischen Kirche. Groß war das Erstaunen der Kölner, als eines Tages ein von afrikanischen Seminaristen besungenes Tonband eintraf mit deutschen Volksliedern in einheimischer Sprache. Die Freude steigerte sich, als ein von einem afrikanischen Künstler in Ebenholz geschnitzter Cruzifixus die Stirnwand des Speisesaals des neuen Kölner Priesterseminars zierte: in perpetuam memoriam

a) Die Vita Communis

Über das Seminarleben im wiedergewonnenen Haus in Bensberg ist zu berichten: Das Seminar zählte von 1948 bis 1958 durchschnittlich 65 Seminaristen. Die niedrigste Zahl betrug im Sommersemester 1948 39, die höchste im Sommersemester 1951 105.

Kardinal Frings hatte nach den oft turbulenten Seminarjahren die Weisung gegeben, in Bensberg wieder ein wohlgeordnetes Seminarleben aufzubauen. Er selbst sah als Leitbild die von Kardinal Schulte für das neue Haus in Bensberg vorgelegten Grundsätze und seine eigenen Erfahrungen als Theologiestudent im Innsbrucker Canisianum[41]. Er hatte als Regens im wesentlichen die traditionelle Ordnung übernommen, aber die Strenge seines Vorgängers gemildert. Von seinem Regens konnte Kardinal Frings erwarten, daß dieser bei voller Zustimmung zur Grundidee des Bensberger Seminars seine persönlichen Erfahrungen auf dem eigenen Weg zum Priestertum wie auch solche aus seiner langjährigen Tätigkeit in der katholischen Jugendbewegung als Diözesanpräses und Diözesan-Jugendseelsorger der Katholischen Mannesjugend bis in die Jahre der Verfolgung hinein wie bisher voll einbringen werde[42].

Notwendig zu treffende Maßnahmen ergaben sich durch offene, redliche Gespräche zwischen Erzbischof und Seminarvorstand wie auch aufgrund eines schlicht fließenden Vertrauens zueinander. So wurden bei voller Wahrung der Grundstruktur des Seminars auch Wege zu einer stärkeren Mitverantwortung der Seminaristen für das Gelingen des einem Priesterseminar gemäßen Gemeinschaftslebens gesucht. Vor allem sollte eine gesunde, frohe Lebensatmosphäre alles Bemühen bestimmen. Aber auch dabei konnten, wie in allen Formen menschliches Zusammenlebens, Spannungen und Enttäuschungen nicht ausbleiben[43].

---

[41] In seinem Hirtenbrief zur Weihe des neuen Bensberger Seminars dankte Kardinal Schulte „für das Interesse, besonders für die vorbildliche Opferspende des Diözesanklerus für den Gottesbau des neuen Priesterseminars". Er wies hin auf die Berufung und die Aufgabe des Priesters, auf die Würde, den Ursprung und die Fortdauer seines heiligen Amtes. Das neue Priesterseminar solle sein „ein Ort der Sammlung und der Innerlichkeit, ein Haus des Gebetes, eine Übungsstätte priesterlicher Tugend und christlicher Vollkommenheit, ein Hort der Kirchlichkeit, eine Stätte heiligen Studiums": Kirchlicher Anzeiger für die Erzdiözese Köln 69 (1929), S. 11–15 (= Fastenhiertenbrief 1929)

[42] Augustinus Frotz, Erbe und Auftrag – Grunderfahrungen eines Christen 1933–1945, in: Zeitfragen 27 (Hrsg. v. Presseamt des Erzbistums Köln 1984); Bernd Börger und Berthold L. Flöper, Interview mit Weihbischof Dr. Augustinus Frotz: Der Jugend gehörte sein Herz, in: Die Vergangenheit eine Zukunft, 75 Jahre Jugendhaus Düsseldorf, Düsseldorf 1984, S. 76–79; Augustinus Frotz, Aus Glaubenserfahrung dem Glauben dienen, in: Mein Glaubensweg, hrsg. v. Karl-Heinz Schmitt, München 1985, S. 54–71; ders., Jugendseelsorge in den deutschen Bistümern 1918–1945, in: Erinnerungen rheinischer Seelsorger, hrsg. v. Erwin Gatz, Aachen 1978

[43] Wenn die vita communis Züge eines monastischen Lebens aufwies, so deshalb, um spirituelle und soziale Grunderfahrungen auch für das Leben des Seelsorgers als unentbehrlich zu erkennen und einzuüben. Für die Weiheexerzitien wünschten sich die Seminaristen allerdings nicht den Mönch, sondern den Priester, der eine geglückte Einheit von vita activa und vita contemplativa darstellte, in vollem Sinne Seelsorger war

Wieweit es dem Seminarvorstand und den Professoren gelungen ist, ausreichende Motivationen vorzutragen und vorzuleben, wieweit diese Art vita communis den Seminaristen auf ihrem Weg zum Priestertum geholfen hat, bleibt menschlichen Blikken verborgen. Der Spiritual gab jeden Abend eine Vorbereitung für die Morgenbetrachtung, der Regens hielt jeden Freitag eine Rückschau auf die vergangene Woche und verband damit geistliche Anregungen als Rüstzeug für den weiteren Weg. 1951 konnte der Regens bei einer Tagung von Theologen aus allen Bistümern Deutschlands und bei einer späteren Konferenz der Seminarregenten einen erfreulichen Eifer der Theologen feststellen und mit gutem Gewissen viel Schönes berichten. Unsere Theologenschaft, meinte er damals, stelle immer noch eine hervorragende Auslese dar. Natürlich sei sie aus einer Zeit gekommen, die in allen Fugen sich bewege, ungeheuren zerstörerischen Kräften ausgeliefert und im liberalistisch-materialistischen Denken und Tun sich überschlage. Aber diese jungen Menschen seien guten Willens. Es komme darauf an, daß sie gesund heranwachsen, die höchsten Werte des Glaubens und des christlichen Lebens tief erkennen und über alles lieben lernen und sich selbst bescheiden, aber ohne Vorbehalt selbstlos ganz unserem Herrn darbringen. Wer ihnen als Erzieher und Vorgesetzter Wege weisen solle, dürfe es nicht mit Worten, mit Vorträgen und Vorlesungen allein tun, er müsse ihnen als älterer Bruder, als verstehender, sorgender Vater und stets vorangehender Wegbereiter nahe sein[44].

Im ganzen darf man wohl sagen, daß alle unsere Seminaristen damals mit den Beschwerden der vita communis auch die Hilfen, nicht zuletzt die Freude, erfahren haben und sich dankbar an diese Zeit erinnern.

Bei einem Rückblick auf die Bensberger Seminarzeit werden wohl die meisten Priester gerne, vielleicht sogar zuerst an die gemeinsamen Gottesdienste denken. Durch den zweijährigen Aufenthalt im Seminar war es möglich, den ganzen Jahresrhythmus der Liturgie des Kirchenjahres in seiner Hochform einschließlich der feierlichen Matutin, der Laudes und der Vesper zu erleben. Solches Tun und Erfahren weckten tiefe innerliche Freude, beseelten das Gemeinschaftsleben und gaben gültige Maßstäbe für die spätere Gestaltung der Gemeindegottesdienste. Die Introituren- und Weiheexerzitien konnten im Seminar selbst gehalten werden, weil die Stille, die Weite und die Schönheit der Bensberger Insel dazu einluden. Es waren Seminaristen, die den Regens baten, vor der Priesterweihe auch ihren Eltern und Geschwistern einen Tag stiller Einkehr zu bereiten, eine Anregung, die zur guten Gewohnheit geworden ist. In den Seminarferien bot das Seminar Priesterexerzitien an, so daß es, zumal durch seine vorzügliche Lage, mehr und mehr zum Priesterhaus des Bistums sich entwickelte.

---

[44] Die Jahrestreffen der Regenten der Priesterseminare und der Direktoren der Theologenkonvikte waren eine willkommene Form der theologischen, spirituellen, pädadogischen und pastoralen Fortbildung, der gegenseitigen Information und der Pflege echter, froher Brüderlichkeit. Sie dehnten sich später auf alle deutschsprachigen Länder aus und wurden eine Art Modell für die Bemühungen um die Fortbildung der Priester, Diakone und der übrigen pastoralen Dienste

b) Der Tagesrhythmus

Den neuen Tag kündete die zum Neubeginn in Bensberg von Petit und Edelbrock in Gescher gegossene Hausglocke. Der Tag begann gewöhnlich um 6.00 Uhr mit dem privaten Morgengebet, der Betrachtung in der Kapelle, auf dem eigenen Zimmer oder im Freien, den gemeinsam gesprochenen oder gesungenen Laudes und der Hl. Messe. Der Vormittag war ausgefüllt mit Vorlesungen, der Nachmittag mit Übungen, Arbeitsgemeinschaften und Privatstudium. Der Tag endete mit der Komplet um 21.00 Uhr und dem sogenannten Silentium religiosum bis zum nächsten Tag. Außer den täglichen Erholungszeiten mit Wanderungen in die Wälder der Umgebung, mit Sport und Spiel und gelegentlichen Arbeiten im eigenen Gelände gab es den monatlichen freien Tag von früh bis abends spät, immer von allen lebhaft ersehnt. Besuche im Seminar waren nur an bestimmten Tagen zu festgesetzten Stunden gestattet, Fahrten nach draußen nur mit Erlaubnis des Regens. Beliebt waren an Sonn- und Feiertagen die Busfahrten nach Köln zum Dom-Gottesdienst.

c) Die Studienordnung

Der Lehrplan verfolgte das Ziel, die Universitätsstudien zu ergänzen und zu vertiefen sowie die Grundkenntnisse und Grundbefähigungen für die praktische Tätigkeit des Priesters und Seelsorgers zu vermitteln. Obwohl von den Universitäts- und Seminarprofessoren eine Stoffverteilung vorgenommen wurde, konnten Schwierigkeiten nicht ausbleiben. Dennoch gewährte diese Studienordnung im Prinzip dem Seminaristen Möglichkeiten der Weiterbildung, wie sie ihm später kaum wieder einmal geboten werden konnten.

Die praktische Katechese wurde in den nahe gelegenen Schulen vermittelt, die Übungspredigten und Gottesdienst-Aushilfen durch Diakone in Pfarreien des Dekanates. Der normale Studiengang wurde ergänzt durch Pastoralkurse, Vorträge, Besichtigungen und kunsthistorische Führungen.

Weil das Studium im Seminar überwiegend theoretisch angelegt war, wurde von der Seminarleitung sehr darauf gedrängt, in den Seminarferien engste Verbindung mit der Heimatpfarre zu pflegen und praktische Aufgaben zu übernehmen.

5. Verlegung des Seminars nach Köln

Sechs Jahre nach der glücklichen Heimkehr und der mühevollen Aufbauarbeit in Bensberg entstanden die ersten Gerüchte von einer bevorstehenden neuen Wanderschaft des Seminars. Am 25. Januar 1954 erschienen, vom Generalvikariat angekündigt, Pallottinerinnen, um durch eine eingehende Hausbesichtigung festzustellen, ob das Gebäude für ein Krankenhaus geeignet sei. Die Stadt Bensberg sei daran interessiert. Das Bistum sei bereit, das Haus zu verkaufen. Gerade drei Jahre waren seit der Feier des Gedenktages der Grundsteinlegung vor 25 Jahren durch den Päpstlichen

Nuntius Eugenio Pacelli vergangen! Das Seminar hatte aus diesem Anlaß ein Telegramm an Pius XII. geschickt und mit einem Antworttelegramm von Substitut Montini seinen besonderen Segen erhalten. Seminarvorstand und Seminaristen mochten nicht an eine abermalige Gefährdung der Lieblingsschöpfung des Kardinals Schulte, mit soviel Opfern, auch des mitfinanzierenden Kölner Klerus, errichtet, glauben – und dieses Mal durch den Erzbischof selbst.

Auf Bitten des Regens fand am 15. Februar 1954 im Erzbischöflichen Haus eine Besprechung des Seminarvorsstandes mit dem Kardinal statt, an der auch Generalvikar Teusch teilnahm, der sich als heftiger Befürworter der Pläne des Erzbischofs erwies. Das Ergebnis der Besprechung faßte der Erzbischof mit den Worten zusammen: „Das Pro und Contra ist erwogen, ergo non liquet."[45] Die Beweggründe des Kardinals für eine Verlegung nach Köln waren folgende gewesen:

- Es ist sinnvoll, durch eine räumliche Nähe von Bischof und Seminar das besondere Verhältnis zueinander zu erleichtern.
- Den Dom-Gottesdienst durch häufige Teilnahme der Seminaristen zu beleben.
- Die Bischofsstadt Köln mit ihrer großen Vergangenheit und künstlerisch und religiös bedeutsamen Schätzen besser kennenzulernen.
- Durch häufigen Kontakt mit den Pfarreien und Pfarrseelsorgern die praktische Seelsorge kennenzulernen.
- Die einmalige Gelegenheit, durch den Erwerb des großen Grundstücks an der Eintrachtstraße/Gereonstraße/Alten Grabengäßchen neue Pläne zu verwirklichen.

Der Seminarvorstand wehrte sich zunächst heftig gegen den Gedanken, Gebäude und Grundstück in Bensberg zu verkaufen. Dem stimmte auch Generalvikar Teusch zu. Die Argumente des Erzbischofs schienen dem Seminarvorstand und auch den Seminaristen insgesamt beachtenswert, aber auch in ausreichendem Maße von Bensberg her zu verwirklichen. Der Sog der Stadt werde sich aber höchstwahrscheinlich in einer Weise auswirken, die die Vorzüge Bensbergs ausschalten und neue, schwerwiegende Probeleme der Seminarbildung heraufbeschwören. Der Seminarvorstand machte dazu geltend, durch die Einbeziehung des Pflegeheimes mit 190 Betten in das Bensberger Seminar einer bedrückenden Not zu steuern, finanzielle Probleme für das Bistum zu erleichtern, und zudem sei erwiesenermaßen eine Symbiose von Pflegeheim und Seminar sogar günstig. Es erschiene ihm angemessen, an der für das Priestersemiar vorgesehenen Stelle in Köln die Thomas-Morus-Akademie anzusiedeln. Die Vorteile einer solchen Lage gelte es doch ernsthaft zu bedenken.

Der Erzbischof ordnete indes einen Architekten-Wettbewerb an und gab dem Regens den Auftrag, ein Raumprogramm zu entwerfen. Auch daraufhin ließ der Seminarvorstand nicht nach, seine Bedenken und seine Vorschläge zu wiederholen, unterstützt sogar von einer hohen Mehrheit der Seminaristen. Am 6. Oktober 1956 fiel die endgültige Entscheidung. Am 13. Oktober wurde die Baukommission im Hause des Erzbischofs in Köln-Bayenthal konstituiert: Vorsitzender wurde Generalvikar Joseph

---

[45] Seminarchronik II. S. 23–24

Teusch, Mitglieder waren die Architekten Hans Schumacher und Dombaumeister Willy Weyres, von den Bauabteilungen des Generalvikariates Baurat Wilhelm Schlombs und Architekt Steinberger, von der Vermögensverwaltung Prälat Peter Lewen, vom Priesterseminar Regens Augustinus Frotz. Nach dem Auftrag des Kardinals sollte der Regens um ein gutes Funktionieren des künftigen Seminars besorgt bleiben.

Der Regens gab Seminarvorstand und Seminaristen den Entschluß des Kardinals mit den Worten bekannt: „Roma locuta, causa finita." Entscheidend sei der dem Erzbischof schuldige Gehorsam. Es komme jetzt darauf an, aus der Planung das Beste zu machen. Im Bistum sprachen manche über mögliche Vorzüge eines Priesterseminars in Köln, aber weitaus die größere Mehrheit von Priestern und Laien bedauerte den Fortgang aus der Stille und Frische von Bensberg und verstanden den Entschuß des Kardinals nicht.

Die Planungen und die Bauausführungen hat der Regens in der Seminarchronik eingehend beschrieben. Die Grundsteinlegung erfolgte am 27. Oktober 1957 (Christkönigs-Fest), am 27. November 1957 das Richtfest, am 27./28. Dezember 1958 die Konsekration der Kirche und des Altares[46].

Zum vorgesehenen Semesterbeginn am 14. November 1958 mit 93 Seminaristen mußte ein Haus bezogen werden, das noch auf längere Zeit Baustelle blieb und erst drei Jahre später ganz eingerichtet war. Mit der letzten Sitzung der Baukommission am 2. Dezember 1961 ging die Bauaufsicht an die Erzbischöfliche Bauabteilung über. Fand der gesamte Gebäudekomplex auch ein überwiegend zustimmendes Urteil, so mußten die Architekten doch von vielen Mängeln im einzelnen hören: technische Mängel von Generalvikariats-Baurat Steinberger, Funktionsmängel vom Regens. Es war diesem, sei es aus Hartnäckigkeit der Architekten, sei es aus nicht zu brechendem Sparwillen des Generalvikars, nicht gelungen, den Kreuzgang und den Glockenturm verglasen zu lassen, den großen Hörsaal funktionsgerechter zu gestalten, Gruppenzimmer zu bekommen. Wohl ist eine Aula unter der Kirche geschaffen worden und mit Unterstützung des Erzbischofs das Schwimmbad, nicht zuletzt der Ausbau der ursprünglich als einfaches Rechteck vorgesehenen Seminarkirche durch eine vorgebaute Apsis[47].

Bedrängender aber als solche Äußerlichkeiten wurden ganz andere Probleme. Sie betrafen vornehmlich die Studienordnung und die Gestaltung der vita communis unter den nach dem Umzug von Bensberg gewandelten Verhältnissen. Verstärkt wurden die lebhaften Diskussionen durch die von dem Münsteraner Bischof Michael

---

[46] Der als Grundstein verwandte Steinblock war vom Generalvikariatsarchitekten Josef Steinberger in den Trümmern der Mariä-Himmelfahrtskirche entdeckt und geborgen worden, eine schöne Brücke zur früheren Seminarkirche, die von den Seminaristen der Marzellenstraße nur „ecclesia nostra" genannt wurde

[47] Besondere Anerkennung gebührt dem Mitarbeiter des Architekten Schumacher, Dipl.-Ing. Hans Josef Schäfer, der anders als sein Chef den Sinn einer Apsis, auch im Gefüge der Gesamtarchitektur der neuen Bauten, erkannte. Von ihm stammt der angenommene Modellentwurf

Keller in den Tagen vom 2. bis 3. November 1959 durchgeführte päpstliche Visitation des Seminars. Der Visitator für die nord- und westdeutschen Priesterseminare sagte zum Abschluß der Visitation, die Grundhaltung der Seminaristen sei erfreulich. Es bestehe große Bereitschaft, sich auf den priesterlichen Dienst ernsthaft vorzubereiten. Das Verhältnis zum Seminarvorstand sei gut, Kritik und Wünsche bezögen sich alle um Fragen der Ausbildung. Im einzelnen sei übereinstimmend betont worden:

- mehr praktische Übungen als bisher, sowohl in der Schule wie auf der Kanzel,
- mehr Arbeitsgemeinschaften, weniger Vorlesungen, mehr Kolloquien mit den Professoren, weniger Semesterprüfungen,
- individuelle Studienberatung und Studienhilfe, Abbau der kollektiven Planung durch die Professoren.

Der Visitator fügte hinzu, er erfahre das Gleiche in seinem eigenen Priesterseminar. Es sei sehr schwer, die Theologen an die solide Erarbeitung der Grundwahrheiten des Glaubens zu gewöhnen. Alles Verlangen dränge in die Breite statt in die Tiefe, nach außen statt nach innen. Andererseits sei der Übergang vom theoretischen Studium zum praktischen Tun zu schroff. Er versuche die Lösung in der Weise, daß er die beiden letzten Semester vornehmlich in der Verkündigung, der Katechese und Homiletik ausbilden lasse[48].

Das Problem der Studienordnung verschärfte sich zusehends. Es wurde nicht nur im Seminar diskutiert, bald standen drei unterschiedliche Lösungsvorschläge im Raum:

- Der Ausbau des Seminarkollegiums zu einer theologischen Fakultät auf Hochschulniveau. Am 26. März 1959 fand im Erzbischöflichen Haus eine von Generalvikar Teusch veranlaßte Besprechung statt, an der unter dem Vorsitz des Kardinals von der Bonner Fakultät die Professoren Neuß, Jedin, Schäfer und Linden, vom Priesterseminar Regens Frotz und Professor Schnitzler und außerdem als Rechtskundiger Professor Peters teilnahmen. Die Bonner Herren lehnten den Plan einmütig ab. Die Vertreter des Priesterseminars äußerten mehr Skepsis als Zustimmung. Kardinal Frings, so berichtet die Chronik, hielt sich stark zurück. Aber zum Schluß war deutlich, daß der Plan nicht verwirklicht werden würde.
- Ein zweiter Vorschlag: Die Ernennung der Seminarprofessoren zu Pfarrern in Kölner Altstadt-Gemeinden. Diesem Plan lag die Überlegung zugrunde, Geistliches Leben, Studium und Einführung in die praktische Seelsorge mit einer verbleibenden viersemestrigen vita communis zu verbinden[49].

---

[48] Seminarchronik II, S. 136–140 – Nach Abschluß der Visitation erhielt der Regens einen Brief des Visitators, in dem es hieß: „Ich habe mich in Ihrem Hause sehr wohl gefühlt und bin dankbar, daß ich auch dort wieder so viel echtes und rechtes Streben beim priesterlichen Nachwuchs erleben durfte“ (II, S. 140)

[49] Dieser Plan wurde besonders von Prof. Schnitzler propagiert. Er selbst übernahm am 20. September 1960 die Altstadtgemeinde St. Aposteln in Köln. Sein Plan erwies sich jedoch als nicht realisierbar

– Ein dritter Vorschlag wurde vom Seminarregens nach intensiven Beratungen mit dem Professorenkollegium dem Herrn Kardinal zu Beginn des Jahres 1960 vorgelegt: Dieser sah die Beibehaltung des Professorenkollegiums vor in der Weise, daß es auch für Bildungsaufgaben im Erzbistum zur Verfügung stehe. Vorgeschlagen wurde ferner die Trennung der vier Semester, so daß im ersten und zweiten Semester vorwiegend die Vertiefung und Ergänzung der theologischen Grundkenntnisse bedacht würden und im dritten und vierten Semester die praktischen Übungen den Vorrang haben sollten. Dazu müßten sorgfältig Pfarreien und Schulen ausgewählt werden. Die Vorlesungen sollten zugunsten von Arbeitsgemeinschaften vermindert werden. Man könne auch den Versuch machen, die üblichen Examina durch Kolloquien zu ersetzen. Besonders wurde hingewiesen auf die Notwendigkeit, mit großer Sorgfalt auf die Heranbildung von wissenschaftlich, spirituell und pastoral hoch qualifizierten Nachwuchskräften bedacht zu sein.
Der Kardinal nahm sich dieser Vorschläge sehr persönlich an und riet zu einer behutsamen Neuordnung auf der vorgeschlagenen Grundlage, ohne bereits feste Vorschriften zu erlassen. Es sei aber festzulegen, an welchen Veranstaltungen der Seminarist pflichtgemäß teilzunehmen habe und welche der freien Entscheidung des einzelnen vorbehalten werden sollten[50].
Die Frage nach der rechten Gestaltung der vita communis verschärfte sich ebenfalls. Als aber von einem vierten Semester eine von der bisherigen Kölner Tradition überstark abweichende Neufassung der Seminarordnung vorgelegt wurde, ließ der Haussenior den Regens wissen, sie entspräche nicht den Vorstellungen der Mehrheit der Kommunität[51].

Der Kardinal hatte begonnen, zu seiner Morgenmesse im Erzbischöflichen Haus und zum anschließenden Frühstück je zwei Seminaristen einzuladen und wurde so auch unmittelbar von diesen über das Leben im Seminar, über Kritik und Wünsche informiert. Der Kardinal ließ keine Zweifel aufkommen, daß dem Priesterseminar als letzter Stufe der Vorbereitung auf Weihe und priesterlichen Dienst eine Ordnung gegeben und eingehalten werden müsse, die eine ungestörte Konzentration auf Studium und Gebet ermögliche, der praktischen Einübung in die priesterlichen Tätigkeiten, vornehmlich in Predigt und Katechese, diene und durch ein frohes, brüderliches Gemeinschaftsleben der Vertiefung der communio gelte, wie es später das II. Vatikanische Konzil neu formuliert und gefordert hat.

Nur mit einiger Mühe ließ sich bei der Übesiedlung des Seminars nach Köln noch einmal erreichen, daß die Seminaristen im Hause werktags den Talar, sonntags und bei den Gängen zum Dom die Soutane trugen, zumal nach dem Zweiten Weltkrieg – zunächst durch die materielle Not bedingt – auch im Bistumsklerus Talar und Soutane weitgehend außer Gebrauch gekommen waren. Im Seminar ließ sich diese geistliche

50 Seminarchronik II, S. 157f.

51 Die Mehrheit der Kommunität befürchtete bei totaler Öffnung des Seminars einen Zerfall der Gemeinschaft, eine Auflösung der Gebetsgemeinschaft, eine Gefährdung der täglichen Hl. Messe, eine Störung der geistlichen Sammlung, eine Erschwerung der Studien

Kleidung bis in die Konzilsjahre durchhalten[52]. An Sonn- und Feiertagen beteten die Seminaristen nach den Laudes im Seminar die Terz mit dem Domkapitel vor dem Hochamt im Dom, dort nachmittags auch die Vesper. An den Wochentagen wurde nach dem Mittagsausgang um 15.00 Uhr die Non gebetet. Der Donnerstag war, wie gewohnt, vorlesungsfrei. Nach dem Mittagessen ging ein Sonderbus nach Bensberg zum gemeinsamen Kaffee, je nach Wahl zu Sport und Spiel und Wanderungen, bis zum Abendessen im Seminar. Einmal im Monat gab es den ganz freien Tag bis zur gemeinsamen Komplet.

Freiheit und Bindung waren zu allen Zeiten spannungsgeladen und werden es bleiben. Wenn auch die freiheitlichen Regungen im Kölner Seminar sich verstärkten, so war es dennoch möglich, Notwendigkeit und Vorteil der Bindung an eine sinnvolle Ordnung der vata communis verständlich zu machen. Bei Wahrung der von einer gesunden Tradition gegebenen Grundlagen blieben Seminarvorstand und Seminaristen bemüht, eine tragbare Anpassung an die neuen Kölner Verhältnisse zu finden.

Drei Höhepunkte des Seminarlebens der nächsten drei Jahre verdienen eine besondere Erwähnung:

- Das Gedächtnis der Priesterweihe des früheren Seminarprofessors Matthias Joseph Scheeben vor 100 Jahren am 29. Dezember 1958,
- das Goldene Priesterjubiläum des Erzbischofs und Kardinals Josef Frings am 10. August 1960 und
- die Bischofsweihe des Regens Augustinus Frotz am 7. Oktober 1962.

Mit der Gedächtnisfeier zu Ehren Scheebens konnte der Pius-Saal, so genannt wegen der beiden vom Kardinal geschenkten Büsten Pius' X. und Pius' XII., eingeweiht werden. Eingeladen waren der Apostolische Nuntius Erzbischof Aloysius Münch, der Kultusminister des Landes Nordrhein-Westfalen Werner Schütz, das Metropolitankapitel, die Professoren der Bonner Theologischen Fakultät, die Rektoren der Hochschulen von Walberberg, Geistingen, Knechtsteden und Sankt Augustin, die Rektoren der Kölner Universität, der Kölner Musikhochschule und der Pädagogischen Akademie sowie die Direktoren des Collegium Albertinum und des Collegium Leoninum in Bonn. Den Vortrag in der Festakademie hielt der Botschaftsrat Professor Dr. Joseph Höfer aus Rom über das Thema: „Die geistesgeschichtliche Stellung Scheebens". Papst Pius XII., von Kardinal Frings auf diese bedeutsame Zentenarfeier aufmerksam gemacht, sandte ein Telegramm zur Bezeugung seiner persönlichen Anteilnahme.

Zum Goldenen Priesterjubiläum des Erzbischofs und Kardinals am 10. August 1960 überreichten drei als Herausgeber zeichnende Vertreter der Bonner Theologischen Fakultät, des Domkapitels und des Priesterseminars – Professor Linden, Dom-

[52] Die allgemeine Frage nach der Priesterkleidung hatte auch der Visitator aufgegriffen, weil sich eine Tendenz anbahnte, Zivilkleidung zu tragen. Der Regens machte darauf aufmerksam, daß es sehr schwer sei, die geforderten kirchlichen Bestimmungen im Seminar durchzuhalten, wenn der Klerus draußen sich nicht genügend daran halte: Seminarchronik II, S. 260

kapitular Corsten und der Seminarregens – das vom Bachem-Verlag betreute Werk „Die Kirche und ihre Ämter und Stände“[53]. Der Regens hatte in ungestörten Nachtstunden auf dem kleinen Balkon seiner Wohnung dazu den Beitrag über „Gedanken zur Priesterbildung im Geiste des Hl. Augustinus“ verfaßt.

Die Bischofsweihe des Regens am 7. Oktober 1962 war auch für das Priesterseminar Geschenk und Anruf des Hl. Geistes zugleich. Es war ein großes Fest von einer strahlenden Herbstsonne begleitet. Subregens Professor Heinrich Klomps[54] hatte mit Hilfe des ganzen Seminars, vor allem der Ordensschwestern, den gesamten Innenhof des Seminars in einen großen Festsaal verwandelt.

Die Eröffnung des II. Vatikanischen Konzils stand unmittelbar bevor. Auf Wunsch des Kardinals kam der neue Weihbischof wenige Tage nach der Eröffnung des Konzils wieder nach Köln zurück, um das Amt des Regens vorläufig weiterzuführen und in der Zeit der Abwesenheit des Erzbischofs und seiner Weihbischöfe Wilhelm Cleven und Joseph Ferche für die anfallenden bischöflichen Dienste zur Verfügung zu stehen.

Vier Monate später, am 15. Januar 1963, hat der Kardinal den im pastoralen Dienst hochbewährten Neusser Münsterpfarrer Rudolf Peifer zum neuen Seminarregens ernannt[55]. Für den Vorgänger war nunmehr die Stunde des Abschieds vom Priesterseminar gekommen. Die in so vielen Jahren so vielen geschuldete Dankbarkeit konnte mit schnell verklingenden Worten nicht in ausreichendem Maße bekundet werden. Zwei eherne Zeichen, so hatte der scheidende Regens gemeint, sollten für immer seine Dankbarkeit und Verbundenheit, seine Zukunftswünsche und Erwartungen deutlich bekunden: in der Seminarkirche die von dem Düsseldorfer Bildhauer Kurt Zimmermann geschaffene „Sedes sapientiae“ und der von dem Godesberger Künstler Carl van Ackeren nach Johannes 15,1–8 gestaltete Weinstock-Rebenfries über dem Hauptportal des Seminars mit dem dazu als Türgriff vorgesehenen Bronzeblock, der nach dem 80. Psalm Sinnbilder böser Mächte darstellt. Das eine Zeichen spricht von der Bitte an die Gottesmutter Maria, allen Generationen des Priesterseminars das hohe Gut der Weisheit zu vermitteln, das andere von der Bitte an unseren Herrn Jesus Christus, den Hohenpriester, alle zu seinem Priestertum Berufenen vor jeglichem

---

[53] Die Kirche und ihre Ämter und Stände. Festgabe Seiner Eminenz, dem Hochwürdigsten Herrn Joseph Kardinal Frings, Erzbischof von Köln, zum Goldenen Priesterjubiläum am 10. August 1960 dargeboten, hrsg. v. Wilhelm Corsten, Augustinus Frotz, Peter Linden, Köln 1960

[54] Heinrich Klomps (1924–1978), 1951 Priesterweihe in Köln, 1957 Dr. theol. (Bonn), 1955–1957 Assistent und Lehrbeauftragter, 1957–1969 Professor für Moraltheologie am Priesterseminar, 1958–1963 auch Subregens, 1963 Habilitation in Bonn, ab 1968 Professor für systematische Theologie in Köln und Aachen (= Außenstellen der kath.-theol. Fakultät Bonn): Froitzheim, Personalchronik, S. 53 f.

[55] Rudolf Peifer (*1906), 1929–1931 Seminarist in Bensberg, 1931 Priesterweihe in Köln, 1940–1945 Militärdienst, Militärseelsorge und Gefangenschaft in Rußland, 1950–1960 Pfarrer in Bonn-Dottendorf, 1960–1963 Oberpfarrer an St. Quirin in Neuss und Stadtdechant, 1963–1968 Regens des Seminars, 1965 Prälat, 1970–1981 Domkapitular: Froitzheim, Personalchronik, S. 70

Schaden zu bewahren und in inniger Verbundenheit mit ihm die Früchte reifen zu lassen, die er erwartet.

Der neue Regens konnte nach seinen ersten Erfahrungen am Ende des Sommersemesters 1963 in der Seminarchronik vermerken: „Das gesamte Klima im Seminar erscheint gesund und erfrischend ... Die Konzeption, mit der der ‚Chef' ins Haus kam, möglichst viel Freiheit im Vertrauen auf das Verantwortungsbewußtsein der Seminaristen ..., mehr Hineinhorchen und Verstehen dieser jungen, anderen Welt der Theologen ... scheint sich bewährt zu haben."[56] Drei Semester verliefen noch im wesentlichen nach der überkommenden Ordnung. Die Unruhe unter den Seminaristen steigerte sich jedoch in dieser Zeit zunehmend. Heftige Reformbestrebungen ließen vom Sommersemester 1965 ab neue Überlegungen und tiefgreifende Maßnahmen zur Weiterentwicklung des Priesterseminars erwarten.

Nachwort

Siebenundreißig Jahre durfte der Verfasser dem pastor bonus unseres Erzbistums, Josef Kardinal Frings, in seinen pastoralen Diensten als Diözesan-Jugendseelsorger, als Seminarregens und als Weihbischof behilflich sein. Aus den vielfältigen Begegnungen heben sich drei Ereignisse hervor, die ihn bewegen, diesen bescheidenen Beitrag seinem Gedächnis in Dankbarkeit, Verehrung und Liebe zu widmen:

Die 1942 mit dem neuen Erzbischof im ganzen Bereich des Bistums überwältigend erlebten Jugend-Gottesdienste und die daran sich anschließenden frohen Gespräche mit der – trotz aller Verbote der national-sozialistischen Gewaltherrschaft – immer noch aktiven Jungführerschaft der Mannes- und Frauenjugend der Pfarreien und Dekanate in den Pfarrsälen; die 1962 von Kardinal Frings im Kölner Dom erteilte Bischofsweihe und die anschließend im Erzbischöflichen Haus erfahrende Umarmung mit den Worten: „Wir sind Brüder!"; die 1979 erfolgte, von Kardinal Frings bestimmte Übereignung seines Primizkelches an seinen Weihbischof Augustinus. Der Kelch, eine Gabe der Eltern zur Priesterweihe ihres Sohnes am 10. August 1910, ist nunmehr im Gebrauch des Erzbischöflichen Diakoneninstituts.

---

[56] Seminarchronik II, S. 260

VIII. Der Übergang zum Pastoralseminar nach 1965*

Von Karl Heinz Schmitt

Mit froher Erwartung kamen wir 1966 nach der Zeit des Studiums und Lebens im Collegium Albertinum von Bonn nach Köln ins Priesterseminar.

Unter seinem damaligen Regens, Prälat Rudolf Peifer (1963–1968), hatte dieses Haus den Ruf, ein Ort der „Freiheit“ zu sein. In der Tat war es eine neue Erfahrung auf dem Weg zum Priestertum, endlich als erwachsener Mann ernstgenommen zu werden. Offensichtlich in Erinnerung an seine eigene Seminarerfahrung in Bensberg und nicht zuletzt auch aufgrund seiner Lebenserfahrungen in Krieg, Gefangenschaft und zuletzt als Pfarrer versuchte Regens Peifer, jedem einzelnen Seminaristen in seiner Eigenart und mit seinen Möglichkeiten gerecht zu werden. Nicht selten verantwortete er deshalb ganz persönlich auch gegen das Votum des Dozentenkollegiums die Priesterweihe eines Seminaristen, der nicht unbedingt konform und angepaßt seinen Weg gegangen war. „Fuhrleute der Menschensorge“ und nicht „brave Seelsorger“ wollte er aus uns machen. Doch sein Leitungsstil war offensichtlich der Zeit noch voraus. Nur wenige erspürten schon den Umbruch der 68er Jahre. So sehr Regens Peifer deshalb von allen Seminaristen geschätzt und anerkannt war, so wenig wurde sein Leitungsstil von anderen Verantwortlichen des Erzbistums gestützt.

Ende des Sommersemester 1968 kam es deshalb zu einer eigenartigen Situation. Beim Mittagstisch kündigte Regens Peifer an, daß Kardinal Frings persönlich am Nachmittag die Examensnoten der Semesterexamen bekanntgegeben wollte. Dies war ein ungewöhnlicher Aufwand. Alle ahnten, daß sich mit diesem Kommen des Kardinals etwas Besonderes verbinden mußte. Die einen „befürchteten“, daß Regens Peifer zum neuen Weihbischof ernannt würde, andere ahnten, daß Schlimmeres bevorstand. Und so zog Kardinal Frings mit großem Gefolge der Dozenten am Nachmittag in den Pius-Saal des Priesterseminars ein und verkündete: Immer wieder bin ich gerade vom jungen Klerus in unserer Diözese gebeten worden, einen eigenen Seelsorger für die Priester zu benennen. Dabei wurde immer wieder ein Name genannt, der Name Ihres Regens Rudolf Peifer. Ich möchte ihn damit zum Seelsorger für den jungen Klerus in unserer Erzdiözese ernennen. – Tosender Beifall aller Seminaristen. – Dann fuhr der Kardinal fort: Da er diese Aufgabe jedoch nicht neben seiner bisherigen Tätigkeit als Regens erfüllen kann, möchte ich ihn gleichzeitig von diesem Amt entbinden. – Eisiges Schweigen von fast einer Minute. – Dann wieder der Kardinal: Ich habe Ihnen als neuen Regens einen Mitbruder vorzustellen, den ich persönlich in den letzten Jahren sehr gut kennen- und schätzengelernt habe. Meinen bisherigen Geheimsekretär Dr. Hubert Luthe. – Eisiges Schweigen. – Die Spannung im Raum war

---

* Die in diesem Kapitel zitierten Schriftstücke befinden sich sämtlich im Archiv des Erzbischöflichen Priesterseminars. Die Personaldaten der erwähnten Professoren und Lehrbeauftragten des Seminars sind erfaßt in: Dieter Froitzheim, Personalchronik des Kölner Priesterseminars 1951–1976 ... (= Studien zur Kölner Kirchengeschichte, Bd. 12), Siegburg 1976

drückend und explosiv zugleich. Der Kardinal stand auf und beendete dieses Schweigen mit der Aufforderung zu einem gemeinsamen Gebet zur Gottesmutter.

Alle Seminaristen waren wie gelähmt. Das durfte nicht wahr sein. Diese „ehrenvolle Berufung" zum Seelsorger für den jungen Klerus war zu offensichtlich eine Entscheidung gegen den Leitungsstil von Regens Peifer im Priesterseminar. Die konservativen Kräfte hatten sich offensichtlich durchgesetzt. Auch hier war es wieder die Größe von Prälat Peifer, den beginnenden Proteststurm und die „revolutionären" Überlegungen der Seminaristen zu dämpfen und selber diese Entscheidung gehorsam anzunehmen und zu tragen. Eine von den Seminaristen geplante und durchgeführte große Verabschiedungsfeier von Prälat Peifer zu Beginn des WS 68/69 machte deutlich, welch hohes Ansehen er sich bei allen seinen bisherigen Seminaristen erworben hatte. Nahezu alle „Ehemaligen", die jetzigen Kapläne, waren anwesend. Von der Leitung der Diözese war niemand zugegen.

Dieses Ereignis war wohl das Signal eines Umbruchs in der traditionsreichen Geschichte des Kölner Priesterseminars. Nicht zufällig dürfte so das Jahr 1968 auch hier zum Wendejahr geworden sein, wenngleich diese Wende sich nicht harmonisch und schnell vollzog. Vielmehr sollte noch mancher Kampf gegen die Wellen der Tradition notwendig werden.

1. Erste Schritte zu einem Pastoralseminar

Die Studien- und Prüfungsordnung vom 11. 11. 1949 (mit wenigen Veränderungen bis zum 1. 7. 1964) bestimmten bis Mitte der 60er Jahre das Leben am Priesterseminar. Neben den für alle gemeinsam verpflichtenden Vorlesungen in den Fächern Hl. Schrift, Dogmatik, Moraltheologie, Kirchenrecht, Pastoral, Homiletik, Katechetik, Liturgik und Kirchenmusik gab es praktische Anleitungen und Übungen zur Predigt, zur Einführung in die Praxis des Religionsunterrichtes, zur Rubrizistik, Ritusübungen und Choralsingen. Schriftliche und mündliche Examen nach jedem Semester sollten sowohl den Besuch der Veranstaltungen garantieren wie auch der Leistungskontrolle dienen. Am 13. 7. 1966 legte die Kommunität des Priesterseminars dem Regens wie auch dem Professorenkollegium ihre Überlegungen zu einer Neuordnung der Studien im Priesterseminar vor. Dieser Entwurf, der einerseits die Kontinuität mit der bisherigen Studienordnung suchte, andererseits jedoch deutliche Neuakzentuierungen hinsichtlich einer pastoral-praktischen Ausbildung aufwies, war der Beginn eines noch lange Jahre andauernden Ringens.

Die klassischen Fächer Hl. Schrift, Dogmatik, Moraltheologie und Kirchenrecht, die weitgehend der Ergänzung von bereits in Bonn abgeleisteten Studien dienen wollten, sollten zugunsten einer mehr katechetischen und pastoralen Ausrichtung des Studiums verkürzt werden. So wurde folgender Vorschlag gemacht: die Arbeit eines jeden der vier Semester im Seminar unter einen besonderen Schwerpunkt zu setzen.

Im ersten Semester sollte die homiletische Ausbildung im Vordergrund stehen. Die Predigtübungen wären auszubauen und durch eine intensivere Sprecherziehung zu ergänzen. Im zweiten Semester sollte die katechetische Ausbildung einen Schwerpunkt bilden. Ferienpraktika sollten ausgewertet bzw. vorbereitet werden. Das dritte Semester sollte in die verschiedenen Formen der speziellen Seelsorge (Krankenhaus-, Gefängnis-, Studenten-, Erwachsenen- und Gruppenpastoral) einführen. Im vierten Semester sollten die Diakone die Arbeit in einer Pfarrei kennenlernen und ihr Amt dort ausüben.

Dieser Vorschlag stieß noch auf taube Ohren. Einstimmig wurde in der Professorenkonferenz am 20. 10. 1966 beschlossen, der Regens möge den Seminaristen bekanntgeben, daß eine Änderung der Studienordnung im Augenblick fehl am Platze sei, weil sich die Bischofskonferenz und eine Bischofskommission mit einer Neuordnung der Studien beschäftigten, die möglichst einheitlich für alle deutschen Diözesen verbindlich werden sollte. Sicher war auch diese Entscheidung mitbegründet in der Spannung, die zwischen Seminaristen und Professoren dieser Jahrgänge offensichtlich vorhanden war. So wurde die Konferenz schon am 29. 4. 1965 über die neu eintretenden Seminaristen „vorgewarnt": „Das neue Semester gilt als sehr selbstherrlich, autoritätsfeindlich und unbelehrbar. Freilich sind alle als unbedenklich oder wohl überdenklich für den Seminareintritt bezeichnet worden."

Obwohl die Studienordnung noch nicht revidiert wurde, gab es bereits im katechetischen Bereich einige Neuerungen. Mit Unterstützung der Schulabteilung des Generalvikariats wurden bereits 1964/65 in den Ferien nach dem 1. und 2. Semester ein katechetisches Praktikum in Volksschulen und Berufsschulen absolviert. Dazu kam, daß zum 1. Dezember 1966 Oberstudienrat Dr. Josef Haefner zum Lehrbeauftragten für das Fach Katechetik im Priesterseminar ernannt wurde. Durch ihn hat die katechetische Ausbildung im Priesterseminar einen besonderen Schwerpunkt erfahren. War es doch die einzige pastoral-praktische Tätigkeit, die außerhalb des Seminars auch unter Anleitung von fachkundigen Mentoren begleitet und im Seminar vorbereitet und ausgewertet wurde. Schon 1967 wurden deshalb katechetische Übungen während der Semester an den Schulen Kölns durchgeführt. 44 Seminaristen wurden 13 Kölner Volksschulen zugeteilt, wo sie an den Donnerstagvormittagen je eine Religionsstunde selbst halten und eine zweite hospitieren sollten (vgl. Protokoll der Studienkonferenz vom 6. 4. 1967). Jeder erhielt einen Lehrer als Mentor, der ihm die erforderliche Anleitung gab.

Der Widerstand gegenüber der im übrigen weiter geltenden Studien- und Prüfungsordnung verschärfte sich deutlich seit dem Wintersemester 1966/67. So weigerte sich das 1. Semester im Jahre 1967, die Semesterexamen abzulegen, indem der Semestersenior in einem Brief an den Regens formulierte: „Im Auftrage des 1. Semesters bitte ich Sie, davon Kenntnis zu nehmen, daß alle Herren des 1. Semesters nach reiflicher Überlegung einmütig beschlossen haben, die im Rahmen der Prüfungsordnung vom 11. November 1949, mit den erfolgten Änderungen, abzulegenden Semesterexamen in der verlangten Form nicht abzulegen bereit sind." Begründet wurde diese Vorgehensweise mit der schlechten Studien- und Prüfungsordnung.

Dieser von seiten der Professorenkonferenz als „erpresserisch" betrachtete Brief führte zu einer Unterredung mit Kardinal Frings, in der vor allen Dingen die Fachkompetenz der Seminarprofessoren sowie die Studienordnung allgemein kritisch angefragt wurden. Trotz des deutlichen Hinweises durch Kardinal Frings, daß dieses Vorgehen als „Gehorsamsverweigerung“ betrachtet werden müsse, einigte man sich darauf, die entsprechenden Prüfungen zu Beginn des nächsten Semesters unter veränderten Bedingungen nachzuholen. Diese Entscheidung wurde ohne Rücksprache mit dem Professorenkollegium getroffen, was zu einem deutlichen Protest beim Kardinal führte, ohne daß dieser Folgen gehabt hätte.

Ob durch Einsicht oder unter Druck der Verhältnisse, kam es Ende Januar 1967 zu einem Beschluß der Professorenkonferenz, daß alle Vorlesungen in Zukunft fakultativ sein sollten. Lediglich die Teilnahme an Übungen und Besprechungen sowie die katechetischen, homiletischen und Ritusübungen waren weiterhin verpflichtend. Von seiten der Professoren hatte dies bereits 1960 der inzwischen zum Studienleiter ernannte Professor Dr. Heinrich Klomps in einem Vorschlag zur Änderung der Studienordnung empfohlen. Er war der Meinung, daß ein besseres „Angebot“ dadurch erreicht wird, wenn auch für Professoren das heilsame Korrektiv der „Vorlesungsfreiheit“ gelte! In der Konsequenz führte dies wohl dazu, daß der Vorlesungsbesuch im Kölner Priesterseminar in einzelnen Fächern stark zurückging. Der Dogmatiker Professor Dr. Bernards stellte fest: „Im Sommersemester 1967 wurde es erstmals – insgesamt in zwei Fällen – notwendig, die Vorlesung mangels Hörer ausfallen zu lassen. In den folgenden vier Semestern (Wintersemester 1967/68 bis Sommersemester 1969 einschließlich) kam der dritte Teil, bisweilen fast die Hälfte aller Dogmatikvorlesungen aus demselben Grunde nicht zustande …“

„… Der Druck der von Bonn aus betriebenen Neuordnungsversuche für das theologische Studium (10 Semester an der Universität, Abschluß des wissenschaftlichen Teils der Ausbildung durch ein staatliches Diplom) und der Einfluß der durch diese Bestrebungen ausgelösten Forderungen nach einer Umstrukturierung des Kölner Priesterseminars in ein reines Pastoralseminar unter Verzicht auf theoretische Fächer führte dann zu einem fast vollkommenen Boykott der Dogmatikvorlesungen in Köln.“ (Brief Professor Bernards' an den Regens vom 27. 1. 1971).

Offensichtlich sollte die Bedeutung des theologischen Studiums im Priesterseminar aufgewertet und jede Umstrukturierung durch eine etwa anstehende Studienreform in Bonn abgewehrt werden. So wurde erstmals in der Geschichte des Priesterseminars neben dem Regens ein eigenes Amt des „Leiters der Theologischen Studien“ geschaffen. Das Professorenkollegium wählte hierzu den Moraltheologen Professor Dr. Heinrich Klomps, der am 7. 3. 1967 von Kardinal Frings hierzu offiziell ernannt wurde – eine Einrichtung, die mit dem Ende der Amtszeit von Regens Peifer 1968 schon wieder verschwand.

Nicht zuletzt auch angestoßen durch eben diese seit 1962 immer wieder neu angebrachten Überlegungen hinsichtlich eines zehnsemestrigen Studiums an der Universität, kam es dann im Priesterseminar unter der Leitung von Professor Dr. Klomps als neuem Studienleiter zu einer Überarbeitung der bisher gültigen Studien- und Prüfungsordnung. Diese erfolgte auf der Basis eines Beschlusses der Personalsitzung beim Kardinal am 22. 11. 1967. Festgelegt wurde:

„1. Für die Erzdiözese Köln wird daran festgehalten, daß die Seminarzeit 2 Jahre dauert. Das schließt in sich, daß die Kölner Theologie-Studierenden an der Universtität 8 Semester studieren. Das Festhalten an der zweijährigen Seminarzeit ist insbesonders begründet

a) in der Notwendigkeit einer umfassenden *pastoralen* Ausbildung der werdenden Priester des Erzbistums

b) in der Tatsache, daß der Regens die Seminaristen nicht genügend kennenlernt, wenn sie nur ein Jahr im Seminar sind; daß er sie aber eingehend kennenlernt, ist darin begründet, daß sein Urteil entscheidend ist für die Zulassung zur Priesterweihe“...

Weiterhin heißt es im selben Protokoll:

„Die Ausbildung im Seminar muß weiter vertieft werden. Das gilt hinsichtlich der Ausbildung in Katechetik und Homiletik, das gilt aber auch hinsichtlich mancher Fächer, die nach der neuen Studienordnung für das Spezialstudium an der Universität vorgesehen sind (z. B. Psychologie, Pädagogik, Soziologie, die gegenwärtigen Voraussetzungen auf philosophischem/geistigem Gebiet, Missionswissenschaften u. a.). Zur Behandlung dieser Gegenstände sind tüchtige Fachkräfte durch Lehraufträge oder durch Einladungen zu Gastvorlesungen hinzuzuziehen.“

Wenngleich auch im Laufe der nächsten Jahre in Übereinstimmung mit den Aachener Studierenden das zehnsemestrige Studium für die Kölner Priesteramtskandidaten an der Universität der Normalfall wurde, forderte diese Grundentscheidung doch deutlich die weitere Entwicklung des Priesterseminars zu einem Pastoralseminar. Zwar blieb es in der von Kardinal Frings am 21. 10. 1968 genehmigten neuen Studienordnung noch bei den Vorlesungen in den klassischen Fächern der Hl. Schrift, Dogmatik, Moraltheologie und Kirchenrecht. Andererseits wurden die praktisch-theologischen Fächer doch in entsprechender Weise ausgeweitet. Dies galt vor allen Dingen für das Fach Katechetik.

Erstmalig wurde sowohl die neue Studienordnung vom 21. 10. 1968 wie auch die inzwischen erneuerte Prüfungsordnung vom 15. 11. 1967, in der nur noch zwei (statt bisher vier) Examen als Diakonats- und Presbyter-Examen vorgesehen waren, offiziell in Druck gegeben und als Broschüre den Seminaristen zur Verfügung gestellt.

Es sah so aus, als ob diese Studien- und Prüfungsordnung ähnlich wie die vorhergehende nun für die nächsten 20 Jahre Gültigkeit haben sollte. Unterstützt wurde dieser Eindruck auch durch die Veröffentlichung eines Vorlesungsverzeichnisses des Priesterseminars, das in seinem äußeren Erscheinungsbild dem der Universitäten sehr ähnlich war. Doch die weitere Entwicklung war nicht mehr aufzuhalten.

Offensichtlich glaubte man von seiten der Verantwortlichen, eine neue Stabilisierung im Priesterseminar dadurch erreichen zu können, daß man einen Wechsel in der Leitung des Seminars vornahm. So wurde, wie bereits berichtet, Ende des Sommersemesters 1968 Regens Peifer entpflichtet und zum Wintersemester 1968/69 der bisherige Geheimsekretär Kardinal Frings', Dr. Hubert Luthe, zum neuen Regens ernannt. Die hierdurch mitbedingte Atmosphäre im Seminar kann dabei nur auf dem Hintergrund des allgemeinen gesellschaftlichen Umbruchs im Jahre 1968 richtig eingeschätzt werden. Tradierte Ordnungen, Vorstellungen und Autoritäten wurden nicht mehr selbstverständlich hingenommen. Alter, Tradition und Gehorsamsforderung waren keine überzeugenden Argumente mehr. Vielmehr wurde der Austausch, das partnerschaftliche Gespräch, die gemeinsame Suche nach neuen Wegen zu einer zeitgemäßen Priesterausbildung verlangt.

So sah sich die Kommunität veranlaßt, unmittelbar mit dem zukünftigen Regens Dr. Luthe in ein Gespräch über die weitere Entwicklung der Haus- und Studienordnung einzutreten. Die Kommunität wählte Ende des Sommersemesters 1968 eine Kommission, die noch während der Semesterferien Kontakt mit dem neuen Regens aufnehmen sollte. Die Kommission, bestehend aus dem Haussenior und den Semestervertretern, konstituierte sich in den Semesterferien als „Beirat" und entwarf in Zusammenarbeit mit einigen Pfarrern aus der Erzdiözese Vorschläge zur Neugestaltung der Ausbildung im Priesterseminar. Gegenstand dieser Vorschläge waren das der Ausbildung im Priesterseminar zugrundeliegende und in unserer Zeit erforderliche Priesterbild, die partnerschaftliche Zusammenarbeit während der Ausbildungszeit im Priesterseminar, das geistliche Leben im Seminar sowie die Neugestaltung des Studiums und der Hausordnung. Hinsichtlich des Studiums wurde nicht mehr über einzelne Fächer und deren Inhalt diskutiert, vielmehr bat die Kommunität den Bischof dringend zunächst um personelle Konsequenzen entsprechend dem Konzilsdekret über die Priestererziehung (Nr. 5), „die Professoren aus den besten Kräften auszuwählen. Sie müssen durch gediegene Studien, entsprechende pastorale Erfahrung und eine besondere geistliche und pädagogische Ausbildung sorgfältig vorbereitet sein." Hinsichtlich einer äußeren Ordnung im Priesterseminar lehnte man eine „theologische oder metaphysische Fundierung" solcher Regelungen ab. Vielmehr wurde betont, daß im Seminar der Raum für die notwendige persönliche Entfaltung des einzelnen zu gewährleisten sei, entsprechend dem Dekret über die Priestererziehung, nach dem die einzelnen Seminaristen lernen sollen, „ihre Freiheit zu gebrauchen, aus eigener Initiative und Überlegung zu handeln und mit Mitbrüdern und Laien zusammenzuarbeiten." (Nr. 11)

Symbolisch wurde diese „Freiheit" thematisiert an der Frage der Hausschlüssel. Hierzu führten die Seminaristen aus, „die vorhandenen Schlüssel sollten innerhalb der Semester ausgegeben werden, um ein lästiges Nachfragen und für einen Erwachsenen unwürdiges und der Verantwortlichkeit des einzelnen widersprechendes Verhalten zu vermeiden". Im Grunde handele es sich hierbei nur um eine nebensächliche Einzelfrage, deren Lösung sich innerhalb einer konsequenten Gesamtkonzeption des Seminars von selbst ergäbe.

Diese Vorschläge wurden zunächst mit dem neuen Regens Dr. Luthe mündlich beraten und dann der Professorenkonferenz vorgelegt. Hier beschäftigte man sich zunächst mit dem Antrag der Seminaristen, daß der Haussenior sowie ein weiteres Mitglied des Beirats Sitz und Stimme in der Professorenkonferenz haben sollten, soweit es nicht um reine Personalangelegenheiten gehe. Dem wurde bedingt zugestimmt. Auch wurde von seiten des Regens während der Professorenkonferenz eine gründliche Revision der Ausbildung im Priesterseminar in Aussicht gestellt, doch blieb es bei einerseits unverbindlichen Gesprächen, andererseits kam es zu härteren Konfrontationen. So weigerte sich das zweite Semester im Jahre 1969, das Subdiakonatsexamen abzulegen, weil ein Teil des Stoffs bereits in der Universität geprüft worden sei, ein anderer, vor allen Dingen in den praktisch theologischen Fächern, durch eine sachgerechte Beurteilung der abgeleisteten praktischen Übungen möglich sei. Dazu wurden erhebliche Einwände hinsichtlich der wissenschaftlichen Qualität und des theologischen Gehaltes der derzeitigen Lehrveranstaltungen gemacht. Ebenso beklagte sich das vierte Semester kurz vor seiner Weihe im Jahre 1969: „Im augenblicklichen Zustand wird das Seminar weder den Ansprüchen des Universitätsstudiums noch den einer praktischen, zeitnahen Vorbereitung auf den Beruf gerecht." Die Gründe sah man in der „Verzögerung" einer schon lange anstehenden Reform der Seminarstruktur.

Inzwischen war am 20. 12. 1968 Bischof Dr. Josef Höffner aus Münster zum Koadjutor mit dem Recht der Nachfolge des Kölner Erzbischofs ernannt worden. So sah sich die Kommunität des Priesterseminars veranlaßt, am 5. 1. 1969 noch einmal in einem Brief an Kardinal Frings und Koadjutor Erzbischof Höffner auf die dringend anstehende Reform der Ausbildung im Priesterseminar hinzuweisen. Denn immer wieder wurde von seiten des Regens und der Professoren auf die Verantwortung des Kardinals bzw. seines Koadjutors in diesen Fragen verwiesen und damit jede weitere Überlegung abgeblockt. So schrieben damals die Seminaristen in ihrem Brief: „Es blieb in den Gesprächen weitgehend bei einer einseitigen permanenten Wiederholung unserer Vorstellungen, ohne daß es zu wirklichen von gemeinsamer Verantwortung getragenen Überlegungen und Versuchen kam. Wir sind aber nicht der Meinung, daß unsere Verantwortung *allein* darin besteht, die an uns gestellten Forderungen zu erfüllen... So wurde uns auch ohne nähere Angabe von Gründen verwehrt, in die Vorbereitung und Planung sowohl einzelner Punkte der Studienordnung (z. B. Pastoraltage, Diakonat) als auch an der Gesamtplanung für die Zukunft der Seminarausbildung miteingeschaltet zu werden. Das Ungenügen, die Kritik und die mangelnde Konzeption der derzeitigen Ausbildung im Seminar ist Ihnen schon mehrfach und von verschiedensten Seiten vorgetragen worden... Nach all diesen Erfahrungen sieht sich die Kommunität am Ende des Wintersemesters 1968/69 veranlaßt, mit allem Nachdruck darauf hinzuweisen, daß wir nicht bereit sind, im kommenden Semester die gleichen Studienbedingungen vorbehaltslos zu akzeptieren!

Wir möchten Sie bzw. Ihren neuen Koadjutor deshalb bitten, als für unsere Seminarausbildung Verantwortliche, uns noch in diesem Semester wenigstens über die Planungen einer zukünftigen Gestaltung der Seminarzeit zu informieren und gleichzeitig – entsprechend dem Vorbild anderer Diözesen – unsere gewählten Vertreter ab sofort in die Überlegungen und Planungen mit einzuschalten..."

Aufgrund dieser Intervention lud Erzbischof Dr. Höffner Regens und Seminaristen zu einer Vollversammlung ein, in der die von den Seminaristen angemerkten und gewünschten Veränderungen der Haus- und Studienordnung ausführlich zur Sprache kamen.

Zwei Vertreter der Kommunität wurden daraufhin in der ersten Professorenkonferenz im Sommersemester 1969 zur Sitzung zugelassen. Hier wurden ausführlich eine mögliche neue Studien- und Prüfungsordnung beraten sowie Fragen zur Hausordnung besprochen. Es kam zwar aufgrund dieser Gespräche zu einer neuen Prüfungsordnung, die von dem inzwischen zum Kardinal erhobenen Erzbischof Höffner am 10. 5. 1969 ad experimentum in Kraft gesetzt wurde, doch handelte es sich hierbei letztlich nur um Korrekturen am bisherigen System. Neu war allerdings, daß eine solche Ordnung „ad experimentum" erlassen wurde, um aufgrund der gemeinsamen Erfahrungen zu weiteren Überlegungen zu kommen.

Die eigentliche Umgestaltung der Studien- und Prüfungsordnung sowie der gesamten Ausbildung am Priesterseminar stand noch aus. Auch blieben die Fragen der Hausordnung weitgehend ungeklärt. In stundenlangen Gesprächen wurde mit und ohne Vertreter der Kommunität z. B. über die Frage der Hausschlüssel diskutiert. Aus dem Protokoll der Professorenkonferenz vom 12. 3. 1969: „Alle Anwesenden waren sich mit dem Regens darüber einig, daß man nicht allen Seminaristen den Hausschlüssel geben, sondern die bisherige Regelung beibehalten sollte. Auch in Trainings-Camps oder im Olympiadorf gibt es das nicht ... Die Folge der Freigabe des Schlüssels wäre, daß wir Seminaristen erhalten, die besser nicht Priester würden, weil in dieser Hinsicht jede Forderung wegfiele."

Noch einige Zeit wurde so die eigentliche Problematik der Seminarausbildung auf „Neben-Kriegsschauplätze" verdrängt.

2. Der Durchbruch: Das Praktikum der Diakone

Bestand bisher der pastorale Außenkontakt während der Seminarzeit in einem mehr oder weniger freiwilligen vierwöchigen Diakonat während der Sommerferien in einer von den Seminaristen meist selbst gewählten Pfarrei, so sollte die Ausweitung und die Einführung eines wirklichen Diakonats während der Ausbildung zum eigentlichen Angelpunkt der Neuorientierung des Priesterseminars zu einem Pastoralseminar werden. Die Initiative ist in erster Linie Kardinal Höffner zu verdanken, der das Seelsorgepraktikum der Diakone in seiner bisherigen Diözese Münster bereits eingeführt hatte. Diese Erfahrung wollte man sich nun auch in Köln zunutze machen und mit dem Studienjahr 1969 ein solches Diakonat in die Ausbildung einführen. Vorgesehen war als Zwischenlösung zunächst ein sechsmonatiges Praktikum für zukünftige Diakone und bald aufgrund der gemachten Erfahrungen eine Ausweitung des Diakonats auf ein Jahr während der Seminarzeit.

Durchführungsgrundlage für dieses Diakonat sollte weitgehend ein Arbeitspapier „Das Seelsorgepraktikum der Diakone in der Diözese Münster" (2. Aufl. 1968) sein. Es wurde in einer Vorlage der Studenten des Priesterseminars auf die Kölner Situation hin adaptiert und konkretisiert. Vorgesehen war, daß dieses Diakonat von einem Moderator im Auftrag des Priesterseminars begleitet wird. Zum erstenmal sollte es stattfinden vom 1. 10. 1969 bis 5. 4. 1970. Der Kardinal selbst wollte vor Beginn des

Diakonats die zukünftigen Pfarrer aller Diakone zu einer Information ins Priesterseminar einladen. Dieses Gespräch fand am 12. 9. 1969 statt. In seinem Referat führte der Kardinal aus, daß die Einführung des Diakonats einer Empfehlung des II. Vatikanums im Dekret über die Erziehung zum Priestertum (12) entspricht, nach der „die Alumnen nach Abschluß des theologischen Studiums noch eine angemessene Zeit den Weihe-Diakonat ausüben" bevor sie zur Priesterweihe zugelassen werden. Im einzelnen umschrieb er den Sinn des Praktikums der Diakone so: „Der junge Diakon solle erleben,

1. daß die Harmonie zwischen Gebet, Studium und Seelsorge möglich ist
2. daß wir Priester in Liebe einander verbunden sind, was sich im Pfarrhaus, in der Pfarrei und im Dekanat Tag für Tag lebendig auswirken muß
3. daß wir Priester trotz aller Schwierigkeiten und Mißerfolge keine Pessimisten sind (Pessimismus wäre verschleierter Unglaube), sondern mit Mut und Freude in der Seelsorge wirken
4. daß auch er selbst mit der Gnade Christi fähig und mächtig ist, den priesterlichen Dienst zu tun und in diesem Dienst seine persönliche Erfüllung zu finden, was wiederum dazu beitragen wird, daß er die heute viele bedrängenden Fragen nach dem ‚Priesterbild' existenziell zu beantworten vermag."

Da das Praktikum nach dem 10. Studiensemester beginnen soll, müßte das 9. und 10. Semester der unmittelbaren Vorbereitung des Praktikums dienen, also starke pastorale Impulse geben. Diese Zeit sollen die Seminaristen im Kölner Priesterseminar verbringen. „Das führt allerdings zu der Forderung, daß diese beiden Semester viele und wertvolle Möglichkeiten der studienmäßigen und praktischen Hinführung zur Seelsorge bieten." Damit war endgültig die zukünftige Ausrichtung des Priesterseminars festgelegt. Nach Abschluß der wissenschaftlichen Studien in Bonn sollte das Priesterseminar zu einem Pastoralseminar werden, in dem die anstehenden Aufgaben einer zeitgemäßen Seelsorge kennengelernt, reflektiert und soweit wie möglich praktisch erprobt werden konnten.

Schon damals wies der Kardinal darauf hin, daß im Laufe der Zeit das halbjährige zum ganzjährigen Praktikum erweitert werden soll. „Nach Abschluß des Praktikums wird der Diakon noch für ein Semester zur unmittelbaren Vorbereitung auf die Priesterweihe ins Priesterseminar zurückkehren. Während des Praktikums werden die Erfahrungen, die der Diakon in seinem Dienst gemacht hat, immer wieder in Arbeitsgemeinschaften und Konferenzen theologisch durchgedacht und vertieft werden müssen. Dieser Einbau des Studiums in das Praktikum berechtigt den Bischof, das diakonische Praktikum als ein Studiensemester zu werten, so daß beim ganzjährigen Praktikum die Gesamtstudiendauer 13 Semester betragen wird."

Es sollte jedoch noch eine Zeit dauern, bis sich die Ausbildung des Priesterseminars an dieser Konzeption orientiert hatte. Im Sommersemester 1970 beklagten die Studenten immer noch die Zweiteilung des Priesterseminars, nach der in den ersten beiden Semestern die wissenschaftliche Ausbildung von Bonn weitergeführt würde und nur die weiteren Semester mehr der pastoralpraktischen Vorbereitung auf den priesterlichen Dienst dienten. Zwar erfolgte in einigen Bereichen eine „Abstimmung" mit den

Füßen, so daß die Vorlesung in Dogmatik, Kirchenrecht und Moraltheologie ausfallen mußten.

Die Zeit, in der Regens Peter Schnell (1970–1976) als Nachfolger von Dr. Luthe, der im Oktober 1969 zum Weihbischof ernannt worden war, das Seminar leitete, war so weiter von großer Unsicherheit geprägt. Das neu eingeführte halbjährige Diakonat sowie die endgültige Einführung des zehnsemestrigen Diplomstudienganges an der Universität Bonn auch für Priesteramtskandidaten erzwangen den konsequenten Übergang zum Pastoralseminar. Dieser vollzog sich mehr unter dem Druck der faktischen Gegebenheiten als aufgrund einer klaren Konzeption. Zwar wurde am 22. 2. 1970 Dr. Johannes Bökmann noch zum Professor für Moraltheologie als Nachfolger von Professor Klomps ernannt, doch mußte er aufgrund des Widerstandes im Seminar sehr bald seine Lehrtätigkeit faktisch einstellen. Im September 1970 verzichtete auch Professor Dr. Alois Theissen (Hl. Schrift) auf seine Lehrveranstaltungen im Priesterseminar. Der Liturgiker Professor Dr. Wilhelm Kahles wurde ebenfalls im September 1970 entpflichtet.

Zunehmend wurden die für ein Pastoralseminar notwendigen pastoral-katechetischen Fächer nun durch neu ernannte Lehrbeauftragte wahrgenommen. Oberstudienrat Dr. Josef Haefner war Ende 1969 endgültig zum Professor für Katechetik ernannt worden, die beiden Dominikaner Gerhard Kemper und Angelus Heitkamp übernahmen praktisch seit 1970 die homiletische Ausbildung, bis sie im September 1972 offiziell zu Lehrbeauftragten am Priesterseminar ernannt wurden. Dr. Hermann-Josef Burbach erhielt 1969 einen Lehrauftrag für Kirchenmusik und Medienkunde, Dr. Ulrich Brisch für Caritaswissenschaften (1970), Pater Hermann-Josef Lauter OFM löste 1974 die beiden Dominikaner als Lehrbeauftragter für Homiletik ab. Karl Heinz Schmitt wurde 1975 Lehrbeauftragter für Katechetik und theologische Erwachsenenbildung.

Im August 1976 wurde Dr. Norbert Trippen zum neuen Regens ernannt. Nun wurde die begonnene faktische Entwicklung zum Pastoralseminar auch konzeptionell weitergeführt, nicht zuletzt durch die Berufung von Dr. Paul Adenauer (1978) für den Bereich Pastoralpsychologie und von Studiendirektor Ulrich Günzel (1978) als Nachfolger von Professor Haefner für schulische Religionspädagogik. Hinzu kam dann 1981 auch Professor Wilfried Jochims für Praktische Rhetorik.

In vielen Konferenzen der Lehrbeauftragten und aufgrund der praktischen Erfahrungen, die man im Laufe der Jahre 1976–1980 zusammen mit den Seminaristen machen konnte, kam es nach einem ausführlichen Gespräch mit Kardinal Höffner zur neuen Ausbildungsordnung des Pastoralseminars, die formal von Kardinal Höffner unter dem Titel „Hinführung zum Priestertum" am 9. 9. 1981 in Kraft gesetzt wurde. Hier heißt es über die Ausbildung im Priesterseminar: „Wer nach Abschluß der Ausbildung im Collegium Albertinum um Aufnahme in das Priesterseminar in Köln bittet, macht zunächst ein viermonatiges Praktikum in einer vom Direktor des Collegium Albertinum vorgeschlagenen und vom Erzbischof gebilligten Pfarrei. Dieses Seelsorgepraktikum wird vom Vorstand des Collegium Albertinum in Zusammenarbeit mit dem Regens und den Lehrbeauftragten des Priesterseminars begleitet und durch mehrere Blockstudieneinheiten aus den Bereichen Homiletik, Religionspädagogik und Pastoralpsychologie ergänzt. Der Verlauf des Praktikums und das Abschlußgutachten des Praktikumspfarrers sind mitbestimmend für die Aufnahme in das Priesterseminar, über die der Erzbischof anläßlich des Skrutiniums am Ende des Praktikums entscheidet.

Für das Seelsorgepraktikum kommen in der Regel die Monate September bis Dezember in Betracht. Der Eintritt in das Priesterseminar mit der Aufnahme unter die Kandidaten für Diakonat und Presbyterat (Admissio) erfolgt am Fest der Erscheinung des Herrn.

Die Ausbildung im Priesterseminar umfaßt zunächst die Monate Januar bis Juni (unterbrochen durch zwei Wochen Urlaub vor der Karwoche) mit Lehrveranstaltungen und Übungen. Nach der Diakonenweihe Ende Juni beginnen die Diakone ein acht bis neun Monate dauerndes Diakonatspraktikum in einer vom Regens vorgeschlagenen und vom Erzbischof gebilligten Pfarrei. Dieses Praktikum dauert vom Ende der Sommerferien bis zum Weißen Sonntag des folgenden Jahres. Nach dem Diakonatspraktikum beginnt das letzte Semester im Priesterseminar mit der unmittelbaren Vorbereitung auf die Priesterweihe und den priesterlichen Dienst. Der Verlauf des Diakonatspraktikums und das Abschlußgutachten des Diakonatspfarrers bilden eine wichtige Grundlage für die Zulassung zur Priesterweihe, über die der Erzbischof im Skrutinium vor der Priesterweihe entscheidet."

Die näheren Ziele und Inhalte der einzelnen Ausbildungsphasen wurden in der Ordnung für die Priesterbildung im Erzbistum Köln festgelegt, die Kardinal Höffner am 10. 1. 1984 in Kraft setzte.

Ziele und Inhalte des Pastoralpraktikums vor Eintritt in das Erzbischöfliche Priesterseminar sind:

- Umfassende Kenntnisse über die Praktikumsgemeinde und die Seelsorge in ihr
- Erkennen von Befähigungen und Grenzen durch Mitarbeit in einigen Bereichen (Religionsunterricht, Katechese, Predigt, Seelsorgegespräch)
- Erfahrung von der Einheit pastoraler Arbeit und geistlichen Lebens.

Ziel und Inhalt der Seminarausbildung ist „die unmittelbare Vorbereitung auf Diakonats- und Priesterweihe sowie auf den diakonalen und den priesterlichen Dienst und die entsprechende Lebensform" („Rahmenordnung" der Deutschen Bischöfe vom 1. Mai 1978, Nr. 132). Die Gemeinschaft in Gebet, Gottesdienstfeier und täglichem Leben des Seminars soll dem dienen und dazu verhelfen, die Entscheidung für den priesterlichen Dienst zu vertiefen. Wöchentliche Lehrveranstaltungen im Seminar, Blockveranstaltungen zu bestimmten Themenbereichen, Exkursionen sowie Predigten und liturgische Dienste in einer „Sonntagsgemeinde" und das Diakonatspraktikum sollen in die Grunddienste des Priesters einführen, zur Übersetzung des im Studium Angeeigneten in Diakonie, Liturgie und Verkündigung verhelfen und für die vielfältigen Aufgaben der Seelsorge den Blick und das Verständnis schärfen. Nach Jahren überwiegend wissenschaftlich-rationalen Lernens steht nun die lernende Einübung in seelsorgliche Vollzüge im Vordergrund.

Sowohl die Veranstaltungen des Diakonatskurses wie auch des Presbyteratskurses werden jeweils von der Professorenkonferenz in weitgehender Absprache mit den Seminaristen konkretisiert.

Somit hat das Priesterseminar eine klare Rahmenstruktur und eine eindeutige Ausrichtung als Pastoralseminar erhalten. Die konkrete Ausgestaltung wird jedoch auch in Zukunft variabel bleiben müssen, um sich den jeweiligen Erfordernissen der Zeit, unter denen gegenwärtig und zukünftig Priester ihren Dienst zu versehen haben, anpassen zu können. So wird für das Pastoralseminar weniger das Bild einer festen Institution, eines Hauses prägend sein, als vielmehr das einer lebendigen Weggemeinschaft von Regens, Spiritual, Lehrbeauftragten und Seminaristen, die auf Zeit in intensivem Austausch stehen, um in gemeinsamer Reflexion und begleiteter Praxis, in Gebet und Gespräch sowie bei Festen und Feiern die Etappen zum Priestertum zu gehen.

Dritter Teil

Matthias Joseph Scheeben als Theologe zwischen Erstem und Zweitem Vatikanischen Konzil

Von Hans Gasper (Kap. I und III),
Karl-Heinz Minz (Kap. II) und
Franz-Josef Bode (Kap. IV)

I. Das Wirken Scheebens als Priester und Theologe

Von Hans Gasper

Vorbemerkung

Die Scheeben-Lektüre wird immer etwas Esoterisches haben – wegen der vermeintlichen, aber auch tatsächlichen Schwierigkeiten seines Werks –, trotzdem gibt es eine zahlenmäßig zwar überschaubare, aber beachtliche und in ihrer Qualität bedeutsame Literatur über Scheebens Theologie. Das gilt leider nicht für sein Leben[1].

Obwohl Scheeben keineswegs ein ganz von den Menschen zurückgezogener Gelehrter war, ist doch ein Großteil seiner Person in seinem Werk aufgegangen und überwiegend nur dort heute noch greifbar. Es gibt gerade eine Handvoll biographischer Zeugnisse, die Nachrufe, eine kurze Lebensbeschreibung wenige Jahre nach seinem Tod und aus den dreißiger Jahren unseres Jahrhunderts zwei Briefpublikationen, genauer, eine Briefedition und einen ausführlichen Bericht über einen Briefwechsel[2].

---

[1] Zu Scheebens Theologie ist hinzuweisen auf: Karl Eschweiler, Die zwei Wege der neueren Theologie. Georg Hermes – Matth. Jos. Scheeben. Eine kritische Untersuchung des Problems der theologischen Erkenntnis, Augsburg 1926; Hans Urs von Balthasar, Herrlichkeit. Eine theologische Ästhetik, Bd. 1: Schau der Gestalt, Einsiedeln 1961, S. 98–110; Norbert Hoffmann, Natur und Gnade. Eine Theologie der Gottesschau als vollendeter Vergöttlichung des Geistesgeschöpfes bei M. J. Scheeben, Rom 1967; Eugen Paul, Denkweg und Denkform der Theologie von Matthias Joseph Scheeben, München 1970; Klaus Leo Klein, Kreatürlichkeit als Gottebenbildlichkeit. Die Lehre von der Gottebenbildlichkeit bei Matthias Joseph Scheeben, Bern-Frankfurt 1975; Karl-Heinz Minz, Pleroma Trinitatis. Die Trinitätstheologie bei Matthias Joseph Scheeben, Frankfurt-Bern 1982; Franz-Josef Bode, Gemeinschaft mit dem lebendigen Gott. Die Lehre von der Eucharistie bei Matthias Joseph Scheeben, Paderborn 1986. – Die Auswahl ist nicht exklusiv, sondern ist ein Hinweis auf einige wichtige Untersuchungen, die zugleich die gesamte in Frage kommende Literatur angeben (vgl. besonders Paul, Minz und Bode). – Der Verfasser selbst wird in Kürze eine Studie zum Thema vorlegen: Die Einheit von Gott und Mensch bei M. J. Scheeben, dargestellt am Begriff des ‚connubium divinum'

[2] Zur Biographie sei verwiesen auf: Erinnerung an Professor Dr. Scheeben, in: Pastoralblatt. Unter Mitwirkung eines Vereines von Curatsgeistlichen der Erzdiözese Köln, herausgegeben von Dr. Kreutzwald, 22 (1888), Sp. 465–472; Johann Baptist Heinrich, Zur Erinnerung an Scheeben, in: Der Katholik 68 (1888) II, S. 113–132; Johann Hertkens, Professor Dr. M. J. Scheeben. Leben und Wirken eines katholischen Gelehrten im Dienste der Kirche (= Festschrift zur Feier der Konsekration und Inthronisation des Hochwürdigsten Herrn Dr. Hubert Theophil Simar, Bischof zu Paderborn), Paderborn 1892; Matthias Joseph Scheeben. Der Erneuerer katholischer Glaubenswissenschaft, hrsg. vom Katholischen Akademikerverband, Mainz 1935 (darin: Wilhelm Pingsmann, Ein Nekrolog auf Matthias Joseph Scheeben vom Jahre 1888, S. 19–27); Hermann Joseph Hecker, Chronik der Regenten, Dozenten und Ökonomen im Priesterseminar des Erzbistums Köln 1615–1950, Düsseldorf 1952, S. 187–193; Josef Höfer, M. J. Scheeben (1. März 1835 bis 21. Juli 1888), in: Tricoronatum, Festschrift zur 400-Jahr-Feier des Dreikönigsgymnasiums, Köln 1952, S. 148–154; Matthias Joseph

Die folgenden Anmerkungen zu Scheebens Leben und Wirken wollen den Skizzen zu seiner Theologie nicht vorgreifen, sie können aber auch nicht die Lücken ausfüllen, die sich aus dem Mangel an Quellen zur Biographie ergeben. So sollen nur ein paar Schlaglichter fallen auf Scheeben: Seine Herkunft und seinen Werdegang; die Zeit seiner ersten großen literarischen Arbeiten, die uns bereits ein sehr deutliches Profil seiner Person gibt; die durch Vaticanum und Kulturkampf hervorgerufenen Wirrnisse der 70er und teilweise auch der 80er Jahre; schließlich ein kurzer Blick auf sein eigentliches Hauptwerk, die Dogmatik und zugleich seinen Ort in der Geschichte der Theologie.

Eigentlich kommt es mir bloß darauf an, ein wenig den Sinn dafür zu wecken, daß vor hundert Jahren mitten in Köln einer der größten Theologen deutscher Sprache gelebt und gewirkt hat, der trotz mancher zeitbedingter Einseitigkeiten – die unfreiwillig-freiwillige Ghettosituation des deutschen Katholizismus im letzten Jahrhundertdrittel erklärt vieles – auch heute geachtet, geehrt und vor allen Dingen gelesen werden sollte[3].

1. Scheebens Bedeutung

Den „bis heute grössten deutschen Theologen nach der Romantik", so nennt Hans Urs von Balthasar Matthias Joseph Scheeben[4]. Nun sind superlativische Wertungen, wo Leistungen nicht quantifizierbar sind, immer problematisch. Daß Haydn über hundert, Mozart einundvierzig, Beethoven jedoch „nur" neun Symphonien geschrieben hat, sagt etwas über den Wandel dieser musikalischen Gattung, nichts über die Bedeutung der Komponisten und ihrer Werke. So ist es nicht wirklich feststellbar und letztlich wohl auch unerheblich, ob Scheeben der „größte" katholische Theologe deut-

Scheeben. Zum 150. Geburtstag des großen katholischen Theologen am 1. März 1985, hrsg. von der Stadt Meckenheim, Meckenheim 1985. – Ferner die Lexikonartikel, in: Kirchenlexikon, 2. Auflage (Meiners, Bd. X, Sp. 1763–1765); Lexikon für Theologie und Kirche, 1. Auflage (Hermann Josef Brosch, Bd. IX, Sp. 225–227) und 2. Auflage (Josef Höfer, Bd. IX, Sp. 376–379); Dictionnaire de théologie catholique (G. Fritz, Bd. XIV, Sp. 1270–1274); Enciclopedia Cattolica (Antonio Piolanti, Bd. XI, Sp. 33–34). – Wichtig für den geistigen Werdegang Scheebens ist: Hermann Joseph Brosch, Das Werden des jungen Mathias (sic!) Joseph Scheeben, in: Stimmen der Zeit 123 (1932), S. 395–407; Augustin Kerkvoorde, La formation théologique de M.-J. Scheeben à Rome (1852–1859), in: Ephemerides Theologicae Lovanienses 22 (1946), S. 174–193. Auch diese Hinweise sind nicht vollständig; andere biographische Notizen bringen jedoch nichts darüber Hinausreichendes und sind mit den angegebenen Verweisen zu verifizieren. Nachgetragen werden soll noch, daß nahezu der gesamte Nachlaß Scheebens, soweit in Köln befindlich, ein Opfer der Bomben im 2. Weltkrieg wurde

[3] Die Bemerkung „unfreiwillig-freiwillige Ghettosituation" soll andeuten, daß dies eine von außen, durch massiven Druck ausgelöste Bewegung war, zugleich aber auch eine übernommene Einstellung (vgl. u.: Kirche in Not)

[4] Hans Urs von Balthasar, Herrlichkeit. Eine theologische Ästhetik, Bd. 1. Schau der Gestalt, Einsiedeln 1961, S. 98–110, hier: S. 98. – Das Urteil stammt aus dem Jahr 1961, heute wäre natürlich zu fragen, inwieweit Karl Rahners und von Balthasars Werk dieses Urteil modifizieren könnten

scher Sprache, des 19. Jahrhunderts, der Zeit zwischen den Konzilen oder gar der Neuzeit überhaupt war bzw. ist, unbezweifelbar gehört er jedoch zu den ganz Großen in der Geschichte der Theologie. Scheeben ist der Verfasser eines theologischen Werks von kaum überschaubarer Fülle, seltener spekulativer Kraft und Eindringlichkeit, durchdringender, alles erfassender Gestaltungskraft, die an Hervorbringungen in Musik oder Architektur erinnert, und zugleich großer Frömmigkeit und mystischer Tiefe. Über eines der Hauptwerke Scheebens, „Die Mysterien des Christentums", schreibt Martin Grabmann, der bedeutende Erforscher mittelalterlicher Philosophie und Theologie und Mitherausgeber der „Gesammelten Schriften" Scheebens: „Dieses Werk, eine Großtat der theologischen Spekulation, sucht in die Zusammenhänge und Gesetzmäßigkeiten, in den Organismus und Pragmatismus der Glaubensgeheimnisse einzudringen und läßt mit einem staunenswerten architektonischen Geschick die ganze Fülle und Mannigfaltigkeit der christlichen Wahrheiten als eine vor allem im Trinitätsgeheimnis gründende majestätische Einheit vor unserem Geistesauge erstehen. Es ist dieses monumentale Werk nicht bloße Kopie der großen mittelalterlichen Summen und Synthesen, wie man damals die Gotik mechanisch zu erneuern sich mühte, sondern ein Meisterwerk selbständiger Gestaltungskraft[5]." Und über Scheebens Kenntnis und Verarbeitung der Theologiegeschichte schreibt derselbe Grabmann: „Es wird in der Tat keinen zweiten Theologen in neuerer Zeit geben, der in solchem Umfang zugleich die Werke der Patristik, besonders auch der griechischen Väter, die mittelalterliche und spätmittelalterliche Scholastik, die Folianten der nachtridentinischen Theologie durchgearbeitet hat und diesen unübersehbaren Stoff mit solcher Selbständigkeit gemeistert hat[6]."

In all seinem Reichtum will dieses Werk jedoch nur *ein* Geheimnis verkünden: Wie alles, was ist, vom dreifaltigen Gott herkommt, in Christus Mitte und Höhepunkt erreicht und durch Christus zu Gott wieder zurückkehrt[7]. Das ist jedoch nicht allein Gegenstand hoher theologischer Spekulation. In allen „Mysterien des Christentums"

---

[5] Martin Grabmann, Scheebens theologisches Lebenswerk, in: Matthias Joseph Scheeben, Gesammelte Schriften, Bd. 1, S. XXI – XLI, hier: S. XXIX

[6] Ebd. S. XXXIII. – Vgl. auch S. XXIX: „Es haben die Väter, vor allem die von ihm schon in ‚Natur und Gnade' so bevorzugten griechischen Väter, die großen Scholastiker Anselm von Canterbury, Alger von Lüttich, Rupert von Deutz, Richard von St. Viktor, Bonaventura, Albert d. Gr. und vor allem Thomas von Aquin, die Mystiker Bernhard von Clairvaux und Ludwig von Ponte, die nachtridentinischen Theologen Suarez, Gregor von Valentia, Ruiz da Montoya, Petavius und Thomassin, die Theologen des 19. Jahrhunderts Kuhn, Berlage, Döllinger, Dieringer, Kleutgen u. a., Bausteine geliefert, welche in diesem selbständig durchdachten und genial ausgeführten Gedankenbau eingefügt wurden." – Grabmann schreibt dies über die „Mysterien", es gilt a fortiori von der Dogmatik. – Vgl. dazu Scheebens eigenen theologiegeschichtlichen Überblick, in: Handbuch der katholischen Dogmatik, Erstes Buch, Theologische Erkenntnislehre (= Gesammelte Schriften, Bd. III, hrsg. v. Martin Grabmann), Freiburg ³1959, §§ 56–59

[7] Vgl. Dogmatik I, n 960 ff. bzw. n 1120: „Endlich findet die Theologie ihren Abschluß in der *definitiven Vollendung* des ganzen Weltlaufs in den letzten Dingen, mit welchen sie zu Gott als dem letzten Ziele und Ende zurückkehrt, wie sie von ihm als erstem Prinzip und Anfang aller Dinge ausgegangen …"

geht es um die Mitteilung göttlichen Lebens und darum, daß der Mensch daran Anteil erhält, hineingenommen wird in das innere Leben Gottes. Scheebens ganzes Schrifttum steht deshalb im Dienst dieses Lebens, seine wissenschaftlichen wie seine aszetisch-mystischen Bücher – zurecht hat Alfred Eröss Scheeben als „Mystiker der Neuscholastik" bezeichnet[8] –, seine erbaulichen wie seine kirchenpolitischen, oftmals polemischen Arbeiten. Dieser große Theologe aus dem Rheinland, aus Meckenheim bei Bonn, hat die meiste Zeit seines Lebens in Köln gelebt, dort als Seminarprofessor wie als Priester und Seelsorger vor allen Dingen an St. Mariä Himmelfahrt gewirkt, er ist 1888 in Köln gestorben, und er liegt auf Melaten begraben. – Ein wenig pathetisch für unser Empfinden, doch auf seinen sachlichen Gehalt gebracht nicht unzutreffend, schreibt Karl Eschweiler über Scheeben: „Die kostbarste Blüte, die dem Frühling der Neuscholastik überhaupt beschieden war, wuchs aus der rheinischen Erde. Es ist, als ob die katholische Seele des Rheinlandes in Scheeben mit einem Male spekulativ bilden und ausdrücken wollte, was sie tausend Jahre und länger tätig gelebt hatte[9]."

2. Herkunft und Werdegang

Matthias Joseph Scheeben wurde am 1. März 1835 in Meckenheim bei Bonn als ältestes von neun Geschwistern geboren (eine Schwester Scheebens starb noch nicht einjährig, deshalb schwanken manchmal die Zahlenangaben; zudem war es für Scheebens Vater die zweite Ehe; die erste Ehefrau war zwei Jahre vor Scheebens Geburt gestorben)[10]. Scheebens Vater war Schmied wie auch der Großvater und der Urgroßvater. Wer der einmal von Carl Friedrich von Weizsäcker geäußerten Meinung zuneigt, im Werk der Großen zeige sich oft etwas von der Profession des Vaters – Weizsäcker wies auf Aristoteles und Kant hin –, kann vielleicht im ungemein zähen und mühseligen Ringen des Theologen Scheeben um die definitive Gestalt eines Werks einen Hinweis auf diesen in der Familie weitergegebenen Beruf des Schmieds erblicken.

Scheebens Mutter stammt aus dem Dürener Raum. Mit 24 Jahren Vollwaise, zog sie nach Meckenheim, wo ihr Onkel, Peter Josef Clemens, seit 1828 „Oberpfarrer" war, Scheebens Taufpate und später auch sein Lehrer. Scheeben besuchte zunächst in Meckenheim die Elementarschule, dann durch Privatunterricht vorbereitet das Progymnasium in (Bad) Münstereifel und bestand im August 1852 als 17jähriger das Abitur in Köln am „Katholischen Gymnasium an Marzellen".

---

[8] Alfred Eröss, Matthias Joseph Scheeben – ein Mystiker der Neuscholastik, in: Zeitschrift für Aszese und Mystik 11 (1936), S. 173–192. – Die theologiegeschichtliche Zuordnung erscheint heute problematisch

[9] Karl Eschweiler, Die zwei Wege der neueren Theologie. Georg Hermes – Matth. Jos. Scheeben, Augsburg 1926, hier: S. 24

[10] Matthias Joseph Scheeben. Festschrift zum 150. Geburtstag des großen katholischen Theologen, geboren in Meckenheim am 1. März 1835, Meckenheim 1985, S. 43 ff.

Noch im Herbst desselben Jahres reiste Scheeben, überwiegend zu Fuß, wie es heißt, nach Rom, um als Alumne des Collegium Germanicum Philosophie und Theologie an der Gregoriana zu studieren. Scheeben blieb 7 Jahre, bis zum Jahr 1859, in Rom, wurde am 18. Dezember 1858 zum Priester geweiht und feierte in der Christnacht desselben Jahres in Santa Maria Maggiore seine Primiz. Da über Scheebens Lehrer in Rom, als Professoren des Collegium Romanum und Präfekten des Germanicum, noch an anderer Stelle etwas gesagt wird, zu Scheebens Romaufenthalt abschließend nur noch dieses: Als Verwalter der Bibliothek des Germanicum hatte Scheeben nicht bloß Gelegenheit, sein stupendes theologiegeschichtliches Wissen grundzulegen, von den Vätern über die Scholastik bis zur spanischen Spätscholastik und zur großen französischen Theologie des 17. Jahrhunderts, durch ihn finden auch die Werke der deutschen Theologen des 19. Jahrhunderts, vor allen Dingen der „Tübinger", Eingang in die Bibliothek[11].

In die römische Zeit fällt 1854 die Definition der „Unbefleckten Empfängnis Mariens" durch Papst Pius IX. (Papst von 1846 bis 1878). – An der Vorbereitung des Dogmas und der Formulierung der Bulle „Ineffabilis Deus" war maßgeblich Scheebens Lehrer Carlo Passaglia (1812–1887) beteiligt, wahrscheinlich der genialste Theologe der „Römischen Schule"; sein tragisches Schicksal ist in vieler Hinsicht für das 19. Jahrhundert symptomatisch[12].

Als Doktor der Philosophie und der Theologie kehrte Scheeben Juli 1859 von Rom nach Meckenheim zurück: „... in Remagen auf dem Apollinarisberge erwarteten mich Vater und Onkel mit meinem kleinen noch niegesehenen (sic!) Brüderchen Heinrich. Dann ging es lustig mit der neuen Eisenbahn nach Bonn, wo mein jüngerer Bruder auch eben vor kurzem von Berlin angekommen war und dann nach Hause usw.", so schreibt Scheeben am 19. September 1859 an Obere und Alumnen des Germanicum[13]. – „Brüderchen Heinrich" war 1853 geboren, ein halbes Jahr nach Scheebens Abreise nach Rom; ein kleiner Hinweis darauf, wie sehr die Studienzeit in Rom damals wirklich eine langjährige Trennung von der Familie bedeutete.

Scheeben ist danach nicht mehr in Rom gewesen, sondern er wird fortan, nach einem kurzen halbjährigen Zwischenspiel in Münstereifel, fast dreißig Jahre lang in Köln leben und wirken. Drei Dinge aus der römischen Zeit behalten aber weiterhin für Scheeben große Bedeutung:

---

[11] Hermann Joseph Brosch, Das Werden, S. 398 f.; Augustin Kerkvoorde, La formation théologique, S. 189

[12] Carlo Passaglia, Mitglied der SJ von 1827 bis 1859, von 1844 bis 1858 Professor am Collegium Romanum, verließ die Gesellschaft Jesu, wurde 1862 suspendiert und versöhnte sich erst kurz vor seinem Tod wieder mit der Kirche. Der Sachgrund waren Dissenzen in der Frage der italienischen Einigung. – Das Leiden oder gar Zerbrechen an den im 19. Jahrhundert zahlreichen Konfliktfeldern zwischen Kirche und Welt ist kein Einzelschicksal, zu nennen wären z. B.: Lammenais, Günther, Rosmini, Döllinger u. a. m. In seinem Brief vom 6. Oktober 1861 an P. August de Lacroix äußert sich Scheeben über Passaglia sehr kritisch, vgl. Briefe, S. 72; hier wie auch später zeigt sich zugleich die Wertschätzung von dessen Werk, vgl. Briefe, Anm. 88, S. 126

[13] Briefe, S. 39 f.

1. Eine große Loyalität Rom und vor allem dem Papst gegenüber, die besonders zur Konzilszeit und danach während des Kulturkampfs auch Scheebens kämpferische Ader herausfordern wird.
2. Die Bindung an die in Rom empfangene theologische Tradition, die Scheeben nach seiner Art eigenständig weiterentwickelt.
3. Die besondere Verehrung gegenüber der Gottesmutter, gegenüber Maria, – ihr gilt Scheebens erste Buchveröffentlichung, und Scheebens Mariologie ist einer der spekulativen Höhepunkte seiner gesamten Dogmatik –, in der ausdrücklichen Absicht geschrieben, damit zugleich auch die Marienverehrung auf eine solide Basis zu stellen[14].

Im Sommer 1859 kehrte Scheeben also nach 7jähriger Abwesenheit zurück in die Erzdiözese Köln. Sehr anschaulich und lebhaft schildert er in den ersten Briefen an sein altes Kolleg, besonders an den Leiter, P. August de Lacroix SJ, einen Flamen, und an P. Franz-Xaver Huber SJ, seinen alten Spiritual, die Rückreise unter den Bedingungen damals, vor 130 Jahren; man spürt das Zusammengehörigkeitsgefühl der „Römer", incl. Gesellschaft Jesu, Scheebens Engagement zugunsten kirchlicher Erneuerung[15]. Man erfährt aber auch etwas über die Anfälligkeit von Scheebens Gesundheit, eine dauernde und später sich teilweise erheblich auswirkende Belastung, bis hin zu zeitweiliger Arbeitsunfähigkeit. Ein Detail noch mag verdeutlichen, daß das in manchen Darstellungen von Scheebens Person sich findende Klischee vom „stets heiteren Rheinländer" nicht einfach aus der Luft gegriffen ist. Scheeben schreibt über eine Wallfahrt nach Kevelaer: „Meine Prozession hielt sich ausgezeichnet gut: mein Vater ging mir immer als erster Brudermeister zur Seite und durch Krefeld, wo vor noch nicht vielen Jahren keine Prozession *in forma* durchziehen durfte, konnten wir jetzt mit fliegenden Fahnen und unter lautem Gesange des Triumphliedes ‚Wunderschön Prächtige' wie im Triumphe hindurchziehen, wie man auch jetzt schon dort die dritte katholische Kirche erbaut. Und was man alles Schönes in Kevelaer sieht, kann Ihnen H. Schneider erzählen: namentlich den Umzug mit Kerzen am Abende auf dem Platze in Schlangenwindungen zwischen den Bäumen hindurch unter Gesang und Gebet, den die munteren Oberländer (so nennt man uns dort) machen, während die Niederländer und Westphalen in sich toröckgetrocken ihre Andacht verrichten[16]." Wir dürfen uns den tiefsinnigen, hochspekulativen und zugleich frommen Theologieprofessor Scheeben nicht als einzelgängerischen, zurückgezogenen, menschenfernen Gelehrten vorstellen. Seine Lebhaftigkeit und seine Offenheit gegenüber Menschen sind gut bezeugt[17].

Ab 1859 ist Scheeben nun Rektor und zugleich Religionslehrer bei den Ursulinen

---

[14] Matthias Joseph Scheeben, Handbuch der katholischen Dogmatik, Fünftes Buch, Erlösungslehre, erster Halbband, Freiburg[2] 1954 (=Gesammelte Schriften, hrsg. von Josef Höfer, VI, 1), S. XI (es handelt sich um die Vorrede zum 3. Bd. der Dogmatik; vgl. ebd. S. X)

[15] Briefe, S. 31–36, 38 f., 91, vgl. auch Briefe, 10 f.

[16] Briefe, S. 40 f.

[17] Vgl. die o.g. Nachrufe bzw. biographischen Beiträge aus dem Pastoralblatt, von Hertkens, Heinrich und von Josef Höfer

des Salvatorklosters in Münstereifel, wo eine Tante von ihm Ordensschwester war. Jedoch bereits nach etwas mehr als einem halben Jahr, im Mai 1860, wird Scheeben von Kardinal Johannes von Geissel, dem Erzbischof von Köln (1845 – 1864), ans Priesterseminar berufen, zunächst als Repetent, dann als Professor für Dogmatik und Moral.

3. Das erste Jahrzehnt am Kölner Priesterseminar

„Und so traf ich es denn, daß ich gerade am Vorabende unseres großartigen Provinzialkonzils hier eintraf und die Freude genießen kann, wenigstens bei den öffentlichen Sitzungen gegenwärtig zu sein", schreibt Scheeben am 2. Mai 1860 nach Rom an P. Huber[18]. Bei diesem Provinzialkonzil lernt Scheeben übrigens Adolf Kolping kennen, den er zwei Jahre später P. de Lacroix mit den Worten empfiehlt: „wenige kennen unsere deutschen Zustände so gut wie er, und sein Rheinisches Volksblatt enthält die gesündeste Anschauung des Lebens und der Politik, die sich denken läßt"[19]. Das ist mehr als eine hingeworfene Bemerkung, denn wie spätere Beiträge aus den „Periodischen Blättern" belegen, hat sich Scheeben durchaus intensiv mit Grundfragen sozialen Lebens befaßt[20].

Das erste Jahrzehnt in Köln – wir sind darüber recht gut unterrichtet durch Scheebens römische Korrespondenz[21] – vermittelt uns ein typisches Profil von Scheebens Ansichten, Plänen, Arbeiten, von der Weite seiner Zielsetzungen. Kirchenpolitisch ist es Zeit relativer Ruhe vor dem Sturm.

Noch vor Beginn seiner Tätigkeit in Köln macht Scheeben seine ersten literarischen Gehversuche. In Verbindung mit zugleich geplanten oder schon in Angriff genommenen Arbeiten zeigen sie uns seine Intentionen, inhaltlich, aber auch bezüglich der Adressaten. Eine Erneuerung kirchlichen Lebens ist nur möglich über die Erneuerung der Lehre vom Übernatürlichen. Aber es geht nicht bloß um Theologie, sondern auch darum, daß die Lehre das Leben ergreift, ein Ferment für Wissenschaft und Frömmigkeit zugleich ist. So bringt Scheeben etwa zeitgleich mit seinem ersten Beitrag für die in Mainz erscheinende Zeitschrift „Der Katholik" über „Die Lehre von dem Uebernatürlichen in ihrer Bedeutung für christliche Wissenschaft und christliches Leben"[22] die

---

18 Briefe, S. 60

19 Briefe, S. 75 f.

20 Vgl. etwa: Matthias Joseph Scheeben, Gedanken über das christliche Auktoritätsprincip und seine Bedeutung für unsere Zeit, in: Periodische Blätter 10 (1881), S. 1–19, 49–64, 97–112, 155–168, 204–220, 241–267. – Dieser für Scheebens Verständnis von der Bedeutung der Autorität für das Zusammenleben der Menschen wichtige Aufsatz ist in Auszügen gut greifbar, in: Eugen Paul, Matthias Scheeben (= Wegbereiter heutiger Theologie, hrsg. von Heinrich Fries und Johann Finsterhölzl, Graz, Wien, Köln 1976), S. 266–302

21 Wohl wegen des Todes der Scheeben persönlich bekannten Patres nimmt die Korrespondenz später ab, vgl. Briefe, S. 10 u. 15

22 Matthias Joseph Scheeben, Die Lehre von dem Uebernatürlichen in ihrer Bedeutung für christliche Wissenschaft und christliches Leben, in: Der Katholik 40 (1860) I, S. 280–299 u.

Bearbeitung einer Sammlung von Mariengebeten und -gedichten des italienischen Jesuiten Parodi heraus unter dem Titel „Marienblüthen", eine Sammlung von Gebeten, Hymnen, Gedichten und von Vätertexten, die in Gebetsform umgewandelt sind[23].

Wir haben hier, gleich zu Beginn seiner Kölner Tätigkeit, schon fast den ganzen Scheeben und müssen staunen vor der Fülle und dem inneren Reichtum der in weniger als einem halben Jahrzehnt verfaßten Arbeiten: In den Aufsätzen für den „Katholik" wird der Grund gelegt für die drei folgenden Hauptwerke: Natur und Gnade (1860); Die Herrlichkeiten der göttlichen Gnade (1862); Die Mysterien des Christentums (nach vorbereitenden Artikeln im „Katholik" [1861–1863], erschienen im Jahre 1865)[24]. Mit den „Marienblüthen" veröffentlicht Scheeben aber gleichzeitig ein Werk, das den Bogen schlägt zu Gebet und Frömmigkeit und das vor allen Dingen durch die Texte der Väter die Verbindung herstellt zwischen Theologie und christlichem Leben. Scheeben tut dies nicht irgendwo, bei irgendeinem Thema. Maria ist für ihn gewissermaßen ein Brennpunkt, das Bild der Gnade schlechthin – was einer christologischen Rückbindung nicht im Weg steht, weil allein aus der Zuordnung von Christus und Maria ja die ausgezeichnete Weise folgt, in der Maria die Begnadete schlechthin ist[25]. Für die Verbindung von Wissenschaft und Frömmigkeit bei Scheeben sind besonders seine Ausführungen in der Vorrede zum dritten Band der Dogmatik bezeichnend, „daß ein Gegenstand, der so viel und so lebhaft die Andacht der Christen beschäftigt, nicht bloß den Asketen und Predigern überlassen" bleiben dürfe, daß diese vielmehr „durch eine wissenschaftliche Behandlung auch für den Zweck einer soliden

---

II, S. 657–674; jetzt in: Matthias Joseph Scheeben, Gesammelte Aufsätze (= Gesammelte Schriften Bd. VIII, hrsg. v. Heribert Schauf), Freiburg 1967, S. 13–42

23 M. Joseph Scheeben, Marienblüthen aus dem Garten der heiligen Väter und christlichen Dichter zur besonderen Verherrlichung der ohne Makel empfangenen Gottesmutter, Schaffhausen 1860. – Im Vorwort schreibt Scheeben: „Die vorliegende Sammlung von Gebeten und Gedichten ist nach einer andern bearbeitet, welche der jüngst verstorbene Jesuit Aloysius Parodi in Rom gemacht hat". Ebd. S. V

24 Natur und Gnade, hrsg. v. Martin Grabmann (= Gesammelte Schriften Bd. I), Freiburg ^{2}1949; Die Herrlichkeiten der göttlichen Gnade, hrsg. v. Robert Grosche (= Gesammelte Schriften Bd. I), Freiburg ^{2}1949; Die Mysterien des Christentums, Mainz 1925 (erste Auflage) u. hrsg. v. Josef Höfer (Ausgabe letzter Hand), (= Gesammelte Schriften Bd. II), Freiburg ^{3}1958.
Die Erstgestalt der „Mysterien" im „Katholik" stand unter dem Sammeltitel: Die übernatürlichen Geheimnisse des Christenthums.
Der erste Beitrag für den Katholik (Anm. 22), der „Epilog" von „Natur und Gnade" (S. 202–206) und die Briefe (Briefe, S. 74) zeigen an, daß Scheeben von den „Mysterien" offensichtlich früh eine Gesamtkonzeption hatte

25 Dogmatik V, 2 n 1635: „Die einzige Begnadigung der Gottesmutter, in bezug auf welche der Engel dieselbe als κεχαριτωμένη schlechthin anredet, erklären die Väter vielfach von der Gnade der Mutterschaft selbst, inwiefern Maria dadurch mit dem Prinzip der Gnade selbst verbunden, von demselben erfüllt und mit demselben so bekleidet wurde, daß die Fülle der Gnade auch ihr corporaliter einwohnte; und eben auf Grund dieser der gratia unionis in Christus analogen Gnade erklären und bestimmen sie dann auch den Reichtum von geschaffenen resp. qualitativen Gnaden, welcher im Gefolge derselben steht

Erbauung nur gewinnen" könnten: „... eine im Geiste der Heiligen Schrift und der Tradition gehaltene wissenschaftliche Entwicklung fördert nicht nur gediegenere, sondern eben darum sogar viel schönere und erhabenere Ideen zutage, als die Aspirationen des frommen Gefühles sie zu bieten vermögen." Seine Mariologie, wie auch seine Christologie, wollen „gerade durch ihre wissenschaftliche Haltung auch der Frömmigkeit ... dienen"[26].

Hans Urs von Balthasar hat von der verhängnisvollen Trennung von sitzender und kniender Theologie gesprochen[27]. Für Scheeben trifft diese Trennung nicht zu, wie immer wieder betont worden ist[28], und mit Recht hat Johann Hertkens in seiner Darstellung von Scheebens Leben geschrieben: „In Wahrheit verdient Scheeben gerade darum als leuchtendes Beispiel für seine Genossen in der Wissenschaft und im Lehramte gepriesen zu werden, weil er mit der Wissenschaft die Liebe zu den Seelen verband. Wir können es nicht anders, denn als ein wahres Verhängnis, sowohl für die theologische Wissenschaft, wie für die Ascetik, bezeichnen, daß sich unter den Theologen fast keiner mehr findet, der es wagt, auch der erbaulichen Literatur seine Thätigkeit zuzuwenden[29]."

Hertkens hat an dieser Stelle „Die Herrlichkeiten der göttlichen Gnade" im Auge. Schon früh plant Scheeben eine deutsche Ausgabe dieses Werks des spanischen Jesuiten Nieremberg, das dann tatsächlich weitgehend eine ganz eigenständige Arbeit geworden ist. Hans Urs von Balthasar hat ziemlich harsch über die in der Tat aus unserer Sicht oft schwer erträgliche Sprache und bloß „abstrakte Erbaulichkeit" geurteilt[30]. Dem mag man zustimmen, sollte aber zugleich bedenken, daß hier der Versuch unternommen wird, den Reichtum des Glaubens*inhaltes* zum Reichtum von Betrachtung und Gebet zu machen. – Übrigens wurde unter Scheebens Werken dies der einzig wirkliche Erfolg, das einzige Werk, das noch zu Lebzeiten Scheebens mehrere Auflagen erlebt hat und somit auch das einzige Werk aus der Freundschaft Scheeben-Herder, das sich für den Verleger auch unter ökonomischen Gesichtspunkten rentiert hat[31].

---

26 S. o. Anm. 14 – Vgl. Augustin Kerkvoorde, Les bases spirituelles d'une oeuvre théologique. M.J. Scheeben (1835–1888), in: Nouvelle Revue Théologique 66 (1939), S. 568–578 u. 661–680, hier: S. 568

27 Hans Urs von Balthasar, Theologie und Heiligkeit, in: Verbum Caro. Skizzen zur Theologie I, Einsiedeln 1960, S. 195–225, hier: S. 224. – Im selben Aufsatz macht von Balthasar auf die Bedeutung aufmerksam, die Scheeben der „Erleuchtung des Heiligen Geistes bei der theologischen Arbeit" beimißt; ebd., S. 218 f.

28 Vgl. dazu die Artikel von Eröss (Matth. Jos. Scheeben – ein Mystiker ...) und Kerkvoorde (Les bases spirituelles ...)

29 Johann Hertkens, Professor Dr. M. J. Scheeben. Leben und Wirken ..., S. 15. Vgl. ebd., S. 16: „Die Trennung von Scholastik und Mystik sind immer von schlimmen Folgen für die ascetische Literatur gewesen."

30 Zu Scheebens Plänen vgl. Briefe, S. 44 f; zu Balthasars Kritik: Herrlichkeit 1, S. 102: „... eine blosse abstrakte Erbaulichkeit ..., deren man in den ‚Herrlichkeiten' bald überdrüssig wird ... Auch die begeisterten Schilderungen der Jungfräulichkeit machen einen leisen dualistischen Eindruck, wie so manches aus dieser Zeit der émigration intérieure."

31 Noch zu Lebzeiten Scheebens erlebten die „Herrlichkeiten" vier Auflagen. Von der 5. Auf-

„Natur und Gnade" und die „Mysterien" muß man in engem Zusammenhang sehen: Hier wird unter dem Leitgedanken des „nexus mysteriorum" als ein „Kosmos" nach allen Seiten ausgefaltet, was dort gewissermaßen auf die leitenden Prinzipien konzentriert wird, beides aber unter dem Generalthema dessen, was Scheeben aszetisch-mystisches Werk im Titel führt: Die Herrlichkeiten der göttlichen Gnade[32].

Scheebens Arbeiten in diesen Jahren sind also geprägt durch eine wissenschaftliche Aufarbeitung der seiner Ansicht nach zentralen theologischen Themen auf der einen Seite, d. h. vor allen Dingen der Idee des Übernatürlichen. Dem dient auch eine Vielzahl von Zeitschriftenartikeln. Auf der anderen Seite geht es ihm darum, von dieser Grundidee aus Frömmigkeit und christliches Leben zu erneuern.

Diesem nie aus den Augen verlorenen Zweck dient die Arbeit an hagiographischen Schriften[33], die Mitarbeit an Zeitungen und Zeitschriften[34], nicht zuletzt die Gründung des „Pastoralblatts" im Jahr 1867[35].

---

lage an war Scheebens und Herders Freund Albert Maria Weiß OP als Herausgeber tätig, der allerdings auch Eingriffe in Scheebens Text vornahm

32 Scheebens „Natur und Gnade", als wissenschaftliche Darlegung des Themas gedacht, hat an vielen Stellen eine ausgesprochen enthusiasmierte Sprache. Es ist mehr als ein Wortspiel zu sagen: Wenn Scheeben über die göttliche Natur, das „reinste Licht" und das „stärkste Feuer" schrieb, glühte er selbst bzw. schrieb mit glühender Begeisterung. – Kleutgen konnte Scheebens Stil offensichtlich nur schwer ertragen, denn er äußert sich sehr zurückweisend in einem Brief an P. Huber: „Obschon der Hauptsache nach das Buch gut, das heißt die Lehre richtig ist, so fürchte ich doch, daß es die Köpfe mehr verwirren als aufklären wird: man muß die lange wie verschollene Lehre nicht wie ein Kübel Wasser ausgießen ...", in: Briefe, S. 131 f. (Anm. 116). Scheeben scheint es in der Tat förmlich um ein Ausschütten dieser Lehre zu gehen

In den „Mysterien des Christentums" wird gleich im § 1 der entsprechende Ton angeschlagen: „Wenn uns solche Wahrheiten ... offenbart werden ..., dann dämmert es in unserem Innern wunderbar, die Morgenröte einer himmlischen Welt geht uns auf" und es ist „ein einziger Strahl des uns aufleuchtenden höheren Lichtes mächtig genug, um uns mit namenlosem Entzücken zu erfüllen", in: Mysterien, S. 3 f.

Wenig später spricht er von der „wunderbare(n) Herrlichkeit der Mysterien", S. 5

33 Ausführliche Angaben dazu u. a. in: Johann Baptist Heinrich, Zur Erinnerung an Scheeben, S. 122 ff.; Eröss, a. a. O., S. 173 f und 191; Julius Dorneich, Matthias Joseph Scheeben und Benjamin Herder, S. 58.

In den Heiligen, besonders der Königin der Heiligen, zeigt sich die Heiligkeit der Kirche. – Scheeben hatte 1867 eine Schrift mit dem Titel veröffentlicht: Die Heiligkeit der Kirche im neunzehnten Jahrhundert, Frankfurt a. M. 1867 (vgl. Heinrich, Erinnerung an Scheeben, S. 122 f.)

34 Scheeben hat regelmäßig für folgende Zeitschriften gearbeitet: Der Katholik und Literarischer Handweiser. Er hat redigiert bzw. ediert: Katholischer Hausfreund (Köln 1864–1866) u. Periodische Blätter (vgl. Anm. 41). Zum „Pastoralblatt" folgende Anm. Außerdem hat er regelmäßig Beiträge für die Kölnische Volkszeitung geschrieben

35 Das „Pastoralblatt. Unter Mitwirkung eines Vereins von Curatsgeistlichen der Erzdiözese Köln" wurde von Scheeben herausgegeben, und es enthält zugleich eine Reihe bedeutsamer kleinerer Artikel, bei denen die Autorenschaft aber (ähnlich wie bei den „Periodischen Blättern") nicht immer leicht nachzuweisen ist. Im Nachruf schreibt das Pastoralblatt: „In der That, obschon die Hauptkraft und vorzügliche Thätigkeit des Verstorbenen auf dem dogmatischen und publicistischen Gebiet lag, hat er doch auch die praktische Theologie in vie-

Daß Scheeben nie den Zusammenhang von Wissenschaft und christlichem Leben aus dem Auge verliert, zeigt schließlich seine konkrete seelsorgliche Tätigkeit in St. Mariä Himmelfahrt, nicht zuletzt im Beichtstuhl. Sie ist in den Nachrufen immer wieder herausgestellt worden, wir erfahren über sie aber auch aus den Briefen Scheebens[36].

Die Teilnahme an der „Münchener Versammlung" (1863), die Enzyklika „Quanta cura" und der Syllabus (1864) sowie Scheebens Engagement dafür sind Vorboten der kommenden Auseinandersetzungen[37]. Da wir hier einen sehr kämpferischen Scheeben sehen, sei am Ende dieses Abschnitts noch auf einige Charakteristika seiner Person hingewiesen: Scheeben ist zum einen, was er u.a. rühmend über Kolping nach Rom schreibt, ein „echter Ultramontaner". Kirche und Papst gehören für ihn engstens zusammen, und es ist eine Kirche, die ganz im Licht mariologisch konkretisierter Gnadenherrlichkeit gesehen wird[38]. Trotz solcher Loyalität ist aber Scheeben keineswegs unkritisch gegenüber denen, die die Sache Roms verteidigen, welche für ihn untrennbar mit dem Kampf zugunsten der Würde des Übernatürlichen verbunden ist. Sowohl eine grundsätzliche Bereitschaft zur Irenik, wo immer möglich, als auch das Bemühen, die Wahrheit und das Gute überall anzuerkennen und einzubeziehen, wo sie ihm begegnen, läßt ihn unnötige Polemik und Konsequenzmacherei zurückweisen. In seinen Briefen finden sich mehrere Beispiele für eine solche Einstellung, u.a. auch gegenüber Döllinger[39]. – Es ist die gleiche um ein tieferes Durchdringen gegensätzlicher Positionen bemühte Haltung, die Scheebens Dogmatik in so vielen Partien ihren Reichtum und ein Überschreiten von Schulengführungen ermöglicht[40].

---

vielem gefördert. Vor allem ist hier auf das Pastoralblatt selbst hinzuweisen. Einundzwanzig Jahre lang, von denen mehr als die Hälfte, nämlich die Culturkampfjahre, wahrhaft ‚anni sterilitatis' waren, das Pastoralblatt aufrecht erhalten zu haben, das allein schon muß ihm als ein großes Verdienst angerechnet werden. Um so mehr, wenn man bedenkt, wie sehr einerseits die bekanntlich nicht allzu starken Kräfte des Verstorbenen durch eine Fülle anderer wissenschaftlicher Arbeiten in Anspruch genommen waren, und wie manchmal andererseits seine allerdings gewandte Feder die leeren Spalten des Pastoralblattes selbst zu füllen sich gezwungen sah", in: Erinnerungen, Pastoralblatt 22 (1888), S. 85

36 Briefe, S. 70 und 87 – vgl. Hertkens a.a.O., S. 32

37 Briefe, S. 80f. u. 83f. zur Münchener Gelehrtenversammlung; ebd. S. 91 zu Enzyklika und Syllabus: „Wir veranstalten eben eine Separatausgabe mit Einleitung und allen Quellen des Syllabus im Anfange."

38 Vgl. etwa Dogmatik I, n 506: „... wie man die Unfehlbarkeit der Kirche überhaupt als die *jungfräuliche Unbeflecktheit der Braut* oder *des Brautgemaches Christi* dachte, so mußte man auch die Unfehlbarkeit des Zentrums als die Unbeflecktheit der römischen Kirche darstellen ..."

39 Briefe, S. 85. – Er empfiehlt, daß die Civiltà Cattolica einen Artikel zum Thema Kaisertum und Kirchenstaat schreibt: „nur *con pace*" (S. 89). Vgl. ebd., S. 94: „Aus den deutschen Theologen habe ich nur Gutes zitiert und gelobt aus Friedensliebe und im Interesse der Wahrheit."

40 Im letzten Band der Dogmatik, der von Scheeben selbst besorgt wurde, bemüht sich Scheeben mit größter Sorgfalt, das Berechtigte an den Argumenten der Thomisten und Molinisten im Gnadenstreit aufzunehmen und in *seine* Synthese einzuarbeiten: Handbuch der katholischen Dogmatik, Sechstes Buch, Gnadenlehre (= Gesammelte Schriften, Bd. VII,

4. Kirche in Not

Es ist nun ein kurzer Blick auf die konkreten Zeitumstände zu werfen. Die Geschehnisse, die mit dem Ende des ersten Decenniums von Scheebens Wirken in Köln zusammenfallen bzw. im Schicksalsjahr 1870 ihren Ausgang nehmen, werfen ein Licht auf die ganze Epoche, und sie bilden weithin den Hintergrund für Scheebens Leben als Priester und Theologe. Die dramatisierende Überschrift „Kirche in Not" scheint keineswegs übertrieben.

Rekapitulieren wir die Dinge in äußerster Kürze. Sie sind ja nicht unbekannt, aber man sollte sie bewußt vor Augen haben, wenn man Scheebens Leben und Wirken angemessen beurteilen will.

Mit dem Jahr 1870 findet eine Entwicklung ihren Abschluß, die mit dem Reichsdeputationshauptschluß (1803), dem Ende des Heiligen Römischen Reichs (1806) und schließlich dem Wiener Kongreß (1815) begonnen hatte: Die Katholiken in Deutschland, bis dahin mit wenigen Ausnahmen (z. B. Schlesien) unter katholischer Verwaltung und Herrschaft, erhalten, ausgenommen Österreich und Bayern, eine protestantische Obrigkeit. Köln, die katholisch gebliebene Freie Reichsstadt wie das Kurfürstentum und die Erzdiözese (beide territorial nicht deckungsgleich) wurden Teil des besonders in der zweiten Jahrhunderthälfte machtvoll ausgreifenden Preußen. Nach dem für Preußen siegreichen Krieg 1866 wird die Borussifizierung Deutschlands nördlich des Mains ausgeweitet und abgerundet. Die Gründung des neuen kleindeutschen Reiches, die Ausrufung des preußischen Königs zum deutschen Kaiser (18. Januar 1871) ist, wie immer man sonst diesen epochalen Einschnitt deutscher Geschichte bewerten mag, auch ein Sieg der protestantischen Macht des Nordens schlechthin, d. h. Preußens. Bereits ein halbes Jahr nach der Gründung des neuen Reichs beginnt in Preußen der sogenannte „Kulturkampf", der für die Katholiken zu einer harten Bewährungsprobe wird. Die Geschehnisse des Jahres 1837 (der damalige Erzbischof von Köln wurde durch den preußischen Staat mit zwei Jahren Festungshaft bestraft – „Kölner Ereignis"), waren bloß ein mildes Vorspiel gegenüber dem, was nun stattfand und was nach seinem Höhepunkt Mitte der 70er nur schrittweise in den 80er Jahren zurückgenommen wurde: Inhaftierung bzw. Verbannung von Bischöfen und Priestern, Nichtbesetzung von Pfarrstellen, Vertreibung der Orden, Schließung kirchlicher Seminarien (z. B. Köln im Jahr 1875). Als im Jahr 1880 Kaiser Wilhelm I. nach Köln kommt, um an der Feier zum Bauabschluß des Doms teilzunehmen, befindet sich der Erzbischof, Paulus Melchers, außer Landes in der Verbannung, die gesamte Atmosphäre ist äußerst frostig.

In einer gewissen Parallelität zu diesen Geschehnissen, zumindest eng damit verbunden, verläuft die Geschichte des Papsttums im 19. Jahrhundert. Der 1846 mit großer Hoffnung seitens der italienischen Patrioten begrüßte Papst Pius IX. muß 1848 aus Rom fliehen und kann erst 1850 mit französischer Hilfe wieder nach Rom zurückkeh-

hrsg. von Heribert Schauf), Freiburg [3]1957; vgl. bes. § 288. – Vgl. auch die §§ 296–298, in denen Scheeben zum jeweiligen Gegenstand erst sorgfältig den Sachverhalt und die Argumente ausbreitet – z. B. Ripalda, Ruiz de Montoya u. a. –, ehe er seine Lösung vorträgt

ren – zwei Jahre, bevor Scheeben dort sein Studium beginnt. Die 60er Jahre sind eine Zeit schrittweiser Strangulierung des Kirchenstaates, und als aufgrund des Deutsch-Französischen Kriegs 1870 die französische Schutztruppe Rom verläßt, wird der letzte Rest des Kirchenstaates dem Königreich Italien einverleibt. Etwas mehr als ein halbes Jahrhundert nach dem Ende des Heiligen Römischen Reiches fand damit ein zweiter Eckpfeiler mittelalterlicher Ordnung sein definitives Ende. Dem Niedergang der weltlichen Macht des Papstes in der über Jahrhunderte tradierten Form parallel verlief die Bemühung, die päpstliche Lehr- und Jurisdiktionsgewalt dogmatisch zu fixieren, eine Entwicklung, die einen Tag vor der Kriegserklärung Frankreichs an Preußen mit der Annahme der Dogmatischen Konstitution „Pastor aeternus" durch die Väter des I. Vatikanischen Konzils (18. Juli bzw. 19. Juli 1870) und zwei Monate vor der Einnahme Roms durch italienische Truppen (20. September 1870) ihren Abschluß fand. Die beiden den Jurisdiktions- und den Lehrprimat des Papstes betreffenden Dogmen waren ihrerseits Auslöser einer schweren kirchlichen Krise, zumal in Deutschland, und zugleich des Kulturkampfes.

Man muß sich diese Geschehnisse zum einen deshalb vergegenwärtigen, weil sie wie in einem Brennglas die epochalen Veränderungen reflektieren, die zumal von den Katholiken ganz außerordentliche Anpassungsleistungen verlangten – Anpassung hier ganz neutral als das Ensemble aller Leistungen verstanden, sich auf völlig neue Gegebenheiten einzustellen und eine tragfähige Antwort darauf zu formulieren –, dann, weil Scheeben hier in einem ganz erheblichen Maß Betroffener ist:

Als Kölner Diözesan (nach 10jähriger Abwesenheit kommt erst 1885 ein neuer, wieder im Bistum residierender Erzbischof, Philipp Krementz), als Seminarprofessor (erwähnte Schließung des Seminars 1875), als Priester (Scheebens Zeitschriftenartikel zeigen deutlich die Sorge des Seelsorgers angesichts der vielfältigen Schwierigkeiten, denen fromme und kirchentreue Katholiken ausgesetzt sind) und, last not least, als durchaus kämpferischer Publizist für die Entscheidungen des Konzils und gegen die den Kulturkampf maßgeblich tragenden Mächte. Scheeben führt diesen Kampf vor allem in den von ihm redigierten „Periodischen Blättern" (zunächst „Das ökumenische Concil vom Jahre 1869") von 1870 bis 1882[41].

Umfangreiche Artikel von Scheebens Hand zeigen nicht bloß seine Einschätzung der laufenden Ereignisse, sie sind vielfach auch ein wichtiger und aufschlußreicher Kommentar zu bestimmten Partien seiner Dogmatik. Besonders zu nennen sind hier die Beiträge zu aktuellen Themen wie Kirche, Glaube und Vernunft, Menschenbild, die in der Frage nach dem Autoritätsprinzip zusammenlaufen[42]. Wir finden hier einerseits Beispiele für ausgeprägte Polemik, eine bestimmte Enge und für problematische Aspekte von Scheebens Positionen, in einem Schlagwort zusammengefaßt, seinen dominierenden Antiliberalismus[43]. Ebenso finden wir hier aber beeindruckende Zeugnisse von Weitsicht, Menschlichkeit und geistiger Selbständigkeit, die am Bei-

41 Der Titel ab Bd. 4 (Bd. 1 der „Periodischen Blätter"): Periodische Blätter zur wissenschaftlichen Besprechung der großen religiösen Fragen der Gegenwart

42 Etwa im erwähnten Artikel über das „christliche Auktoritätsprincip"

43 Der Liberalismus ist der Widerpart schlechthin gegen das christliche Autoritätsprinzip

spiel von scharfsinnig aufgedeckten Schwächen eines Liberalismus zur Sprache kommen, der mit den anderen Mächten der Zeit – Militär- und Obrigkeitsstaat, Nationalismus, witschaftliche Ausbeutung – in unheiliger Allianz lebt[44].

Der Kampf der Katholiken um ihre Selbstbehauptung angesichts ihnen tatsächlich feindlich gesonnener oder von ihnen als feindlich angesehener Mächte[45] ist natürlich ganz zentral auch eine geistige Auseinandersetzung. Scheeben ist hier nicht bloß publizistisch und kirchenpolitisch engagiert[46], seine Theologie selbst ist mitbetroffen von dem, was als „Strukturwandel der katholischen Theologie im 19. Jahrhundert" bezeichnet worden ist[47].

5. Gegen die Zeit: Die Autorität Gottes als Kriterium

Scheeben ist also seit den späten 60ern stärkstens in den Auseinandersetzungen um das Vaticanum engagiert. Dies findet seinen Niederschlag einerseits in den großen Beiträgen für die „Periodischen Blätter", zum andern vor allem im ersten Buch der Dogmatik mit dem Titel „Theologische Erkenntnislehre"[48]. Deren erster Teil ist zugleich eine der wichtigsten Quellen für Scheebens Ekklesiologie, da diese in der Dogmatik ja nicht mehr behandelt wurde.

Dem organologischen Denken sowohl der Tübinger als auch seiner römischen Lehrer verpflichtet, gelingt es Scheeben aus heutiger Sicht, d. h. aus der Sicht einer im II. Vaticanum erneuerten communio-Ekklesiologie, nicht, den päpstlichen Primat und die episkopale Verantwortung für die Gesamtkirche befriedigend zu vermitteln. Das hierarchische Subordinationsmodell erhält gegenüber horizontalen Elementen einer

---

44 Vgl. etwa Periodische Blätter 5 (1876), S. 8; hier nach Paul, Wegbereiter, S. 220 f.

45 Namentlich in kleineren Beiträgen (die nicht alle von Scheeben stammen) aber auch in Scheebens großen Artikeln selber zeigen sich auch problematische Resultate der für Kampfsituationen typischen Projektionen und Gegenprojektionen. Es entstehen bestimmte Feindbilder

46 Scheebens Auftritt als achtundzwanzigjähriger auf der „Münchener Versammlung", seine Beteiligung an der Gründung der Görres-Gesellschaft

47 Bernhard Welte, Zum Strukturwandel der katholischen Theologie im 19. Jahrhundert, in: ders., Auf der Spur des Ewigen. Philosophische Abhandlungen über verschiedene Gegenstände der Religion und der Theologie, Freiburg 1965, S. 380–409, hier: S. 402 f. – Welte äußert sich durchaus voll Anerkennung über Scheeben, „der einzige große, originelle und selbständige Theologe dieser Zeit innerhalb der Neuscholastischen Schule", zugleich jedoch, im Rückblick auf die „Tübinger", vor allem Möhler, deutlich reserviert

48 Die „Theologische Erkenntnislehre" ist in zwei große Teile gegliedert: Die objektiven Prinzipien der theologischen Erkenntnis – §§ 1–37; in diesem Teil nimmt Scheeben Stellung zu den aktuellen ekklesiologischen Fragen, vor allem §§ 28–37 – und: Die theologische Erkenntnis in sich selbst betrachtet, §§ 38–60 (die §§ 56–60 sind eine kurze Geschichte der Theologie). Natürlich spiegeln sich die Auseinandersetzungen der Zeit auch im 2. Teil, wenn Scheeben die gesamte Glaubensanalyse auf das Prinzip „Autorität" stellt (ab Dogmatik I, n 617)

„communio ecclesiarum" das Übergewicht[49]. Man muß allerdings, wie immer bei Scheeben, mit einem solchen Urteil zugleich vorsichtig sein, da er an anderen Stellen, an denen er nicht über den Primat des Papstes handelt, durchaus Elemente einer communio-Ekklesiologie kennt, die geeignet wären, auch andere Akzente zu setzen, als dies insgesamt der Fall ist[50].

In den großen Fragen der Zeit, das betrifft die Kirche ebenso wie Staat und Gesellschaft, ist das „Auktoritätsprinzip" Scheebens diakritisches Prinzip zur Unterscheidung der Geister, und die Kirche ist dessen legitime Hüterin[51]. Hier wird man wohl insgesamt sagen müssen, daß es Scheeben nicht ausreichend gelingt, hierarchisch vertikales Autoritäts- und Gehorsamsdenken und horizontal auf Selbstbestimmung und Konsens abzielendes Denken in einen befriedigenden Einklang zu bringen. Scheeben ist kein Absolutist, der kirchlicher oder staatlicher Gewalt umstandslos die Herrschaft über Menschen zugestehen will. Er ist strikt an der Würde der Person und an deren Rechtsschutz orientiert, und gerade die Geltung des Auktoritäts- bzw. Autoritätsprinzips, in der Kirche wie mutatis mutandis in Staat und Gesellschaft, sind ihm die einzig verläßliche Garantie, daß die Würde des Menschen nicht verletzt wird, denn hinter dem Autoritätsprinzip steht letztlich die Autorität Gottes und seines Sittengesetzes[52].

---

49 Vgl. hierzu: Hermann Josef Pottmeyer, Unfehlbarkeit und Souveränität. Die päpstliche Unfehlbarkeit im System der ultramontanen Ekklesiologie des 19. Jahrhunderts (= Tübinger Theologische Studien, Bd. 5), Mainz 1975, S. 264–278

50 Pottmeyer, Die päpstliche Unfehlbarkeit, S. 277 f.

51 Durchaus zutreffend schreibt Pottmeyer: „Das Dogma von der päpstlichen Unfehlbarkeit gewinnt in der Interpretation Scheebens ... eine scharfe antiliberale Akzentuierung. Es richtet sich gegen die Bewegung ‚der Emanzipation und Säkularisation der Natur des Geistes (der Wissenschaft), des Fleisches, der Ehe, der Schule und des Staates, der Trennung von Kirche und Staat', die der Liberalismus geistig und politisch formuliert und durchzusetzen versucht. Die Kirche stellt ‚dem Natur- und Vernunftstolz des neunzehnten Jahrhunderts die beiden Dogmen' von 1854 und 1870 gegenüber, die als die ‚Haupttheilmittel' gegen die ‚Grundirrtümer unserer Zeit, den Naturalismus samt dem Rationalismus und Liberalismus' anzusehen sind": a. a. O., S. 271. – Pottmeyer, der hier aus unmittelbar sich auf die Auseinandersetzungen ums Vaticanum beziehenden Schriften Scheebens zitiert, kennzeichnet sehr treffend die antiliberale Tendenz Scheebens und deutet zugleich den letzten Grund mit dem Stichwort „Naturalismus" an: Die Emanzipation von Gott, wie sie Scheeben in den erwähnten Strömungen wahrnimmt, sieht er zugleich als ein Votum gegen das Übernatürliche.
Im mehrfach erwähnten Aufsatz Scheebens über das „Auktoritätsprincip" finden wir ebenfalls diese Gedanken und müssen doch gleichzeitig feststellen, wie differenziert Scheeben wiederum denkt, etwa in der Unterstreichung der „Auktorität des Gewissens" (Auktoritätsprincip, S. 108 f.), der Betonung der relativen, naturwüchsigen und gottgewollten Eigenständigkeit des Staates (ebd., S. 241–248): „Die menschliche Gesellschaft ist also nach dem Plane Gottes nicht unter eine eigentlich ‚theokratische' Verfassung gestellt, deren Trägerin die Kirche wäre ..." (ebd., S. 107). „Der ‚christliche Staat' in *diesem* Sinne des Wortes ist eine *reine Chimäre*" (ebd., S. 246)

52 „Der Mensch unter und an der Hand Gottes, der endliche Menschenwille in Harmonie mit dem Willen Gottes, der Mensch unter göttlicher Herrschaft und Auktorität – das ist der Christ wie er sein soll" (Auktoritätsprincip, S. 97). „Alle christliche Tugend ist ebenso wesentlich ein Gehorchen gegenüber dem göttlichen Willen, wie das Wesen jeder Sünde in

Wer die heutigen Auseinandersetzungen z. B. um die Grundwerte verfolgt, wird nüchtern zugeben, daß in anderer Gestalt diese Probleme auch die unsrigen sind. Wir sind uns aber zugleich stärker dessen bewußt, daß alle Autorität, die Menschen übertragen wird, der Rückbindung an kommunitäre Regelungen, Verfahren, Prozesse etc. bedarf, soll sie sich nicht verselbständigen. Das gilt, in je eigener Weise natürlich, für Staat und Kirche. Trotz dieser „autoritären" Untertöne, auf die wir, nach dem Verlauf der deutschen Geschichte in unserem Jahrhundert, besonders empfindlich reagieren (und die sich auch Scheebens erster bedeutender Interpret, Karl Eschweiler, zu eigen macht)[53], muß man bereit sein, allzu zeitbedingte Elemente bei Scheeben zu übersteigen. Weil für Scheeben hinter jeder Autorität diejenige Gottes stehen muß, die allein Gewähr dafür bietet, daß die Menschen nicht zugunsten vergötzter endlicher Werte aufgeopfert werden, kann er den Begriff „Autorität" auf die schöpferische Macht Gottes und die Macht und Güte Gottes zur Selbstmitteilung öffnen[54].

6. Die Zeit der Dogmatik

Man darf sich also durch bestimmte Einseitigkeiten oder durch Einseitigkeiten nahelegende Konnotationen bei Scheeben niemals davon abhalten lassen, das Ganze in den Blick zu nehmen, das stets um ein Vielfaches reicher ist, als man zunächst vermutet. Dies gilt in ganz vorzüglicher Weise für die Dogmatik, die seit etwa 1867

---

dem bewußten Widerstreben des menschlichen Willens gegen den göttlichen liegt" (ebd., S. 98) und: „Ist Gott der *summus auctor* des Menschen, dann muß Gottes Wille die *suprema auctoritas,* die Urnorm für den menschlichen Willen sein" (ebd., S. 100).
Bemerkenswert ist, wie Scheeben solche Überlegungen ins Ganze seiner Theologie rückkoppelt, etwa in den Überlegungen zur Frage, ob es zu jedem sittlichen Tun der caritas, der fides und der gratia bedürfe (Dogmatik VI, §§ 296–298), wie Scheeben dann dies, sehr differenziert und doch nachdrücklich, bejaht und dabei zu Überlegungen vorstößt, die Rahners „übernatürlichem Existential" nahekommen oder entsprechen: „Denn alles wahrhaft sittliche Handeln wird nicht einfach durch Achtung vor dem Diktamen der Vernunft, sondern durch Ehrfurcht vor der durch das Gewissen vorgestellten lex aeterna und dem im Gewissen an uns ergehenden Rufe Gottes geleitet; die lex aeterna aber, wie auch der Ruf Gottes, zielt niemals abstrakt auf die natürliche, sondern konkret auf die übernatürliche Ordnung der Dinge; wer also schlechthin und aufrichtig der lex aeterna und dem Rufe Gottes folgen will, der strebt stets an der Hand Gottes über die natürliche Ordnung hinaus, wenn ihm auch explicite nur der Inhalt der Forderungen des Naturgesetzes vorschwebt" (Dogmatik VI, n 592)

53 Karl Eschweiler, Die zwei Wege, S. 141f. u. die Anm. 10 dazu (S. 306–308)

54 Vgl. das Zitat aus „Auktoritätsprincip", S. 198: „Ist Gott der summus auctor..." Derselbe summus auctor bezeugt die Unendlichkeit seiner Macht in ganz besonderer Weise in seiner Selbstmitteilung nach innen und nach außen. „Und nach dieser Seite hin bildet die Allmacht Gottes den spezifischen Gegenstand des Glaubens in Deum *Patrem* omnipotentem, aus welchem der Glaube in Filium – Iesum Christum und in vitam aeternam hervorgeht": Handbuch der katholischen Dogmatik, Zweites Buch, Gotteslehre oder die Theologie im engeren Sinne, hrsg. von Michael Schmaus (= Gesammelte Schriften, Bd. IV), Freiburg 1943, n 354. – Vgl. dazu den Beitrag: Ein Geist – Ein Leib in Christus, S. 264 u. 285

geplant und in Angriff genommen für die letzten beiden Jahrzehnte von Scheebens Leben einen erheblichen Teil seiner Arbeitskraft bindet. 1874 erscheint der erste Band, am 23. September 1887, dreiviertel Jahr vor Scheebens Tod, der Schluß des dritten Bandes. Mit diesem Teil enden Scheebens Beiträge zu seiner Dogmatik, den Rest hat Leonhard Atzberger besorgt und ist in keiner Weise als Scheebens Arbeit anzusehen[55].

Für dieses nur äußerst mühsam voranschreitende opus magnum gilt a fortiori, was Martin Grabmann über die „Mysterien" gesagt hat. Denkerisch-spekulative Kraft, theologische Gelehrsamkeit, mystische Innigkeit und architektonische Gestaltung gehen eine selten enge Verbindung ein. Nichts, was nicht von der Kraft der tragenden Ideen bestimmt und erfaßt wäre und so wiederum als ein Moment des Ganzen erscheint, als etwas, in dem das Ganze sich darstellt und das wiederum zum Ganzen zurückführt. Dieses Ganze ist aber in letzter Instanz der dreifaltige Gott als Grund und Ziel[56].

Scheebens Sprache ist schwerfällig und deshalb oft gerügt worden. Zu Unrecht, wie ich meine. Ernst Bloch hat mit Nachdruck die Sprache Kants und Hegels gegen ihre Kritiker verteidigt, und was er hier sagt, läßt sich wohl auch auf Scheeben übertragen[57]. Die Sache schafft sich ihre eigene Sprache, die deshalb so umständlich ist, weil Scheebens Denken keinen Umweg scheut, um einen Gegenstand bis in seine letzten Verästelungen zu durchdringen. Auch der Tadel an Scheebens Bilderfülle und an seinen etymologischen Herleitungen ist, wie ich meine, insgesamt unberechtigt. Scheeben verwendet das Bild und die die Begriffe verflüssigende Etymologie nicht, weil ihm der Begriff fehlt, sondern weil er dem Begriff, ohne ihn preiszugeben, zusätzliche Aspekte abgewinnen will, die dieser selbst nicht ohne weiteres hat. Die Zusammenfügung von Begriff und Bild in ein Ganzes gibt dem Begriff eine bildlich-gestalthafte Anschaulichkeit, die auch das Emotionale einzubeziehen geeignet ist, während umgekehrt die begriffliche Prägung der Bilder diese davor bewahrt, bloß beliebige Illustration zu sein. Wir sind hier beim schon angesprochenen Verknüpfungspunkt von theologischem Denken und Frömmigkeit, sei es Predigt, Kontemplation oder Gebet. Das bei Scheeben durchgängig verwandte Form-Materie-Schema ist ein Gestaltungsprinzip in dem Sinn, daß das Resultat der Verbindung von Form und Materie eine Gestalt,

---

55 Lakonisch stellt Josef Höfer fest: „Die von L. Atzberger geschriebenen Bücher (Bd. IV/1–3 [1898–1903]) enthalten kein Wort S. s.", in: Lexikon für Theologie und Kirche, Bd. IX, Artikel Scheeben, Sp. 376–379, hier: Sp. 378

56 Vgl. o. S. 225 – Dies stellt nachdrücklich Karl-Heinz Minz, in Pleroma heraus. Vgl. auch den folgenden Beitrag von Minz: Der dreifaltige Gott: Urgrund unseres Heils, unten S. 244–263

57 Ernst Bloch, Subjekt – Objekt. Erläuterungen zu Hegel, Frankfurt a. M. 1971, S. 18–22: „Doch ist der übliche Vorwurf, daß die deutschen Philosophen, mit Ausnahme Schopenhauers und Nietzsches, schlecht schreiben, schon an Kant ein Unsinn, noch mehr an Hegel. Diesem Vorwurf wurde ein verdächtiger Teil der Aufmerksamkeit gewidmet; er ist ein Mittel, sich große Denker vom Hals zu halten" (ebd., S. 18). Was Bloch hier von Kant und Hegel, allen landläufigen und wohlfeil repetierten sententiae communes zum Trotz, feststellt, was ja auch bezüglich Rahners anzumerken wäre (der zu Recht den Preis der Darmstädter Akademie für wissenschaftliche Prosa erhalten hat!), sollte bezüglich Scheebens Sprache zumindest nachdenklich machen

etwas Gestaltetes ist: Der Kosmos, der Mensch, Christus[58]. Gestaltung in diesem Sinn ist bei Scheeben ein ästhetisches und theologisches Grundprinzip, das sich im Verhältnis von Begriff und Bild spiegelt und das im ewigen Logos, der Wort und Bild zugleich ist, sein ewiges Urbild hat[59].

Wir wissen aus dem Briefwechsel zwischen Scheeben und Benjamin Herder, daß Scheeben die einzelnen Partien seiner Dogmatik bis zu drei- oder viermal umgeschrieben hat, weil ihm neue Perspektiven kamen, weil ihn bisherige Antworten zum Thema nicht zufriedenstellten, weil ihm die Resultate der eigenen Arbeit nicht genügten[60]. In diesem ungewöhnlichen Arbeitsaufwand, trotz anderer Verpflichtungen und trotz zunehmender Krankheitsanfälligkeit, liegt der Hauptgrund für die außerordentliche Verdichtung dieses grandiosen Werks. Neben seiner Arbeit an der Dogmatik ist Scheeben übrigens mit einer Vielzahl von Beiträgen am seit 1882 erscheinenden „Kirchenlexikon" von Wetzer und Welte beteiligt[61].

In diesem Zusammenhang muß wenigstens kurz noch etwas zum theologiegeschichtlichen Standort Scheebens gesagt werden. Er wird oder wurde immer wieder der Neuscholastik zugerechnet[62]. Eine solche Zuordnung ist aber historisch-genetisch einseitig, und sie ist irreführend, was das Eigenprofil Scheebens betrifft. Die aufkommende Neuscholastik, als deren Vertreter etwa Kleutgen anzusehen ist, ist bloß *eine* der Scheeben bestimmenden Traditionen. Die sog. „Römische Schule" (Perrone, Passaglia, Schrader, Franzelin), die ihn prägte, hat durchaus ein eigenes Profil. Bewußt greift sie auf reicheres Traditionsmaterial zurück, z. B. die griechischen Väter, sie ist nicht einfach in die gängigen Schulschemata einzuordnen, und sie hat Theologen der katholischen „Tübinger Schule", vor allem Möhler, durchaus rezipiert[63].

---

58 Vgl. Dogmatik Drittes und Viertes Buch, Schöpfungslehre, Sündenlehre, hrsg. von Wilhelm Breuning und Franz Lakner, Freiburg ^{3}1961, §§ 134 und 151 und Dogmatik V, 2, § 267 bzw. Mysterien § 55. – Die Begriff-Bild-Verbindung gehört in den Kontext „Verklärung der Begriffe" (vgl. Mysterien, S. 635 f. – dazu: Eugen Paul, Denkweg und Denkform, S. 169–192), d. h. es geht um eine Umformung der Begriffe, um eine Anwendung „nach den höchsten Momenten, nach denjenigen, in welchen die natürlichen Dinge den übernatürlichen ähnlich sind" (Mysterien, S. 635 f.), und es geht um eine Gestaltwerdung der Begriffe. In beidem, Verklärung und Gestaltwerdung, finden wir das Form-Materie-Modell.

59 Vgl. Mysterien, § 10, hier: S. 51 f., und Dogmatik II, n 1002

60 Julius Dorneich, Matthias Joseph Scheeben und Benjamin Herder, S. 52: „Wir erleben es im Laufe des Briefwechsels immer wieder, wie Scheeben glaubt, die schwierigsten Punkte nun beseitigt zu haben, und wie er dann fast regelmäßig vor neue Schwierigkeiten gestellt wird ... Er nimmt es bitter ernst mit seiner Aufgabe. Drei- bis viermal, ja selbst sechsmal werden einzelne Abschnitte immer wieder gestaltet und umgestaltet."

61 Einige Lexikonartikel stimmen in z. T. etwas abgeänderter Form überein mit entsprechenden Partien der Dogmatik (vgl. die Übersicht Minz, Pleroma, S. 11 f.)

62 Vgl. die angeführten Zuordnungen von Eschweiler, Eröss und Welte

63 Zur „Römischen Schule" grundlegend: Heribert Schauf, Die Einwohnung des Heiligen Geistes. Die Lehre von der nichtappropriierten Einwohnung des Heiligen Geistes als Beitrag zur Theologiegeschichte des neunzehnten Jahrhunderts unter besonderer Berücksichtigung der beiden Theologen Carl Passaglia und Clemens Schrader (= Freiburger Theologische Studien, Bd. 59), Freiburg 1941; Walter Kasper, Die Lehre von der Tradition in der Römischen Schule, Freiburg 1962

Die Charakteristika der „Römischen Schule“ sind auch auf Scheeben übertragbar. Grundsätzlich zwar thomistisch orientiert, bezieht er in ganz erheblichem Umfang das theologiegeschichtliche Material mit ein und verarbeitet es auch, d. h. Scheeben ist kein bloßer Kompilator, und er verwendet die von ihm benutzten Quellen auch nicht als schmückende Illustration. Besonders das letzte Buch seiner Dogmatik vermittelt einen guten Einblick in seinen Arbeitsstil: Die vorgegebenen Lösungen werden minutiös ausgebreitet, zur Kenntnis genommen und diskutiert. Auf dieser Grundlage entwickelt Scheeben seine Antwort, die dann aber ganz die eigene, unverwechselbare Handschrift trägt[64].

Auch der Hinweis auf den bereits genannten „Strukturwandel der katholischen Theologie im 19. Jahrhundert“ sollte differenziert behandelt werden[65]. Scheeben und seine Theologie haben durchaus Anteil an einer Gesamtentwicklung der Kirche, sich auf den eigenen Raum zurückzuziehen, um von dieser Grundlage aus der Welt gegenübertreten zu können. Der lebendige Rapport zur Philosophie der Zeit und zur geistigen Umwelt ist, anders als noch bei den „Tübingern“ und etwa bei Anton Günther, nicht mehr gegeben. Man sollte aber folgenden Hinweis Hans Urs von Balthasars beachten und ihn fast als eine Art hermeneutischen Schlüssel zu Scheebens Werk ansehen. Er schreibt, rhetorisch die Dinge sehr zuspitzend: „Die romantische Theologie scheiterte an einem tiefen theologischen Mangel, der ungenügenden Unterscheidung zwischen Schöpfung und Offenbarung ... Sie erlag um die Jahrhundertmitte den Keulenschlägen des Neuthomismus und der Indizierungen. Jenseits dieser Demarkationslinie begann eine neue Welt, die sich indessen, nach anfänglichen

---

64 Vgl. bereits Anm. 52: Scheeben breitet zur Frage, ob es zu jedem sittlichen Handeln der Liebe, des Glaubens und der Gnade bedürfe, die Antworten der „Theologen“ aus, Ripalda, Ruiz de Montoya, Vasquez u. a., um dann eine Synthese zu finden und eine Lösung, die die Antwort in *sein* Gesamtkonzept von Glaube stellt

65 Im bereits genannten Aufsatz, „Zum Strukturwandel der katholischen Theologie im 19. Jahrhundert“, schreibt Bernhard Welte: In Scheeben „finden sich noch einmal der Glanz großer Gedanken und Konzeptionen, noch einmal ein wirkliches Durchdenken, und manches Gedankengut der Tübinger lebt gerade in ihm wieder auf und weiter. Aber gleichwohl: wie anders ist nun alles als bei Möhler, mit dem man ihn gerne vergleicht. Seine Theologie ist ein glanzvolles, aber der Geschichte durchaus enthobenes System, ungeachtet des reichen historischen Materials, das er heranzieht. Hinsichtlich des aktuellen Zeitbewußtseins geschieht die Theologie nun wie hinter geschlossenen Vorhängen, auch hierin ganz im Gegensatz zu den offenen Horizonten und dem freien Wind des Geistes, in dem Möhlers Gedanken dahingehen. Damit hängt der eigentümlich künstliche Charakter der Spekulation Scheebens zusammen, der sehr der Beachtung bedürftig ist. Und wenn wir auf die Textur seines Gedankens sehen: wie schwerfällig und unelastisch bietet sich nun alles dar, auch wo es von großen Konzeptionen bewegt ist, gegenüber der Lebendigkeit und Sicherheit Möhlers und der ihm fast selbstverständlich zur Verfügung stehenden Kategorien und Denkmöglichkeiten. Die Luft des theologischen Denkens ist völlig anders geworden und es ist denkwürdig genug, daß gleichwohl noch Intuitionen von wirklicher Größe ausgesprochen wurden“ (a. a. O. S. 402 f.) – Daß die „Luft anders“, das Denken oft „wie hinter geschlossenen Vorhängen“, ist durchaus zugegeben. Die übrigen Vorwürfe – Künstlichkeit – müßten jeweils konkret angesehen und sehr differenziert werden oder – Schwerfälligkeit – gelten m. E. nicht (s. Hinweis auf Blochs Urteil über die Sprache Kants und Hegels)

scharfen Abscheidungen, für die Grundintuitionen doch wieder an der gemeinsamen Tradition orientierte; denn wie der Idealismus seine Wurzeln bei Plotin und Augustinus hatte, so auch der Thomismus selber, wo er über die Schulbedürfnisse hinaus sich zu universaler Perspektive ausfaltet. Dies war der Fall bei *Matthias Joseph Scheeben* ..., der aus Rom den Schulthomismus heimbrachte, ihn aber in einer Weise auslegte, dass die Anliegen der vergangenen Zeit, wenn auch verwandelt, darin wieder auflebten[66]."
Es stimmt, daß Scheeben sich in gewisser Hinsicht in einem nach außen abgeschlossenen Raum bewegt, aber indem er sich bemüht, den Gegenstand der Theologie so zu durchdringen, daß dessen innere Logik herausspringt, öffnet er sie und macht sie auch wieder gesprächsfähig. Dies wird vielleicht nirgendwo deutlicher als in Scheebens tiefsinnigen Überlegungen zur sog. aktuellen Gnade: Wie hier potentia oboedientialis, desiderium naturale und rufend-erhebende Gnade ineinander verschränkt werden, weist weit nach vorne[67]. Auch Scheebens Schöpfungslehre mit ihrem Partizipationsdenken ist von bedeutender Tiefe, allerdings im Unterschied zu anderen gut untersuchten Teilen seiner Theologie (die freilich immer ein Ganzes ist) noch zu wenig bearbeitet[68].

7. Scheeben: Priester und Theologe der Erzdiözese Köln

Scheeben ist einer der größten Theologen nicht nur seiner Zeit gewesen. Die Zeitumstände versagten es ihm, jemals einen Universitätslehrstuhl zu erhalten. In allen Nachrufen wird seine universale Gelehrsamkeit gerühmt, zugleich aber seine schlichte Frömmigkeit – Scheeben, den Rosenkranz in der Hand, hat sich offensichtlich nachhaltig der Erinnerung eingeprägt[69] –, seine Tätigkeit als Beichtvater, seine

---

66 Balthasar, Herrlichkeit, S. 97f.

67 Scheeben denkt durchweg die potentia oboedientialis im Horizont des „ordo immediatus animae ad Deum", weshalb „kein Genuß als der Genuß Gottes die Seele sättigen kann" (Dogmatik III, n 340)
Diese Voraussetzung, man darf hier auf Augustins „cor inquietum" hinweisen (Scheeben selbst tut es mit Nachdruck Dogmatik III, n 934), wird einem das Moralische (Gottes Ruf) und das Physische (gratia elevans) übergreifenden und integrierenden Gnadenverständnis verbunden: Gottes „vocatio alta" und „illuminatio et tactus cordis" treffen den Menschen im Innersten seines „Durst(es) nach dem Unendlichen" (Dogmatik III, n 340). Scheebens Natur-Gnade Theologie steht hier im Umkreis der Henri de Lubac, Karl Rahner, Hans Urs von Balthasar

68 Scheebens vom Partizipationsdenken geleitete Ontologie (z. B. in Dogmatik II, § 88, Dogmatik III, § 129 u. ö.) könnte z. B. im Licht der Metapysik von Gustav Siewerth und Ferdinand Ulrich befragt werden

69 „Und das ganze priesterliche Leben und Streben des Hingeschiedenen, wennschon auf den ersten Blick dasjenige eines Gelehrten, kann doch auch jedem praktisch thätigen Geistlichen in vieler Hinsicht als Muster vor Augen gestellt werden! ... Mochte er auch noch sehr mit Arbeiten überhäuft sein, Tag für Tag betete er, bald auf einem der Gänge, bald in dem Quadrum des Seminars einherwandelnd, seinen Rosenkranz. Und wie inständig konnte er sich dem Gebet Anderer empfehlen!", in: Pastoralblatt 22 (1888), S. 85

menschlich offene Art, die es auch gelassen hinnahm, daß die Alumnen des Priesterseminars mit seinen Vorlesungen offensichtlich wenig anzufangen wußten, seine Hilfsbereitschaft; so hat Scheeben etwa Honorare für seine Arbeiten dazu aufgewandt, in Not geratene Familienangehörige zu versorgen. Scheeben ist am 21. Juli 1888 erst 53jährig an einer Lungenentzündung im St.-Vinzenz-Hospital, dort, wo heute das Maternus-Haus steht, gestorben. In seinem Arbeitszimmer lag aufgeschlagen auf einem Pult Augustins „De dono perseverantiae“. An Scheebens Sterbebett stand ein kleines Altärchen mit einer Nachbildung des Gnadenbildes aus der Kupfergasse. Scheebens Grabmal auf Melaten trägt die Inschrift: Matthias Joseph Scheeben: integritate vitae, doctrina, scriptis eximius.

II. Der dreifaltige Gott: Urgrund unseres Heils

Von Karl-Heinz Minz

Die Fruchtbarkeit und Lebensdynamik der göttlichen Dreieinigkeit bestimmt in der Theologie Scheebens alle Aussagen und fügt diese in formaler Hinsicht zu einer integralen Theologie, in der das Wahre stets das (trinitarische) Ganze ist. Von dieser konsistenten trinitarischen Theologie her kann Scheeben mit vollem Recht „ein Hegel der katholischen Theologie"[1] genannt werden. Die Trinität bleibt als das Zentrum der Theologie mit allen anderen Dogmen verknüpft. Sie ist „der Quellpunkt eines ganzen *wissenschaftlichen* Systems, das sich aus ihrem innern System herausbildet und fortbildet, in dem sie sich selber als in ihrem realen Spiegelbild offenbart"[2]. In der Trinitätstheologie ist das Konstruktionsprinzip der Gesamttheologie Scheebens gegeben[3].

1. Grunddaten einer integralen Trinitätstheologie

Für Scheeben ist die Trinität ein mysterium stricte dictum, das sich jedem menschlichen Räsonieren entzieht und nur durch die Vermittlung der übernatürlichen Offenbarung gewußt werden kann. In der Zeit nach Hegel und angesichts zahlreicher Versuche einer „ideellen Rekonstruktion" der göttlichen Dreieinigkeit durch Philosophen und Theologen (etwa bei Anton Günther) betont Scheeben seit seinen frühen Aufsätzen in „Der Katholik" (Mainz) immer wieder mit aller Entschiedenheit den Geheimnischarakter dieses Heilsmysteriums[4]. In den Katholik-Aufsätzen ist der nucleus für Scheebens Gesamttheologie enthalten.

---

[1] Augustin Kerkvoorde, La formation théologique de M.-J. Scheeben à Rome (1852-1859), in: Ephemerides Theologicae Lovanienses 22 (1946), S. 174-193, hier: S. 191; ebenso Eugen Paul, Matthias Joseph Scheeben (1835-1888), in: Heinrich Fries/Georg Schwaiger (Hrsg.), Katholische Theologen Deutschlands im 19. Jahrhundert, II, München 1975, S. 386–408, hier: S. 403

[2] Matthias Joseph Scheeben, Die Mysterien des Christentums. Wesen, Bedeutung und Zusammenhang derselben nach der in ihrem übernatürlichen Charakter gegebenen Perspektive dargestellt. Ausgabe letzter Hand, hrsg. von Josef Höfer, Freiburg ²1958 (= Gesammelte Schriften, hrsg. von Josef Höfer, II), S. 111

[3] Scheebens Trinitätstheologie ist dargestellt in: Karl-Heinz Minz, Pleroma Trinitatis. Die Trinitätstheologie bei Matthias Joseph Scheeben, Frankfurt-Bern 1982; ders., Die Lebensdynamik der göttlichen Dreieinigkeit. Der Beitrag Scheebens für eine heutige Neuorientierung, in: Religionsunterricht an höheren Schulen 24 (1981), S. 49–51; ders., Artikel „Matthias Joseph Scheeben", in: Dictionnaire de Spiritualité, XV (1988); Franz-Josef Bode, Gemeinschaft mit dem lebendigen Gott. Die Lehre von der Eucharistie bei Matthias Joseph Scheeben, Paderborn 1986, S. 115–140 und S. 276–291; Hans Gasper, Die Einheit von Gott und Mensch bei Matthias Joseph Scheeben dargestellt am Begriff des „connubium divinum", Diss. Kath.-Theol. Fakultät der Universität Bonn, 1988

[4] In: Die Lehre von dem Uebernatürlichen in ihrer Bedeutung für christliche Wissenschaft

Anders als bei der theologia naturalis führt das Erkennen des dreieinigen göttlichen Lebens nur über die Offenbarung[5]. Solche Vermittlungsstruktur richtet sich gezielt gegen einen Rationalismus, den Scheeben als das Grundübel seiner Zeit einschätzt[6]. Dabei spricht er sich sehr deutlich gegen den Deutschen Idealismus und insbesondere gegen Hegel aus, denn das „höchste Extrem des Rationalismus ist der Pantheismus, weil da die Vernunft eben deshalb nichts anderes anerkennen will, weil sie eben durch ihre Natur *alles* ist, alles erkennt, alles besitzt; ein System, welches den Beweis seiner Falschheit eben darin in sich trägt, daß es die Natur und Vernunft des Menschen nicht als das anerkennt, was sie wirklich ist"[7].

Für die katholische Theologie ist die Trinität „das Geheimnis der Geheimnisse"[8]. Da die Wirklichkeit in einen ordo naturalis und in einen ordo supernaturalis getrennt ist, liegt der Anfang allen Nach-Denkens über dieses übernatürliche Geheimnis in einem „trinitate posita", und es überrascht nicht, wenn die *Mysterien* in ihren trinitätstheologischen Ausführungen *unvermittelt* mit der Thesis beginnen, daß die Dreifaltigkeit der Personen in Gott objektiv notwendig sei[9]. Im Gang der sich daran anschließenden Konkretionen wird dann diese Setzung eingeholt[10]. Solches Erkennen vollzieht sich als reductio in mysterium, ist Mysterientheologie. Die Trinitätslehre wird dabei im Rahmen des Natur-Gnade-Schemas expliziert, wobei der Traktat „De Deo trino" dem Bereich des Glaubens und der Gnade, der Traktat „De Deo uno" hingegen dem Bereich der Natur zugeordnet wird.

Nun betont Scheeben ausdrücklich: „... *ein einziges Prinzip* aus der Glaubenslehre von der Trinität *genügt der Vernunft, um das Dogma in seinem ganzen reichen Inhalte aufzubauen und zu entwickeln*"[11]. Aus diesem vorausgesetzten Prinzip läßt sich sodann die Konsistenz des Ganzen als Mysterienkosmos entwickeln; die Leitmotive einer „Trinitätssymphonie", wie z. B. Joh 1,18 und 1 Kor 6,17, erhalten darin ihre unverwechselbaren Klänge. Gegenüber den Entwürfen des Deutschen Idealismus, die in ihren Universalsystemen die Vermittlung und das Werden des Absoluten zu sich selbst darstellen wollen, und zwar je von einem ganz bestimmten „Anfang der Wissenschaft" aus – Hegels ‚Absolute Methode' kann hier als Beispiel für die grandiose Konsequenz solchen Anfangens stehen –, befindet sich die Geschlossenheit der Theologie Scheebens in einer Antithese und in einer Überbietungsperspektive des Je-mehr. Sie ergibt sich nämlich – in katabatischer Perspektive – aus der Fruchtbarkeit des göttlichen Lebens selbst. Das prius ist hier die Selbst-Weggabe dieses göttlichen Lebens, die

und christliches Leben, in: Der Katholik 40 (1860) I, S. 280–299, 40 (1860) II, S. 657–674; Die übernatürlichen Geheimnisse des Christenthums, in: Der Katholik 41 (1861) I, S. 257–283

5 So Katholik 41 (1861) I, S. 261 f.

6 So Katholik 40 (1860) I, im folgenden zitiert nach der Ausgabe in: Matthias Joseph Scheeben, Gesammelte Aufsätze, hrsg. von Heribert Schauf, Freiburg 1967 (= Gesammelte Schriften VIII), S. 13–32, hier: S. 18

7 Scheeben, Aufsätze (vgl. oben Anm. 6), S. 18 f.

8 Scheeben, Mysterien (vgl. oben Anm. 2), S. 21

9 Scheeben, Mysterien (vgl. oben Anm. 2), S. 24

10 Dazu Minz, Trinitätstheologie (vgl. oben Anm. 3), S. 291

11 Scheeben, Mysterien (vgl. oben Anm. 2), S. 42

strukturierte Konsistenz von Heilsökonomie und Theologie dann die konkret-kategoriale Artikulation dieser Lebensfülle quoad nos. Dieser *erste* Grund-Satz, der im Dogma vorgestellt wird, ist der Satz von der Produktivität des göttlichen Lebens. „*Die Produktionen resp. die Ausgänge erklären uns ... die Genesis der Dreifaltigkeit der Personen,* wie es eigentlich schon ihr Name ankündigt; sie enthüllen uns die Dreifaltigkeit eben in ihrem Ursprung. Sie sind darum auch *der Lichtpunkt, in dem sich die Einheit des göttlichen Wesens zur Dreifaltigkeit der Personen entfaltet,* wo wir diese mit jener in Verbindung treten oder vielmehr aus ihr hervorbrechen sehen“[12]. Und diese Fruchtbarkeit des göttlichen Lebens als „Wurzelprinzip“[13] der Trinitätstheologie ist es, welche die Entfaltung eben dieser Theologie ermöglicht. Solche Entwicklung erfolgt unter Anlehnung an Thomas von Aquin, der jedoch je und je mit Theologien des Augustinus, Anselm von Canterbury und Richard von St. Viktor ergänzt wird[14]. In den *Mysterien* bleibt das augustinische Modell allerdings prävalent, wird dann aber mit anderen Theologumena erweitert, wobei erst in *Dogmatik II* expressis verbis auf deren Herkunft hingewiesen wird. Dabei bewertet Scheeben das „psychologische Modell“ des Augustinus als *die* offenbarungsgemäße Trinitätslehre[15]. Er geht in seiner genetischen Trinitätslehre von der *satzhaften* Offenbarung in der Heiligen Schrift aus; damit ist für ihn die *sachhafte* Offenbarung mitgegeben. Näherhin wird diese Offenbarung von zwei Polen her gegründet. Der eine ist die Christologie, insofern sie als ein prius zum Leben der Trinität *hin*führt[16]. Andererseits bedingt Scheebens katabatisch-platonisierende Perspektive ein Ausgehen von der immanenten Trinität, wobei sich die Christologie aus der Trinität begründet[17] und sich die dreieine Lebensfülle Gottes in die einzelnen

[12] Scheeben, Mysterien (vgl. oben Anm. 2), S. 45; cf. Matthias Joseph Scheeben, Handbuch der katholischen Dogmatik, Zweites Buch, hrsg. von Michael Schmaus, Freiburg ^{3}1948 (= Gesammelte Schriften IV), n. 925

[13] Cf. Scheeben, Mysterien (Vgl. oben Anm. 2), S. 46

[14] So Scheeben, Mysterien (vgl. oben Anm. 2), S. 47

[15] So jeweils am Anfang der Mysterien und in Dogmatik II, aber auch bereits im Frühwerk von 1861: Matthias Joseph Scheeben, Natur und Gnade. Versuch einer systematischen, wissenschaftlichen Darstellung der natürlichen und übernatürlichen Lebensordnung im Menschen, Mainz 1861 (hier zitiert nach der Ausgabe von Martin Grabmann, Freiburg ^{3}1941 [= Gesammelte Schriften I])

[16] So Matthias Joseph Scheeben, Handbuch der katholischen Dogmatik. Fünftes Buch, 2. Halbband, hrsg. von Carl Feckes, Freiburg ^{2}1954 (= Gesammelte Schriften VI/2), § 267; ders., Handbuch der katholischen Dogmatik. Sechstes Buch, hrsg. von Heribert Schauf, Freiburg ^{3}1957 (= Gesammelte Schriften VII), § 284 (bes. n. 24 und 27 f.); ders., Aufsätze (vgl. oben Anm. 6), S. 248–269, bes. S. 202, Anm. 36 bezüglich Dogmatik III, § 169, wodurch die Aussagen der Christologie als Modell der inhabitatio herausgestellt und festgesetzt werden (cf. Dogmatik III, n. 842 f.)[Matthias Joseph Scheeben, Handbuch der katholischen Dogmatik. Drittes Buch, hrsg. von Wilhelm Breuning, Freiburg ^{3}1961 (in: Gesammelte Schriften V)]. Gleiches gilt für Scheeben, Dogmatik III, § 174 im Vergleich mit Scheeben, Dogmatik V/2, § 267, wodurch sich eine „Gnadenlehre *vor* der Christologie“ je schon als eine auf Christus hin finalisierte erweist. Eine gleiche Relationalität trifft zu in bezug auf die Adoptivkindschaft (und ihre Vollendung), die nach dem Modell der hypostatischen Union formuliert und auf diese hin bezogen wird (cf. Scheeben, Aufsätze [vgl. oben Anm. 6], S. 21 und S. 27)

[17] Etwa Scheeben, Mysterien (vgl. oben Anm. 2), S. 154

übernatürlichen Mysterien entfaltet, so daß ein nexus mysteriorum entsteht, dessen Konstruktionsprinzip eben diese Trinität ist. Beide Aspekte fügen sich zu einer organischen Einheit zusammen[18]. Dabei wird das Charakteristikum der Scheebenschen Theologie erneut transparent: Das Wahre ist das Ganze.

Gott ist *absolutes* Leben. Daraus ist zu folgern, daß es im göttlichen Erkennen und Wollen – anders als im kreatürlichen Bereich – nur die Identität von Erkennen und Erkanntem geben kann[19]. „Gott kann nicht sein Wort und Bild produzieren, *um* sich erst zu erkennen; er produziert es, *weil* er sich erkennt, aus der *überströmenden Fülle und Aktualität* seiner Erkenntnis, die eben keine bloße Erkenntnis, sondern *eine unendlich fruchtbare* Erkenntnis ist und wegen ihrer unendlichen Fruchtbarkeit danach strebt, sich einen adäquaten Ausdruck zu geben in einem Worte und Bilde, das im Schoße Gottes verbleibt"[20]. Dieses göttliche Erkennen hat seinen Grund also nicht in einem defizienten Lebensvollzug, sondern ist vielmehr Ausstrahlung einer absoluten Aktualität. Bei der göttlichen Liebe koinzidieren ebenfalls Potenz und Akt. „Gott *ist* seine Liebe in der reinsten und vollsten Aktualität; aber eben deshalb, lehrt uns der Glaube, weil die Liebe in Gott kein erst hervorgerufener Akt, weil sie ein ewiger Urakt und eben dadurch zugleich *ein überreicher Akt* ist, ist sie nicht minder fruchtbar als die göttliche Erkenntnis; deshalb bringt Gott durch sie einen unermeßlichen Hauch, eine Aspiration der Liebe hervor und ein unendliches Liebespfand"[21]. Gemeinsam mit dem Erkennen konstituiert diese Liebe die eine göttliche Natur in ihrer aktuellen Lebendigkeit[22].

In der absoluten Aktualität des *einen* göttlichen Lebens liegt der Grund für die unendliche Fruchtbarkeit Gottes[23]. Solche Fülle des Lebens bildet die Quelle der göttlichen Produktivität. Deren Form in der einen göttlichen Natur „kann nur die sein, daß die *Kraft* und die *Energie ihres übervollen Lebens sich durch eine immanente Ausstrahlung und Ergießung desselben betätigt und so in verschiedenen Subjekten sich ausprägt und auslebt,* und daß sie folglich eben *vermöge der innern Offenbarung ihrer selbst an verschiedene Personen* sich mitteilt. Damit ist aber auch zugleich gesagt, daß der *Grund* dieser Produktivität gerade in der *überschwenglichen* Fülle des göttlichen Lebens liegt; und da diese darauf beruht, daß Gott im positiven Sinne des Wortes *der absolute Geist,* d. h. das Leben selbst ist ..., so deutet dieser Name ebenso die Möglichkeit wie die Notwendig-

---

[18] So z. B. Scheeben, Dogmatik V / 2 (vgl. oben Anm. 16), § 267 und § 284. Diese Verwobenheit der einzelnen Heilsmysterien in einer integralen Theologie zeigt auch Jörg-Peter Schliephak, Mysterium Incarnationis. Die Menschwerdung der zweiten göttlichen Person als Ausfluß des innertrinitarischen Geschehens in ihrer heilsökonomischen Bedeutung in der Christologie Matthias Joseph Scheebens, Frankfurt/M. 1987 (Wissenschaftliche Hausarbeit zum Examen Theologicum, Phil.-Theol. Hochschule St. Georgen)

[19] So Scheeben, Mysterien (vgl. oben Anm. 2), S. 51

[20] Scheeben, Mysterien (vgl. oben Anm. 2), S. 51

[21] Scheeben, Mysterien (vgl. oben Anm. 2), S. 52; cf. Scheeben, Dogmatik II (vgl. oben Anm. 12), n. 932

[22] So Scheeben, Mysterien (vgl. oben Anm. 2), S. 48; cf. Mysterien, S. 53, Anm. 10, Mysterien, S. 50 und S. 52 sowie Scheeben, Dogmatik II (vgl. oben Anm. 12), n. 947 ff.

[23] Z. B. Scheeben, Dogmatik II (vgl. oben Anm. 12), n. 153

keit an, daß Gott in einer Weise wie kein anderes geistiges oder materielles Wesen außer ihm unendlich produktiv sei"[24].

Die Lebensmitteilung aus der innergöttlichen Weisheit und Fruchtbarkeit bleibt die „*einzig zulässige Hypothese* für die Erklärung des Dogmas"[25] und hat dadurch „den Charakter eines *feststehenden Prinzips* für die Erklärung und Entwicklung des Dogmas"[26]. Somit liegt für Scheeben das Wurzelprinzip der Trinitätstheologie im überschäumenden Sein, in der unendlichen Fruchtbarkeit der *einen* göttlichen Natur, die sich in ewiger Gleichursprünglichkeit in ihren Lebensvollzügen von Erkennen und Lieben als dreieinige konstituiert. Damit trifft er sich mit dem trinitarischen Grundaxiom Bonaventuras: Gott ist das bonum summum communicativum et diffusivum sui[27]. Alle Heilsmysterien artikulieren dieses trinitarische Grund-Geheimnis[28]. Diese Ausfächerung setzt sich fort in den missiones ad extra und in der Partizipation der Begnadeten am göttlichen Leben.

Das trinitarische Leben konstituiert in seiner Fruchtbarkeit zunächst jedoch die productiones ad intra, die göttlichen Personen, die als subsistente Relationen (τρόποι τῆς ὑπάρξεως) ihre Realität nur durch ihre Identität mit der οὐσία als der plenitudo fontalis göttlichen Lebens haben[29]. Diese Lebendigkeit Gottes als Erkennen und Lieben läßt sich nun in bezug auf die Produktionen weiter bestimmen: „... *durch* die Erkenntnis und Liebe der ersten Person in der Gottheit, des ursprünglichen Inhabers der göttlichen Natur und ihrer Lebenstätigkeit, wird *der Ausdruck* oder *Äußerung* und *Bekundung, die Offenbarung dieser Erkenntnis und dieser Liebe reell hervorgebracht,* als etwas von der produzierenden Person Verschiedenes, ihr reell Gegenübertretendes, in realer Beziehung zu ihr Stehendes"[30].

In *Dogmatik II* erklärt Scheeben diesen Erkenntnis-Liebe-Vollzug aus der absoluten substantiellen Weisheit. Enthält nämlich das Leben der göttlichen Weisheit Erkennen und Wollen in sich und besteht diese Weisheit in einer Verbindung von lebendiger

---

[24] Scheeben, Dogmatik II (vgl. oben Anm. 12), n. 930. „Die einzig denkbare Form einer solchen Produktion ist die, daß eben vermöge der überschwenglichen Fülle der Aktualität des göttlichen Erkennens und Wollens eine Offenbarung und Kundgebung desselben zuwege gebracht und ein Ausdruck oder eine Frucht desselben hervorgebracht werde; und dies ist dann auch dasjenige Moment, welches die Offenbarung zu der durch die bloße Vernunft erkennbaren Vollkommenheit des göttlichen Lebens hinzufügt und wodurch sie die Trinitätslehre mit der Lehre von der Natur Gottes verknüpft": Scheeben, Dogmatik II, n. 946

[25] Scheeben, Dogmatik II (vgl. oben Anm. 12), n. 935

[26] Ebd.

[27] Cf. dessen Itinerarium mentis in Deum, Kapitel V f., insbesondere VI, 2 (cf. Dionysius Areopagita, De coelesti hierarchia, IV, 1), Scheeben, Mysterien (vgl. oben Anm. 2), 108, Anm. 4, sowie Scheeben, Dogmatik II (vgl. oben Anm. 12), n. 1090 f.

[28] Dazu Scheeben, Mysterien (vgl. oben Anm. 2), S. 119, 296, 622 und 652; ferner Scheeben, Natur und Gnade (vgl. oben Anm. 15), S. 203 und Scheeben, Dogmatik II (vgl. oben Anm. 12), n. 1093–1096

[29] Auf diese Personalproduktionen, insbesondere auf die von Scheeben verwendeten Bilder, soll hier nicht eingegangen werden; dazu ausführlich bei Minz, Trinitätstheologie (vgl. oben Anm. 3), Hauptteil B

[30] Scheeben, Mysterien (vgl. oben Anm. 2), S. 49

Wahrheit und lebendiger Heiligkeit[31], dann „müssen sich auch *die zwei Produktionen,* welche dem Glauben gemäß in Gott vorhanden sind, auf diese beiden Lebensformen so verteilen, daß das eine Produkt speziell als *Ausdruck* und *Terminus* (-Abschluß) *der absolut vollkommenen Erkenntnis* oder *Offenbarung der lebendigen Wahrheit,* das andere als *Erguß* und *Terminus des absolut vollkommenen Wollens* und *Offenbarung der heiligen Liebe oder der absoluten Heiligkeit* Gottes angesehen werden muß ... der Ausdruck der Erkenntnis ist wesentlich *Ausdruck einer heilige Liebe atmenden Erkenntnis,* und der Erguß der Liebe ist wesentlich *Erguß einer lichten und weisheitsvollen Liebe, und so gelangt in jeder von beiden Produktionen auf verschiedene Weise die ganze göttliche Weisheit zur Offenbarung*“[32].

Der Vater ist *ursprünglicher* Träger und Inhaber der göttlichen Natur und von daher nicht produziert (ἀγεννησία). Er besitzt die ursprüngliche göttliche Erkenntnis und ist Prinzip des Wortes, „worin diese Erkenntnis ausgesprochen, und des Bildes, worin der Gegenstand derselben ausgeprägt wird ...“[33]. In diesem so produzierten Wort ist das von seinem Prinzip Verschiedene ausgesagt wie auch andererseits die substantiale Wahrheit der einen göttlichen Natur und Wesenheit mitgeteilt. So wird das Produzierte ein eigener Inhaber dieser Natur[34]. In bezug auf das göttliche Wort läßt sich daher feststellen: „*Als eigener Inhaber einer Natur ist es also ein wahres ‚suppositum', als Inhaber einer vernünftigen Natur eine wahre Person, als Inhaber der göttlichen Natur eine göttliche Person*“[35]. In *Dogmatik II* erfolgt dann eine Erweiterung unter dem Aspekt der substantiellen Weisheit und Wahrheit Gottes, denn nur *dieses* Produkt ist „der *hypostatische und persönliche Repräsentant der Weisheit und Wahrheit* oder auch *schlechthin die hypostatische und persönliche Weisheit und Wahrheit,* nicht aber eine bloße Personifikation der Weisheit und Wahrheit ihres Prinzips“[36]. Gott spricht also nicht nur *durch* sein Wort, sondern auch *zu* einem Wort[37]. Somit ist das Wort sein „*persönlicher Repräsentant*“[38].

Der Hauch, welcher aus der Wechselliebe zwischen Vater und Wort besteht, bildet als die zweite Produktion eine dritte göttliche Person. Die Liebe dieser Produktion strömt in einem Hauch aus und zugleich in ihn hinüber, wobei er einerseits von den beiden ersten Personen unterschieden ist, zugleich aber wieder in ihm die ganze göttliche Wesenheit und Natur ausgegossen wird. Da hier – analog wie beim göttlichen Erkennen – die *ganze* Natur mitgeteilt wird, ergibt diese Aspiration der wechselseitigen Liebe eine dritte Person. Sie bildet somit den hypostatischen und persönlichen Repräsentanten der innergöttlichen Liebe[39]. Die „unendliche Fruchtbarkeit“[40] dieser Liebe

---

31 Cf. Scheeben, Dogmatik II (vgl. oben Anm. 12), n. 146
32 Scheeben, Dogmatik II (vgl. oben Anm. 12), n. 932
33 Scheeben, Mysterien (vgl. oben Anm. 2), S. 64; cf. Scheeben, Dogmatik II (vgl. oben Anm. 12), n. 966
34 So loc. cit.
35 Ebd.
36 Scheeben, Dogmatik II (vgl. oben Anm. 12), n. 966
37 So Scheeben, Dogmatik II (vgl. oben Anm. 12), n. 967
38 Scheeben, Mysterien (vgl. oben Anm. 2), S. 65
39 So Scheeben, Dogmatik II (vgl. oben Anm. 12), n. 968
40 Scheeben, Mysterien (vgl. oben Anm. 2), S. 65

und die Wonne, die Vater und Logos im Besitzen der einen göttlichen Natur genießen[41], begründen, daß sie beide ihren realen Ausdruck in einer dritten Hypostase/Person[42] finden und daß sie diese als „condilectus"[43] in ihre Gemeinschaft mitaufnehmen[44]. Solches Pfand der Liebe ist also Ausdruck einer absoluten Einheit der beiden ersten Personen: Identität *in* korrelativer Abgesetztheit. „Es ist ein *Hauch*, worin zwei göttliche Personen aus der absoluten Einheit und Fülle ihres gemeinschaftlichen Herzens *ihre Liebe absolut wirksam erweisen, indem sie jene Einheit auf eine dritte Person übertragen. Und jenes Pfand soll nicht ein Band sein zwischen zwei Liebenden, die sich erst dadurch aneinander fesseln wollen,* ein Band vielmehr, das der adäquate Ausdruck ihrer absoluten Einheit sein soll und daher *in dasselbe Verhältnis, dieselbe Einheit mit ihnen treten muß, in der sie zueinander stehen. Endlich können sich die beiden ersten Personen nicht noch mehr aneinander hingeben, als sie sich schon durch ihr gegenseitiges Verhältnis einander besitzen;* wenn *folglich* ihre Liebe sich in einer Gabe betätigen soll, so *muß das, was gegeben wird, einem Dritten gegeben werden ...*"[45].

Letztlich aber repräsentiert diese dritte Person als Person der Liebe den adäquaten Ausdruck der Fruchtbarkeit der innergöttlichen Liebe[46]. Und in dieser Fruchtbarkeit von Erkennen und Wollen des göttlichen Lebens liegt demnach die Dreizahl der göttlichen Personen[47] wie auch die feste Reihenfolge von deren Ursprüngen begründet[48].

Die Fruchtbarkeit des göttlichen Lebens bildet also ad intra wie ad extra die Wurzel der übernatürlichen Ordnung, den Lichtkern in ihrer Beleuchtung[49]. Sie kann auch als der nucleus der Scheebenschen Theologie überhaupt[50] angesehen werden, da das „bonum diffusivum sui" der Quellgrund aller anderen übernatürlichen Wahrheiten *ist* und als principium und finis alle Wirklichkeit bestimmt[51]. Scheeben unterstreicht die eminent existentielle Bedeutsamkeit der Trinität sehr nachdrücklich; denn es kann aufgewiesen werden, „daß die Offenbarung und Erkenntnis der Trinität eben um ihrer selbst willen den höchsten Wert hat, weil ihr Inhalt die höchste und erhabenste Wahrheit des Christentums und zugleich Wurzel und Mittelpunkt aller übrigen übernatürlichen Wahrheiten ist"[52].

---

41 So Scheeben, Mysterien (vgl. oben Anm. 2), S. 65

42 Zu Person/Hypostase: Scheeben, Mysterien (vgl. oben Anm. 2), § 12, und Scheeben, Dogmatik II (vgl. oben Anm. 12), § 119

43 Cf. Scheeben, Dogmatik II (vgl. oben Anm. 12), S. 411 f., Anm. 1, sowie Scheeben, Mysterien (vgl. oben Anm. 2), S. 66, Anm. 4, und den Beitrag von Hans Gasper in dieser Festschrift

44 So Scheeben, Dogmatik II (vgl. oben Anm. 12), n. 970. „... bei der ersten Produktion resultiert die Mitteilung der Natur einfach daraus, daß der Akt eine vollkommene Offenbarung der göttlichen Erkenntnis ist; bei der zweiten Produktion hingegen resultiert umgekehrt die vollkommene Offenbarung der Liebe, weil diese als solche eben nach Mitteilung strebt, daraus, daß aus Liebe eine vollkommene Mitteilung der Natur stattfindet": Ebd.

45 Scheeben, Mysterien (vgl. oben Anm. 2), S. 65

46 So Scheeben, Mysterien (vgl. oben Anm. 2), S. 67

47 So Scheeben, Dogmatik II (vgl. oben Anm. 12), n. 972 f.

48 Cf. Scheeben, Dogmatik II (vgl. oben Anm. 12), n. 990 f.

49 So Scheeben, Mysterien (vgl. oben Anm. 2), S. 120

50 Scheeben, Mysterien (vgl. oben Anm. 2), S. 110

51 So z. B. Scheeben, Natur und Gnade (vgl. oben Anm. 15), S. 202 (Epilog)

2. Leben im Pleroma der Trinität

Die Fruchtbarkeit der innergöttlichen Lebensfülle bleibt nicht *in sich* stehen, sondern verschenkt sich an die Schöpfung, und zwar in den Sendungen von Logos und Pneuma. Dadurch wird ein „trinitarisches System“[53] verwirklicht, in welchem der dreieinige Gott Ursprung und Ziel aller Wirklichkeit ist. Das telos dieses Liebenden-Sich-Sein-Lassens an die Kreatur in der manifestatio ad extra besteht dabei in der Vermählung von Natur und Gnade, vollendet in der visio beatifica und der ἕνωσις als participatio an diesem innergöttlichen Leben (cf. 1 Kor 13,12). Damit kann das Konstruktionsprinzip Scheebenscher Theologie als die dialogische Dynamik zwischen immanenter und ökonomischer Trinität aufgezeigt werden (gemäß Joh 16,28: vom Vater her zum Vater hin)[54].

Die *reale* Offenbarung des inneren göttlichen Lebens bestimmt sich in ihren Entfaltungen als strikt übernatürliche, weil auch ihr Ursprung, die immanente Trinität, ein absolutes Geheimnis ist. Und so liegt bei der manifestatio ad extra ein ganzes System – als nexus mysteriorum inter se (DS 3016) – von übernatürlichen Mysterien begründet[55]. Mit dem gnoseologischen Hilfsmittel der Appropriation wird dann sie subjektive Erfahrbarkeit dieser trinitarischen Selbstmitteilung unterstützt[56].

Zunächst ist zu sehen, welche Beschaffenheit der Adressat dieser Sendungen in einer theologischen Anthropologie hat. In seiner leib-geistigen Natur ist und repräsentiert der Mensch *„das volle Bild Gottes“*[57], das im Mittelpunkt der Schöpfung steht und hier Zeugnis von seinem trinitarischen Urbild gibt. Anthropologie erhält so eine trinitätstheologische Begründung, in welcher der *ganze* Mensch ein Gleichnis seines gründenden Grundes ist. Die natura creata öffnet sich durch diese ihre Gleichnishaftigkeit für die gnadenhafte Wirklichkeit einer natura instituta[58]. Es handelt sich also um ein Urbild-Abbild-Schema, um participatio trinitatis.

In den *Mysterien* exemplifiziert Scheeben diese Teilnahme zunächst am Beispiel der „einfachen“ Gnadenordnung[59], d. h. ohne die Ordnung der Logosinkarnation. „Wenn durch die Mitteilung der göttlichen Natur an die vernünftigen Geschöpfe in der erklärten Weise die innergöttlichen Verhältnisse und Vorgänge nach außen nachgebildet und reproduziert werden, dann erscheint die *Trinität als der Möglichkeitsgrund, als das Ideal und das Ziel der übernatürlichen Gnadenordnung in den Geschöpfen.* Das innerste Wesen der Trinität liegt in der wesenhaften Mitteilung der göttlichen Natur an andere Personen; und so muß auch ihre eigentümliche Bedeutung darin bestehen, daß auf ihrem Grunde, nach ihrem Vorbilde und zu ihrer Verherrlichung eine gnadenreiche

52 Scheeben, Dogmatik II (vgl. oben Anm. 12), n. 1086
53 Scheeben, Mysterien (vgl. oben Anm. 2), S. 154
54 Cf. Scheeben, Mysterien (vgl. oben Anm. 2), § 22 und § 23, sowie Gasper, op. cit.
55 So Scheeben, Mysterien (vgl. oben Anm. 2), S. 115
56 Dazu Scheeben, Mysterien (vgl. oben Anm. 2), § 23, und Minz, Trinitätstheologie (vgl. oben Anm. 3), S. 158–163
57 Scheeben, Dogmatik III (vgl. oben Anm. 16), n. 373
58 So Scheeben, Dogmatik III (vgl. oben Anm. 16), n. 376
59 Scheeben, Mysterien (vgl. oben Anm. 2), S. 119

Mitteilung der Teilnahme an der göttlichen Natur nach außen stattfindet, und daß sie folglich für die durch diese Mitteilung hervorgerufene Ordnung der Dinge die Wurzel bildet, woraus dieselbe entspringt.

Für uns insbesondere tritt diese Bedeutung der Trinität in Kraft, wenn auch wir zur Teilnahme an der göttlichen Natur berufen sind"[60]. „Teilhabe/-nahme" erscheint damit als weiteres zentrales Leitmotiv in Scheebens Theologie[61]. Und in dieser Teilnahme am Leben Gottes ereignet sich eine Vergöttlichung/θέωσις der Kreatur in Form einer Zeugung von „Adoptivkindern" Gottes.

In den missiones erfolgt die Öffnung der immanenten Trinität zur ökonomischen. An den Sendungen kann auch das Schema von exitus und reditus abgelesen werden, insofern die missiones durch ihre Wirkungen zu ihrem Ursprung zurückführen. Und schließlich läßt sich hier der nexus mysteriorum aufzeigen, da die Sendungen die übrigen Heilsmysterien miteinander zu einem Mysterienkosmos verbinden[62]. Scheeben formuliert diese missiones ad extra bis in *Dogmatik II* einschließlich überwiegend lateinisch (wie er ausdrücklich in *Dogmatik III*, n. 834 hervorhebt), in *Dogmatik III* jedoch auch ausführlich griechisch.

Der „Vollbegriff der *sendenden Tätigkeit*"[63] liegt dann vor, wenn die gesandte Person „in die Kreatur *hineingegeben* wird und sich selbst *hineinbegibt*..."[64]. Dabei ist die Sendung im aktiven von der Sendung im passiven Sinn zu unterscheiden, denn „bloß *die* Hingabe, *mit der ein selbständiges Hingehen des Hingegebenen* verbunden ist, nennen wir Sendung im aktiven Sinne, und nur dasjenige Kommen eines Wesens, welches die Hingabe, die Urheberschaft eines andern einschließt, bezeichnen wir als Sendung im passiven Sinne bzw. als Auswirkung, Erfüllung der Sendung"[65]. Von hier aus sind zwei Arten von Sendung zu unterscheiden, die Scheeben folgendermaßen präzisiert: „Das *Hervortreten der gesandten göttlichen Person* nach außen im Sinne der *eigentlichen Sendung* kann zunächst in *doppelter Weise* stattfinden: entweder als *bloße Erscheinung* der göttlichen Person in einem von ihr reell verschiedenen *sinnlichen Bilde*, welches sowohl sie selbst wie ihre Gegenwart in der Kreatur veranschaulicht – *sichtbare* oder *äußere Sendung;* oder aber als *wirkliches Eingehen* der göttlichen Person *in eine vernünftige Kreatur*, mit welcher sie in eine so innige, reale und lebendige Verbindung tritt, daß sie

---

60 Ebd.

61 Hierzu Scheeben, Dogmatik III (vgl. oben Anm. 16), n. 136, 397, 600, 670, 674, 677, 698, 705, 814, 816, 996; Scheeben, Mysterien (vgl. oben Anm. 2), S. 172, 178, 545; Scheeben, Natur und Gnade (vgl. oben Anm. 15), S. 97; Katholik 63 (1883) I, S. 172 f.; Katholik 63 (1883) II, S. 568; Katholik 64 (1884) I, S. 40; Katholik 64 (1884) II, S. 469. Zum Problemfeld: Norbert Hoffmann, Natur und Gnade. Die Theologie der Gottesschau als vollendeter Vergöttlichung des Geistgeschöpfes bei M. J. Scheeben, Rom 1967, S. 9–22. Zur übernatürlichen Teilnahme besonders Scheeben, Dogmatik II (vgl. oben Anm. 12), n. 357, 366, 392, 500 f., 578, 585, 669, 672 und Scheeben, Dogmatik III (vgl. oben Anm. 16), n. 39 und 54

62 Zu diesen Sendungen Scheeben, Dogmatik II (vgl. oben Anm. 12), n. 1057

63 Scheeben, Mysterien (vgl. oben Anm. 2), S. 129

64 Ebd.

65 Ebd.

in derselben *wohnt,* sich ihr zu eigen gebend und sie für sich in spezieller Weise in Besitz nehmend – *unsichtbare* oder *innere* Sendung“[66].

Äußere und innere Sendung sind in der missio per excellentiam – und nur hier[67] –, nämlich in der Inkarnation des Logos miteinander verbunden, insofern nur dem Logos die unio hypostatica zukommt und er dabei nicht bloß als Symbol, sondern leibhaftig präsent ist[68]. Hingegen bildet die missio invisibilis an die Kreatur mit dieser keine hypostatische *„Einheit mit der Substanz* einer geschaffenen Natur“[69]; vielmehr erfolgt „hier die *gnädige hypostatische Gegenwart* der göttlichen Person *im Leben* der geschaffenen Natur, die ein inniges *Verhältnis wechselseitiger Angehörigkeit* zwischen der göttlichen Person und einer geschaffenen Person einschließt, weshalb diese letztere missio *secundum gratiam,* genauer secundum gratiam *gratum facientem,* genannt wird“[70].

Als *persönliches* Produkt muß die gesandte Person (in Unterscheidung zu einer bloßen Wirkung) substantiell anwesend sein. Sodann hat sie gemäß ihrem eigenen, spezifischen Charakter, also in Unterschiedenheit zu der sie sendenden Person, präsent zu sein, da andernfalls eine bloß appropriative Gegenwart vorläge[71]. Entscheidend jedoch bleibt ihre Vereinigung mit der begnadeten Kreatur – und letztlich geht es nur um dieses Wir. Daher muß „die Einkehr der göttlichen Person in die Seele *unter dem Gesichtspunkte einer lebendigen Vereinigung beider miteinander oder der innigsten Gegenwart der göttlichen Person im übernatürlichen Leben der Seele* aufgefaßt werden, vermöge deren die göttliche Person sich der Seele zu eigen gibt und zugleich diese für sich in Besitz nimmt...“[72]. Daraus ergibt sich dann eine „überaus innige“[73] Gemeinschaft, die als solche bereits in der Heiligen Schrift bezeugt wird.

In den Sendungen wird so die überströmende Fruchtbarkeit des göttlichen Lebens der Kreatur mitgeteilt. Dieses Leben erscheint dann in der „Seele als eine *Nachbildung, Fortsetzung und Ausbreitung derjenigen Lebensoffenbarung und Mitteilung, welche in Gott selbst im Sohne und Heiligen Geiste stattfindet*“[74]. Die innergöttliche Liebe (als amor mutuus), der Heilige Geist, ist, *„weil nachgebildet, auch fortgesetzt*“[75], im Begnadeten ausgegossen[76]. Ebenso verhält es sich mit der ersten Produktion: Durch „eine *Nachbil-*

---

66 Scheeben, Dogmatik II (vgl. oben Anm. 12), n. 1060; entsprechend Scheeben, Mysterien (vgl. oben Anm. 2), S. 129f.

67 Cf. Scheeben, Dogmatik II (vgl. oben Anm. 12), n. 1062

68 So Scheeben, Dogmatik II (vgl. oben Anm. 12), n. 1061

69 Scheeben, Dogmatik II (vgl. oben Anm. 12), n. 1062

70 Ebd.

71 So Scheeben, Dogmatik II (vgl. oben Anm. 12), n. 1066

72 Scheeben, Dogmatik II (vgl. oben Anm. 12), n. 1067

73 Ebd.

74 Scheeben, Dogmatik II (vgl. oben Anm. 12), n. 1069

75 Scheeben, Mysterien (vgl. oben Anm. 2), S. 132; cf. die Anfragen von Hoffmann, Natur und Gnade (vgl. oben Anm. 61), S. 246, Anm. 100

76 „... eben dadurch, daß der Heilige Geist, der Strom der göttlichen Liebe, in unsere Seele hineingegeben, in sie hineingelenkt wird, kommt der Ausfluß derselben, der ‚habitus‘ und der ‚actus‘ der ‚caritas‘ in unser Herz ...“: Scheeben, Mysterien (vgl. oben Anm. 2), S. 132

dung und Ausbreitung"[77] der ersten Produktion wird die imago schlechthin, der Logos, in der Kreatur wiedergeboren. Durch den Logos erhält sie „das Siegel ihrer Gottebenbildlichkeit, durch dessen Eindruck die Kreatur ihm selbst gleichförmig wird, durch dessen Gemeinschaft sie die Würde und die Herrlichkeit der Kinder Gottes empfängt"[78].

Somit realisiert sich die Präsenz der gesandten Personen „durch ein so lebendiges, so vollkommenes Bild, daß es unendlich über das bloße Symbol erhaben ist"[79]. Diese Personen sind „wirklich mit ihrer Substanz und Persönlichkeit"[80] anwesend, und zwar derart, wie das Siegel in seinem Abdruck präsent ist. Und Scheeben merkt dazu an, daß dieses Bild *allein* schon genüge, um in der Gnadenmitteilung auch schon eine missio der trinitarischen Personen sehen zu können. Allerdings fänden sich in der Heiligen Schrift und in der Tradition Hinweise auf eine andere Art der Sendung, welche mit dieser ersten eine organische Einheit bilde[81]. Gott ist wie ein Siegel anwesend[82]; hierin ist die erste Art der Sendung gegeben.

Sind nun die göttlichen Personen derart in der gratia gratum faciens als Siegel gegenwärtig, so schaffen sie dort einen habitus, der zur Aufnahme von Logos und Pneuma – als einer ungeschaffenen Gabe – disponiert[83]. In der zweiten Art der Sendung erfolgt „ein reales, substantiales und hypostatisches Eintreten des Sohnes und des Heiligen Geistes"[84] in die Seele des Begnadeten. Gott gibt sich hier *seiner Substanz nach* der Kreatur „zum lebendigen Besitze und Genusse"[85]. In Folge davon werden auch die anwesenden trinitarischen Personen „zum Gegenstand der genußreichen Erkenntnis und Liebe gemacht"[86] und sind in der Seele präsent als ein „habitum et possessum"[87]. In den *Mysterien*[88] weist Scheeben eigens darauf hin, daß diese zweite Art besonders von den Scholastikern gemeint sei, wenn sie vom Heiligen Geist als der arrha der übernatürlichen Erbschaft sprechen.

Gott ist so als *dreieiniger* anwesend, denn da er „durch die Gnade überhaupt in sei-

---

77 Ebd.
78 Ebd.
79 Scheeben, Mysterien (vgl. oben Anm. 2), S. 133
80 Ebd.
81 Ebd. Ein Vergleich zwischen der 1. Auflage der Mysterien (1865), S. 149, und der 2. Auflage (1951), S. 132 f., erhellt diese spezifische Erweiterung
82 Cf. Scheeben, Natur und Gnade (vgl. oben Anm. 15), S. 81 ff., S. 118; Scheeben, Mysterien (vgl. oben Anm. 2), S. 132, 172, 263, 517; Scheeben, Dogmatik II (vgl. oben Anm. 12), n. 498; Scheeben, Dogmatik III (vgl. oben Anm. 16), n. 783, 785 f., 876. In Scheeben, Dogmatik II (vgl. oben Anm. 12), n. 366 ist die Struktur platonischen Partizipationsdenkens signifikant
83 Scheeben, Dogmatik II (vgl. oben Anm. 12), n. 1071; cf. die Überschrift zu Scheeben, Mysterien (vgl. oben Anm. 2), § 29. Als Kommentar hierzu Heribert Schauf, Die Einwohnung des Heiligen Geistes, Freiburg 1941, S. 156–159; Hoffmann, Natur und Gnade (vgl. oben Anm. 61), S. 248–252
84 Scheeben, Mysterien (vgl. oben Anm. 2), S. 136
85 Scheeben, Dogmatik II (vgl. oben Anm. 12), n. 1071
86 Ebd.
87 Scheeben, Dogmatik II (vgl. oben Anm. 12), n. 1072
88 Scheeben, Mysterien (vgl. oben Anm. 2), S. 135

nem ganzen Wesen Gegenstand unseres Besitzes und Genusses wird, so kommen offenbar alle drei Personen zu uns und geben sich uns hin, insofern sie Eins sind mit dem Wesen und im Wesen unter sich. Aber es können doch immer die einzelnen Personen, auch insofern sie voneinander verschieden sind und namentlich insofern eine von der andern ausgeht, sich uns zum Besitze und Genusse darbieten, so zwar, daß die ausgehende von der produzierenden uns zum Besitze und Genusse dargeboten wird, aber eben darum auch in sich ihren Urheber uns zum Besitze und Genusse darstellt"[89]. Diese *konkrete* Realität macht das Spezifikum bei der inhabitatio aus, wobei sich im begnadeten Geschöpf die innertrinitarische τάξις abbildet. Diese zweite Art der Sendung ist als Präsenz einer Person *selbst* und als lebendige Vereinigung mehr als ein bloßes Siegel. In ihrem wirklichen Innewerden als einer *substantiellen* Verbindung mit der Kreatur bewirkt sie ein göttliches Lebendigsein[90]. Und eben das meint Vollendung der Sendung als habitum. Die erste Art legt diesen habitus zugrunde, die zweite Art der Sendung vollendet ihn durch eine hypostatische Gegenwart[91]. Das wiederum bedeutet: in Unterscheidung zur imago trinitatis, in welcher die trinitarischen Prozesse nur formal abgebildet werden, prägen sie sich in den Sendungen *realiter* ein[92]. Diese Sendungen stellen eine Dynamik, ein organisches System von Egreß und Regreß dar; ihre Begnadung führt das Geschöpf zur fruitio trinitatis.

Die lateinische Sicht der Sendung ist „mehr *dynamisch* und *moralisch*", die der griechischen Väter „mehr *organisch* und *physisch*"[93]; ihre Unterschiedenheit/Unterscheidbarkeit gründet in einem je spezifischen Verständnis der immanenten Trinität[94]. Diese griechische Perspektive stellt insofern eine Vertiefung dar, als es sich um eine *ontologische* Qualifikation handelt, wohingegen man die lateinische Sicht, welche das principium exemplare betont, eine *ontische* nennen kann[95]. Diakritisches Moment bildet bei den Lateinern die gratia creata, die ein innigstes Freundschaftsverhältnis zwischen Gott und seinen Adoptivkindern stiftet[96]. Für die Lateiner genügt also die gratia creata zur Konstituierung der Gotteskindschaft[97]; jedoch wird eine Vertiefung, eine höhere Würde möglich durch die Einwohnung des Heiligen Geistes selbst, welches Moment die nachtridentinischen Theologen Lessius, Petavius und Thomassin herausgestellt haben[98]. In der griechischen Akzentuierung von Sendung[99] ereignet sich in der Sen-

89 Scheeben, Mysterien (vgl. oben Anm. 2), S. 137

90 Cf. Scheeben, Mysterien (vgl. oben Anm. 2), S. 150

91 Cf. Scheeben, Mysterien (vgl. oben Anm. 2), S. 148

92 Scheeben, Mysterien (vgl. oben Anm. 2), S. 130

93 So Scheeben, Dogmatik III (vgl. oben Anm. 16), n. 833

94 Dazu Karl Eschweiler, Die zwei Wege der neueren Theologie. Georg Hermes – Matth. Joseph Scheeben. Eine kritische Untersuchung des Problems der theologischen Erkenntnis, Augsburg 1926

95 Dazu das Resümee der lateinischen Sicht in Scheeben, Dogmatik III (vgl. oben Anm. 16), n. 833–840

96 Scheeben, Dogmatik III (vgl. oben Anm. 16), n. 835

97 Scheeben, Dogmatik III (vgl. oben Anm. 16), n. 837f.: Hintergrund ist hier das Tridentinum

98 So Scheeben, Dogmatik III (vgl. oben Anm. 16), n. 839f; zur „École Française": Bode, Gemeinschaft (vgl. oben Anm. 3), S. 24–26

99 Dazu Schauf, Einwohnung (vgl. oben Anm. 83), S. 159–163

dung und der Einwohnung des Heiligen Geistes eine *substantielle* Teilhabe und Gemeinschaft mit dem göttlichen Leben, und zwar analog derjenigen Gemeinschaft, die der natürliche Sohn, der Logos, mit der göttlichen Dreieinigkeit hat. Wie bei dessen Sohnschaft, kann auch bei der substantiellen Mitteilung Gottes in der Begnadung von einer „Zeugung“[100] gesprochen werden. Diese griechische Perspektive der Sendung „betrachtet die Einwohnung des Heiligen Geistes geradezu als das wichtigste *konstitutive Moment der Kindschaft* Gottes in dem Sinne, daß darin eine *Teilnahme an der Substanz der göttlichen Natur, eine substanzielle Gemeinschaft und Einheit* resp. *Zusammenhang mit Gott* enthalten ist, wor*in* der Geist Gottes seiner Substanz nach in gewissem Sinne eine forma informans animam und eine forma constituens esse divinum erscheint und wo*durch* in den Adoptivkindern Gottes die Gemeinschaft der Würde und des Lebens mit Gott in analoger Weise begründet wird wie im natürlichen Sohne Gottes“[101].

Der Heilige Geist wohnt in der Seele „als in *seinem*, ihm auf *eine besondere Weise eigenen Tempel*, obgleich er diesen Tempel nicht nur wegen der Einheit der Substanz, sondern auch wegen seiner persönlichen Relation zu den andern Personen nicht ohne sie, vielmehr nur für sie in Besitz nehmen kann“[102]. Damit aber erfährt das spekulative Problem der inhabitatio eine wesentliche Präzisierung: Wie ist eine eigentümliche, *reale* Beziehung zwischen einer göttlichen Person und einer kreatürlichen Person möglich[103]? In einer derartigen Einwohnung erweist sich der Heilige Geist nicht nur als causa efficiens und exemplaris (im Kontext eines Urbild-Abbild-Schemas) der Adoptivkindschaft, sondern er ist hier auch „in gewissem Sinne die ‚causa formalis‘“[104]. Diese „causa formalis“ wird denjenigen göttlichen Personen zugesprochen, welche die Gotteskindschaft mitbegründen.

Nun aber ist die Präsenz des Heiligen Geistes eine hypostatische „insofern, als eben der Heilige Geist im Unterschiede von den übrigen Personen in ein besonderes, *seiner Person eigentümliches Verhältnis* tritt resp. in dem Verhältnisse Gottes zur begnadigten Kreatur eine besondere Stellung einnimmt. Aber sie ist darum nichts weniger als eine *hypostatische Einheit* oder eine Vereinigung der Kreatur mit dem Heiligen Geiste zu einer Person. Eine solche ist vor allem dadurch ausgeschlossen, daß der Heilige Geist der *als bereits persönlich vorausgesetzten Kreatur* durch Schenkung so angeeignet wird, wie er durch Ursprung *dem Vater* und *dem Sohne* als von ihm verschiedenen Personen eigen ist“[105].

Die Einwohnung bleibt zwar ein proprium des Heiligen Geistes, ist andererseits jedoch nicht so exklusiv wie die hypostatische Union des Sohnes. Eine absolute Ausschließlichkeit bei dieser inhabitatio aber ist dem Pneuma abzusprechen, insofern diese Einwohnung nicht abstrakt in sich stehen bleibt, sondern konkret mit dem

---

[100] Scheeben, Dogmatik III (vgl. oben Anm. 16), n. 841 und n. 844–846
[101] Scheeben, Dogmatik III (vgl. oben Anm. 16), n. 841
[102] Scheeben, Mysterien (vgl. oben Anm. 2), S. 142
[103] Cf. Schauf, Einwohnung (vgl. oben Anm. 83), S. 165
[104] Scheeben, Mysterien (vgl. oben Anm. 2), S. 143
[105] Scheeben, Dogmatik III (vgl. oben Anm. 16), n. 859

Sohn und dem Vater verbindet. Daher kann mit Heribert Schauf hier von einer „unio propria“[106] zwischen Begnadetem und Heiligem Geist gesprochen werden, vielleicht am besten zu übersetzen als „eigentümliche“ Einwohnung[107].

In der Kontroverse mit Theodor Granderath SJ in der „Zeitschrift für katholische Theologie“ (Innsbruck) über die Formalursache der Gotteskindschaft wird deutlich, welche Schwierigkeiten selbst seine Zeitgenossen mit Scheebens Lehre von der inhabitatio propria hatten[108]. Gegen Granderath, dem er eine „Herrschaft der Denkformel“[109] vorwirft, da er die gratia creata als *einzige* Form der Zeugung zu Adoptivkindern ansehe, unterstreicht Scheeben das *höhere* Standessein[110], das durch den Heiligen Geist eingestiftet wird[111]. Bei einer derartigen Präsenz stellt die inhabitatio propria die Idealgestalt dar.

Scheeben präzisiert das folgendermaßen: „Auf diese Weise unterscheide ich bez. der Konstitution unserer *wahren tatsächlichen Gotteskindschaft* einen *elementaren* und einen *idealvollen Begriff* derselben als zwei Begriffe, welche weder einander ausschlössen noch disparat nebeneinander lägen, sondern in organischer Einheit denselben Gegenstand mehr oder minder adäquat repräsentierten“[112]. Derart bildet die inhabitatio propria die Formalursache unserer Gotteskindschaft[113]. Als causa formalis nämlich bewirkt der Heilige Geist eine Quasiinformation, die ein neues Sein im Begnadeten begründet[114]. Durch diese quasiformale Einwohnung wird eine „*Wesens*gemeinschaft“[115] mit der göttlichen Natur hergestellt. Das „consortium ‚naturae‘ divinae im Sinne der Heiligen Schrift ist … identisch mit der communio ‚Spiritus‘ divini; die letztere aber liegt einfach darin, daß *Gott seinen Geist zu unserm Geist macht,* d. h. den Geist, der er selbst ist, resp. der wahrhaft in ihm ist und von ihm ausgeht, uns als Prinzip unseres göttlichen Seins und Lebens eingießt“[116].

In bezug auf den Begriff der „Sohnschaft“ bei der Begnadung wirft Scheeben Granderath sogar „abstraktes“ Denken vor. Granderath hätte nämlich leicht einsehen können, „daß man das göttliche Sein der Kinder Gottes nicht nach dem abstrakten Unterschied von Natur und Person, sondern nach der konkreten Gestalt, welche das göttliche Sein in einem geschöpflichen Subjekt annehmen muß, zu bemessen und *dar-*

---

106 Schauf, Einwohnung (vgl. oben Anm. 83), S. 173, Anm. 56

107 So Leo Karrer, Die historisch-positive Methode des Theologen Dionysius Petavius, München 1970, S. 124

108 Die Texte sind abgedruckt in Scheeben, Aufsätze (vgl. oben Anm. 6), S. 169–302. Hiernach richtet sich die Zitation

109 Scheeben, Aufsätze (vgl. oben Anm. 6), S. 273

110 Cf. Scheeben, Aufsätze (vgl. oben Anm. 6), S. 277: ‚relative Teilhabe und Inexistenz‘

111 Cf. auch Scheeben, Dogmatik III (vgl. oben Anm. 16), § 168!

112 Scheeben, Aufsätze (vgl. oben Anm. 6), S. 273; S. 274: Begründung mit Hinweis auf den Grundgedanken der griechischen Väter

113 So Scheeben, Aufsätze (vgl. oben Anm. 6), S. 278; ausführlich dazu Schauf, Einwohnung (vgl. oben Anm. 83), S. 179–184

114 Dazu Scheeben, Aufsätze (vgl. oben Anm. 6), S. 279

115 Scheeben, Aufsätze (vgl. oben Anm. 6), S. 256; cf. auch Scheeben, Dogmatik VI (vg. oben Anm. 16), n. 27f.: Der Heilige Geist als Gnadenprinzip

116 Scheeben, Aufsätze (vgl. oben Anm. 6), S. 256; cf. Gasper, op. cit.

nach zu bestimmen hat, inwieweit hier auch das Verhältnis von Person und Natur anwendbar sei"[117]. Solcher Affront gegen „abstraktes" Denken zeigt wiederum deutlich, daß Scheebens Theologie stets ihren Ausgang von den Daten der Offenbarung und der *konkreten* Heilswirklichkeit nimmt; das Wahre ist auch hier wieder das konkrete Ganze.

Es kann also als gesichert angesehen werden, daß er eine inhabitatio propria des Heiligen Geistes wie auch eine relatio realis zwischen dem begnadeten Adoptivkind und den einzelnen göttlichen Personen vertreten hat. Das gelang ihm durch die Integration der griechischen Perspektive der missiones[118]. Als principium exemplare ist die Einwohnung zwar auch in der lateinischen Auffassung mitgegeben, insofern hier ebenfalls alle Personen anwesend sind. Jedoch hat ihr gegenüber die griechische Sicht eine wesentlich tiefere Dimension, als sie nämlich von einer Inexistenz – als einer relatio realis – der göttlichen Personen im Begnadeten ausgeht. So gelangt sie *a radice* zum Leben des trinitarischen Gottes, welche Verbindung in der lateinischen Sicht erst *a posteriori* miteinbezogen werden muß[119].

In dieser Auseinandersetzung mit Granderath wird sehr deutlich, daß Scheeben sich trotz neuscholastischer Nomenklatur (auch hier) nicht als Neuscholastiker vereinnahmen läßt, sondern – gegen den Haupttrend seiner Zeit – ein Selbstdenker ist. Das bestätigen auch seine Differenzen zu Joseph Kleutgen, einem der Hauptvertreter damaliger Neuscholastik[120]. Das „juristische Denken"[121] in Kleutgens Hegelkritik zeigt sehr deutlich diese Unterschiede zu Scheebens organisch-integraler Theologie[122]. Denn an „einem überlieferten Gesetzestext, der hier aus den Entscheidungen des kirchlichen Lehramtes besteht, wird ein gegenwärtiges Faktum – hier eine bestimmte (meist einzelne und vom Kontext gelöste) Aussage – gemessen... Dabei ist es nun interessant, daß sich Kleutgen gerade bei dieser letztlich theologisch entscheidenden Aufdeckung des Hegelschen Pantheismus einerseits auf Stahls Rechtsphilosophie und andererseits auf Staudenmaiers Hegelbuch beruft. Diese Wurzel der Hegelkritik samt einer umfangreichen philosophie- und theologiegeschichtlichen Beispielsammlung waren Kleutgen vorgegeben. Seine eigene Zutat ist die Einschränkung der historischen Verifikation auf die Häretiker aus der Zeit des Hochmittelalters und auf Malebranche. Und ebenso muß man es als eine Zutat Kleutgens, die zugleich eine spezifische Vergröberung bedeutet, ansehen, daß Kleutgen seine Vorwürfe gegenüber Hegels *Methode* vom Boden einer spätrationalistisch-cartesianischen Schulphilosophie aus erhebt"[123].

---

117 Scheeben, Aufsätze (vgl. oben Anm. 6), S. 257

118 Cf. Scheeben, Aufsätze (vgl. oben Anm. 6), S. 269

119 Dazu Schauf, Einwohnung (vgl. oben Anm. 83), S. 178 f

120 Cf. Bode, Gemeinschaft (vgl. oben Anm. 3), S. 14 und S. 17–21, sowie Minz, Trinitätstheologie (vgl. oben Anm. 3), S. 158 und S. 202

121 So Bernhard Casper, Bemerkungen zu der Hegelinterpretation Joseph Kleutgens, in: Philosophisches Jahrbuch 80 (1973), S. 160–166, hier: S. 163

122 Eine Synopse der Trinitätstheologie in Scheebens Mysterien (vgl. oben Anm. 2) und in Joseph Kleutgen, Die Theologie der Vorzeit, I. Band, Münster [2]1867, S. 237–451 (Von der heiligsten Dreifaltigkeit) belegt das in detaillierter Weise

Anders als bei Kleutgens apologetisch bestimmter Theologie geht es bei Scheeben um den positiven Aufweis, daß die Lebensfülle der Trinität den Menschen zur Gotteskindschaft beruft. In dieser Gotteskindschaft liegt ein Zentrum seiner Theologie. Die Begnadeten partizipieren an der Natur Gottes selbst[124]; die Menschen werden in die Zirkulation des trinitarischen Lebens miteinbezogen. In seiner trinitarischen Christologie faßt Scheeben dieses Heilsmysterium so zusammen:

Eine „wahre und volle Gemeinschaft des Lebens, eine Gemeinschaft, wodurch der Mensch in die Zirkulation des göttlichen Lebens hineingezogen würde, um dasselbe im Sohne und durch den Sohn aus dem Vater zu schöpfen und im Sohn und durch den Sohn auch den persönlichen Geist des Sohnes als seinen Geist in sich aufzunehmen – eine solche Gemeinschaft bewirkt nur die Inkarnation. Wie sie den Menschen in Christus auf den Thron Gottes, in die Gemeinschaft der Würde mit den göttlichen Personen setzt, ihn in die trinitarischen Verhältnisse einführt: so versetzt sie ihn auch in den Schoß und das Herz Gottes, um in der realsten und innigsten Vereinigung mit den göttlichen Personen, als zu ihrem Verbande gehörig, deren eigenes Leben mit ihnen zu genießen“[125]. Die menschliche Natur wird verklärt, die Menschen werden vergöttlicht. Scheeben unterstreicht das mit einem Diktum des Augustinus: „Factus est Deus homo, ut homo fieret Deus“[126]. Unter Berufung auf Kirchenväter stellt er diese ϑέωσις in das Zentrum seiner Inkarnationstheologie. Die Quintessenz der Väteraussagen sieht er darin, „daß sie sagen, *der Sohn Gottes sei Menschensohn geworden, um die Menschenkinder zu Kindern Gottes zu machen* ...“[127].

Hier schließt sich der Bogen zum Anfang zurück: Die Lebensfülle des dreieinen Gottes teilt sich mit, um den Menschen in das göttliche Leben einzubeziehen. In diesem ewigen Urgespräch besteht sein Heil.

Im Blick auf das Ganze von Scheebens Trinitätstheologie zeigt sich, daß die Vielzahl der Etappen und Bausteine, und das auch in ihren Spannungsbögen, sich zu einem einzigen, großen und lebendigen Mosaik zusammenfügt, vergleichbar mit der himmelstrebenden Architektonik eines Domes. Exegetische, patristische, scholastische und philosophische Materialien werden hier zu einer neuen, eigenen Schönheit und Dynamik integriert und miteinander verwoben. Von daher versteht sich diese Theologie auch zutiefst als Ästhetik: Theologie der Herrlichkeit und der Verherrlichung.

3. Die Aktualität dieser Trinitätstheologie

Aus den wenigen Lineaturen, die hier gezeichnet wurden, läßt sich absehen, welche große Bedeutung Scheeben auch für die heutige Dogmatik hat. So steht hier eine

123 Casper, Kleutgen (vgl. oben Anm. 121), S. 163 f.; dazu auch Minz, Trinitätstheologie (vgl. oben Anm. 3), S. 76
124 Cf. Scheeben, Dogmatik III (vgl. oben Anm. 16), n. 863
125 Scheeben, Mysterien (vgl. oben Anm. 2), S. 327
126 Scheeben, Mysterien (vgl. oben Anm. 2), S. 314, Anm. 6
127 Scheeben, Mysterien (vgl. oben Anm. 2), S. 315

Theologie, die souverän imstande ist, eine überzeugende Antwort auf die lange Zeit zu beobachtende „antitrinitarische Ängstlichkeit“[128] zu geben. Karl Rahner weist noch im Jahre 1967 nachdrücklich auf solche Isolation der Trinitätslehre hin; denn „wenn dieser Traktat in der Dogmatik einmal abgehandelt ist, kommt er später dann auch nicht mehr vor. Man sieht seine Funktion im Ganzen der Dogmatik nur undeutlich. Dieses Geheimnis scheint nur um seiner selbst willen mitgeteilt zu sein. Es bleibt, auch nach seiner Mitteilung, als Wirklichkeit in sich selbst verschlossen. Es ergehen über es nur satzhafte Mitteilungen, es selbst als Wirklichkeit hat eigentlich nichts oder fast nichts mit uns selber zu tun“[129]. Bereits hundert Jahre vorher hat Scheeben die hier beklagte Ausklammerung der Trinitätstheologie überwunden, indem er Spiritualität, Frömmigkeit und seine gesamte wissenschaftliche Theologie vom Trinitätsmysterium her durchformt sowie den gesamten Lebensvollzug in die Zirkulation des göttlichen Lebens einfügt[130].

Auch der (Religions-) Philosophie[131] vermag diese integrale Trinitätstheologie mit ihrer Vermittlungstriadik wertvolle Impulse und Inhalte zu zeigen. Das in der „Bibliotheca Trinitariorum“[132] vom Herausgeber aufgezeigte Programm einer universalen trinitarischen Metaphysik ist ein Beispiel solcher aktuellen Relevanz Scheebens. Es geht hier darum, den Blick auf eine originäre Triadik zu eröffnen, wozu die „Bibliotheca Trinitariorum“ „wissenschaftsorganisatorisch notwendige Vorarbeiten für eine Tendenzwende im Sinne der Platonischen ‚periagōgḗ‘ “[133] vorlegt. Wird die triadisch-trinitarische Denkweise als „ein Menschheitsproblem allerersten Ranges“[134] interpretiert, hat das erhebliche Relevanz für die heutige Christenheit. Sie kann nämlich durch ihr proprium neue, universale Bedeutung erhalten, wenn sie davon ausgeht, „daß – in unterschiedlichem Maße freilich – in *jedem* Kulturraum und vor allem in der Geistseele eines *jeden* Menschen die ‚imago Trinitatis‘ aufgespürt werden kann“[135]. Unter dieser aktuellen philosophischen Programmatik ist auch die Theologie Scheebens zu lesen. Darüber hinaus liegt in dieser Trinitätstheologie mit ihrem organischen

---

[128] So Karl Rahner, Der dreifaltige Gott als transzendenter Urgrund der Heilsgeschichte, in: Mysterium Salutis II, S. 318–401, hier: S. 321, auch S. 319–323; zu diesem Entwurf die Fragen von Werner Löser, Trinitätstheologie heute. Ansätze und Entwürfe, in: Wilhelm Breuning (Hrsg.), Trinität. Aktuelle Perspektiven der Theologie, Freiburg 1984, S. 19–45, hier: S. 24–30

[129] Rahner, Gott (vgl. oben Anm. 128), S. 322. Im trinitarisch konzipierten „Katholischen Erwachsenen-Katechismus“ (Das Glaubensbekenntnis der Kirche, hrsg. von der Deutschen Bischofskonferenz, Kevelaer u. a. 1985) sind diese von Rahner angemeldeten Desiderate inzwischen weitgehend eingelöst

[130] Cf. Anm. 127

[131] Zur Bestimmung ihrer Bandbreite: Richard Schaeffler, Religionsphilosophie, Freiburg/München 1983

[132] Bibliotheca Trinitariorum. Internationale Bibliographie trinitarischer Literatur. Hrsg. von Erwin Schadel unter Mitarbeit von Dieter Brünn und Peter Müller. Band I: Autoren-Verzeichnis, München 1984, Einführung (dt.): S. VII–XXII. Op. cit. S. 479: Scheeben

[133] Schadel, Bibliotheca (vgl. oben Anm. 132), S. XVI

[134] Schadel, Bibliotheca (vgl. oben Anm. 132), S. XVII

[135] Schadel, Bibliotheca (vgl. oben Anm. 132), S. XVIII

Mysterienkosmos eine überzeugende Antwort auf die holistischen Systemkonstrukte der Gegenwart vor, wie sie sich etwa im Denken der sogenannten New-Age-Bewegung artikulieren[136].

Nach wie vor stellt diese Theologie auch eine geniale Antwort auf die Philosophie Hegels und seiner Epigonen dar. Die Zuordnung von Teil und Ganzem erfolgt bei Scheeben ebenso wie bei Hegel, denn der Begriff des Ganzen oder der Totalität ist bei beiden eine Kategorie höherer Art. Er fungiert „faktisch als Kategorie der Kategorien, als das Integral ihrer abstrakten Partikularität."[137]. Für Scheeben *ist* die sich verströmende Fruchtbarkeit des dreieinen göttlichen Lebens diese übergeordnete Kategorie, und Trinitätstheologie manifestiert sich von daher als integrale Theologie.

Augustin Kerkvoorde hat bereits früh darauf hingewiesen, daß Scheeben „wie ein Hegel der katholischen Theologie"[138] in seiner Zeit gewirkt hat. Gerade die Trinitätslehre vermag diesen Vergleich zu bestätigen – freilich mit der qualitativen Einschränkung, daß es sich ausschließlich um eine formal-strukturale Verwandtschaft handelt, wie sie etwa auch zwischen Hegels Entwurf und der Trinitätstheologie von Karl Rahner besteht. Christliche Theologie muß Hegel material ablehnen, weil sie nicht an eine absolute „Identität der Identität und der Nichtidentität" glaubt, sondern positiv an der Andersheit der göttlichen Freiheit als ontologischer Differenz zwischen ens contingens und esse absolutum (mit allen Konsequenzen!) festhält. Es „sind alle Versuche, Teile aus Hegels System herauszunehmen, um mit ihrer Hilfe die christlichen Inhalte zu interpretieren oder verständlich zu machen, vom Hegelschen System-Gedanken her fragwürdig, weil sich ein adäquater Begriff des Absoluten nur vom Systemganzen her bilden läßt"[139]. Jedoch läßt sich die formal-strukturale Verwandtschaft zwischen Hegel und Scheeben an zentralen Punkten leicht aufzeigen. So entspricht die ontologische Triadik Natur-Gnade-Connubium der ontologischen Dialektik von Sein-Nichts-Werden bei Hegel. Dem nexus mysteriorum inter se (DS 3016) der organisch sich entfaltenden Heilsmysterien[140] korrespondiert bei Hegel im Rah-

---

136 Dazu Günther Schiwy, Der Geist des Neuen Zeitalters. New-Age-Spiritualität und Christentum, München 1987; Hans Gasper, „New Age" als Anfrage und Herausforderung für Glaube und Glaubensvermittlung, in: Erwachsenenbildung 33 (1987), S. 40–48

137 So Wolfhart Pannenberg, Die Bedeutung der Kategorien „Teil" und „Ganzes" für die Wissenschaftstheorie der Theologie, in: Theologie und Philosophie 53 (1978), S. 481–497, hier: S. 496 f.; op. cit. S. 493–497 die Argumentation zu Hegels „Wissenschaft der Logik", bes. S. 495, Anm. 3 die Anfrage von Leonardo Bruno Puntel bzgl. „Logik II", S. 157 ff. und „Enzyklopädie", § 142

138 Cf. Anm. 1

139 Peter Koslowski, Hegel – „der Philosoph der Trinität"? Zur Kontroverse um seine Trinitätslehre, in: Theologische Quartalschrift 162 (1982), S. 105–131, hier: S. 107. Dort Anm. 18: gegen Pannenbergs eklektische Hegel-Rezeption. Zum Problem auch die entsprechenden Hinweise von Kurt Flasch (in: Philosophisches Jahrbuch 73 [1966], S. 422–425) und von Leonardo Bruno Puntel (in: Zeitschrift für Katholische Theologie 89 [1967], S. 203–213) in ihren Besprechungen von Jörg Splett, Die Trinitätslehre G.W.F. Hegels, Freiburg/München 1965

140 Dazu sehr überzeugend Bode, Gemeinschaft (vgl. oben Anm. 3), S. 38–41: „Theologische Organo-Logik"

men seiner „Absoluten Methode“ die Universaldialektik des Werdens von Sein und Nichts als „ein *Kreis von Kreisen*; denn jedes einzelne Glied, als Beseeltes der Methode, ist die Reflexion-in-sich, die, indem sie in den Anfang zurückkehrt, zugleich der Anfang eines neuen Gliedes ist“[141].
Bei Scheeben nimmt die Fruchtbarkeit und Dynamik der Trinität als eine Bewegung in und zu sich (Schema Egreß-Regreß) alle Wirklichkeit in sich hinein. Als ein Werden zu sich[142] *ist* sie die Vermählung aller ihrer Momente, eben: das Konkrete ist das Wahre und Ganze. Ein Vergleich zwischen Hegel und dem von Scheeben oft zitierten *und* rezipierten Bonaventura kann den Grad dieser Verwandtschaft weiter erhellen. P. Grégoire hat in seinem Beitrag „Hegel et saint Bonaventure“[143] diese Affinität skizziert. Demnach besteht bei aller Gemeinsamkeit eine bleibende Differenz in den trinitarischen Systemen darin, daß Hegel das Nichts, Bonaventura aber das geoffenbarte göttliche Wort anredet, obgleich bei beiden die verwendete Begrifflichkeit weitgehend identisch ist und jeweils auch eingebunden bleibt in die integrale Struktur von Egreß und Regreß[144]. Aus diesem Vergleich kann in bezug auf Scheeben gefolgert werden, daß er – remotis removendis – tatsächlich als „Hegel der katholischen Theologie“ charakterisiert werden kann. Er denkt zwar stets „katabatisch“, Hegel hingegen von der unmittelbaren Unmittelbarkeit (wie er meint) des Anfangs aus. Beide haben aber das Prinzip im Rücken, sichtbar an ihrem universalen Kreisdenken wie auch am Willen zum System[145]. Die Verwandtschaft spiegelt sich auch im jeweiligen Denkstil wider: Der „Mühe des Begriffs“ bei Hegel entspricht bei Scheeben die schlingpflanzenartige Dichte und Vernetzung der einzelnen Elemente und Aussagen zu einer Gesamttheologie.

Mit seiner Theologie ist es Scheeben möglich, eine radikale Widerlegung der Hegelschen System-Konstrukte zu leisten. Dies geschieht indes nicht nach Art der neuscholastischen „Theologie der Vorzeit“, die mit ihrem juristischen Denken[146] versucht, Argument um Argument einzeln zu „widerlegen“, sondern mit einem souveränen Gesamtentwurf, der im Leben der göttlichen Dreieinigkeit seine dynamische Mitte hat. Scheeben ist hier Selbstdenker – gegen den Haupttrend der damaligen Theologie, darin vergleichbar mit Anton Günther und seiner Hegelkritik.

Die Anwendung von Methoden der Rezeptionsforschung[147] macht deutlich, daß

---

141 Georg Wilhelm Friedrich Hegel, Wissenschaft der Logik II, hrsg. von Georg Lasson, Hamburg ³1971, S. 504

142 Cf. Ute Guzzoni, Werden zu sich. Eine Untersuchung zu Hegels „Wissenschaft der Logik“, Freiburg/München ³1982

143 In: Études Franciscaines 12 (1904), S. 143–148

144 Cf. für einen solchen Vergleich in Schadel, Bibliotheca (vgl. oben Anm. 132), die unter den Nummern 490–496 (Bonaventura) und 1713–1718 (Hegel) aufgelisteten Titel

145 Cf. Eugen Paul, Denkweg und Denkform der Theologie von Matthias Joseph Scheeben, München 1970, S. 316 zu den Aporien im Werk Scheebens

146 Cf. Anmerkungen 121–123

147 Dazu grundlegend Hannelore Link, Rezeptionsforschung. Eine Einführung in Methoden und Probleme, Stuttgart/Berlin u. a. ²1980; dort S. 123–131 Anfragen in bezug auf die Hermeneutik

bisher in bezug auf die Wirkungsgeschichte die trinitätstheologischen Gedanken und Impulse Scheebens in der katholischen Dogmatik kaum Spuren hinterlassen haben. Obgleich eine detaillierte Untersuchung dieser Wirkungsgeschichte noch aussteht[148], läßt sich jedoch prognostizieren, daß mit dieser Trinitätstheologie zahlreiche dogmatische Fragen heute eine weiterführende Antwort finden können. Es seien nur die Probleme der Natur-Gnade-Zuordnung[149], der trinitarischen Dialogik[150], der Eucharistielehre[151] wie auch die auf Dogmatikertagungen behandelten Fragen[152] erwähnt. Scheeben hat auf diese Problemstellungen überzeugende Antworten gegeben und dadurch bereits wichtige Neuansätze vorweggenommen.

Daraus ist nun in einem Umkehrschluß auch zu folgern, daß der „Sinn" *heutiger* Scheebenlektüre nicht darin bestehen kann, das Werk Scheebens nach Art einer geschichtslos-abstrakten dicta-probantia-Exegese zur Garnierung einzelner Lehren oder Meinungen zu verwenden. Zeitgenossenschaft mit Scheeben verlangt – bei aller unaufhebbaren Mehrdimensionalität des Sinnverstehens[153] – eine relecture dahin, diese Theologie als eine Einheit, als ein Ganzes zu lesen. Die Trinitätstheologie als Konstruktionsprinzip macht paradigmatisch sichtbar: Sinn ereignet sich gnadenhaft als Mithineinnahme des Menschen in die Zirkulation des dreieinen göttlichen Lebens, in den Mysterienkosmos der Heilsökonomie. In solchem trinitarisch-dialogischen Kontext läßt sich die Ontologie des Zwischen als des Sinnes dann so formulieren: *„Das Zwischen ist der in Gegenseitigkeit von Freiheiten zugleich gesetzte wie empfangene Sinn, der einem jeden der Partner je ganz, aber je verschieden zukommt.* Er wird zwar von jedem ganz, aber nicht je allein erstellt – vgl. die scholastische Formel im Zusammenhang des ‚concursus divinus': *totalitate effectus, sed partialitate causae*"[154]! Sinn ist hier also nicht bloß Bedeutung, sondern vielmehr und vor allem Begegnung mit dem Du des dreieinen Gottes. Im καιρός dieses Zwischen besteht die Mitte und das Ziel der Trinitätsoffenbarung, koinzidieren Synchronie und Diachronie, epistemologisch-ontische Sinndeutung und trinitarisch-ontologische Sinnerfahrung.

---

148 Gerade die in der sehr gründlichen Darstellung von Paul, Denkweg (vgl. oben Anm. 145), S. 1–28 (=§ 1. Abriß der Scheebenforschung und Scheebenrezeption) aufgezeigten Desiderate unterstreichen die Notwendigkeit einer solchen Forschungsarbeit

149 Ein solcher Problemaufriß findet sich in Klaus Peter Fischer, Der Mensch als Geheimnis. Die Anthropologie Karl Rahners, Freiburg ^{2}1975, S. 235–268: Das Geheimnis des Menschen als „übernatürliches Existential"

150 Cf. dazu das Werk von Romano Guardini

151 Hierzu finden sich wertvolle Impulse bei Bode, Gemeinschaft (vgl. oben Anm. 3), S. 328–358: „C. Weiterführende Perspektiven: Scheeben als ‚Wegbereiter' heutiger Theologie"

152 Repräsentativ hierfür sind die in dem in Anm. 128 genannten Tagungsband „Trinität" publizierten Referate, z. B. der Beitrag von Leo Scheffczyk „Uneingelöste Traditionen der Trinitätslehre" (S. 47–72); dort auch zur inhabitatio propria in der Theologie des Rupert von Deutz (S. 60)

153 Cf. Rachel Salamander, Zeitliche Mehrdimensionalität als Grundbedingung des Sinnverstehens, Bern 1982, z. B. S. 351–365: Historisches Verstehen als Konstitution zeitlich mehrstelliger Realität sui generis

154 Johannes Heinrichs, Sinn und Intersubjektivität. Zur Vermittlung von transzendentalphilosophischem und dialogischem Denken in einer „transzendentalen Dialogik", in: Theologie und Philosophie 45 (1970), S. 161–191, Zitat: S. 176, Anm. 30

III. Ein Leib und ein Geist in Christus

Zur Gnadenlehre bei Matthias Joseph Scheeben

Von Hans Gasper

1. Ein Leib – Ein Geist in Christus

„Stärke uns durch den Leib und das Blut Deines Sohnes und erfülle uns mit seinem Heiligen Geist, damit wir ein Leib und ein Geist werden in Christus" (3. Eucharistisches Hochgebet). Dieser Satz könnte die hier vorgetragenen Überlegungen zur Theologie Scheebens verbinden, und er kann gleichzeitig als ein Leitgedanke für dessen Gesamtwerk angesehen werden.

Ausgangspunkt und Ziel der gesamten Theologie Scheebens ist die Offenbarung und Mitteilung der göttlichen Herrlichkeit. In der trinitarischen Lebensmitteilung und Selbstverherrlichung Gottes, gründend in der Fruchtbarkeit des göttlichen Lebens, ist deren Höhepunkt und zugleich Ideal verwirklicht, ein Ideal, das in der Sprache Scheebens zugleich eine „Wurzel" ist, denn der Mensch und mit ihm und in ihm die ganze Schöpfung sollen in das trinitarische Leben Gottes einbezogen werden[1]. Diese Weiterführung der trinitarischen Selbstmitteilung Gottes nach außen hat zwei aufeinander bezogene Ausprägungen, die Inkarnation des Sohnes und die Gnade bzw. Glorie, welche in besonderer Weise Werk des Heiligen Geistes ist. Beide Ausprägungen sind Weiterführungen der beiden innergöttlichen Produktionen, der Zeugung des Sohnes und der Hauchung des Geistes in ihrer Beziehung zueinander und zum Grund der trinitarischen Offenbarung und Selbstmitteilung, zu Gott dem Vater. Die *„Dreifaltigkeit und Dreieinigkeit der Personen"* in dieser Weise „als die *eigentliche Stamm- und Hauptwahrheit* der Theologie zu betrachten, an welche alle übrigen sich anschließen und um welche sie sich gruppieren"[2], liegt „auch in *dem apostolischen Symbolum* der ganzen darin enthaltenen Darstellung des Glaubensinhaltes zu Grunde ... Denn das ‚in Deum Patrem' bezeichnet Gott zwar zunächst bloß in seiner trinitarischen Fruchtbarkeit; es legt aber auch zugleich den Grund für die Ausdehnung der göttlichen Vaterschaft nach außen durch hypostatische Union und Gnade, deren letztes Endziel die Teilnahme der Kreatur am ewigen Leben Gottes ist (in vitam aeternam. Amen)[3]."

---

[1] Vgl. Karl-Heinz Minz, Pleroma Trinitatis. Die Trinitätstheologie bei Matthias Joseph Scheeben (= Disputationes theologicae, Bd. 10), Bern–Frankfurt a. M. 1982; ferner den obigen Beitrag: Der dreifaltige Gott: Urgrund unseres Heils, S. 244–263

[2] Matthias Joseph Scheeben, Handbuch der katholischen Dogmatik. Erstes Buch, Theologische Erkenntnislehre, hrsg. von Martin Grabmann (= Gesammelte Schriften III), Freiburg ³1959, n 961

[3] Dogmatik I, n 962

Ein-Leib-Sein in und mit Christus, welches Scheeben immer zugleich als Vermählung versteht, und mit und in Christus Ein-Geist-Sein, d.h. kraft des von ihm ausgehenden und mit ihm verbindenden Geistes, ist dann Mitte der Theologie insofern, als die in der trinitarischen Selbstmitteilung nach außen intendierte „Mitteilung der göttlichen Natur" (nach 2 Petr 1,4) hier ihren Höhepunkt und ihr vermittelndes Zentrum hat, „Knotenpunkt" und „Herz", wie es Scheeben nennt[4]. „In der Inkarnation bringt der Sohn Gottes den von ihm ausgehenden und durch den Ausgang ihm eigenen Heiligen Geist in seinen realen und mystischen Leib herab. Wie dieser Geist dem Sohne Gottes eigen ist, wird er jetzt auch dem Leibe desselben eigen... Als Leib Christi soll das Geschlecht von keinem andern Geiste leben als vom Geiste des Sohnes Gottes[5] ..."

Dieses Ein-Leib-Sein und Ein-Geist-Sein in Christus erfährt jedoch seine höchste Aktualität, wird förmlich Ereignis, in der Eucharistie, weshalb ihr Scheeben in den „Mysterien des Christentums" einen Platz zuweist unmittelbar im Anschluß an die Christologie und noch vor der Lehre über die Kirche und die übrigen Sakramente[6].

Folgende Äußerung zeigt die Verbindung des Ein-Leib- und Ein-Geist-Seins aufgrund der Inkarnation mit der durch die Eucharistie bewirkten Einheit. Sie steht im Zusammenhang der Überlegungen zu „Bedeutung und Motivierung der mystischen Existenzweise des Leibes Christi in der Eucharistie". Es müsse „auch der Leib Christi, um uns als Organ der Gottheit mit sich selbst und untereinander zu übernatürlicher Einheit zusammenzuführen, durch dieselbe Kraft der Gottheit, durch die er uns an sich fesselt, eine übernatürliche geistige Einheit besitzen, und zwar eine solche, die mit der größten Unteilbarkeit die größte Ausdehnung der Gegenwart verbindet. Und dennoch muß er zugleich seine leibliche, körperliche Substanz bewahren, weil er alle Menschen zu *einem* Leibe, nicht formell zu *einem* Geiste vereinigen soll. Zu einem Geiste vereinigt uns der in uns wohnende Geist Gottes, der auch der Geist Christi ist; weil aber der Geist Christi nur in seinem Leibe weht, deshalb müssen wir eben mit diesem Leibe eins werden, um in demselben die in ihm lebende und wirkende Kraft zu empfangen[7]."

In der Theologie Scheebens ist also die Verbindung mit und in Christus, das Ein-Leib-Sein mit ihm, vermittelt und getragen durch den Heiligen Geist, der dem Leib

4 Vgl. Dogmatik I, n 958

5 Matthias Joseph Scheeben, Die Mysterien des Christentums. Wesen, Bedeutung und Zusammenhang derselben nach der in ihrem übernatürlichen Charakter gegebenen Perspektive dargestellt. Ausgabe letzter Hand, hrsg. von Josef Höfer (= Gesammelte Schriften II), Freiburg ³1958, S. 326f.

6 Mysterien, S. 385: „Vom Mysterium der Menschwerdung gehen wir unmittelbar über zum Mysterium der Eucharistie. Wir tun das hauptsächlich deshalb, weil beide Mysterien durch einen wunderbaren Zusammenhang sich gegenseitig ergänzen, beleuchten und erklären, und hoffen dadurch, uns den Weg zu bahnen, die Kirche, die Sakramente, die Rechtfertigung und alle übrigen Mysterien, wie von ihrem Mittelpunkte aus, tiefer und gründlicher zu behandeln." – Vgl. dazu Franz-Josef Bode, Gemeinschaft mit dem lebendigen Gott. Die Lehre von der Eucharistie bei Matthias Joseph Scheeben (= Paderborner Theologische Studien, Bd. 16), Paderborn 1986, 66, 78, 316–319 u.ö.

7 Mysterien, S. 424. – Vgl. zum Ganzen auch Anm. 49

Christi innewohnt. Dieses Ein-Leib-Sein und Ein-Geist-Sein mit und in Christus ist der konkrete Ort der Gemeinschaft mit dem dreifaltigen Gott, und deshalb, wie man zugleich hinzufügen muß, der konkrete Ort der gesamten Gnadentheologie Scheebens.

Trinitätslehre, Christologie und Gnadenlehre sind also bei Scheeben nicht zufällig, akzidentell, zusammengehörende und aufeinander bezogene Inhalte und Gegenstände von Glauben und Theologie, sie gehören vielmehr von Grund auf zueinander, sind von Grund auf ineinander verbunden. Eine solche Verbindung von Gotteslehre, Christologie und Gnadenlehre, von „Theologie" und „Ökonomie", entspricht der zugleich trinitarisch wie soteriologisch orientierten Grundgestalt der beiden uns vertrauten Glaubensbekenntnisse, dem Apostolischen Glaubensbekenntnis und dem Credo der Messe. Wir finden diese Verknüpfung aber ebenso in dem uns selbstverständlichsten aller Gebete, dem Kreuzzeichen, in welchem wir das Bekenntnis zum dreifaltigen Gott mit dem Bekenntnis zum konkreten Weg, auf dem dieser sich uns geschenkt hat, verbinden[8].

2. Kind des Vaters, Braut des Sohnes, Tempel des Heiligen Geistes

Wo also Scheeben sich auf dem Boden der konkreten, durch Jesus Christus vermittelten Gnadenordnung bewegt, kann das Ein-Leib-, Ein-Geist-Sein als eine Christologie und Pneumatologie umspannende, die Selbstmitteilung des dreifaltigen Gottes an

---

[8] Folgende Gründe haben wohl in jüngster Zeit dazu geführt, die Darstellungen des Glaubens der Kirche an den Symbola zu orientieren:
1. Die trinitarische Struktur des Glaubens.
2. Die damit gegebene personale Konzentration.
3. „Hierarchie der Wahrheiten" (Ökumenismusdekret 11) und reductio in mysterium (i. e.: das Geheimnis Gottes).
4. Ekklesiale Bindung des Glaubens.
5. Einheit der Christen (dies gilt vor allem für das die Christen in Ost und West verbindende Bekenntnis von Nizäa und Konstantinopel).

Beispiele: Joseph Ratzinger, Einführung in das Christentum. Vorlesungen über das Apostolische Glaubensbekenntnis, München 1968; Theodor Schneider, Was wir glauben. Eine Auslegung des Apostolischen Glaubensbekenntnisses, Düsseldorf ^{2}1986 (beide Apostolicum); ferner vor allem: Katholischer Erwachsenenkatechismus. Das Glaubensbekenntnis der Kirche. Hrsg. von der Deutschen Bischofskonferenz 1985 (Bekenntnis Nizäa – Konstantinopel). Walter Kasper plant ebenfalls eine mehrbändige Auslegung des Bekenntnisses von Nizäa – Konstantinopel, von der der 1. Band bereits erschienen ist (vgl. Anm. 17).
Im Kreuzzeichen ist das Bekenntnis zum dreifaltigen Gott mit dem Zeichen des Kreuzes verbunden, welches das gesamte „mysterium paschale" repräsentiert. Das Kreuzzeichen ist Vergegenwärtigung der Taufe. „Wenn wir deshalb das Kreuzzeichen machen und dabei sprechen: ‚Im Namen des Vaters und des Sohnes und des Heiligen Geistes', dann fassen wir mit diesem *trinitarischen Bekenntnis* das Ganze unseres christlichen Glaubens zusammen...", in: Zentralkomitee der deutschen Katholiken, Dokumentation: Glaubensvermittlung heute. Ein Arbeitspapier der Kommission 8 „Pastorale Grundfragen", mit einer Einführung von Walter Kasper, Bonn-Bad Godesberg, d. 10. März 1982, S. 29

das Christusgeheimnis bindende und in der Eucharistie konkretisierende Summe des gesamten „nexus mysteriorum" angesehen werden[9]. Daneben gibt es andere solcher das Ganze umfassenden Summen-Formeln, die jedoch mit der genannten konvergieren oder sich gar decken.

Eine der am häufigsten verwandten ist die auf Alexander von Hales und Bonaventura zurückgehende triadische Formel, durch die Gnade werde „die Kreatur ... *filia* (adoptiva) Patris, *sponsa* Filii, *templum* oder sacrarium Spiritus Sancti"[10]. Wie sehr beide Formeln einander entsprechen, erhellt aus der Entsprechung von Vermählung und leiblicher Einheit, die Scheeben durchweg und nicht immer unproblematisch mit Blick auf die Adam-Christus- und Eva-Maria- bzw. Kirche-Parallele[11] entwickelt:

---

[9] In der Dogmatischen Konstitution „Dei Filius" des I. Vatikanischen Konzils ist die Rede von der intelligentia fructuosissima mysteriorum für die ratio „tum ex eorum, quae naturaliter cognoscit, analogia, tum e mysteriorum ipsorum nexu inter se et cum fine hominis ultimo"; (DS 3016).
Hermann Josef Pottmeyer hat auf den theologiegeschichtlichen Hintergrund dieser durch Bischof Gasser eingebrachten Vorstellung der Tübinger und Römischen Schule und auf die Nähe zu Scheeben hingewiesen, in: ders.: Der Glaube vor dem Anspruch der Wissenschaft. Die Konstitution über den katholischen Glauben „Dei Filius" des 1. Vatikanischen Konzils und die unveröffentlichten theologischen Voten der vorbereitenden Kommission (= Freiburger Theologische Studien, Heft 87), Freiburg 1968, S. 377–382

[10] Matthias Joseph Scheeben, Handbuch der katholischen Dogmatik. Drittes und Viertes Buch, Schöpfungslehre, Sündenlehre, hrsg. von Wilhelm Breuning und Franz Lakner (= Gesammelte Schriften V), Freiburg ^{3}1961, n 1001.
Nachdem Scheeben dort die Gnadenkindschaft der Stellung des Sohnes verglichen hat – „so erscheint auch die Aufnahme in dieselbe", i. e. die „freundschaftliche Verbindung mit den göttlichen Personen", „zunächst als eine Assoziation mit dem Sohne Gottes in seinem kindlichen Verhältnisse und wird daher das Geschöpf Adoptivkind des Vaters" –, schreibt er: „Am vollkommensten wird jedoch das Verhältnis der begnadigten Kreatur zu den einzelnen Personen der Trinität und damit überhaupt das Wesen und die Bedeutung der übernatürlichen Ordnung ausgedrückt durch die seit Alex. Hal[es] klassisch gewordene Formel ...", es folgt die dreigliedrige Formel. Bemerkenswert ist die zunächst logozentrische, damit latent christozentrische Fassung, die dann trinitarisch ausgeweitet wird. Vgl. ebd. n 695 f., wo entsprechende Texte Alexanders und Bonaventuras wiedergegeben sind. Im ersten Aufsatz der Kontroverse mit Theodor Granderath SJ spricht Scheeben von „der vom hl. Bonaventura vorgezeichneten Formel": Matthias Joseph Scheeben, Die Kontroverse über die Formalursache der Gotteskindschaft in den Gerechten und das Tridentinum, in: Der Katholik 63 (1883) I, S. 142–175, hier nach: ders., Gesammelte Aufsätze, hrsg. von Heribert Schauf (= Gesammelte Schriften VIII), Freiburg 1967, S. 181

[11] Zu Scheebens Anthropologie: Peter Lengsfeld, Adam und Christus. Die Adam-Christus-Typologie im Neuen Testament und ihre dogmatische Verwendung bei M. J. Scheeben und K. Barth (= Koinonia. Beiträge zur ökumenischen Spiritualität und Theologie, Bd. 9), Essen 1965; M. Valković, L'uomo, la donna e il matrimonio nella teologia di M.-J. Scheeben, Rom 1965; Klaus Leo Klein, Kreatürlichkeit als Gottebenbildlichkeit. Die Lehre von der Gottebenbildlichkeit des Menschen bei Matthias Joseph Scheeben, Bern – Frankfurt a. M. 1975. – Valković untersucht Anthropologie, Theologie der Frau und der Ehe auch in ihrem Charakter als „Bilder" des Übernatürlichen. Kleins Arbeit ist die umfassendste zur gesamten Anthropologie, deren Schwerpunkt in Dogmatik III liegt. – Problematisch bei Scheeben ist die Subordination des Mann-Frau-Verhältnisses unter das Seele-Leib-Modell, wodurch seine Androzentrik bestätigt und verstärkt wird

„Ebenso erscheint das Verhältnis der begnadigten Kreatur zu Gott als das der *Brautschaft,* deren Innigkeit und Wahrheit der Apostel 1 Kor 6,16–17 dadurch erklärt, daß, wie Mann und Weib *ein* Leib, so die Gott vermählte Kreatur *ein* Geist mit ihm werde (erunt duo in carne una; qui autem adhaeret Domino, unus spiritus est)[12]."

Oder an anderer Stelle: „So gipfelt zuletzt die ganze übernatürliche Weltordnung darin, daß Gott in und aus seiner Schöpfung sich seine Kirche als ein in seinem Sohne gründendes und vom Heiligen Geist erfülltes Heiligtum baut und sie mit seinem Sohne als dessen Leib und Braut verbindet, damit sie, wie der Apostel ... so schön sagt, die plenitudo (πλήρωμα) dessen sei, qui ... omnia in omnibus adimpletur[13]."

Der bei Scheeben immer wieder begegnende Ternar aus der Tradition der großen franziskanischen Theologen zeigt also, wie für ihn Bekenntnis zum dreifaltigen Gott und das Geschehen unserer Begnadung und Erlösung konkret zusammenfallen: Gott der Vater offenbart und erschließt sich durch Jesus Christus; durch die Gemeinschaft mit Christus, die eine bräutliche und zugleich in einem wahren Sinn eine leibliche ist[14] und im Heiligen Geist, dessen Tempel, d. h. dessen durch den Heiligen Geist erfülltes und belebtes Heiligtum die Kirche als ganze und jeder einzelne darin ist. Die Kirche, deren Typus und Urbild Maria ist, ist dazu bestimmt, die ganze Schöpfung einzubeziehen.

In besonders beeindruckender Form findet sich diese trinitarische Zusammenfassung von Gottes Heilswirken, d.h. der gesamten Soteriologie und Gnadenlehre, in einem der späten Texte Scheebens, woraus hier nur ein kleiner Abschnitt vorgetragen werden kann[15]. Scheeben setzt ein mit der Verbindung von Gnade Christi und dem Geschenk des Heiligen Geistes. „Als *Vermittler und Träger der von Christus ausgehenden Lebenskraft,* und zwar als wesen- und quellenhafter Vermittler und Träger dieser Lebenskraft, erscheint ... der von Gott Vater und von Christus selbst seiner Gottheit nach ausgehende *Heilige Geist* ... Je nachdem ... der Hl. Geist bald als Spiritus *Patris* –

12 Dogmatik III, n 662

13 Dogmatik III, n 1005. – Kurz zuvor schreibt Scheeben, daß „vermöge der innigsten Gemeinschaft mit Gott und in Gott ... in der übernatürlichen Ordnung eine höchst innige Gemeinschaft der geistigen Kreaturen *unter sich*" entstehe, die „ein Abbild der Einheit der göttlichen Personen ist ... und demgemäß ... ein geschlossenes organisches Ganzes darstellt. Diese Einheit des Volkes Gottes schildern die Apostel ... durch die Analogie eines *Hauses* resp. eines Tempels ..., dessen Grundstein der Sohn Gottes, dessen Kitt der Heilige Geist ist. Als ein *lebendiges* wird dieses Haus mit dem menschlichen *Leibe* verglichen, indem der Sohn Gottes als Haupt und der Heilige Geist als Seele desselben erscheinen. Dadurch wird es aber auch möglich, die ecclesia Dei und die communio sanctorum als *eine Braut* des Sohnes Gottes aufzufassen" (Dogmatik III, n 1004). – Man sieht hier gut, wie die einzelnen Kurzformeln – Ein Leib, Ein Geist, die des hl. Bonaventura und die gleich herangezogene des Ein-Geist-Sein nach 1 Kor 6,17 (Pendant hier: ein geschlossenes organisches Ganzes, dessen Seele der Heilige Geist) – ineinander spielen

14 Durch die Betonung des Bräutlichen kann eine Isolierung christologischer Ekklesiologie („fortlebender Christus") pneumatologisch ausgeglichen werden

15 Matthias Joseph Scheeben, Handbuch der katholischen Dogmatik. Sechstes Buch, Gnadenlehre, hrsg. von Heribert Schauf (= Gesammelte Schriften VIII), Freiburg [3]1957. – Dieser letzte von Scheeben besorgte Band der Dogmatik erschien September 1887, dreiviertel Jahr vor Scheebens Tod

adoptantis et generantis –, bald als Spiritus *Filii* – capitis et sponsi – dargestellt wird, erscheint er dort als Geist der väterlichen Liebe, die sich in ihm zu uns herabsenkt und uns als die Quelle unseres göttlichen Lebens innewohnt (Röm 5,5), hier als Geist der Liebe des Sohnes zum Vater, der uns eben in dieser Liebe dem Sohne gleichförmig macht (Gal 4,6). Der Name Spiritus *Christi* hingegen bezeichnet ihn zugleich unter beiden Rücksichten, nämlich als den Geist, der von Christus ausgeht, um uns zu beleben, und als den Geist, der uns mit Christus in dessen Liebe zum Vater gleichförmig macht[16]."

Das trinitarische Bekenntnis wird von Scheeben also heilsökonomisch konkretisiert und kann dann als Summe und Inbegriff des christlichen Glaubens gezeigt werden[17]. – Dies wird, so könnte man dem nachfolgenden Beitrag vorgreifend fortfahren, in einer ganz ausgezeichneten Weise Ereignis und Gegenwart in der Eucharistie, wie sie Scheeben mit der alten Kirche und mit dem Konzil versteht[18].

---

16 Dogmatik VI, n 27 f. – Der falsche Schriftbeleg Gal 4,4 ist in Gal 4,6 korrigiert (vgl. ebd. Anm. 19). – Der Abschnitt beginnt: „Als *Vermittler und Träger der von Christus ausgehenden Lebenskraft,* und zwar als wesen- und quellenhafter Vermittler und Träger dieser Lebenskraft, erscheint ... der von Gott Vater und von Christus selbst seiner Gottheit nach ausgehende *Heilige Geist*... Zwar übt der Hl. Geist seine Funktion als Prinzip des übernatürlichen Lebens nicht für seine Person allein aus, sondern in Gemeinschaft mit dem Vater und dem Sohne. Aber vermöge seiner Eigenschaft als Geist, d. h. Erguß (‚Gischt'), oder Odem der göttlichen *Liebe* repräsentiert er diese Liebe auch speziell insofern, als dieselbe sich auf die Kreaturen ausdehnt, um ihnen das göttliche Leben zu vermitteln; und als Geist des göttlichen *Lebens* repräsentiert er zugleich in sich die belebende und heiligende Kraft Gottes oder Gott selbst als ‚vita et lux', und das um so vollkommener, weil er eben damit auch als spiritus vivificans und vita illuminans ex Deo procedens ein Prinzip vorstellt, welches von Gott aus den Geschöpfen als ein ihnen innewohnendes und innerlich in ihnen wirkendes Prinzip des Lebens überhaupt, und insbesondere der Teilnahme am göttlichen Leben, zugeteilt und mitgeteilt werden kann ... ein lebendiger Odem, der uns eingehaucht wird und in analoger Weise für unsere Seele zum Prinzip göttlichen Lebens wird, wie die von Gott dem ersten Menschen eingehauchte Seele zum Prinzip des animalischen Lebens für dessen Leib wurde; namentlich aber als der Lebensgeist, der in den Gliedern Christi, von diesem als dem Haupte ausgehend und über jene sich verbreitend, innerlich wohnt, um sie an dem göttlichen Leben ihres Hauptes teilnehmen zu lassen." – Die Ausführungen Dogmatik VI, n 27 f. gehören zu den wichtigsten, Integration von Christologie und Pneumatologie betreffend. Sie sind – 1887 – gewissermaßen Scheebens letztes Wort zur Sache, nehmen doch aber zugleich alle Vorstufen im eigenen Werk mit und lassen sie durchscheinen

17 Vgl. Walter Kasper, Der Gott Jesu Christi (= Das Glaubensbekenntnis der Kirche, 1), Mainz 1982, S. 285: „Das Bekenntnis zum einen Gott in drei Personen gilt zu Recht als das Proprium und Specificum des christlichen Gottesglaubens ... *So ist das trinitarische Bekenntnis die Zusammenfassung und die Summe des Ganzen des christlichen Heilsmysteriums,* mit dem das Ganze der christlichen Heilswirklichkeit steht und fällt."

18 Vgl. etwa das 1. Kapitel der Kirchenkonstitution, deren trinitarischen Aufbau (LG 2: Vater – LG 3: Sohn – LG 4: Heiliger Geist) und damit trinitarische Grundlegung der Ekklesiologie: „So erscheint die ganze Kirche als ‚das von der Einheit des Vaters und des Sohnes und des Heiligen Geistes her geeinte Volk'" (LG 4)
Die trinitarische Konzeption der Ekklesiologie ist zugleich eine sakramentale, die beginnend mit den berühmten Sätzen LG 1 auch immer wieder auf die konkreten einzelnen Sakramente, in LG 1–8 Taufe und Eucharistie, ausgreift (vgl. LG 3,7) und so zugleich inte-

3. Ein-Geist-Sein

Dem zuletzt zitierten Text unterliegt deutlich erkennbar als Folie die trinitarische Formel Alexanders bzw. Bonaventuras. Die besondere Stellung des Heiligen Geistes darin weist zugleich auf einen Text hin, der bei Scheeben vielfach wie eine Kurzformel seiner gesamten Theologie erscheint, der bereits zitierte Schrifttext 1 Kor 6,17: „Wer aber dem Herrn anhängt“ bzw. „Wer sich dagegen an den Herrn bindet, ist *ein* Geist mit ihm“[19]. Es sei, so Scheeben, „die Vereinigung mit Gott nach dem Apostel in der Form einer *Vermählung* zu denken, in welcher Gott selbst sich der Seele so schenkt und verbindet, daß sie *ein* Geist wird mit ihm, wie die menschliche Ehe aus Braut und Bräutigam *ein* Fleisch macht“[20].

Diese Textstelle, die immer wieder zitiert wird oder in analogen Wendungen anklingt und durchscheint[21], erscheint mir wie ein Grundmotiv, auf das alle anderen Inhalte wie auch die begrifflichen und bildlichen Gestaltungsmittel der Theologie Scheebens bezogen werden können. Dabei darf freilich keine apriorische Setzung eines Bezugspunktes angenommen werden, aus dem dann alles andere deduziert würde; eher ein Wechselverhältnis „reziproker Priorität“ (Rousselot) zwischen den jeweils konkreten Inhalten und der sie reduktiv darstellenden Kurzformel. Sie steht nicht bloß für die Einheit der Inhalte, sondern auch für die Einheit im Formalen, d. h. dafür, daß Scheebens Theologie in der Darstellung der Wege und Werke Gottes ein „organisches Ganzes“ ergibt, welches aus „einem Geist“ gestaltet ist. – Ein Ganzes, wel-

---

grierend den Bogen zur Liturgiekonstitution schlägt.
LG 7 heißt es: „Indem er nämlich seinen Geist mitteilte, hat er seine Brüder, die er aus allen Völkern zusammenrief, in geheimnisvoller Weise gleichsam zu seinem Leib gemacht ... Beim Brechen des eucharistischen Brotes erhalten wir wirklich Anteil am Leib des Herrn und werden zur Gemeinschaft mit ihm und untereinander erhoben“. – Vgl. zum Ganzen F. J. Bode, Gemeinschaft, S. 328–334, hier: S. 334: „Die Konvergenzen der Theologie Scheebens und der des Konzils im Bereich der Eucharistie- und Kirchentheologie zeigen, daß in diesem Bereich Scheeben dem Vaticanum II näher steht als dem Vaticanum I.“

19 Die Vulgata übersetzt: „Qui autem adhaeret Domino, unus spiritus est“, die Einheitsübersetzung: „Wer sich dagegen an den Herrn bindet, ist *ein* Geist mit ihm“. – Die Anmerkung der Neuen Jerusalemer Bibel macht die Konvergenz von Leib und Geist bei Paulus sichtbar, die auch für Scheeben bedeutsam ist: „Man würde erwarten: ein Leib mit ihm. Paulus will vermeiden, daß der physische Realismus der Einheit mit Christus (v. 15) auf eine allzu grob materielle Weise verstanden wird“ (Neue Jerusalemer Bibel. Einheitsübersetzung mit dem Kommentar der Jerusalemer Bibel, Freiburg 1985, S. 1658)

20 Gesammelte Aufsätze, S. 181

21 Vgl. dazu die Belegstellen in diesem Text selbst, ebenso die Belege zu analogen Wendungen wie: Ein Wesen, ein Christus, eine Person. Der in Scheebens Theologie als Denkform und Denkinhalt zentrale Begriff des „organischen Ganzen“ ist ebenfalls in diesem Zusammenhang von großer Bedeutung, da dieses immer als analoge Geist-Leib-Einheit zu denken ist: Der Geist bzw. das geistige Lebensprinzip baut und gestaltet sich ein materielles Substrat, das ihm angehörend, „ein Ganzes“ bzw. „ein organisches Ganzes“ mit ihm bildet.
Die beiden herausragenden Verwirklichungsformen in der geschaffenen Welt sind Christus und der Mensch, Christus und Adam, wobei Christus natürlich als Gott-Mensch den Menschen in sich, in seine hypostatische Einheit aufnimmt (vgl. die Anm. 22 und 23)

ches wiederum in ganz besonderer Weise christuszentriert ist, in Christus Mitte und Gestalt hat, weil nämlich hier der das Ganze trinitarischer Selbstmitteilung repräsentierende „Grundprozeß in der Trinität“[22] und das Mikrokosmos und Makrokosmos in sich rekapitulierende „Zentralwerk Gottes“, der Mensch[23], in der Einheit hypostatischer Union zusammenkommen[24].

Diese Einheit zeigt sich auch in der, wenn man es so nennen darf, kompositorischen Struktur des Ganzen, in der Verbindung aller Inhalte, Begriffe und in ganz besonderer Weise auch der Bilder, in der Durchgestaltung einzelner Traktate von deren Grundidee her, bis in die Korollarien und Anmerkungen, wodurch eine ungewöhnlich dichte Entsprechung von Form und Inhalt entsteht. Eines der ausgezeichnetsten Beispiele dafür ist die aus dem Begriff des „Autoritätsglaubens“ gestaltete Glaubensanalyse, die so, wovon noch die Rede sein wird, den Bogen schlagen kann von den Aussagen des I. Vatikanischen Konzils zu denen des II.[25].

Es entspricht dieser Einheit im Ganzen, daß auf das genannte Grundmotiv, das Ein-Geist-Sein mit Gott bzw. mit Christus (beide Wendungen begegnen), auch die problematischen Aspekte in Scheebens Theologie beziehbar sind, etwa ein Hang zu vorchalkedonensischer Theologie Alexandriens in der Christologie[26], in der Anthro-

---

22 Mysterien, S. 298: „Wenn daher der Sohn nach außen hervortritt, wird dadurch der Grundprozeß in der Trinität nach außen fortgeführt und in diesem Grundprozeß virtuell auch der durch ihn bedingte, in ihm gründende zweite Prozeß.“

23 Mysterien, S. 300: „Sollte also die Sendung des Sohnes die Fortsetzung oder besser die Einführung der ewigen Produktion Gottes in seine Schöpfung sein, dann mußte sie eben ihre Richtung nehmen auf die menschliche Natur als das Zentralwerk Gottes nach außen, auf die menschliche Natur, die ... im Universum eine ähnliche Doppelstellung einnimmt wie der Sohn Gottes selbst in der Gottheit, indem er vom Vater ausgeht und den Heiligen Geist aus sich hervorgehen läßt.“ – Systematisch ausgebreitet wird dies im Handbuch der katholischen Dogmatik, Fünftes Buch, Erlösungslehre, erster Halbband, hrsg. von Carl Feckes (= Gesammelte Schriften VI, 1), Freiburg ²1954, § 225 (vgl. u. a. n 456 und 459) und § 226 (u. a. n 484 f.)

24 Mysterien, S. 296: „So dehnte Gott das Verhältnis der natürlichen Vaterschaft, in dem er zu dem Sohne seines Schoßes steht, auch auf einen Menschen aus, indem er seinen Sohn nicht nur im Innern seines Schoßes, sondern auch nach außen in eine geschaffene menschliche Natur hineingebar“. u. ebd. S. 304 f.: „Sehr schön sagen ... die heiligen Väter: Indem Gott eine menschliche Natur sich einverleibt und sich zur Hypostase, zum Träger und Inhaber derselben macht, so habe er auch im weiteren Sinne das ganze Geschlecht sich einverleibt und sich zur Hypostase, zum Träger und Inhaber desselben gemacht ..., weil er wegen der innigen, solidarischen Verbindung, in der dieses eine Glied mit allen übrigen stand, durch dieses eine und in diesem einen alle übrigen Glieder sich angeeignet hat. Das ganze menschliche Geschlecht wird der Leib des Sohnes Gottes, wenn ein Glied desselben dem Sohne Gottes einverleibt wird ...“

25 Vgl. u. S. 296–298

26 Vgl. Alois Grillmeier, Jesus der Christus im Glauben der Kirche, Band 1: Von der Apostolischen Zeit bis zum Konzil von Chalcedon (451), Freiburg 1979. – Grillmeiers umfangreiche Studie ist die Überarbeitung und Erweiterung seines bedeutenden und grundlegenden Artikels von 1951 u. der ihm nachfolgenden ersten Bearbeitung in englischer Sprache (vgl. Angaben ebd., S. VII bzw. Bibliographie S. 778 f.). Grillmeiers These ist, daß in Chalkedon zwei christologische Ansätze zur Synthese gebracht wurden, eine Logos-Sarx- und eine

pologie ein zumindest partiell ungeklärter Dualismus und eine davon mitgeprägte Androzentrik im Verständnis des Verhältnisses von Mann und Frau, insgesamt das, was Minz als Dominanz katabatischen Denkens ausgemacht hat, oder eine gewisse Neigung zu Identitätstheologie bzw. -mystik, zu dem, was Przywara Theopanismus genannt hat[27].

Auf das Grundmotiv des Ein-Geist-Sein mit Gott bzw. mit Christus läßt sich also alles beziehen, wovon Scheeben handelt. Dabei kommt es nicht darauf an, diese Stelle jeweils verbaliter nachzuweisen oder zu behaupten, sie selbst sei der von Scheeben formell angezielte Fluchtpunkt aller Ausführungen – das wäre einer der genannten „reziproken Priorität“ nicht angemessene Vereinfachung. Vielmehr wird in dem Gebrauch, den Scheeben von diesem Text macht, in den damit verbundenen Inhalten, Begriffen und Bildern, in analogen Wendungen und darin, daß anderes leicht in diesen Zusammenhang eingefügt werden kann, ein Geflecht deutlich, in welchem allerdings alles sich findet, was für Scheebens Theologie wichtig ist, alles Inhaltliche und alle begrifflichen und bildlichen Gestaltungsmittel.

Wie ist dies zu verstehen bzw. worum geht es? Zunächst darum, daß dieses Motiv, diese Textstelle in sich den „nexus mysteriorum“ repräsentiert, den Schnittpunkt von Gemeinschaft mit Christus und Gemeinschaft mit dem dreifaltigen Gott. Dadurch ist zugleich Scheebens gesamte Gnadentheologie hier impliziert, die unter verschiedenen Kennwörtern – „Übernatur“ ist eines davon, ein anderes das „consortium divinae naturae“ nach 2 Petr 1,4, ein weiteres ganz explizit das Ein-Geist-Sein mit Gott – immer dieses meint: „Innigste Vereinigung und Verähnlichung“ der „Natur“, d. h. des Menschen, mit Gott. Diese Vereinigung und Verähnlichung wird aber durchgehend als Theologie der Vermählung entfaltet. Zum Begriff der Vermählung gehören deshalb bei Scheeben untrennbar, teils komplementär, teils deckungsgleich, Begriffe und Bilder wie Zeugung und Einheit von Geist und Leib (bzw. Einheit von Form und Materie), d. h. Begriffe und Bilder, die mit der Vereinigung die transformative Verähnlichung durch ein gestaltendes geistiges Lebensprinzip verbinden[28]. Solche transfor-

---

Logos-Anthropos-Christologie (S. VIII); Scheeben gehört, schon der Terminologie nach, eher zur Logos-Sarx-Tradition

27 Karl-Heinz Minz, Pleroma, S. 51 f., 77, 189, 192, 218 u. ö.; Erich Przywara, Analogia Entis. Metaphysik. Ur-Struktur und All-Rhythmus (= Analogia Entis I u. II), Einsiedeln 1962, bes. S. 247–301: Die Reichweite der Analogie als katholischer Grundform, hier: S. 272 f.

28 Weil bei der „Vermählung“ im theologischen Verständnis dem „moralischen“ Wechselverhältnis stets die „physische“ Erhebung voraufgeht, ist hier die Vermählung stets Folge und Moment der „Zeugung“ resp. einer informativen bzw. quasiinformativen, erhebenden und verklärenden Mitteilung eines höheren geistigen Lebensprinzips an eine niedere, empfangende Natur, deren Folge eine analoge Seele-Leib Einheit ist. Die Konvergenz der Begriffe und Bilder zeigt sich z. B. in Dogmatik III, § 169 B. I–III (= n 844 – 855), wo Zeugung, Vermählung und Seele-Leib-Einheit austauschbar bzw. konvertibel sind.
Treffend sagt Hans Urs von Balthasar, nahezu alle Elemente der Scheebenschen Theologie vom Ein-Geist-Sein mit Gott zusammenbindend: „Die Mitte der Konzeption ist die ‚Information‘ der Natur (die sich daher als ‚materia‘ verhält) durch die Gnade, welche Information aber als göttliche ‚Zeugung‘ im ‚Schoss‘ der Natur gefasst wird; das philosophische Begriffspaar Materie-Form wird vertieft und ‚verklärt‘ zu dem von Braut-Bräutigam. Dieses

mative „Verklärung“ der Natur durch die vergöttlichende Gnade wird bei Scheeben, wie eben angedeutet, auch unter das Stichwort des Ein-Geist-Sein mit Gott gestellt.

Zum andern ist natürlich primärer Vergleichspunkt des Ein-Geist-Sein nach 1 Kor 6,17 die eheliche Verbindung von Braut und Bräutigam, womit wieder der obige Schnittpunkt von Gemeinschaft mit Christus und Gemeinschaft mit dem dreifaltigen Gott erreicht ist: Die „Mitteilung der göttlichen Natur“, das consortium divinae naturae, d.h. die Selbstmitteilung des dreifaltigen Gottes hat ihren konkreten Ort in der bräutlich-leiblichen Verbindung mit Christus, im Ein-Geist-Sein mit dem Herrn.

Anzumerken ist noch, daß mit der Verknüpfung von Geist-Leib-Einheit und ehelicher Gemeinschaft im Motiv des Ein-Geist-Sein die gesamte Anthropologie zur gewissermaßen Substruktur der „Vermählung von Natur und Gnade“ gemacht wird[29]. All dies hat kaum jemand besser und bündiger dargestellt als Hans Urs von Balthasar im 1. Bd. seiner theologischen Ästhetik[30].

Sieht man das Ein-Geist-Sein in dieser Verdichtung und als Schnittpunkt so vieler zentraler Inhalte, dann läßt sich natürlich leicht das Ein-Leib-, Ein-Geist-Sein mit Christus darin finden wie ebenso der Ternar Bonaventuras, denn Kindschaft, Brautschaft, Einwohnung des Heiligen Geistes in seinem Tempel entfalten ja unter verschiedenen Aspekten, eben denen trinitarischer Konkretion, die als Ein-Geist-Sein mit Gott verstehbare Vereinigung und Verähnlichung. Die Mitte bleibt dabei die christologische Zentrierung, die Bindung der Gemeinschaft mit dem dreifaltigen Gott an die Gemeinschaft mit Jesus Christus.

Dies soll nun eher skizzenhaft etwas ausgeführt werden.

Verhältnis wird schon gefunden in der natürlichen Beziehung von Geist und Leib und ihrer Verschmelzung zu *einem* Wesen, da gerade die zeugend-formende Kraft von oben ... des Materienschosses bedürfe, der zu erheben und zu vergeistigen ist, dessen aber der Geist selber bedarf, um seine zeugende Lebenskraft zu offenbaren.“ In: Herrlichkeit, Eine theologische Ästhetik, erster Band, Schau der Gestalt, Einsiedeln 1961, S. 98 – 110, hier: S. 104. – Die Ausführungen von Balthasars sind eine brillante Kurzdarstellung Scheebens, eine der besten

29 Vgl. dazu Anm. 11, auch die vorige Anm. Sehr gut und überzeugend wird diese „ontologische(n) Immanenz der Übernatur in der Natur“ herausgearbeitet von: Anton Schlembach, Mysterienwissenschaft. Untersuchung des Theologiebegriffs bei M. J. Scheeben, Aschaffenburg 1964, hier S. 17
Die Schöpfung ist Vorbild und Nachbild der Übernatur zugleich, indem nämlich jene zwar das primum in executione, diese aber das primum in intentione ist, ja das primum in executione insofern, als die Urgestalt übernatürlicher Mitteilungen das Leben des dreifaltigen Gottes ist (vgl. z. B. Schlembach, a. a .O., S. 18–29. u. ö.).
Scheeben verwendet die Analogia fidei im Sinne sowohl von Hans Urs von Balthasar (bzw. Karl Barths und Gottliebs Söhngens) als auch zumindest teilweise im Sinne Erich Przywaras (entsprechend Vaticanum I). Vgl. dazu u. a. Hans Urs von Balthasar, Karl Barth. Darstellung und Deutung seiner Theologie, Köln ^{2}1962, u. a. S. 335–386; Erich Przywara, Analogia fidei, in: Lexikon für Theologie und Kirche, Bd. 1, Sp. 473–476 (hier bes. Sp. 474: „Es entfällt auch der Versuch kath. Theologen ...“); Bernhard Gertz, Glaubenswelt als Analogie. Die theologische Analogie-Lehre Erich Przywaras und ihr Ort in der Auseinandersetzung um die analogia fidei, Düsseldorf 1969

30 Vgl. Hinweis Anm. 28

a) Christologie

Zwar finden sich im Umfeld der Christologie nur wenig direkte Hinweise auf 1 Kor 6,17, dafür allerdings eine Vielzahl analoger Wendungen[31]. Sie knüpfen vor allen Dingen an die für die Christologie konstitutive Bedeutung der „Salbung" als quasiinformativ gedachte Vergöttlichung an, an deren Weiterführung durch die Gemeinschaft mit Christus und an die Rolle der Pneumatologie in diesem Zusammenhang, schließlich an das Leitmotiv „Vermählung", wodurch wie angedeutet die gesamte Anthropologie christologisch-pneumatologisch integriert wird[32]. Dadurch entsteht eine weiträumige Konkretisierung der gesamten Lehre von der Gemeinschaft mit Christus, die durchaus unter 1 Kor 6,17 als Leitmotiv gestellt werden kann. Ein Hinweis darauf findet sich bereits in einem sehr frühen Text Scheebens: „Nur wenn wir von dem Sohn Gottes sein eigenes Leben ..., gewissermaßen seine eigene göttliche Natur erhalten sollen, kann es erforderlich und erklärlich sein, daß er sich mit einem Individuum ... unserer Natur in der Einheit der Person so vermählte, daß er die ganze Fülle seiner Gottheit in dasselbe hineinlegte, um sie von da über alle anderen Individuen derselben Natur auszugießen, damit sie derselben nach ihrer Art und ihrem Maße teilhaft werden[33]." – Bemerkenswert ist, daß Scheeben hier, wie später unter ausdrücklicher Berufung auf 1 Kor 6,17[34], Vermählung auf die Konstitution der hypostatischen Union

[31] Ein Christus bzw. Eine Person neben den schon erwähnten Ein Leib bzw. Ein Leib und Ein Geist, dazu Ein Ganzes. – Hinweise im Text und u. a. in Anm. 32, 34 u. ö.

[32] Dogmatik V, 1, n 875 f: „Die Stellung Christi als des übernatürlichen Familienhauptes der ihm zugesellten Menschheit erscheint in besonders kraftvoller, tiefer, allseitiger und harmonischer Weise ... unter dem Gesichtspunkte *des bräutlichen Verhältnisses der Menschheit zu Christus* und in Christus zu Gott ... In der Tat führen die Väter ... das bräutliche Verhältnis der Kirche zu Christus darauf zurück, daß *der Logos* bei und in seiner Menschwerdung *im Schoße der Jungfrau die ganze Menschheit mit sich vermählt habe* ... Sie führten sodann diesen Gedanken dahin aus, daß die menschliche Natur in den menschlichen Personen, vermittelst der hypostatischen Union des aus Maria genommenen Fleisches mit dem Logos, mit diesem *in einer der hypostatischen Union analogen Weise* geeinigt werde ..., daß sie folglich mit dem Logos in analoger Weise *eine moralische Person* oder *‚einen Christus' im weiteren Sinne* ausmachen solle, wie das vom Logos unmittelbar in seine Hypostase aufgenommene Fleisch mit ihm eine physische Person und den *einen* Christus im strengen Sinn ausmacht." Diese *„Einverleibung oder Angliederung"* geschieht „nach Analogie der Gemeinschaft zwischen Leib und Geist, Glied und Haupt", so daß die Menschen „durch *organische Teilnahme an der Salbung Christi ... selbst Gesalbte werden*"

[33] Matthias Joseph Scheeben, Die Lehre von dem Uebernatürlichen in ihrer Bedeutung für christliche Wissenschaft und christliches Leben, in: Der Katholik 40 (1860) I, S. 280–299, u. II., S. 657–674, hier: Gesammelte Aufsätze, S. 27

[34] Dogmatik V, 1, n 806 f.: „Zwar darf man bei Christus nicht mit Nestorius die Vermählung in *der* Form nehmen, wie sie bei bloßen Kreaturen unter sich und mit Gott stattfindet, weil sie hier die Vermählung als zwei reell verschiedene Personen voraussetzt ... (es) ist die Vermählung gerade dort am vollkommensten realisiert, wo das Vermählte mit dem Höheren, mit dem es vermählt wird, nicht nur moralisch, oder auch in einem weiteren Sinne physisch, sondern im strengen physischen und metaphysischen Sinne zu *einem* Ganzen oder zu *einer* Person verwächst, weshalb man denn auch auf natürlichem Gebiete von einer Vermählung des *Fleisches mit dem Geiste zu und in einem Wesen* spricht ..." (n 807). – Der Text belegt wie-

bezieht, die Partizipation daran mit dem Bildwort „ausgießen" bezeichnet, welches dem Kontext „Salbung" zugehörig ist, ein Hinweis auf die wechselseitige Durchdringung beider Gesichtspunkte.

Der folgende Text, obwohl unmittelbar auf Eph 5 anspielend, macht doch zugleich den Bezug auf 1 Kor 6,17 deutlich: „Übrigens läßt sich diese Einheit des Leibes und der Person zwischen Christus und den Menschen am leichtesten vorstellen durch jene Einheit, welche der Apostel so nachdrücklich als das Ebenbild der Einheit Christi mit der Kirche darstellt, durch die Einheit zwischen Mann und Weib in der Ehe[35]." In dieses Beziehungsfeld, das kann vorgreifend schon hier gesagt werden, wird das gesamte für die Ekklesiologie exemplarische Verhältnis Christus – Maria eingetragen.

In der Christologie sind zwei, untrennbar aufeinander bezogene Gesichtspunkte zu beachten, die in der Theologie Scheebens unter verschiedenen Aspekten weiter entfaltet werden: Die Lehre von Christus und die Lehre von der Gemeinschaft mit und in Christus[36]. Der eben zitierte Text stellte den Bezug beider Gegebenheiten heraus. Im selben Aufsatz heißt es: Christus ist „Mensch geworden, um uns seiner Gottheit teilhaft zu machen; oder, wie die griechischen Väter zu sagen pflegen: ‚ideo Deus factus est homo, ut homo fieret Deus'"[37].

Der gesamte „nexus mysteriorum" von Trinität, Inkarnation und Gnade und zugleich das, was Scheeben unter dem Stichwort „Vermählung von Natur und Gnade" entfaltet, was seine konkrete Gestalt wiederum im connubium Christi et Mariae findet, ist in einem wahren – nicht bildlichen – Sinn Wirklichkeit „in Christus", d.h. in der in Christus vollzogenen „Vereinigung und Verähnlichung" von Gottheit und Menschheit.

Diese aber ist ein exemplarisches und zugleich dynamisches, d.h. alles einbeziehendes Zentrum einer ähnlichen Gemeinschaft mit Gott: „Die spezifische Vollkommenheit der durch und in Christus hergestellten Gemeinschaft mit Gott gipfelt darin, daß die in diese Gemeinschaft aufgenommenen Menschen wie *mit Christus als ihrem*

---

derum die relative Dominanz der Geist-Leib-Einheit im Vermählungs-Denken.
Von der Pneumatologie her denkt Scheeben dies vor allen Dingen in Dogmatik III, § 169 B. (bes. n 856) und in der Kontroverse mit Granderath (Gesammelte Aufsätze, in: Gesammelte Schriften VIII, z. B. S. 181, 209, 257). – Scheeben schiebt beide Aspekte, „ein Christus" – „ein Geist", ineinander (s. o. Text Anm. 16)
Die hier offene, wichtige Frage nach der genauen Funktion und nach der Bedeutung des Heiligen Geistes ist von Heribert Mühlen aufgenommen und weitergeführt worden: Heribert Mühlen, Der Heilige Geist als Person. Beitrag zur Frage nach der dem Heiligen Geiste eigentümlichen Funktion in der Trinität, bei der Inkarnation und im Gnadenbund (= Münsterische Beiträge zur Theologie, Heft 26), Münster 1963; ders., Una Mystica Persona. Die Kirche als das Mysterium der heilsgeschichtlichen Identität des Heiligen Geistes in Christus und den Christen: Eine Person in vielen Personen, Münster ³1968

35 Mysterien, S. 309

36 Die enge Verknüpfung beider Gesichtspunkte in den „Mysterien" muß bei der Situierung der sehr ausgedehnten Erörterungen über Konstitution und Wesenseigentümlichkeiten Christi in der Dogmatik mit beachtet werden. Die Lehre über Christus als solche ist immer auch Lehre von der Bedeutung Christi für uns

37 Gesammelte Aufsätze, S. 28

Haupte dem Apostel zufolge *Ein Christus,* so auch jeder *in sich selbst ... ein in und mit Christus nach seinem Vorbilde gebildeter, Christus' sind;* d.h. sie werden in analoger Weise wie Christus *durch Salbung mit demselben göttlichen Geiste vergöttlicht und geheiligt oder zu göttlichem Adel erhoben und durch eine analoge mystische Einheit mit Gott zum Bilde und Gleichnisse Gottes* gemacht[38]." Ein Satz wie dieser enthält die Quintessenz der Theologie Scheebens, weil Christus der ausgezeichnete Ort der Gegenwart und Erschlossenheit des dreifaltigen Gottes ist[39].

Scheeben stellt die gesamte Christologie unter den „dogmatischen Wesensnamen" Christus[40]. Der Inhalt, aber auch die begrifflichen und bildlichen Gestaltungsmittel können darauf bezogen werden. Der Inhalt ist die im Bild der „Salbung" aufgefaßte Konstitution Christi, des Gott-Menschen, die vergöttlichende und verklärende Mitteilung der göttlichen Natur des Logos an eine konkrete menschliche Natur[41]. Scheeben hat dabei stets das Ganze des trinitarischen Bezugs im Blick und bindet es sogar an das Bildwort Salbung[42].

---

38 Matthias Joseph Scheeben, Handbuch der katholischen Dogmatik, Fünftes Buch, Erlösungslehre, zweiter Halbband, hrsg. von Carl Feckes (= Gesammelte Schriften VI, 2), Freiburg ²1954, n 1369

39 Der Text verknüpft Scheebens Theologie der verklärenden und vergöttlichenden Gnade, der „Übernatur", mit der Lehre von Christus, der gewissermaßen die Übernatur per exc. ist, die Übernatur in der Einheit einer hypostatischen Union, und exemplarisch-dynamisches Zentrum einer ähnlichen Einheit mit Gott: Christus als „Haupt" seines „Leibes". – Vgl. hierzu Anton Schlembach, Mysterienwissenschaft, S. 25f.

40 Vgl. Dogmatik V, 1, n 380: Neben zusammengesetzten Ausdrücken wie „Gottmensch" und dem Personalnamen Jesus gibt es „gewissermaßen einen *Art- und Wesensnamen* ... Christus", der „auch in seiner Eigenschaft als Wesensname die ganze Lehre von der Person des Erlösers in nuce in sich enthält und das hellste Licht auf dieselbe wirft". – Scheeben greift diesen exegetisch nicht unproblematischen Gedanken der Väter auf und macht den Namen „Christus" gewissermaßen zum Grundgedanken der gesamten Christologie in der Dogmatik. – Zur Exegese: Mühlen, Der Heilige Geist, S. 180–187, zu Scheeben bes. S. 184.
Eine Vermittlung der großartigen Grundidee Scheebens mit der hier geäußerten Kritik ist m.E. möglich

41 Nach dem Vorentwurf Mysterien, S. 275ff., findet eine systematische Ausweitung und Abrundung statt in Dogmatik V, 1, vor allem § 222 u. 223. Scheeben verknüpft die Seele-Leib-Analogie, d.h. damit auch die gesamte Anthropologie, mit der Analogie der „salbenden Einmischung" (u.a. n 418), die als analoge Information verstanden, als der „höchste(n) Stufe der Formation" (n 404), den Vorteil hat, daß sie „außer ihrer Fülle und Anschaulichkeit" – Scheeben bedenkt also das Moment des Bildhaften – *„alle wirklichen natürlichen Analogien der Union, und ebenso die derselben verwandte übernatürliche Union durch die Gnade, unter einen Gesichtspunkt bringt* und, indem sie an den dogmatischen Namen Christus anknüpft, in diesem sowohl ihre dogmatische Begründung findet, wie auch in ihm und durch ihn alle Konsequenzen einschließt, welche in ihm verborgen sind" (Dogmatik V, 1, n 421). – Wenn der Name Christus und die ihm zugeordnete Analogie der „salbenden Einmischung" die gesamte Christologie samt Anthropologie und Gnadentheologie rekapituliert, dann ist auch das Ein-Christus-Sein der Gipfel der Gnadentheologie

42 Man kann z.B. sagen, Christus sei „*,Gesalbter Gottes'* ... durch eine Ausdehnung derjenigen Salbung, womit der Sohn Gottes kraft der ewigen Zeugung von seinem Vater gesalbt ist, oder aber und noch sinnreicher, daß Christus ein Gesalbter sei durch eine Salbe, die *von Gott dem Vater als ihrer Quelle ausfließt,* in welcher *Gott der Vater sein eigenes Wesen ausgießt,* und welche

Die Salbung, Weiterführung der ewigen Zeugung, der primären und grundlegenden Selbstmitteilung und Selbstoffenbarung Gottes, nach außen[43], zur Verbindung des ewigen Ebenbildes Gottes mit dem geschaffenen, dem Menschen[44], ist eine Art Information. Auf das Bildwort Salbung werden die Begriffspaare Seele – Leib und Form – Materie bezogen[45]. Damit wird wiederum die Anthropologie als ganze der Christologie subsumiert und in sie integriert, damit zugleich die gesamte Vermählungstheologie. Denn die prototypische, die Einheit von Mann und Frau vorbildende Einheit, ist die Einheit von Geist und Leib[46]. Man ist damit zugleich im Zentrum der problematischen Androzentrik Scheebens, die heute nur verstehbar ist, wenn man sie in ihrer theologischen Funktion betrachtet[47].

---

mithin *die eigene Frucht Gottes* ist" (Dogmatik V, 1 n 389 – n 390 zum Heiligen Geist; n 391 enthält ein trinitarisches Gesamtbild)

43 Vgl. Anm. 22

44 Vgl. Anm. 23

45 Dogmatik V, 1, § 223, n 399 zeigt Scheebens Methode der Begriffsdehnung, der Zurichtung zu analoger Verwendung im Sinn der „Verklärung der Begriffe": „Man braucht eben nur den Ausdrücken informatio oder formatio und forma informans eine *weitere Bedeutung* zu geben, als sie in der Sprache der peripatetischen Philosophie besitzen, oder vielmehr die denselben zugrunde liegenden allgemeinen Begriffe von der unvollkommenen Gestalt zu abstrahieren, in welcher sie auf natürlichem Gebiete realisiert sind ..." – Man müßte also hier, wie Scheeben es bei der inhabitatio tut, von einer „Quasiinformation" sprechen bzw. von einer eminenten Information. – Dogmatik III, § 170 zeigt, wie Christologie und Gnadenlehre durch diese Verwendung der Kategorie „Information" fast parallel geraten. Das hier verwandte ἀναμόρφωσις (Dogmatik III, n 892 bzw. n 900, dort ist von „Transformation" die Rede) steht dem dortigen ἀνάκρασις sehr nahe. Die „Gesamtnatur höherer Ordnung" in Dogmatik III, n 900 in Person ist Christus

46 Vgl. die u. Anm. 154 zitierte zentrale Stelle der Mariologie

47 Die Vorordnung der göttlichen Initiative vor dem menschlichen Tun, in der Christologie (in deren Verhältnis zur Mariologie) und in der Gnadenlehre (zur Geltung kommend vor allem bei der als „Vermählung von Natur und Gnade" bezeichneten Perichorese von „motio divina" und „conversio ad gratiam") und die primäre Kennzeichnung menschlichen Tuns als reines „Empfangen" ist theologisch richtig!
Unrichtig ist es, dieses Verhältnis auf das von Mann und Frau bzw. auf das Zusammenwirken von männlicher Zeugung und weiblichem Empfangen und Gebären zu übertragen. Ich schließe mich in *diesem* Fall Bernhard Weltes Vorwurf der „Künstlichkeit" von Scheebens Spekulation an – Bernhard Welte, Zum Strukturwandel der katholischen Theologie im 19. Jahrhundert, in: Auf der Spur des Ewigen. Philosophische Abhandlungen über verschiedene Gegenstände der Religion und der Theologie, Freiburg 1965, S. 380–409, hier S. 403 –, und ich kann deshalb von Balthasar nicht zustimmen, wenn er schreibt: „Scheeben kennt die Grenzen der Analogie zwischen Geist – Leib und Mann – Frau ..." Es scheint, als ob von Balthasar die Problematik der Androzentrik übersieht, wenn er fortfährt: „... aber es ist ihm wichtig, dass Paulus diese Analogie nicht in Richtung auf die Selbständigkeit zweier menschlicher Hypostasen auslegt, sondern in Richtung auf die Geschlechtsdifferenz des von oben Zeugenden und von unten Empfangenden, Tragenden und Gebärenden, was vorausgesetzt wird, damit das geschöpfliche ‚Abbild' dem übernatürlichen Urbild Christus–Maria, Christus–Ekklesia, und in Christus selber dem Verhältnis der beiden Naturen entspreche." (Herrlichkeit I, S. 104). Das Oben–Unten gilt für Seele–Leib und für Christus–Maria, Christus–Kirche, die beiden Naturen in Christus, nicht jedoch für das Verhältnis Mann–Frau!

Diese anthropologische Substruktur der Christologie, das Wechselverhältnis von Geist-Leib-Einheit und Einheit von Mann und Frau, macht die Konstitution Christi wiederum als analoges Ein-Geist-Sein verständlich und öffnet das, was über Christus gesagt wird, auf die bräutlich-gliedliche Gemeinschaft mit Christus. Man kann es auch so sagen: Das Ein-Geist-Sein mit Gott ist, legt man die Ausweitung der Form-Materie bzw. Geist-Leib-Analogie auf die „Vermählung von Natur und Gnade" zugrunde, immer analoge Geist-Leib-Einheit. Die Gemeinschaft mit Christus kann also sowohl als ein Ein-Geist-Sein mit ihm nach 1 Kor 6,17 verstanden werden, welches der Einheit in Christus nachgebildet ist, wie auch als ein Ein-Geist-, Ein-Leib-Sein[48].

Auf diesen Sachverhalt kann dann auch, wie der obige Text zeigt, der Name „Christus" selbst übertragen werden, und Scheeben kann von einem Ein-Christus-Sein sprechen.

Diese Hinweise zur Konkretion müssen noch gegeben werden, damit das Bild vervollständigt wird:

- Scheeben denkt die Christus nachgebildete Einheit mit ihm als sein „mystischer Leib"[49] sowohl von der Inkarnation her, als gewissermaßen deren Weiterung[50], wie vom Pneuma, vom Heiligen Geist her[51].

[48] Das Ein-Geist-Sein, von dem Paulus 1 Kor 6,17 spricht, impliziert sowohl in der paulinischen Theologie als auch in der Scheebens ein Ein-Leib-Sein mit Christus (vgl. Anm. 19). Heinrich Schlier schreibt: „Die Kirche ist Christi Anwesen in der Kraft des Geistes, der seinen Kreuzesleib zum mystischen Leibe erschließt. So kann Paulus, eine Bekenntnisformel der Urgemeinde erweiternd, sagen: ‚Ein Leib und ein Geist' (Eph 4,4); der eine Leib Christi, die Kirche, ist der, den der eine Geist von dem Leib am Kreuz her sein läßt. So weht auch der eine Geist, der heilige Geist, wo der eine, durch ihn erschlossene Leib Christi am Kreuz im Leibe Christi, der Kirche, anwesend ist". In: Grundzüge einer paulinischen Theologie, Freiburg 1978, S. 196

[49] Schon in den „Mysterien", z. B. S. 332: „ ‚Der Erstgeborene aller Kreatur' vereinigt in sich und um sich die ganze Kreatur zu einem mystischen Leibe und einem heiligen Tempel, welchen er, und in ihm der Vater und der Heilige Geist, in Besitz genommen, indem er alles, was im Himmel und auf der Erde ist, in sich selbst als dem Haupte zusammenfaßt." Ebenso Dogmatik V, 1, n 884. – Zur eucharistischen Konkretisierung vgl. o. S. 265 bzw. Anm. 6 u. 7 – Hier noch zwei Texte, die die Verbindung von Ein-Geist-Sein, Ein-Leib-Sein, Vermählungstheologie und Eucharistie zeigen: „In der Eucharistie ... wird unser Leib mit dem Leibe des Logos wieder zusammengefügt, und so werden wir abermals Fleisch von seinem Fleische ..." (S. 397). „Die Teilnahme an der göttlichen Natur ist aber zugleich eine Erfüllung des Menschen mit dem Heiligen Geiste und die Gemeinschaft desselben. Da der Heilige Geist in ganz besonderer Weise durch die realste Verbindung im Leibe Christi wohnt, so muß er sich auch über diejenigen ergießen, die mit ihm zu Einem Leibe verbunden worden. Daß wir mit dem Heiligen Geiste erfüllt werden, daß die Eucharistie den Teilnehmenden zur Gemeinschaft des Heiligen Geistes werde, und wir alle untereinander in der Gemeinschaft des einen Heiligen Geistes vereinigt werden, bezeichnen die alten Liturgien als den Zweck und die Wirkung der Eucharistie, und der heilige Johannes von Damaskus hebt es ausdrücklich hervor, daß wir im Genusse der Eucharistie durch die Teilnahme an dem (in der Eucharistie wohnenden) göttlichen Feuer (des Heiligen Geistes) durchglüht und vergöttlicht werden sollen.
Unsere *Verschmelzung* mit dem Gottmenschen zu *einem Leibe* ... ist nur dort denkbar ..., wo wir auch mit seiner Gottheit auf eine wunderbare Weise zu *Einem Geiste verschmolzen* werden

– Die pneumatologische Konkretion hat einen bevorzugten Ort in der Lehre vom Opfer Christi und der Gründung der Kirche aus der Seite Christi, wobei das Blut die sakramentale Vergegenwärtigung des die Kirche bildenden Heiligen Geistes ist[52]. Die Beziehung von Christologie und Pneumatologie, die wechselseitige Bedingung von Ein-Leib-Sein und Ein-Geist-Sein, ist bei Scheeben in doppelter Richtung gewissermaßen fortgeschrieben und unterfaßt, in die Anthropologie – d. h. die Christus-Maria/Kirche und Adam-Eva-Parallele – und in die Trinitätslehre. Wenn nach Scheeben der „Typik Adams und seiner Ehe ... die göttliche Idee Christi und seiner Vermählung mit der Kirche wie das Bild eines Originals ... zugrunde lag"[53], dann wird darin die (an Karl Barth erinnernde[54]) Verhältnisbestimmung von Schöpfungs- und Heilsordnung deutlich. Dies läßt sich aber noch einmal trinitarisch unterfassen, denn es wird „aus dem Herzblut Christi durch die Kraft des in ihm wohnenden Heiligen Geistes der mystische *Leib* und die leibliche *Braut* des *Gottmenschen* gebildet, wie aus dem göttlichen Herzen des Vaters und des Sohnes ihr *Geist* und *bräutlicher Mitgenosse* hervorsprießt"[55].

---

sollen. So wahr, so innig, so real müssen wir Ein Geist mit Gott werden, wie Christus in der Eucharistie mit uns *ein* Leib erscheint ... Die Einheit des Geistes mit Gott, welche in der Eucharistie bewirkt und vorgestellt wird, muß auf einer wahren Durchdringung des menschlichen Geistes durch den göttlichen beruhen; in ihr muß Gott mit seinem innersten Wesen sich in die Seele hineinsenken, mit seinem eigenen Leben sie erfüllen, sich in ihr Innerstes hineinleben; wie ein verzehrendes Feuer muß er sie ergreifen, um sie mit seinem eigenen Lichte, seiner eigenen Wärme zu durchdringen, mit seiner Herrlichkeit zu überkleiden. Nur dann, wenn unser Geist aus Gott lebt und in dem ihn umflutenden göttlichen Lichte aufzugehen scheint, ist er wahrhaft Ein Geist mit Gott, wie er in der Eucharistie Ein Leib wird mit Christus" (Mysterien, S. 401 f.). (Die Schreibweise – Ein statt ein – wurde der Auflage von 1925 angepaßt: Die Mysterien etc. von Dr. M. J. Scheeben, Mainz 1925, S. 461). Scheeben führt hier, unter dem Leitwort des pneumatologisch konkretisierten Ein-Geist-Sein, Christologie, Gnadenlehre (= Vergöttlichungslehre) und Ekklesiologie im Sakrament der Eucharistie zusammen

50 S. o. S. 274 u. Anm. 32 f.: Christus – Ein Christus – Eine Person mit Christus etc.

51 Die „Gemeinschaft des Heiligen Geistes" nach 2 Kor 13,13 (vgl. u. S. 282 bzw. die Texte der Anm. 49 zur Eucharistie). – Zur Problematik Christologie/Pneumatologie vgl. Anm. 34

52 Die Thematik der „ecclesia e latere Christi" spielt eine bedeutende Rolle nicht bloß in der Christologie bzw. der Lehre vom Opfer Christi (vgl. Mysterien, S. 368) und entsprechend der Lehre vom eucharistischen Opfer (vgl. ebd. S. 421 ff.), sie wird in die Pneumatologie selbst eingetragen (Handbuch der katholischen Dogmatik, Zweites Buch, Gotteslehre oder Theologie im engeren Sinne, hrsg. von Michael Schmaus [= Gesammelte Schriften IV], n 1024, Freiburg 1943, und ist wichtig für die Anthropologie [Dogmatik III, n 441–445])

53 Dogmatik V, 2, n 1383

54 Vgl. Anm. 29: Jesus Christus ist die Erstidee Gottes: Es „ist in concreto der durch sein Kreuz in sich selbst vollendete und die Welt vollendende Christus als Inhalt der ursprünglichen schöpferischen Intention Gottes zu denken, wie auch das Kreuzesopfer Christi nicht bloß mit den Skotisten als Arznei für den Sünder, sondern zugleich als die konkrete Form der höchsten Vollendung der Welt und der höchsten Offenbarung Gottes in der Welt intendiert ist. Als solche erscheint das Kreuzopfer namentlich insofern, als die Vergießung des Herzblutes Christi der vollkommenste Reflex der Ergießung des Heiligen Geistes aus dem Herzen des Logos ist." (Dogmatik V, 2, n 1384)

55 Mysterien, S. 368

- Typus und Urbild der Gemeinschaft mit Christus vor allem ist das connubium divinum, die Gemeinschaft von Christus und Maria. Von diesem gewissermaßen exemplarischen Ein-Geist-Sein und dieser exemplarischen „Vermählung von Natur und Gnade“ muß noch die Rede sein.

b) Pneumatologie

Von der Christologie her ist stets auch die Lehre vom Heiligen Geist und die Gnadenlehre im Blick. In den „Mysterien des Christentums“ ist dies bereits in aller Deutlichkeit vorentworfen, trotzdem wird dies vollständig erst in der späteren Reflexion eingeholt. „Natur und Gnade“ und die Gnadenlehre in der Dogmatik scheinen weitgehend ohne Bezugnahme auf die Christologie gearbeitet, „Natur und Gnade“ dazu ohne Integration der Pneumatologie.

Allerdings bleibt die Christozentrik Scheebenscher Gnadenlehre, ihr christologisches Apriori insofern präsent, als man sagen kann: Bei Scheeben ist die Gnadenlehre stets logozentrisch, logozentrisch in christologisch-christozentrischer Absicht[56].

Etwas anders sind die Dinge bei der Pneumatologie. Die oben gezeichnete Verknüpfung von Theologie der Einheit mit und in Christus durch seinen Geist und Vermählungstheologie - als „bräutlicher“ bzw. „jungfräulich-bräutlicher Mitgenosse“ ist der Heilige Geist gewissermaßen die ewige sponsa Dei bzw. die das Sponsale repräsentierende göttliche Person[57] - findet ihre vollständig ausgeprägte Gestalt erst relativ spät[58]. Im Licht dieser Vollgestalt lassen sich aber frühere Darstellungen leicht als integrierbare Vorentwürfe entziffern. Sie finden sich vor allem in Scheebens Erstling, dem 1860 erschienenen „Natur und Gnade“. Mehrfach greift Scheeben dort auf die Textstelle 1 Kor 6,17 zurück, und er unterscheidet zwei Formen des Ein-Geist-Sein mit

---

[56] In Scheebens erster wissenschaftlicher Arbeit, dem o. erwähnten Aufsatz, Die Idee des Übernatürlichen, ist die Inkarnation des Logos der Ausgangspunkt für die Frage nach dem Eidos des Übernatürlichen (Gesammelte Aufsätze, S. 21 u. 24f.)
In „Natur und Gnade“ ist die dem Sohn nachgebildete Adoptivkindschaft der Terminus zur Bestimmung der Übernatur: Matthias Joseph Scheeben, Natur und Gnade, Versuch einer systematischen, wissenschaftlichen Darlegung der natürlichen und übernatürlichen Lebensordnung im Menschen, hrsg. von Martin Grabmann (= Gesammelte Schriften I), Freiburg ³1941, S. 69: „Es leuchtet auf den ersten Blick ein: alle charakteristischen Merkmale der Übernatur... konzentrieren sich in dem einen Begriffe: daß Gott uns aus *Gnade* zu seinen *Kindern* im eigentlichen Sinne des Wortes annimmt, und *wir der Gnade nach werden, was der eingeborene Sohn Gottes der Natur nach ist*“

[57] Die Beziehungen Geist - Eva, Geist - Maria, Geist - Kirche, generell: Geist - Herz bei Scheeben lassen erkennen, daß das Sponsale, die Braut- und Vermählungstheologie, in der Pneumatologie grundgelegt ist. Diesen Fragen geht Yves Congar nach in: Der Heilige Geist, Freiburg 1982, S. 424-438. Er geht dort auch - S. 428-430 - auf Scheeben ein

[58] Wenn auch - nach entscheidenden Zwischenstadien in den Mysterien und Dogmatik II - die vollständige Integration von Pneumatologie und Gnadenlehre erst in Dogmatik III und der Kontroverse mit Granderath stattfindet, zeigen doch die eben wiedergegebenen eucharistischen Texte - Anm. 49 -, daß auch die Antworten von Dogmatik III (1877) 1865 schon im Blickfeld lagen, etwa die Gleichsetzung von 2 Petr 1,4 und 2 Kor 13,13

Gott, erstens ein „moralisches“ der wechselseitigen Liebe und zweitens ein „physisches“ der Partizipation der göttlichen, geistigen Natur. Man kann nun sagen, „daß der Ausdruck: *ein Geist mit Gott werden,* nach der zweiten Analogie eine ganz andere Bedeutung hat als nach der ersten. Nach der zweiten bedeutet er: die Geistigkeit Gottes in sich aufnehmen, selbst *geistig werden durch die Kraft der Gottheit nach ihrer Art,* ähnlich wie das Eisen, in einen feurigen Körper gelegt, selbst feurig und ein Feuer mit ihm wird, ohne daß jedoch seine Substanz mit diesem sich identifiziere, eins werden also in *der physischen Geistigkeit.* Nach der ersten Analogie hingegen werden zwei *ein* Geist, wenn *sie sich begegnen und sich einigen in der Bewegung der Liebe* oder nach einem und demselben Ziele hinstreben. Beide Analogien sind wohl zu unterscheiden und desto mehr auseinanderzuhalten, weil in der Wirklichkeit regelmäßig ein Wechselverhältnis zwischen beiden vorhanden ist[59].“ Es braucht hier auf die Komplexität des Wechselverhältnisses von physisch und moralisch nicht näher eingegangen zu werden, da aus mehreren Gründen in diesem Fall der übernatürlichen Liebesvereinigung und ihrer Konstitution durch das Geschenk des Heiligen Geistes auch die moralische zutiefst eine physische Einheit ist, weil das Wechselverhältnis hier also ein Verhältnis innigster Durchdringung ist[60].

Was Scheeben hier zum Ein-Geist-Sein mit Gott in der Liebe und zum Ein-Geist-Sein durch die Teilhabe an der göttlichen Natur ausführt, wird in den folgenden Werken schrittweise und immer auch in ausdrücklicher Bezugnahme auf 1 Kor 6, 17 vollständig pneumatologisch integriert[61]. Etwas vereinfacht formuliert:

Die Integration des hier Gesagten von seiten der Pneumatologie ist im dritten Band der Dogmatik abgeschlossen und die Integration dieser Integration wiederum in die Christologie vollständig in der Kontroverse mit Granderath, obwohl Scheeben tatsächlich immer schon in vielfacher Weise bei diesem Ziel angekommen ist, von ihm

---

[59] Natur und Gnade, S. 111 f. Die Ausführungen dort, S. 109–123, sind ein zentraler Beleg für eine reduktive Konzentration von Scheebens Theologie auf 1 Kor 6,17. Wie die hier entwickelte Theologie der Vergöttlichung christologisch und sakramental redintegriert werden kann, zeigen wiederum die Texte Anm. 49

[60] Ebenfalls Natur und Gnade, S. 80, Anm. 19: „Die übernatürliche Liebesvereinigung des Geschöpfes mit Gott müßte man gleichfalls eher eine physische als eine moralische nennen, weil sie sich auf eine gewisse Einheit der Natur stützt...“ – Scheeben informiert in dieser Anm., ebenso wie in Natur und Gnade, S. 44 f., Anm. 1, über sein Verständnis des Verhältnisses von physisch und moralisch.
Eine eingehendere Betrachtung dieses komplexen Begriffspaares bei Scheeben unterbleibt, da die jeweilige Akzentuierung, stets durch den konkreten Kontext mitbestimmt, erheblich schwankt.
- Man muß beachten, daß bei Scheeben einerseits die Gegenüberstellung physisch-moralisch durch die jeweilige Zielsetzung und den jeweiligen Kontext geprägt ist: Die hypostatische Union ist eine physische, demgegenüber sind die Gnadenunion bzw. auch die Union Mariens mit Christus moralische Unionen, ihrerseits aber wiederum eher Unionen eines physischen Types, z. B. gegenüber der heiligmachenden Gnade ohne inhabitatio etc.
- Alles Physische impliziert ein Moralisches, enthält es und läßt es aus sich hervorgehen

[61] In der Regel wird bei dieser Integration auf die Hoheliedpredigten des hl. Bernhard Bezug genommen, vgl. etwa Mysterien, S. 146 f. und Dogmatik III, n 835 f.

her denkt, auch dann, wenn er sich zugleich noch darauf zubewegt. So heißt es über das Ein-Geist-Sein in „Natur und Gnade" (in der von dualistischen Untertönen gerade der frühen Werke manchmal nicht ganz freien Sprache): „Diese Geistigkeit stellt der Apostel im Briefe an die Römer der Begierlichkeit des Fleisches gegenüber; er bezeichnet sie als diejenige, welche uns als Kindern Gottes eigentümlich ist, als die, durch welche uns der Geist Christi des Sohnes Gottes gewissermaßen eigen wird, und seine geistigen Bewegungen und Begierden auch unsere geistigen Bewegungen und Begierden werden, so daß wir in dieser Weise *ein* Geist mit dem Heiligen Geiste werden, und der Geist Gottes und Christi auch unser Geist wird"[62]. – Das christologische Apriori der Gnadentheologie und deren pneumatologische Konkretion sind ist also stets gegenwärtig!

Die Linie pneumatologischer Integration der Gnadenlehre bewegt sich, nimmt man bestimmte Schrifttexte exemplarisch und als loci classici, entlang der Verbindungslinie von 1 Kor 6,17 und 1 Kor 6,19 – „oder wißt ihr nicht, daß euer Leib ein Tempel des Heiligen Geistes ist, der in euch wohnt und den ihr von Gott habt?" – und entlang der im Rückgang auf die griechischen Väter vollzogenen Verknüpfung von 2 Petr 1,4 und 2 Kor 13,13: Das consortium divinae naturae, ein locus classicus per exc. der gesamten Theologie von Übernatur und Vergöttlichung, wird gelesen von jenem Text her, mit welchem die Meßfeier eröffnet wird, d. h. das consortium divinae naturae ist im consortium Spiritus Sancti, in der Gemeinschaft des Heiligen Geistes, „aufgehoben" (ein Hinweis gewissermaßen ex post, wo das konkrete hic et nunc des Ein-Leib-Sein und Ein-Geist-Sein mit Christus seinen Ort hat)[63].

Das Ein-Geist-Sein in der Liebe wird immer mit Bezugnahme auf die Hohe-Lied-Predigten des hl. Bernhard von Clairvaux pneumatologisch integriert: „Wie aber die Seele als Kind Gottes durch den Heiligen Geist besiegelt und mit dem Vater verbunden wird, wie der Heilige Geist das *osculum* des Vaters ist, wodurch er sie zu seiner Tochter annimmt und mit sich vereint, so ist er auch zugleich das *osculum* des Sohnes, wodurch sie dessen Braut wird. Als Braut des Sohnes bittet ihn die begnadete Seele im Hohenliede: ‚Er küsse mich mit dem Kusse seines Mundes', damit sie durch seinen geistigen Kuß mit ihm eins werde in einem Geiste. Sie wird eins mit ihm zu *einem* Geiste im Heiligen Geiste, welchen er in sie aushaucht und mit welchem sie durch den von ihm selbst geweckten Liebesodem sich verschmelzt: wie eine Flamme, die, nachdem sie von einer andern entzündet worden, mit dieser, sich begegnend und kreuzend, zu Einer Flamme sich vereinigt"[64]. – Scheeben hat damit das Ein-Geist-Sein in der Liebe, wovon er in „Natur und Gnade" handelte, der Pneumatologie integriert.

---

62 Natur und Gnade, S. 113. Zum Dualismus vgl. die Bemerkung von Balthasars zu den „Herrlichkeiten der göttlichen Gnade" in obigem Beitrag: Das Wirken Scheebens als Priester und Theologe, S. 231 bzw. Anm. 30

63 Meines Wissens erfolgt die *gnadentheologische* Integration von 2 Petr 1,4 und 2 Kor 13,13 nicht vor Dogmatik III (n 670 u. ö.); eucharistietheologisch ist sie aber schon, mit Berufung auf die griechischen Väter, in den „Mysterien" gegeben (vgl. Anm. 49)

64 Mysterien, S. 164 – Die Orthographie ist wiederum z. T. nach der Auflage von 1925 leicht abgeändert (vgl. ebd., S. 158 f.)

Besonders das Bildwort „Kuß", dem das andere vom „Hauch" nahesteht, eignet sich zur Darstellung aller hier eingeschlossenen Inhalte[65]. Auch das „physische Ein-Geist-Sein, welches die Übernatur als solche bezeichnet, wird ähnlich pneumatologisch integriert. Bemerkenswert und kennzeichnend für den Beziehungsreichtum dessen, was unter Ein-Geist-Sein zusammengefügt werden kann, ist, daß dort, wo Scheeben die Lehre von der Einwohnung des Heiligen Geistes am ausführlichsten entwickelt, er dies in ständiger Parallelität zur Christologie tut und daß es deshalb hier ebenfalls zu einem ständigen Vergleich der Begriffe und Bilder kommt: Zeugung, Vermählung, Information, Salbung etc.[66]. Diese Fast-Parallelität von Christologie und Einwohnung des Heiligen Geistes läßt sich sachgemäß nur auflösen, wenn die Mitteilung des Geistes auf die vereinigende und verähnlichende Gemeinschaft mit Christus bezogen wird.

Unter mehrmaliger ausdrücklicher Bezugnahme auf 1 Kor 6,17 wird die Einwohnung des Heiligen Geistes als ein Ineinander von Zeugung und Vermählung dargestellt, als ein Ineinander ferner von analoger Geist-Leib-Einheit und Einheit ehelicher Verbindung von Mann und Frau: Die der fleischlichen Einheit („unitas *carnis*") von Mann und Frau und der geistigen Einheit („unitas *spiritus*") der ewigen Zeugung nachgebildete „Mitteilung der göttlichen Natur" in der Einwohnung des Heiligen Geistes ist eine Einheit von Geist und Fleisch („unitas *inter carnem et spiritum*")[67].

Die „κόλλησις der Kreatur mit Gott", von welcher Paulus sagt, durch sie „werde die Kreatur ebenso wahrhaft ein Geist, wie adhaerens meretrici unum corpus efficitur"[68], ist zugleich als analoge Einheit von Geist und Leib zu lesen: „Auf diesen Charakter der Vereinigung weist der Apostel 1 Kor 6,17 hin, indem er, unmittelbar nachdem er von der κόλλησις mit Gott gesprochen, auf den Begriff eines *Tempels* des Heiligen Geistes übergeht, wodurch die Vereinigung sich als eine solche darstellt, worin die Kreatur von einem *höheren, geistigen* und *heiligen Prinzip substanziell erfüllt* wird ..." [69].

Dies wird, wie gesagt, in die „Gemeinschaft des Heiligen Geistes" nach 2 Kor 13,13 fortgeschrieben, diese Stelle sei „der prägnanteste Ausdruck für das Wesen und die Bedeutung der Einwohnung des Heiligen Geistes in Hinsicht auf die in der Vollzie-

---

[65] Scheeben sieht Kuß und Hauch stets eng zusammen (vgl. Mysterien, S. 84), so daß um das Wort „Geist" sich gewissermaßen ein „Hof" ähnlicher Begriffe und Bilder legt, Atem, Odem, Wehen, Duft – der vor allen Dingen Dogmatik VI in immer dynamischeren Bildern ausgeweitet wird, vgl. etwa ebd., n 56, Anm. 25

[66] Dogmatik III, § 169 B. I. – III. (vgl. oben Anm. 41)

[67] Dogmatik III, n 849

[68] Ebd., n 846

[69] Ebd., n 850. Der Text zeigt Scheebens Zuordnung der analog gesehenen Unionen: „... daß die Einwohnung ein *organisches Verhältnis* der *wechselseitigen Angehörigkeit und Zusammengehörigkeit zu einem Ganzen* zwischen der geistigen Substanz Gottes und der begnadigten Kreatur einschließe, welches in ähnlicher Weise *ein durch die Macht des göttlichen Gnadenwillens geschaffenes Äquivalent der natürlichen Einheit zwischen Geist und Leib* im Menschen bildet, wie der Wille Gottes in der Ehe ein Äquivalent der natürlichen Einheit zwischen den Gliedern desselben Körpers schafft. Da nun Geist und Leib sich verhalten wie *Form und Materie*..., so wird auch in unserem Falle das Verhältnis ... als *eine Art von Information* bezeichnet werden müssen"

hung der Adoption enthaltene Zeugung aus Gott und Vermählung mit dem Sohne Gottes"[70].

Diese christologische Situierung von 2 Kor 13,13, worin dann natürlich die Zusammengehörigkeit von Christus und Pneuma nach 1 Kor 6,17 integriert ist, entwickelt Scheeben als Verbindung zweier „Zeugungen" und der aus ihnen resultierenden „Produkte" durch „Vermählung" in der ihm eigenen Sprache wie folgt: Dieser Zusammenhang „besteht darin, daß *dasselbe substanzielle göttliche Produkt,* in welchem die zweite Person in Gott als dessen *Prinzip und Trägerin* sich als den natürlichen Sohn Gottes *darstellt,* von ihr der Kreatur durch innigste *Vermählung* mit derselben mitgeteilt wird, um sie zum Kinde Gottes zu *machen,* indem dasselbe der Kreatur als einem von ihm erfüllten Tempel ebenso wahrhaft und substanziell durch *freie* Liebe *eingesenkt* und *angeeignet* wird, wie es im natürlichen Sohne Gottes, weil substanziell aus ihm hervorgehend und mit ihm identisch, als in seiner Quelle und Wurzel ist"[71].

Dies ist in der Tat sehr kompliziert ausgedrückt, meint jedoch etwas sehr Schlichtes: Quelle und Wurzel der Einwohnung des Heiligen Geistes, der „Gemeinschaft des Heiligen Geistes", ist der fleischgewordene Sohn Gottes bzw. die Vermählung, also die Gemeinschaft mit ihm.

Dies wird auf die beiden in „Natur und Gnade" genannten Formen des Ein-Geist-Sein hin noch einmal konkretisiert. Es sei nach der einen Seite der Heilige Geist Repräsentant kindlicher Liebe des Sohnes zum Vater und bräutlicher Liebe, „mit welcher der Sohn Gottes seine Braut umfängt", nach der andern sei der Heilige Geist Repräsentant „der substanziellen Heiligkeit und Geistigkeit und *mithin des ganzen Seins und Lebens Gottes*", also: „Während bei den Lateinern der Heilige Geist bloß Mittler innigster Freundschaft resp. der freundschaftlichen Seite der mystischen Ehe mit dem Sohne Gottes ist, erscheint er bei den Griechen als Mittler einer substanziellen Einheit resp. der realen Seite dieser mystischen Ehe ..."[72].

Mit der pneumatologischen Integration der Gnadenlehre verbindet Scheeben also zugleich die christologische. Der Ternar Alexanders bzw. Bonaventuras kann nach allen Seiten an der Gemeinschaft mit Christus festgemacht werden. Wie in Scheebens Sicht die Inhalte des „nexus mysteriorum" sich ineinanderfügen können, zeigt der folgende Text:

„Das consortium = communio oder communicatio naturae divinae, enthält daher ebensowohl eine Vereinigung der Substanz der göttlichen Natur mit uns wie eine durch die Kraft derselben bewirkte Verähnlichung unserer Seele mit der eigentümlichen Beschaffenheit der göttlichen Natur, und zwar so sehr, daß die Väter sehr oft jenes consortium spezifisch auf diejenige Vereinigung der Gottheit mit uns deuten, welche durch die Inkarnation und die Eucharistie vollzogen wird. Nur in diesem Sinne verstanden stellen beide Ausdrücke *jene Mitteilung seiner selbst* von seiten Gottes dar, welche die vom Heiland resp. vom hl. Johannes betonte Einheit, Gemeinschaft oder

[70] Dogmatik III, n 852
[71] Dogmatik III, n 858
[72] Ebd

Mitgenossenschaft mit dem Vater und dem Sohne in ihrem göttlichen Sein und Leben konstituiert[73]."

Das Ein-Geist-Sein also, von dem „Natur und Gnade" handelt, ist „aufgehoben" im wirklichen Geschenk des Geistes Gottes und in dessen Einwohnung, in der „Gemeinschaft des Heiligen Geistes". Deren Ort ist aber die Gemeinschaft mit Jesus Christus, die wiederum in prägnanter Form in 1 Kor 6,17 bezeichnet wird.

Und weil dort die Gemeinschaft mit Christus in Analogie zur Verbindung von Mann und Frau gesetzt wird, deshalb ist auch Scheebens gesamte Vermählungstheologie, in ihrer Erstreckung von der Trinität bis zur Anthropologie, in 1 Kor 6,17 enthalten.

c) Theologie

Die gesamte Gnadentheologie Scheebens lebt also von Anfang an aus einem christologischen Apriori, in welchem zugleich das trinitarische Apriori seine Konkretion findet.

Diese christologische Zentriertheit der Scheebenschen Theologie, nicht der Wille, mit Gewalt alles in eine Formel pressen zu wollen, legt den Verweis auf den von Scheeben selbst so häufig angeführten Text 1 Kor 6,17 nahe – auch die Wendung „Ein Christus" ist ja leicht in diesen Kontext einzufügen.

Das Bild aber bliebe unvollständig, würde nicht beachtet, was letzter Inhalt all dessen ist, wovon christologisch, pneumatologisch, trinitarisch gehandelt wird: Christus ist „Mensch geworden, um uns seiner Gottheit teilhaft zu machen; oder wie die griechischen Väter zu sagen pflegen: ‚ideo Deus factus est homo, ut homo fieret Deus'"[74]. Es geht also im letzten um „Theologie", in jenem Sinn, den dieser Begriff meint als Gegenbegriff zu „Ökonomie", und in jenem Sinn, den Theos im NT meint[75].

Die geniale, von Scheeben immer wieder herangezogene Verknüpfung von Anfang und Ende des Apostolischen Glaubensbekenntnisses – „in Deum Patrem" und „in vitam aeternam"[76] – steht als letzte Reduktionsformel nicht im Gegensatz zur Christozentrik, denn das „in Christus" und das ihm korrelative „im Geist"[77] hat ja als letzte Zielbestimmung eben das „in Deum Patrem".

---

73 Gesammelte Aufsätze, S. 202

74 Vgl. Anm. 37

75 Vgl. Karl Rahner, Theos im Neuen Testament, in: Schriften zur Theologie I, Einsiedeln [5]1961, S. 91–167

76 Vgl. Dogmatik I, n 716, 962 u. Dogmatik II, n 354

77 Vgl. Heinrich Schlier, Grundzüge: „Der erhöhte Jesus Christus ist lebendig machender Geist, wirkt als solcher und läßt sich in ihm erfahren. Im Geist und als Geist, in dem Jesus Christus sich zu erfahren gibt, eröffnet sich aber Gott selbst" (181). – „Der Geist des Herrn ist dieser selbst, sofern er sich in seinem Geist erschließt" (182) – „‚Wer sich an den Herrn hängt, ist *ein* Geist'. Warum? Nun, der κύριος ist ein Geist und durch den Geist zugängig" (ebd.). „... der Geist Gottes im Geiste Jesu Christi ist Christus selbst im Geist ..." (183) – „Der Geist ... ist die Kraft der Selbsterschließung und des Anwesens Jesu Christi und darin Gottes. Er ist das Wehende des Anwesens Jesu Christi kann man vielleicht genauer sagen" (ebd.).

Die obigen vom Ein-Geist-Sein mit Gott handelnden Passagen aus „Natur und Gnade“ wurden in den Zusammenhang von Überlegungen zur Pneumatologie gestellt, weil diese Inhalte der Gnadentheologie später pneumatologisch integriert werden. Scheeben handelt aber in „Natur und Gnade“ von der Gnade als solcher, und die Texte über das Ein-Geist-Sein mit Gott stehen dort primär in diesem Zusammenhang. Allerdings ist auch in „Natur und Gnade“ an keiner Stelle der trinitarische Kontext ausgeblendet. Und auch die behauptete Christozentrik, das christologische Apriori, ist durch die strikte Korrelation von Übernatur und Adoptivkindschaft grundsätzlich ebenfalls stets präsent[78]. Aber die Formulierung hat insofern ihr Recht, als sie auf den hauptsächlichen Inhalt aller Gnadentheologie Scheebens hinweist: das consortium divinae naturae, die so häufig fehlinterpretierte „Übernatur“.

Im folgenden Text, auch er ein Schlüsseltext zum Verständnis Scheebens, wird deutlich, was damit gemeint ist: „Wenn aber die untere Natur überhaupt in allen jenen Beziehungen auf die Stufe einer höheren Natur erhoben wird, und namentlich, wenn diese Erhebung die Natur so tief erfaßt und so mächtig in ihr innerstes Sein und Wesen hineingreift, wie es geschehen kann, wenn die Gottheit, das reinste Licht und das stärkste Feuer, ihr Geschöpf ganz mit ihrer Kraft durchdringen will, um es ganz zu durchleuchten, zu durchglühen, es ganz in ihre Herrlichkeit zu verklären, es dem Vater der Geister ähnlich zu machen und ihm die Fülle seines göttlichen Lebens mitzuteilen; wenn, sage ich, das ganze Sein des Geistes in seinem tiefsten Grunde und in allen seinen Verzweigungen bis zum Gipfel hin ein anderes wird, nicht durch Zerstörung, sondern durch Erhebung und Verklärung: dann kann man sagen, *daß zu der niederen Natur eine gleichsam neue, höhere Natur hinzugetreten sei, nämlich durch die Mitteilung des Wesens, dem diese Natur an sich eigen ist*[79].“ – Einen solchen Text auf seine trinitarischen, christologischen und pneumatologischen Konnotationen abzuhören, diese mitzuhören, ist keine Eisegese, sondern im Umfeld der Scheebenschen Theologie die einzig sachgerechte Interpretation. Und stellt man diesen Text etwa in das Milieu der Ausführungen in der Kontroverse mit Granderath, dann springt, bis in die Wortwahl, notwendig wieder der Ternar Alexanders bzw. Bonaventuras heraus[80].

Schlier macht an den Aussagen des Apostel Paulus eine trinitarische Theologie, trinitarische Kurzformeln fest

[78] Vgl. oben Anm. 56

[79] Natur und Gnade, S. 21 f.

[80] Zunächst ist die Korrelation dieser transformativen Erhebung und Verklärung mit der Konstitution Christi zu beachten (vgl. o. Anm. 45). Sodann ist zu sehen, daß Scheeben in seine Eucharistielehre ähnliche und ähnlich enthusiastische Aussagen hineinschreibt (vgl. Anm. 49). Und zum Schluß: Im dritten der Aufsätze der Kontroverse mit Granderath, Die Kontroverse über die Formalursache der Kindschaft Gottes (= Gesammelte Aufsätze, S. 238–269), versteht Scheeben „Wesen“ konkret, i. e. res et res naturae umgreifend: „Alsdann aber kann und muß das mit uns vereinigte göttliche ‚Wesen‘ Natur *und* Person in sich begreifen, so daß die Natur eben als in der Person subsistierend, die Person aber als die Natur in sich einschließend ... aufgefaßt wird“ (S. 256). „Wesensgemeinschaft“ (ebd.) ist dann „die *übernatürliche Teilnahme eines Wesens niederer Ordnung an der Natur oder vielmehr an dem Sein eines höheren Wesens, näher eines geschöpflichen persönlichen Wesens an dem göttlichen Sein,* wodurch das *niedere* Wesen zum ‚*Wesensbilde*‘ des *höheren* gemacht wird“ (S. 257) – „Wesen“ wird, im Sinne der Lek-

Übernatur in diesem Sinn ist also Mitteilung der göttlichen Natur, die als Licht und Feuer verstanden wird, an die menschliche bis in deren Grund, ist Erhebung der Natur als solcher zur Teilhabe an der göttlichen Natur. Und eine solche Verbindung mit dem „Vater der Geister“[81] ist natürlich a fortiori Ein-Geist-Sein mit Gott.

Im Sinn solcher Theologie der Gemeinschaft mit Gott ordnet Scheeben die gesamte Gnadenlehre auf die visio als „Axiom der Gnadenlehre“ hin[82], wobei in mannigfacher Weise trinitarische Konkretion und der Bezug zur Christologie im Blick behalten werden[83]. Weil Scheeben visio beata und vita aeterna als Wechselbegriffe versteht, kann er der Liebe den ihr zukommenden Platz einräumen[84].

Dazu gleich noch etwas, hier zunächst, im kühnen Überspringen der einzelnen Zwischenschritte, das Resümee dessen, was das Übernatürliche seiner Idee nach ist:

---

türe der Stelle 2 Petr 1,4 von 2 Kor 13,13 her, trinitarisch konkretisiert. – Dies ließe sich aber auf den Text „Natur und Gnade“, S. 21 f. ex post übertragen

81 Wetzer und Welte's Kirchenlexikon, Zweite Auflage von Joseph Hergenröther und Franz Kaulen, Freiburg 1882–1901, Artikel Glaube, Bd. V, Sp. 616–674, hier: Sp. 622 (lat: pater spirituum)

82 Dogmatik III, n 702. Scheeben beginnt seine Ausführungen zur Gnadenlehre in Dogmatik III (nach Erklärung der Grundbegriffe und nach dem biblischen und historischen Teil) mit: „Das ewige Leben in der *visio beatifica Dei* ... als idealer Maßstab des übernatürlichen Lebens überhaupt“ (§ 164); vgl. dazu die Arbeit von Norbert Hoffmann, Natur und Gnade. Die Theologie der Gottesschau als vollendeter Vergöttlichung des Geistesgeschöpfes bei M. J. Scheeben, Rom 1967. Ferner: Hermann Weber, Gratia – inchoatio gloriae. Die Preisgabe des Scheebenschen Ansatzes in der Eschatologie durch Atzberger, in: Mysterium und Gnade. Festschrift für Johannes Auer, Hrsg. von H. Roßmann und J. Ratzinger, Regensburg 1975, S. 291–303

83 Hinzuweisen ist auf den umfangreichen biblischen Teil (§ 162), auf die doppelte Zielbestimmung der Liebe, die Liebe zu Gottes Wesen und die Teilhabe an der Liebe der göttlichen Personen – Dogmatik III, n 737–740, schließlich darauf, daß gleich zu Anfang festgestellt wird, die Lehre vom Übernatürlichen konzentriere sich „als um seine idealen Typen oder Grundformen – um die *visio beatifica* und die *unio hypostatica* ... Diese beiden Grundformen des Übernatürlichen stehen im Christentum in der engsten Verbindung ..., sie sind daher auch tatsächlich zu *einer* übernatürlichen Ordnung verbunden“ (Dogmatik III, n 600 f.). Gleichwohl weist Norbert Hoffmann zu Recht auf Folgendes hin: „Was nun das Gottschauen selbst seiner metaphysisch-psychologischen Aktstruktur noch angeht (als cognitio immediata Dei), wächst ihm von der Inkarnation und der Einwohnung aus keine innere Vervollkommnung zu“ (Natur und Gnade, S. 347). Und: „Die Gnadenordnung und mit ihr die visio als ihre Spitze kann im wesentlichen bestehen ohne ihre tatsächliche inkarnatorische Grundlage“ (ebd. S. 350). Es ist dies ein Hinweis einerseits auf das Zwitterhafte eines Gnadentraktats *vor* der Christologie, andererseits darauf, daß Scheeben hier unterschiedliche Traditionsstränge ineinandergefügt hat, an deren *faktischer* Einheit ihm alles liegt, deren wesensmäßige Einheit herauszustellen ihm nicht immer in der gleichen Weise gelingt. Hinweise zum Thema „Die ewige Bedeutung der Menschheit Jesu für unser Gottesverhältnis“ – vgl. Karl Rahner, Schriften zur Theologie III, Einsiedeln 1962, S. 47–60 – könnten bei Scheeben aus seiner Theologie der Verklärung, seiner Weisheitstheologie (s. u. S. 302 f.) zusammengetragen werden, ferner daraus, daß allen andersgerichteten Traditionssträngen zum Trotz, für Scheeben Christus die Erstidee Gottes bei der Schöpfung ist

84 Dogmatik III, § 164 hebt bereits im Titel auf diesen Bezug – vita – ab, was darin zum Tragen kommt, daß Scheeben entgegen üblicher Tradition die caritas beatifica behandelt (vgl. Dogmatik III, n 716)

Einheit mit Gott im überschwenglichen Sinn. Die Kreatur „wird ... durch Verklärung in der Gnade und Glorie ein wahres *Gleichnis der spezifisch göttlichen Herrlichkeit* und in den *Mitgenuß der eigensten Seligkeit* Gottes erhoben. Sie ist nicht mehr bloß Schemel der Füße Gottes, sondern ein von seiner Herrlichkeit und Seligkeit erfüllter lebendiger Thron und Tempel, ein Bild Gottes in ähnlicher Weise, wie der menschliche Leib ein Bild der ihn erfüllenden geistigen Seele ist ... In der übernatürlichen Ordnung ... zieht Gott die Kreatur so an sich, daß er selbst als das höchste Gut unmittelbar der Gegenstand ihres Besitzes und Genusses wird, daß sie sich selbst mit derselben Liebe liebt, womit sie Gott liebt, daß folglich die Freude, Gott in sich selbst so herrlich und selig zu sehen, die Blume und das innerste Wesen ihrer Seligkeit ausmacht und daß sie so, in den Strom der Wonne Gottes versenkt und von ihm berauscht, gleichsam in Gott aufgeht, nur in ihm lebt und atmet, nichts mehr außer Gott sucht und sich nicht mehr von ihm losreißen kann. Auf diese Weise erfüllt sich in der übernatürlichen Ordnung vollkommen der Endzweck der Dinge in dem Sinne, wie der Apostel (1Kor 15,28) ihn bestimmt, daß nämlich Gott *alles in allem sei,* indem die Kreaturen so mit Gott verbunden und an ihn gefesselt werden, als ob sie keine verschiedenen Wesen, sondern Ein Wesen[85] mit ihm selbst wären und er als innerstes Prinzip, Gegenstand und Ziel ihres ganzen geistigen Lebens dasselbe nach allen Seiten hin erfüllt und durchherrscht ... *In gewissem Sinne* ist es auch wahr, daß die Kreatur *in Gott selbst* zurückkehrt, wo sie vor ihrem Ausgang durch die Schöpfung war, inwiefern sie nämlich, in der visio beatifica in den Schoß Gottes aufgenommen, Gott als ihrem ewigen Ideale vollkommen gleichförmig wird und in der Anschauung des göttlichen Wesens auch die ewige Idee, nach welcher sie geschaffen worden, erkennt und so sich dort wiederfindet, von wo sie ausgegangen. Sowenig aber der Begriff der Schöpfung gestattet, daß die Kreatur kraft ihres Ursprungs Eines Wesens[86] mit Gott sei, so wenig kann der Endzweck der Schöpfung dahin gehen, daß die Kreatur dasjenige eigene Sein, welches sie durch die Schöpfung empfangen, verliere; im Gegenteil geht er wesentlich dahin, daß die Kreatur, dasjenige bleibend, was sie positiv ist, zur *innigsten Gemeinschaft* und *Gesellschaft* mit Gott erhoben werde“[87].

Dieser Text zeigt, warum man Scheeben als „Mystiker der Neuscholastik“ bezeichnet hat[88]. Der Begriff „Ein Wesen“, der doppelt gegen ein pantheistisches Mißverständnis abgesichert wird[89], entspricht sachlich dem, was Scheeben in „Natur und

---

85 Aus der Erstauflage übernehme ich „Ein Wesen“ großgeschrieben, statt „ein Wesen“, um den sachlichen Zusammenhang mit dem Ein-Geist-Sein auch optisch herauszuheben (vgl. Handbuch der katholischen Dogmatik, Freiburg 1878, S. 435 (n 997), mit Dogmatik III, n 997 der Gesammelten Schriften)

86 Vgl. Anm. 85

87 Dogmatik III, n 996f.

88 Alfred Eröss, Matth.-Jos. Scheeben – ein Mystiker der Neuscholastik, in: Zeitschrift für Aszese und Mystik 11 (1936), S. 173–192

89 „... als ob sie keine verschiedenen Wesen, sondern Ein Wesen mit ihm selbst wären“ und: „So wenig aber der Begriff der Schöpfung gestattet ..., so wenig kann der Endzweck der Schöpfung ...“

Gnade" unter das Stichwort „Ein-Geist-Sein" mit Gott stellt, eine Gemeinschaft innigster Verähnlichung und Vereinigung mit Gott.

Gerade aber vom Zielpunkt und von der Mitte dieses gleichsam „Ein-Wesen-Sein", nämlich von Gott her, bekommt der Text 1 Kor 6,17 neu Gewicht, denn: „Da nun der Name *Geist* gerade das durch sich selbst Lebendige und aktiv Belebende bezeichnet: so kann und muß Gott in Hinsicht auf die einzige und eminente Weise, wie er Leben ist und Leben spendet, als *der Geist per excellentiam* und *der Geist aller Geister*... bezeichnet werden"[90].

Scheeben sieht in der göttlichen Geistigkeit, in Gottes Geist-Sein den eigentlichen Grund seiner trinitarischen Fruchtbarkeit, die in Inkarnation und Gnade nach außen getragen wird. Es liegt „der *Grund* dieser Produktivität gerade in der *überschwenglichen* Fülle des göttlichen Lebens ...; und da diese darauf beruht, daß Gott im positiven Sinne des Wortes *der absolute Geist,* d. h. das Leben selbst ist..., so deutet dieser Name ebenso die Möglichkeit wie die Notwendigkeit an, daß Gott in einer Weise wie kein anderes geistiges oder materielles Wesen außer ihm unendlich produktiv sei"[91]. Scheeben macht 1 Kor 6,17 im Zentrum göttlicher Lebensmitteilung selbst fest, wenn er darauf hinweist: „Hieraus erhellt, wie tief und lebendig die Trinität in der alten römischen Lehrformel ausgedrückt war, welche sagte, die drei Personen seien Ein Geist ..."[92].

Noch einmal: Es soll nicht mehr oder minder gewaltsam der gesamte reiche Inhalt der Scheebenschen Theologie in eine Formel gepreßt werden, vielmehr ist es umgekehrt so, daß diese kleine Textstelle wegen ihrer vielfältigen Bezüge das Ganze dieser Theologie gewissermaßen fokussiert. Die Gemeinschaft mit Christus, an dieser Stelle 1 Kor 6,17 zugleich in die Perspektive der Vermählungstheologie gestellt, ist die gesamte Gnadentheologie integrierende „Gemeinschaft des Heiligen Geistes" (2 Kor 13,13).

Und beides, die Gemeinschaft mit Christus und die Gemeinschaft des Heiligen Geistes, ist vergöttlichend-verklärende Gemeinschaft mit Gott, welcher der absolute Geist, der „Geist aller Geister" ist, und in dessen Geistigkeit als überschwenglicher Fülle des Lebens der Grund liegt, sich nach innen und nach außen selbst mitteilen und schenken zu können[93]. So ist die gewissermaßen horizontale Linie der Gemeinschaft mit Christus untrennbar verbunden mit der Vertikalen der Gemeinschaft mit dem dreifaltigen Gott.

[90] Dogmatik II, n 387; vgl. auch ebd. n 120

[91] Dogmatik II, n 930

[92] Dogmatik II, n 931

[93] Das Scheebensche Verständnis von Geist, Natur und Leben enthält ganz ausgeprägt den Aspekt des Dynamischen: Natur ist Neigung, Kraft und Tendenz, Wurzel und Grundlage einer bestimmten Bewegung und Entwicklung (vgl. Natur und Gnade; S. 16; Dogmatik I, n 883 und Dogmatik II, § 89 – dazu Eugen Paul, Denkweg und Denkform der Theologie von Matthias Joseph Scheeben (= Münchener Theologische Studien, II. Systematische Abteilung Bd. 40), München 1970, S. 40–49.
Die Gesamtstruktur des Scheebenschen Werkes erhellt aus dem Aufbau der Gotteslehre einerseits (Sein – Natur/Leben – Lebensmitteilung), der Schöpfungs- und Gnadenlehre andererseits (vgl. dazu Dogmatik III, n 1)

Es ist also nur folgerichtig, daß die beschriebene Verbindung der Kreatur mit Gott, „als ob sie keine verschiedenen Wesen, sondern Ein Wesen mit ihm selbst wären", in den Ternar Bonaventuras übersetzt werden kann, besonders nachdrücklich, wenn auf der Grundlage christologischer Konkretion argumentiert wird[94].

Hier, so Scheeben, nähmen „diejenigen *Formen der Gemeinschaft mit dem trinitarischen Gott* ..., welche die übernatürliche Ordnung überhaupt kennzeichnen, eine festere, höhere und lebendigere Gestalt" an. Sie erhielten „hier einen ... *physischen Typus*[95] als vermittelt und vorgebildet durch diejenige Gemeinschaft, in welcher die Menschheit Christi selbst zu Gott und den Personen der Trinität steht ..."[96]. Demgemäß ist der übernatürliche Bund mit Gott hier ... ein auf wahre Vermählung gegründeter *ehelicher Bund* mit Gott in der Person des Logos, wodurch die Menschen in mystisch-realer Weise dem Logos angegliedert und mit ihm *eine* Person werden. Dadurch erhält denn auch die Adoptivkindschaft der begnadigten Menschen zu ihrer Grundlage eine organische Verbindung derselben durch den Logos mit *der Person seines Vaters;* sie involviert daher eine höhere Teilnahme an der Sohnschaft des natürlichen Sohnes Gottes ... Desgleichen bringt es die Vermählung mit dem Logos mit sich, daß die Begnadigten durch und in Christus auch in höherer Weise *Tempel des Heiligen Geistes* sind, der in ihnen als in den Gliedern dessen wohnt, von dem er selbst ausgeht und dem er wesenhaft eigen ist und mithin wahrhaft *in seiner eigenen Person als ihr Geist* ihnen eigen ist"[97].

Diese Perichorese von Trinitätstheologie, Christologie und Gnadenlehre ist Grund und Ziel der gesamten Theologie Scheebens, früh angezielt und auch expressis verbis ausgesprochen und doch zugleich nur schrittweise ausformuliert[98].

---

94 Vgl. zu „Wesen" Anm. 80

95 Dies ist eine jener Stellen, wo der Begriff „physisch" nur Sinn erhält durch den Bezug auf den eigentlichen terminus a quo: Die „physische Union" in Christus und die Teilnahme daran durch Gnade. Scheeben erläutert dies Dogmatik V, 1, n 224 und später in ebd. § 233 – Physis wird, ähnlich dem Text aus der Kontroverse, konkret verstanden, als „Wesen" bzw. als res naturae; physische Union ist dann gleichbedeutend mit hypostatischer Union. Von der hypostatischen Union her m. a. W. und der participatio daran ist hier zu verstehen, was mit über die Gnadenunion hinausgehendem „physischen Typus" gemeint ist. – Die Gnadenunion selbst, der Text S. 288 zeigt dies, kann an sich kaum inniger gedacht werden. Das Problem löst sich nur auf, wenn – wie es Scheebens eigentlichem Denken entspricht, die Gnade von vornherein christologisch rückgekoppelt wird

96 Dogmatik V, 2, n 1368 – Scheeben verweist auf die Mariologie als Modell, Dogmatik V, 1, n 757–773. Auch dort findet sich die Zweideutigkeit der Terminologie: Die Verbindung Christus – Maria sei eine wirkliche Vermählung, nachgebildet der hypostatischen Union. „In einem gewissen Sinne stellt freilich auch die bloße Gnadenunion mit Gott eine Vermählung mit Gott, und zwar eine der hypostatischen Union analoge Vermählung dar; wie aber dieselbe nicht durch die hypostatische Union vermittelt ist, so hat sie auch keineswegs die volle spezifische Kraft der Vermählung, sondern ihr gegenüber nur den Charakter eines einfachen freundschaftlichen Verhältnisses" (n 760)

97 Dogmatik, V, 2, n 1368

98 Der Zusammenhang von Christologie und Gnadenlehre ist eine Grundeinsicht Scheebens, wie gesehen der terminus a quo, von dem im ersten Aufsatz die Darstellung des Wesens des Übernatürlichen ihren Ausgang nimmt. Dieser Zusammenhang bleibt etwa in

d) Das Ein-Geist-Sein mit Gott in Glaube und Liebe

Inhalt des „nexus mysteriorum", der Verschränkung der genannten Glaubensgeheimnisse, ist die *„reductio* oder *revocatio creaturae ad suum principium*", d. h., „daß die Kreatur, dasjenige bleibend, was sie positiv ist, zur *innigsten Gemeinschaft* und *Gesellschaft* mit Gott erhoben werde"[99]. Auf dieses Ziel, auf die vita aeterna, werden die beiden übernatürlichen Lebensakte, Erkennen bzw. Glaube und Liebe hingeordnet. Während im Zusammenhang der Theologie der Liebe das Motiv des Ein-Geist-Sein immer wieder ausdrücklich genannt wird, führt es Scheeben in der Glaubenstheologie nur selten explizit an, doch die Sache ist stets gegenwärtig.

Der Glaube

In der Glaubenstheologie geht es Scheeben um die innerste Verschränkung des Sittlichen, der Erkenntnis und der übernatürlichen Gemeinschaft mit Gott, die im Glauben zugleich angestrebt und erreicht wird. Diese Integration der verschiedenen Momente des Glaubens, dessen umfassende Gründung auf Gott als Schöpfer und als Urheber und Ziel übernatürlicher Gemeinschaft, wird im Begriff „Autoritätsglaube" zugleich fixiert und repräsentiert.

Es geht also um die Verschränkung eines zugleich gehorsamen und „lebensvollen Hinstreben zu Gott"[100] und der Hineingründung der menschlichen Erkenntnis in die

---

„Natur und Gnade" präsent durch die Logozentrik der Gnadenlehre, die Korrelation von Sohnschaft und Adoptivkindschaft, und durch den ständigen Rekurs auf zentrale Texte des NT, die auf Christus bezogen sind.
Bestätigt wird die von Grund auf gegebene christologische Bindung durch die Christozentrik der „Mysterien", die in der Dogmatik bekräftigt wird: Jesus Christus ist das primum in intentione Gottes. So wird in den „Mysterien" die Frage: Cur Deus homo, beantwortet mit der Gegenfrage: cur oder ad quid mundus. Und diese wird damit beantwortet, daß Christus der finis der Welt ist, daß „Christus von vornherein, wie ... das Ziel, so auch ... (der) Anfang der Wege des Herrn in seiner Schöpfung" ist (Mysterien, S. 355). „Wie die Sonne in der Mitte der Planeten, steht Christus inmitten der Kreaturen als das Herz der Schöpfung, von dem Licht, Leben und Bewegung auf alle Glieder derselben ausströmt und zu welchem alle hingravitieren, um in ihm und durch ihn in Gott zu ruhen" (ebd. S. 355).
Zugleich bleibt aber irritierend, daß *formal* die Gnadenlehre in „Natur und Gnade" als „De gratia ut sic" behandelt wird.
Analog ist die Situation in der Darstellung des Zusammenhangs von Gnadenlehre und Pneumatologie, wo eine adäquate Artikulation des Zusammenhangs durch die Restriktionen in der inhabitatio-Frage verhindert wird. Die diesbezüglich weiterreichende Sprechweise in der Christologie und der Sakramentenlehre der „Mysterien" ist reflexiv erst in Dogmatik III voll und ganz eingeholt

99 Dogmatik III, n 997

100 Dogmatik I, n 812: „Vor allem ist der theologische Glaube ... nicht eine irgendwie qualifizierte ... Zustimmung zur Offenbarung oder ein beliebiges Fürwahrhalten aus Anlaß oder auf Grund der Offenbarung. Er ist vielmehr ein *lebensvolles Hinstreben zu Gott* als dem Prinzip, Objekt und Ziel jener Offenbarung ..."

göttliche, „*eine übernatürliche Teilnahme ... an der Erkenntnis Gottes selbst* und *eine Verähnlichung ... unserer Erkenntnis mit der göttlichen ...*"[101].

Gott, genauer die Autorität des sich offenbarenden Gottes, ist der Beweggrund des Glaubens nach der sittlichen Seite. Scheeben verschränkt hier das Motiv des Gott als dem Herrn geschuldeten Gehorsams mit dem des Strebens nach der Gemeinschaft mit Gott als Gut[102]. Dadurch kommt untergründig das gesamte Verhältnis von Natur und Gnade ins Spiel, das bei Scheeben, anders als ihm manchmal unterstellt, nicht extrinsezistisch verstanden werden darf. Scheeben betont ganz nachdrücklich den Dynamismus des menschlichen Geistes hin auf die vollkommene Gemeinschaft mit Gott, auf die visio beatifica, um es technisch zu formulieren[103].

Gott ist aber auch der Urheber des Glaubens im strikten Sinn – Autor bzw. auctor –, nach der sittlichen Seite, insofern das Streben des Menschen nach Gemeinschaft mit ihm und die Bereitschaft, sich ihm im Glaubensgehorsam zu unterwerfen, von der Gnade erhoben wird, nach der Seite der Erkenntnis, weil das Erkennen, wie es Gott selbst eigen ist als Teil seiner geistigen Vollkommenheit, der eigentlich „zeugende" Grund des Glaubens ist[104].

Gott ist schließlich nicht bloß tragender Grund des Glaubens, er ist auch im umfassenden Sinn dessen Ziel als „Gegenstand des beseligenden Besitzes im Sinne der Worte an Abraham: ‚Ego ero merces tua magna nimis' ..., der uns durch seine Macht und Güte in den Besitz seiner selbst setzt[105] ..." In diesem Zusammenhang wiederum der Verweis auf das Apostolische Glaubensbekenntnis: „Dasselbe liegt in der Formation des Symbolums, das mit Credo in Deum Patrem (Patrem Christi und dadurch auch nostrum) beginnt und mit der vita aeterna schließt"[106].

Damit verknüpft Scheeben eine rasante Reduktion aller Inhalte des Glaubens auf

---

101 Dogmatik I, n 659. Der Glaube ist „consortium naturae divinae" in der Form des „consortium divini intellectus", ist m.a.W. Moment der Übernatur

102 Der Glaube kommt zustande aus „Achtung gegen die Person des Redenden" und dadurch, daß der Wille gegenüber dem Redenden, d.h. sich Offenbarenden, „die *Teilnahme an* und die *Gemeinschaft in seiner Erkenntnis, also eine geistige Vereinigung mit ihm* als ein Gut erstrebt ...".
Dogmatik I, n 633. – Ebd. n 648 ist die Rede vom Verlangen, mit einem anderen „intelligenten Wesen" „eine geistige Gemeinschaft ... einzugehen". Man muß in diesen Worten das mithören, was Scheeben zum Verhältnis von Natur und Gnade schreibt. Die Natur befindet sich hier nicht in schlichter Indifferenz, sondern die Gemeinschaft mit Gott, soweit als möglich, ist ihr ein höchst erstrebenswertes Gut; es gibt einen „Durst nach dem Unendlichen" (Dogmatik III, n 340), im Fall der göttlichen Selbstoffenbarung kommt es zum „sehnsüchtigen Eintrinken oder Einsaugen eines den tiefsten Bedürfnissen der Natur entsprechenden himmlischen Balsams ...". Auf die Wirksamkeit des desiderium naturale in Scheebens Glaubensanalyse hat Karl Eschweiler hingewiesen, in: Die zwei Wege der neueren Theologie. Georg Hermes – Matth. Jos. Scheeben, Augsburg 1926, S. 149

103 Vgl. dazu Norbert Hoffmann, Natur und Gnade, S. 46–82

104 Es ist „die unfehlbare Erkenntnis Gottes das eigentlich *zeugende,* d.h. das sein eigenes Sein und Leben mitteilende und überpflanzende Prinzip des Glaubens" (Dogmatik I, n 678). Der theologische Glaube ist von Gott über-zeugte Überzeugung

105 Dogmatik I, n 716

106 Ebd.

Gott selbst und stellt damit unter Beweis, wieweit er vom üblichen auf Sätze abzielenden Glaubensverständnis neuscholastischen Zuschnitts entfernt ist: „Daher sagen die Theologen: Gott in der eminenten einzigen *Erhabenheit seiner göttlichen Wesenheit und Natur,* wie sie der Kreatur als *Ziel und Prinzip ihrer übernatürlichen Vollkommenheit* nahe trete und dieselbe an sich ziehe, sei *der Ziel- und Ruhepunkt* des Glaubens ..., und darum auch das *eigentlichste und eigenste,* der eigentümlichen Vollkommenheit des Glaubens entsprechende und dieselbe bestimmende *Objekt* ..., während alle übrigen Objekte nur sekundär, materiell oder indirekt, inwieweit sie mit der von Gott aufgerichteten übernatürlichen Heilsordnung in engerer oder loserer Verbindung stehen, unter den Glauben fallen“[107].

Scheeben spricht von „dem erhabenen mystischen Wesen des Glaubens“ und davon, daß „der Glaube ein Anfang des ewigen Lebens, eine Teilnahme am göttlichen Leben und speziell ein Teil jener mystischen Vereinigung und Lebensgemeinschaft mit Gott ist, von welcher der Apostel sagt: ‚Qui adhaeret Deo unus spiritus est‘. Er erscheint als eine Vereinigung mit Gott, in welcher auf wunderbare Weise Gott der Seele sich einsenkt und die Seele sich in Gott versenkt; in welcher Gott sein Wort der Seele innerlich einspricht, und die Seele in osculo sancto dasselbe aus seiner Quelle, aus dem Herzen Gottes, trinkt oder dasselbe so erfaßt, wie es im Innern Gottes selbst ist“[108].

Solches Glaubensverständnis korrespondiert ganz unmittelbar der gesamten Idee des Übernatürlichen, ja ist ein integraler Teil davon. Deshalb gehört zum Glauben in seiner Vollgestalt die Liebe, seine Vollendung in der Weisheit, denn durch die theologische Liebe und durch die Salbung des Heiligen Geistes kommt eine „innigste Kommunikation mit den Geheimnissen des Glaubens“ zustande, ein „Vorgeschmack der einstigen Anschauung“[109]. Die Liebe ist für Scheeben geradezu ein eigenes Verstehensprinzip der Glaubensgeheimnisse, ein Licht, denn: „Sie macht uns ... Gott ähn-

---

[107] Ebd. – Vgl. hierzu Jean Mouraux, Ich glaube an dich. Von der personalen Struktur des Glaubens, Einsiedeln ²1951, S. 10f.: „Man hat also die klassische Formel: Gegenstand des Glaubens ist die Erste Wahrheit, ganz konkret zu verstehen ... Die Erste Wahrheit ist in sich selbst lebende Wahrheit. Sie ist Jemand. Sie ist Person. Sie ist Gott selber, Gott betrachtet als Ur-Wahrheit ... So gilt vom Glaubensgegenstand noch mehr, was von jedem Erkenntnisgegenstand gilt: das geistige Material, dessen der Glaube sich bedient: Bilder, Begriffe, Glaubensartikel, sind als solche streng genommen nicht selber Glaubensgegenstand. Actus credentis non terminatur ad enuntiabile, sed ad rem. Das alles sind Mittel, um den strahlenden Gegenstand zu erreichen, der sich unseren Blicken entzieht, die einfache Sache, die in eine Vielheit von Aussagen zerlegt wird. Durch all dies hindurch, das nur einen inchoativen Besitz gestattet, *strebt* der Geist nach dem vollen Besitz. Die Glaubenserfassung ist, wenn man so sagen kann, eine dynamische Erfassung – perceptio tendens –, und eben diese Bewegung des Anhangens, des Bejahens, der Sehnsucht ist es, die die geistige Haltung des Glaubenden ausmacht.“

[108] Dogmatik I, n 791. – Ein solcher Text, der mit den Bildworten osculum, Herz, trinken, eine innigste bräutliche Verbindung zwischen Glaubendem und Gott vor Augen hat, zeigt, wie sehr Scheeben von der Vollgestalt des Glaubens her denkt, nicht von der Restgestalt des „toten Glaubens“

[109] Dogmatik I, n 1002

lich gerade nach der Richtung hin, nach welcher er das Prinzip der wichtigsten Geheimnisse ist; je mehr man liebt, desto besser versteht man die Liebe anderer"[110].

Man muß diesen Hinweis im Zusammenhang mit Scheebens Rekurs auf die „Güte Gottes" sehen, Prinzip und Ziel aller „Mitteilungen seiner Natur, welche das spezifische Objekt der Theologie bilden"[111]. Nach Scheeben hat die Liebe eine assimilative und transformative Kraft, die gewissermaßen von innen heraus spüren und verstehen läßt, um was es in den Geheimnissen des Glaubens geht und welches deren „Grund und Wurzel" ist[112].

Die Scheebensche Glaubensanalyse ist geradezu das Modell einer alles einbeziehenden Gestaltung von der Grundidee her, der Zuordnung aller einzelnen Aspekte und Momente des Glaubens auf Gott, und diese Grundidee wird in dem Begriff „Autoritätsglaube" gewissermaßen reduziert, d.h. integrativ zusammengefaßt. Hier kann nicht näher ausgeführt werden, wie sehr hinter dem Begriff Autorität, besser Auktorität[113], das Ganze des Verhältnisses von Gott und Welt bzw. von Gott und Mensch steht, damit auch das Ganze des Verhältnisses von Natur und Gnade, weshalb in der auctoritas Dei die trinitarische Fruchtbarkeit und Mitteilsamkeit Gottes des Vaters durchscheint[114].

110 Dogmatik I, n 1003. Die theologische Liebe gestaltet den Glauben „zur vollkommenen sapientia" (n 1002) und „zum Vorgeschmack der einstigen Anschauung": „Diese Wirksamkeit übt die Liebe in vielfacher Weise. Sie schärft 1) das geistige Auge und versenkt es in den Gegenstand seiner Liebe. Sie läßt uns 2) die Schönheit und Süßigkeit desselben empfinden und in uns selbst erfahren. Sie macht uns 3) Gott ähnlich gerade nach der Richtung hin, nach welcher er das Prinzip der wichtigsten Geheimnisse ist; je mehr man liebt, desto besser versteht man die Liebe anderer. 4) Die Segnungen und die Wonne, welche sie um sich her in der Seele verbreitet, lassen uns nach den verschiedensten Seiten hin die Kongruenz der Offenbarungswahrheiten mit den tiefsten Bedürfnissen und den edelsten Wünschen unserer Natur empfinden. Endlich bringt 5) diese himmlische Glut naturgemäß auch ein himmlisches Licht mit sich, in welchem Gott sich dem Geiste auf mehr oder minder wunderbare Weise offenbart" (Dogmatik I, n 1003). – Vgl. dazu auch Mysterien, § 108

111 Dogmatik I, n 961

112 Diesen von Bonaventura übernommenen Grundgedanken der Güte als Prinzip der übernatürlichen Mitteilungen Gottes, hat Scheeben seit „Natur und Gnade" vor Augen, vgl. ebd. S. 203, vgl. ferner Mysterien S. 652. Das Prinzip, „bonum est communicativum et diffusivum sui" könnte auch eine Quelle von Rahners „Selbstmitteilung" sein, der nach eigenem Bekunden von Bonaventuras „Itinerarium" tief beeindruckt war – Scheeben verwendet meist den Begriff Lebensmitteilung, seltener den Begriff Selbstmitteilung. Sachlich läuft diese Reduktion auf die Güte Gottes auf die immer wieder von Walter Kasper vorgenommene Zentrierung auf 1 Joh 4,8.16, „Gott ist Liebe" hinaus (in: „Der Gott Jesu Christi" durchzieht dieser Gedanke den gesamten Teil III); vgl. auch: Katholischer Erwachsenenkatechismus, S. 85: *„Letztlich ist das Bekenntnis zum dreifaltigen Gott eine Auslegung des Satzes: ‚Gott ist Liebe' (1 Joh 4,8.16b)"*

Zum neuplatonischer Tradition entstammenden Axiom vgl. Minz, Pleroma. o. Anm. 27

113 Die Erstauflage von Dogmatik I (Freiburg 1873) schreibt „Auktorität". Dies entspricht mehr Scheebens Gesamtverständnis, da hier die mit dem Wort verbundenen Konnotationen besser durchklingen: Sittliche Würde und Urheberschaft (vgl. dazu Wilhelm Bartz, Die lehrende Kirche. Ein Beitrag zur Ekklesiologie M.J. Scheebens (=Trierer Theologische Studien, Bd. 9), Trier 1959, S. 111ff.

114 Vgl. den in diesem Zusammenhang wichtigen Hinweis auf Bonaventura durch Walter

Und wie Autorität ist auch der Glaube, der mehr ist als ein Fürwahrhalten von Sätzen oder Glaubenswahrheiten, bei Scheeben immer auf das Ganze des menschlichen Geistes und seiner Vermögen bezogen. Glaube kann förmlich als ein dieses Ganze repräsentierender Begriff verwandt werden[115] und dann die natürliche Gotteserkenntnis ebenso wie auf der anderen Seite die übernatürliche Gottesliebe umspannen[116].

Damit unterliegt aber dem Begriff „Autoritätsglaube" wie eine Folie das, was Scheeben unter „Vermählung von Natur und Gnade" versteht, also die innigste Vereinigung und Verähnlichung der „Natur", in concreto des Menschen, mit der Gnade, d. h. konkret mit dem sich offenbarenden und mitteilenden Gott. Und wenn Scheeben 1 Kor 6,17 auf die im Glauben wirklich anhebende übernatürliche Lebensgemeinschaft mit Gott bezieht, dann kann man hinzufügen, im Begriff „Autoritätsglaube" werde das Ein-Geist-Sein mit Gott, die innigste Gemeinschaft des menschlichen Geistes durch Hineingründung in den göttlichen, gewissermaßen abgebildet[117]. – Angemerkt sei noch, daß Scheeben in seinen grandiosen Ausführungen über die sog. „aktuelle Gnade"[118] das Modell „Autoritätsglaube" sowohl bestätigt wie gleichzeitig noch vertieft, im Bedenken nämlich der Dialektik, mehr noch der Verschränkung von Bewegung des Menschen hin zu Gott und dem bereits dort Angekommensein. Der „tactus

Kasper: „Am nachdrücklichsten von allen Scholastikern hat Bonaventura den Vater als auctor und fontalis plenitudo der Gottheit herausgestellt ..." (Der Gott Jesu Christi, S. 186). Der Einfluß Bonaventuras auf Scheeben, seine theologischen Grundsatzüberlegungen, seine Trinitätstheologie und deren Ansatz, die Fruchtbarkeit des göttlichen Lebens, und seine Sponsaltheologie ist nicht leicht zu überschätzen

115 In den „Mysterien" schreibt Scheeben zum Prozeß der conversio ad gratiam: „Ja *unser ganzes Tun* ist im Grunde nichts anderes als ein gläubiger Anschluß an Gott, ein Verlangen, eine Hingabe, eine Unterwerfung, wie sie im Glaubensakte vorgebildet, ausgeprägt und eingeleitet ist..." (S. 534). Immer wider rekurriert Scheeben auf den Begriff der illuminatio, der das Ganze bei Glauben und Rechtfertigung, einschließlich der Taufe, repräsentiert: Dogmatik I, n 795 u. Dogmatik III, n 790 (vgl. auch schon: Die Herrlichkeiten der göttlichen Gnade, hrsg. von Robert Grosche [= Gesammelte Schriften I, Freiburg [16]1941, S. 134). Zum „Vollbegriff" der illuminatio vor allem Dogmatik VI (u. a. n. 106–109)

116 Nach Vorentwürfen in Dogmatik II, § 61 f. u. Dogmatik III, § 153 f. (vgl. dazu vor allem die genannten Arbeiten von Eugen Paul und Klaus Leo Klein) wird dies in Dogmatik VI noch einmal breit thematisiert, vor allem § 297, hier bes. nn 530–539

117 Wenn Autorität bzw. Auktorität das Ganze dessen repräsentiert, was auf seiten Gottes den Glauben grundlegt – Gottes schöpferische Macht, seine göttliche Würde, die zeugende Macht, das menschliche Erkennen dem göttlichen zu vereinigen und zu verähnlichen – und wenn der Glaube das Ganze der Bewegung des menschlichen Geistes hin zur Verbindung mit Gott in Erkenntnis und Liebe, dann bildet der Begriff „Autoritäts-Glaube" selbst das ab, was er ist, nämlich: „ein Teil jener mystischen Vereinigung und Lebensgemeinschaft mit Gott ..., von welcher der Apostel sagt: Qui adhaeret Deo unus spiritus est"

118 Scheeben verwendet den Begriff mit einer gewissen Reserve, weil er das übliche, nachtridentinische Verständnis als zu eng gegenüber den Texten der Scholastiker ansieht. Er ist deshalb von vornherein um eine Ausweitung, vor allem auch im Bereich der Terminologie bemüht (grundlegend: Dogmatik VI, § 285). – In den Ausführungen Dogmatik VI, § 285 – 288 findet sich eine Auslegung der Tiefenstruktur der gesamten Bewegung hin zu Gott bzw. zu Gott als Urheber des übernatürlichen Lebens, d. h. der Tiefenstruktur dessen, wovon der Autoritätsglaube Moment und integraler Teil ist

cordis" ist die Berührung des innersten Grundes des Menschen durch den Geist Gottes, welche die Bewegung zu Gott auslöst, die „conversio ad gratiam", und er ist zugleich ganzheitliche „illuminatio Spiritus Sancti", in welcher Gott sich „im Geist" dem Menschen schenkt[119]. Diese Ausführungen zur Gnadentheologie und Scheebens Glaubensanalyse müssen im wechselseitigen Bezug gelesen werden, denn auch für das Scheebensche Verständnis des Glaubens ist das ständige Ineinandergreifen von Weg und Ziel, Genese und Abschluß bezeichnend[120].

Mit seiner Sicht des Glaubens, gerade mit dem Begriff „Autoritätsglaube", schlägt Scheeben den Bogen vom Ersten zum Zweiten Vatikanischen Konzil. In seiner Glaubensanalyse bezieht er sich ganz eng auf den entsprechenden Text in der Dogmatischen Konstitution „Dei Filius" des Vaticanum I., und er entwickelt seine Darlegungen anhand des ihm vom Konzil vorgegebenen Textes[121]. Aber eben mit Hilfe des zentralen Begriffs „Autorität" werden die personalen Elemente des Glaubens forciert, und zwar nach der moralischen wie nach der intellektuellen Seite. Scheeben stellt nicht bloß den der Autorität Gottes geschuldeten Gehorsam in das Ganze des Gott-

---

119 Der Vollbegriff der illuminatio repräsentiert das Ganze der Bewegung zur Gnade, von der initialen Berührung durch Gottes Gnade, der durch sie initiierten Selbstbewegung des Geistes bis zur Eingießung der heiligmachenden Gnade (vgl. Eugen Paul, Denkweg, u. a. S. 151 – 158). Eugen Paul ist wohl der erste, der Dogmatik VI umfassend in die Scheeben-Interpretation mit einbezogen hat; er dürfte darin von Hans Urs von Balthasar angeregt worden sein, dessen brillanter Scheeben-Essay in Herrlichkeit I ebenfalls Dogmatik VI stärkstens berücksichtigt

120 Das ständige Ineinander von Ganzheit und deren Elementen, die als Genese auf die Ganzheit hin bzw. von dieser her gesehen werden, gehört zu den charakteristischsten Merkmalen Scheebens. Nahezu alle Fehlinterpretationen Scheebens beruhen darauf, daß diese Struktur entweder nicht beachtet wird und Teile isoliert werden (Beispiel: Natur und Gnade, Übernatur) oder daß Scheeben selbst in Teilen hinter seiner Gesamtinterpretation und -intuition zurückbleibt (etwa Teilüberlegungen zum iudicium credibilitatis).
Ein klassisches Beispiel solchen Ineinanders, wie häufig hier bei Scheeben im „Kleingedruckten" (deshalb – scheinbar! – nebensächlich u. leicht übersehen), und zugleich ein weiterer Beleg seiner Verarbeitung mystischer Tradition, ist das Ineinander von conversio, motio und Rechtfertigung unter den Bildern „Blitzstrahl" und „Kuß": Scheeben spricht von der *„visitatio (Heimsuchung)* Dei s. Spiritus S." Dieser Ausdruck „bezeichnet eine gnadenvolle Einwirkung, worin Gott innerlich der Seele sich nähert resp. seine Gegenwart bekundet wie durch einen wirksamen Blick des Auges der göttlichen Barmherzigkeit, der gleich einem Blitzstrahl die Seele trifft und sie in Bewegung setzt, oder in der Sprache der Väter und Mystiker, wie durch den Kuß seines Mundes, worin er die Seele mit seinem belebenden Hauche bewegt und erfüllt (s. *Da Ponte,* Cant. Cant. 1. 1 exh. 14). Darum paßt der Name visitatio in verschiedener Weise ebenso auf die der Einwohnung des Hl. Geistes vorausgehende wie auf die während derselben verliehene aktuelle Gnade Gottes, so jedoch, daß das letztere Bild in seinem vollen Sinne spezifisch auf die inspiratio caritatis im Augenblicke der Rechtfertigung und nach derselben sich bezieht" (Dogmatik VI, n 45)

121 Die beiden Bestimmungen von Dei Filius, cap 3, des „Dei revelantis, qui nec falli nec fallere potest" (DS 3008) macht Scheeben zu den entscheidenden Gelenken seiner gesamten Glaubensanalyse: Das nec fallere steht für die Glaubensautorität als Glaubwürdigkeit Gottes, das nec falli für die unfehlbare Einsicht und Erkenntnis Gottes als Glaubensautorität im eigentlichen Sinn. Dies wird Dogmatik I, n 634–640 grundgelegt, in Dogmatik I, § 40 dann formell auf den theologischen Glauben übertragen (n 676–678 als Zentrum)

Mensch-Verhältnisses und komplettiert so die potentia oboedientialis um das Element des desiderium videndi Deum, des Wunsches nach Gemeinschaft mit Gott, er öffnet auch das als wahr Geglaubte auf Gott als Mitte[122]. Damit hat Scheeben aber zentrale Aussagen der Dogmatischen Konstitution „Dei Verbum" des II. Vatikanischen Konzils erreicht, besonders DV 2 und 5:[123] „Gott hat in seiner Güte und Weisheit beschlossen, sich selbst zu offenbaren und das Geheimnis seines Willens kundzutun (vgl. Eph 1,9): daß die Menschen durch Christus, das fleischgewordene Wort, im Heiligen Geist Zugang zum Vater haben und teilhaftig werden der göttlichen Natur (vgl. Eph 2,18; 2 Petr 1,4)." (DV 2) – „Dem offenbarenden Gott ist der ‚Gehorsam des Glaubens' (Röm 16,26; vgl. Röm 1,5; 2 Kor 10,5–6) zu leisten. Darin überantwortet sich der Mensch Gott als ganzer in Freiheit, indem er sich ‚dem offenbarenden Gott mit Verstand und Willen voll unterwirft' und seiner Offenbarung willig zustimmt"[124]. (DV 5)

Die Integration des I. Vatikanischen Konzils in die Texte des II. Vatikanischen Konzils ist in Scheebens Glaubensanalyse in ganz wesentlichen Schritten bereits vollzogen. In dieser Sicht, im Vatikanum II. wie bei Scheeben, ist der Glaube deshalb auch nichts vom Glaubensinhalt zu Trennendes, vielmehr ist der Glaube in seinem Wesen das, was er als wahr anerkennt. Die „mysteria" in der Mehrzahl sind zu lesen auf *das*

122 Vgl. o. S. 292 f.; dazu Dogmatik I n 824: „Trotz aller Verschiedenheit der Faktoren kann man gleichwohl sagen, daß alle Fragen nach dem Warum des Glaubens zuletzt auf Gott zurückweisen, indem eben Gott selbst es ist, der in verschiedener Weise durch die einzelnen Faktoren auf den Glauben einwirkt, und daß folglich auch die analysis fidei nach allen Seiten hin in letzter Instanz bei Gott stehen bleiben muß"

123 Zu beachten ist, beim Weg von „Dei Filius" zu „Dei Verbum", einerseits die tiefe Kontinuität, andererseits zugleich die Eröffnung neuer (und zugleich sehr alter – Bibel, Väter, Hochscholastik) Horizonte: Das Durchstoßen von den mysteria auf das Mysterium, von den revelata auf die revelatio und den Deus se ipsum revelans et communicans. Ein „Paradigmenwechsel", wie zu Recht festgestellt worden ist (Heinrich Döring, Paradigmenwechsel im Verständnis von Offenbarung, in: Münchener Theologische Zeitschrift, 36 [1985], S. 20–35). In seiner Glaubenstheologie ist Scheeben diesen Weg bereits gegangen; vgl. dazu u. a.: Heinrich Petri, Zur Theologie des Glaubensvollzuges bei M. J. Scheeben, in: Theologie und Glaube 55 (1969), S. 409–430. Für Scheeben gilt voll und ganz, was Heinrich Fries in einer Rezension zur Bedeutung des Glaubensinstinkts bei Thomas geschrieben hat. Es werde dies alles nur verständlich, „wenn man die große Perspektive aufzeigt, die das thomanische Denken grundlegt und bestimmt. Es ist der den neuplatonischen Strukturen entnommene, alles umschließende Gedanke des egressus a Deo und des regressus in Deum, der dem Gedanken von Gott als Ursprung und Ziel koordiniert ist. Dem entspricht auf seiten des Geschöpfes und zuhöchst des Menschen die Bewegung zu Gott, thomanisch die ‚conversio'; sie bestimmt das Urgesetz des Gefälles zu Gott und des Gottverlangens. Diese conversio artikuliert sich beim Menschen als Glaube, wobei der Glaube in solch ursprünglichem Sinn die Urbewegung der Freiheit des Menschen zu Gott meint, noch vor jeder Zustimmung zu einzelnen Glaubenssätzen" (in: Hochland 54 [1962], S. 582 – 584, hier S. 582 f. – Fries bespricht Max Seckler, Instinkt und Glaubenswille nach Thomas von Aquin, Mainz 1961)

124 Diesen Textausschnitten könnten andere hinzugefügt werden, DV 4, vor allem DV 6: „Divina revelatione Deus Seipsum atque aeterna voluntatis suae decreta circa hominum salutem manifestare ac communicare voluit..."

„Mysterium“ hin: Die Selbstmitteilung des Dreifaltigen Gottes in Inkarnation und Gnade. Der Glaube ist dann der fundamentale und radikale Schritt, moralisch wie intellektuell, in der Annahme dieses Geschenkes Gottes. Der Glaube ist der fundamentale Schritt in die Gemeinschaft mit Gott, der sich „in Christus“ und „im Geist“ offenbart und mitteilt[125].

Die Liebe

Glaube und Liebe sind bei Scheeben so eng aufeinander bezogen, daß der Glaube ohne die Liebe ganz deutlich als das erscheint, als was er stets bezeichnet worden ist: „Toter Glaube“[126]. Scheeben spricht mit nicht geringerer Emphase über die Liebe, die immer auch mit dem Aspekt der Verherrlichung Gottes verbunden wird – Antwort auf die Offenbarung der göttlichen Herrlichkeit –, als über die übernatürliche Erhebung. Besonders die aus der Tradition überkommenen Bilder und Begriffe, Erleuchtung, das Feuer, dienen dazu, die Zusammengehörigkeit von Glaube und Liebe und von Liebe und Gnade zu vergegenwärtigen[127].

---

125 Die innere Struktur und die Neuakzentuierung erschließt der Kommentar von Joseph Ratzinger, in: Das Zweite Vatikanische Konzil. Konstitutionen, Dekrete und Erklärungen, Lateinisch und Deutsch. Kommentare, Teil II (= Lexikon für Theologie und Kirche. Das Zweite Vatikanische Konzil. Dokumente und Kommentar) Freiburg 1967, S. 506–515. Hier nur drei kurze Auszüge:

- Ad DV 2: „Gott selbst, die Person Gottes, ist es, von der das Offenbarungsgeschehen ausgeht, auf die es zurückführt, und so reicht Offenbarung auch auf seiten ihres Empfängers notwendig in die Personmitte des Menschen hinein, betrifft ihn in der Tiefe seines Ich, nicht nur in seinen Einzelvermögen, in Wille und Verstand“ (S. 506).
- Ebenfalls Ad DV 2: „An die Stelle der ‚ewigen Dekrete seines Willens‘ ist das ‚sacramentum‘ seines Willens getreten. An die Stelle der gesetzlichen Sicht, die Offenbarung weithin als Erlaß göttlicher Dekrete betrachtet, ist eine sakramentale Sicht getreten, die Gesetz und Gnade, Wort und Tat, Botschaft und Zeichen, die Person und ihre Äußerungen in der umfassenden Einheit des Mysteriums ineins schaut ... das Mysterium Gottes ist im letzten nichts anderes als Christus selbst – es ist Person (Kol 1,27)“ (S. 506 f).
- Ad DV 5: „Das Vaticanum I hatte den Glaubensgehorsam konkret dahingehend bestimmt, daß wir durch ihn ‚das von Gott Offenbarte als wahr glauben‘ (DS 3008) ... Das Vatikanum II hat diese Aussage vereinfacht, indem es bündig von einem Zustimmen revelationi ab Eo datae spricht. Mit dieser Umwandlung von den revelata zur revelatio ist eine Neusicht eröffnet, die wiederum keineswegs die intellektuelle Komponente des Glaubens aufhebt, aber sie eben als Komponente in einem umfassenderen Ganzen versteht“ (S. 513)

126 Vgl. Dogmatik III, n 790: „... sein toter Zustand ist ähnlich dem einer Wurzel, welcher im Winter Saft und Wärme entzogen wird“

127 Vgl. u. a. ebd.: „*Von oben* oder *von seiten des Prinzips* angesehen, erscheint dagegen der habitus caritatis als eine von dem lumen fidei ausströmende Glut... Denn das lumen fidei ist eine Teilnahme an der liebeatmenden ewigen Weisheit des Sohnes Gottes, von welcher die ewige Liebe ausgeht, und eine Vorausnahme des lumen gloriae...“ Ferner ist es so, daß „die Rechtfertigung gerade als Wiedergeburt sich in *der Eingießung des lebendigen Glaubens* konzentriert, worauf auch die Sprache der Kirche dadurch hinweist, daß sie die Wirkung der Taufe als eine illuminatio und als eine Verleihung der fides praestans vitam aeternam auffaßt“

Scheeben ist der „Mystiker der Neuscholastik“ auch und gerade durch die Bedeutung der Theologie der Liebe in seinem Werk. Natürlich spielt eine große Rolle dabei, daß mit der Lehre vom Heiligen Geist die Liebe ihren Platz unmittelbar in der Trinitätslehre hat. So wird einerseits wie dargetan die Theologie der Liebe pneumatologisch integriert, andererseits kann aber auch die Pneumatologie in den Farben einer ausgeprägten Sponsaltheologie gestaltet sein. Von Vater und Sohn wird gesagt: „... in der Produktion des Heiligen Geistes verkehren sie miteinander, bewegen sich und leben ineinander; da ist ein ewiges Hingeben und Hinnehmen im eigentlichsten Sinne, ein unendlich kräftiger, lebendiger Hauch, der aus dem einen in den andern hinüber- und von beiden ausweht, der gewaltige Pulsschlag eines unendlichen Herzens, das in der höchsten Glut des Affektes aufwallt, die auflodernde Flamme eines unendlichen Liebesfeuers; da ist mit einem Wort der Drang, die Rührigkeit, der Erguß, der Strom der Liebe, in der Vater und Sohn zerfließen und ihr Wesen in den Heiligen Geist überströmen“[128]. – Man kann durchaus den „tactus cordis“ der Gnadentheologie von dem hier dargestellten „Pulsschlag eines unendlichen Herzens“ her lesen[129]!

Scheeben transponiert 1 Kor 6,17 in diese von der Liebe her verstandene Pneumatologie: „Wenn irgendwo zwischen zwei Personen nicht nur Liebes-, sondern auch Lebenseinheit besteht, wenn irgendwo zwei Liebende eines Geistes sind, ein Geist sind, dann sind es der Vater und der Sohn in ihrer einigen göttlichen Natur. Es sind

---

128 Mysterien, S. 87 f. – Daß Scheebens „Mysterien“ und Wagners „Tristan und Isolde“ im gleichen Jahr 1865 das Licht der Welt erblickten, ist Zufall. Trotzdem führt die irgendwie spürbare Nähe dieses Textbeispiels zu der schwellenden Bewegung z. B. des Vorspiels des Tristan wieder zur Frage nach den verschlungenen Zusammenhängen provencalischer Lyrik, der Sponsaltheologie und -mystik des hl. Bernhard, die Bonaventura übernahm und schließlich Gottfried von Straßburg beeinflußt haben soll (vgl. dazu Hans Urs von Balthasar, Herrlichkeit, Eine theologische Ästhetik II, 1, Einsiedeln ^{2}1962, S. 269, u. ders.: Herrlichkeit III, 1, Im Raum der Metaphysik, Einsiedeln 1965, S. 613: „... GOTTFRIED VON STRASSBURGS Tristandichtung, die bewußt die Absolutsetzung des mann-weiblichen Eros Aug in Auge zur bernhardischen Christus- und Hoheliedmystik unternimmt.) Vgl. auch Friedrich Spee, Trvtz-Nachtigal, Kritische Ausgabe nach der Trierer Handschrift, hrsg. von Theo G. M. van Oorschot (=Reclam 2596), Stuttgart 1985, 29: Ein gar hohes Lobgesang darinn das Geheymnuß der Hochheyligen Dreyfaltigkeit so wol Theologisch als Poëtisch, wie vil geschehen können entworffen wird, Strophen 27–32.
Für Spee wie für Scheeben (beide im Abstand von etwas mehr als 200 Jahren im gleichen Haus tätig, jetzt durch Gedenktafeln verbunden) könnte eine gemeinsame Quelle der Jesuit und mystische Autor de Ponte (Luis de la Puente, 1554–1624) sein. Die „Expositio moralis et mystica in Cant.“, von Scheeben sehr geschätzt und mehrfach zitiert, erschien 1622 in Köln, d. h. um die Zeit, in der Spee in Köln wirkte: 1601–1610, 1627–1628, 1631–1632. – Der Verlag Franz Schmitt, Siegburg hat, besorgt durch P. Rhaban Haacke O.S.B., einen Nachdruck dieses wichtigen Werks angekündigt (1. Jahreshälfte 1988)

129 Das Tridentinum, so Scheeben, bringe „die illuminatio cordis allein und schlechthin mit dem tactus divinus so in Verbindung..., daß eben sie die spezifische Form resp. den spezifischen, nächsten, innersten und höchsten Effekt des tactus divinus bildet, worin die Seele vom Strahle des göttlichen Lichtes getroffen und durchbohrt wird“ (Dogmatik VI, n 108). – Die ganzen Ausführungen in Dogmatik VI stehen unter dem Motto: cor ad cor loquitur (Kardinal Newman's Wappenspruch), aber das loqui ist zugleich gänzlich göttliche illuminatio et inspiratio

hier in der Tat nicht zwei Leben, die sich erst miteinander verschmelzen – es gibt nur *ein* Leben und *ein* Herz ... Daher gießen Vater und Sohn durch ihr ‚osculum' ihren Lebensodem nicht *ineinander über,* sondern aus dem einen Lebensherde ihres gemeinsamen Herzens gießen sie ihn *aus* in eine dritte Person, in welcher ihre Liebes- und Lebenseinheit dargestellt wird[130]."

Ähnlich ist die *„Liebeseinheit der Seligen mit Gott"* zu verstehen, die „derjenigen analog" ist, „welche zwischen dem Vater und dem Sohne besteht; nur vermöge einer solchen Verklärung durch Gott und Verbindung Gottes mit der Seele kommt jene *Verschmelzung mit Gott* zustande, kraft welcher nach der Schrift diejenigen, die Gott anhangen, ‚ein Geist mit ihm werden' ..."[131].

Der Heilige Geist ist die Person, das durch sie bezeugte und dargestellte Ein-Geist-Sein von Vater und Sohn nach außen weiterzutragen. Dies wird immer wieder deutlich in der Verknüpfung von Sponsaltheologie und Pneumatologie[132].

Höhepunkt christologisch-pneumatologischer Integration der Theologie der Liebe sind die Ausführungen über den Opfertod Jesu Christi, denn „die Vergießung des Herzblutes Christi (ist) der vollkommenste Reflex der Ergießung des Heiligen Geistes aus dem Herzen des Logos"[133]. Scheeben verknüpft hier die Offenbarung der Lebens- und Liebeseinheit von Vater und Sohn im Heiligen Geist, das Erlösungswerk Jesu Christi und die Gründung der Kirche aus der Seite des neuen Adam, die Kirche, die „der mystische *Leib* und die leibliche *Braut*" Christi ist[134]. In Scheebens Lehre vom Opfertod Jesu Christi kommen alle Inhalte und Elemente seiner Theologie wie in einem Zentrum zusammen: Die Trinitätslehre auf der einen und die Anthropologie auf der anderen Seite, die Offenbarung und Mitteilung göttlichen Lebens, göttlicher Herrlichkeit und göttlicher Liebe und die Gründung der Kirche als Leib und Braut Jesu Christi durch den von ihm ausgehenden, ihr geschenkten Heiligen Geist[135]. Oder

---

130 Mysterien, S. 85. – Auch hier nimmt Scheeben im Kontext Bezug auf Bernhards Hoheliedmystik

131 Dogmatik III, n 715

132 Daß Scheeben in der Trinitätstheologie den „condilectus" des Richard von St. Victor aufgreift und ihn, unter Zuhilfenahme anderer, konvergenter Motive, weiterbildet zum „jungfräulich-bräutlichen Mitgenossen", ist keine spekulative Marotte: Eva, deren Namen Scheeben erklärt: „Leben, näherhin das ausströmende Leben = Odem resp. das nach Analogie des Odems durch Wärme Belebende und Hegende...", (Dogmatik II, n 1023), Maria bzw. die Kirche haben ihr ewiges Urbild im Heiligen Geist. Ursprungsort bzw. Realsymbol ist das Herz, sowohl für den Geist wie für die Kirche, für Eva wie für Maria.
Um die Sach-Bild Figur Geist-Herz lassen sich andere Begriffe und Bilder gruppieren, z. B. Liebe, Leben, Heiligkeit, Gabe, Hauch, Odem, Duft, Trank, Blut, Wein, die Taube u. a. m., die eine Pneumatologie und sponsale Gnadenlehre umgreifende Gesamtfigur ergeben. Das Ein-Geist-Sein mit Christus nach 1 Kor 6,17, schon von Paulus in die Perspektive der Einheit von Mann und Frau gestellt, erhält durch die Perichorese von Pneumatologie und Sponsaltheologie bei Scheeben einen besonderen Akzent.

133 Dogmatik V, 2, n 1384.

134 Mysterien, S. 368.

135 Vgl. Anm. 132. Das Kreuzesopfer Jesu Christi ist die vollkommenste Darstellung des Ausgangs des Heiligen Geistes, weshalb ihn Scheeben u. a. als „amor sacerdos" bezeichnet

anders: Im Opfertod Jesu Christi fallen höchste Verherrlichung des Vaters durch den Sohn, „im Geist", und Einbeziehung der Menschheit in dieses Geschehen, „im Geist" und durch den Heiligen Geist, zusammen[136].

e) Weisheitliche Reduktion

An dieser Stelle, d. h. im Anschluß an die Darstellung von Glaube und Liebe als Weisen der Vereinigung und Verähnlichung mit Gott, müßte an sich Näheres ausgeführt werden zur weisheitlichen Gestalt der Theologie Scheebens. In der Teilhabe an der göttlichen Weisheit vollendet sich nämlich die Gemeinschaft des Menschen mit Gott. Es müßte auch auf die trinitätstheologischen, christologischen und mariologischen Konkretionen, aber auch schon auf die Schöpfungstheologie eingegangen werden[137].

(Mysterien, S. 367): „Die Idee des Opfers Christi treibt also ihre tiefsten Wurzeln bis in die Abgründe der Trinität hinein. Wie die Menschwerdung selbst die Fortsetzung und Weiterführung der ewigen Zeugung sein sollte und nur von hier aus ganz verstanden wird, so sollte die opfernde Hingabe des Gottmenschen der vollkommenste Ausdruck jener göttlichen Liebe sein, die er als Gott in der Spiration und Ausgießung des Heiligen Geistes betätigt". (Mysterien, S. 368). Die Anthropologie ist dessen Folie bzw. das diesem Original nachgebildete Abbild (vgl. Dogmatik V, 2, n 1383 – dort auf die Kirche bezogen)

136 Die reiche Opfertheologie Scheebens, die Theologie der Wechselseitigkeit von Herrlichkeit und Verherrlichung, kann nicht dargestellt werden (vgl. zum Bezug Opfer-Eucharistie: Bode, Gemeinschaft, S. 292–308). Nur ein Hinweis, der dem Ein-Geist-Sein wiederum eine neue Nuance verleiht, nämlich Ein-Tempel und Ein-Opfer-Sein: „Weil ... die ganze Gemeinschaft der durch Christus Geheiligten ... mit ihm Ein solidarisches Ganzes, Einen großen, geistlich lebendigen, durch den Geist Christi verbundenen und von ihm erfüllten Bau bildet, so ... (nimmt) das Reich Gottes in Christus ... in allen seinen Gliedern an der höchsten Verherrlichung Gottes als Gott und Vater teil... In dieser Einheit mit Christus erscheint das Reich Gottes... als *eine mit, in und durch Christus Gott dienende, von ihm getragene, in ihm gesalbte, verherrlichte und geheiligte königliche Priesterschaft* (1 Petr 2,9). Anderseits bildet hier die gesamte geheiligte Menschheit mit der Menschheit Christi *Einen großen, heiligen, von dem Glanze seines gesalbten Ecksteins überstrahlten Tempel Gottes* und als *lebendiger* Tempel ein *großes heiliges Rauch-, Licht- und Brandopfer,* welches von der Salbung des Opfers Christi durchduftet ist und ebenso *in* Christus als Altar und *durch* Christus als Hohenpriester Gott dargebracht wird, wie das persönliche Opfer Christi *in* dem geheiligten Menschengeschlechte als seinem Tempel und *durch* dasselbe als sein priesterliches Volk aufgeopfert wird" (Dogmatik V, 2, n 1366 – Orthographie leicht nach Erstauflage modifiziert)

137 Zu allen genannten Traktaten gibt es reiche weisheitliche Vorüberlegungen: Dogmatik II, § 110; Dogmatik V, 1, n 72 f (mit Verweis auf D II); Dogmatik V, 2, n 1541–1549. Zur Schöpfungstheologie Dogmatik III, § 134, bes. n 119, 127 ff. – Im Zusammenhang des n 128 über die Weltseele und über die Harmonie der Welt Gesagten ist auf Scheebens Arbeit über Albert Freiherr von Thimus hinzuweisen. Unter dem Titel „Musikalische Harmonielehre in ihrer Bedeutung für die vorchristliche Philosophie" bespricht Scheeben in der Literarischen Rundschau longe lateque die beiden umfangreichen Bücher des genannten Autors: Die harmonikale Symbolik des Alterthums, Köln 1868 u. 1876, in: Literarische Rundschau 4 (1878) Sp. 240–249 u. ebd., Sp. 267–274 (nach Julius Dorneich, Matthias Joseph Scheeben und Benjamin Herder. [Aus ihrem Briefwechsel, 1861–1888], in: Theologische Quartalsschrift 117 [1936], S. 27–68, hier: S. 59–63, plante Scheeben zum Thema ein eigenes Buch)

All dies würde jedoch zu weit führen. Statt dessen sei hier in einer sehr verkürzenden Reduktion auf zwei Ausprägungen der Weisheitstheologie hingewiesen:

1. Die Weisheit als Vollendung des göttlichen Lebens und deshalb auch des menschlichen[138].
2. Die Weisheit als Grund der Wege und Werke Gottes[139].

Beides durchdringt sich, denn die Vollkommenheit des göttlichen Lebens ist der Grund von Gottes Wegen und Mitteilungen, welche wiederum in Gott selbst ihren letzten exemplarischen Grund, ihr Ideal haben[140]. Umgekehrt sind der Glaube als Hineingründung der menschlichen Erkenntnis in die göttliche und die Liebe als Teilhabe an Gottes Liebe der allein angemessene Zugang des Menschen zu Gott, zu seinem Handeln und schließlich seiner Selbstoffenbarung und Selbstmitteilung.

Gottes Handeln in Weisheit, welches schon sein schöpferisches Wirken bestimmt und durch welches die Schöpfung als Abbild der göttlichen Weisheit geprägt ist[141], erreicht wiederum seine Vollendung im „nexus mysteriorum" von Trinität, Inkarnation und Gnade. Auch hier gilt: Glaube und Liebe erreichen ihre Vollendung in dem, worauf sie sich beziehen, in der Gemeinschaft des dreifaltigen Gottes, die sich in ausgezeichneter Weise in Christus und deshalb in der Gemeinschaft mit Christus erschließt.

„Das objektive Zentrum, die Wurzel und der Gipfel der ganzen übernatürlichen Ordnung ist ... der dreifaltige Gott oder der Schoß des ewigen Vaters, von welchem Christus selbst ausgegangen und in welchen er mit seinem mystischen Leibe zurückkehrt"[142]. Aber Christus ist „als Gottmensch das substantiale Bindeglied zwischen Gott und der Kreatur" und ist deshalb „der *Knotenpunkt* und gleichsam das *Herz* der ganzen Theologie"[143]. Weil Christus „die realste und großartigste objektive Offenbarung Gottes" ist, ist er „der Knotenpunkt ... des ganzen Systems der christlichen Wahr-

---

138 Vgl. Dogmatik II, n 398–404 und Mysterien, § 110 bzw. Dogmatik I, § 52 (vgl. Eugen Paul, Denkweg, S. 50–55)

139 Dogmatik II, § 93–94

140 „Daher lehren die Theologen: *das Ideal, welches den göttlichen Ideen zu Grunde liege, sei nichts anderes als sein eigenes unendlich vollkommenes Wesen...*" (Dogmatik II, n 479)

141 Es „kommt ... der göttlichen Weisheit naturgemäß zu, *die verschiedenen Dinge alle zu einem harmonischen Ganzen zu vereinigen ...*" (Dogmatik II, n 488). – „Wie alle Weltwesen untereinander ein großes Ganze bilden, welches der Ausdruck einer Gesamtidee Gottes ist ..." (Dogmatik III, n 129)
Scheeben weist hin auf die Väter, die „die Welt als Ganzes mit einer *Rede* oder einem *Hymnus* zu Ehren Gottes" verglichen hätten (Dogmatik III, n 128).
In den „Mysterien" schreibt Scheeben, durch Christus werde die Schöpfung ein Tempel des Heiligen Geistes, „weil er der Geist ihres Hauptes ist", „sie wird endlich ein unendlicher Hymnus zu Ehren des ewigen Vaters, dessen ewiges Wort sich mit ihren Tönen verschmolzen hat und alle ihre Stimmen in sich zu einem harmonischen Akkorde vereinigt" (S. 333). Um diese musikalisch orientierte Herrlichkeits- und Verherrlichungstheologie abzurunden: Scheeben nennt mit den Vätern den Hl. Geist: „iubilus Patris et Filii" (Mysterien, S. 49, Anm. 3). – Vgl. zum Ganzen noch einmal den Hinweis auf Thimus, Anm. 132

142 Mysterien, S. 670

143 Dogmatik I, n 958

heiten", ist „die inkarnierte Weisheit Gottes auch das *höchste Ziel und Objekt, das Zentrum,* um welches die in der Theologie sich entfaltende Weisheit sich bewegt"[144]. Die Christusbezogenheit der Scheebenschen Theologie, die den Bezug auf Gott den Vater nicht ausschließt, vielmehr wesentlich einschließt und eröffnet, wird hier noch einmal bestätigt. Auf Christi „sichtbare Seite stützt sich die Theologie, um in seine und seines Vaters unsichtbare Herrlichkeit einzudringen, und aus seiner göttlichen Erhabenheit steigt sie wieder herab, um die Gestaltung und Vollendung seines mystischen Leibes zu verfolgen. Einerseits ‚leuchtet Gott in unsere Herzen hinein zur erleuchteten Erkenntnis seiner Herrlichkeit im Angesichte Christi Jesu', in der sichtbaren menschlichen Gestalt des unsichtbaren Ebenbildes des Vaters; anderseits ist auch ‚die Weisheit vom Mysterium Christi' und von den in ihm enthaltenen ‚unerforschlichen Reichtümern', in deren Ausgießung sich ‚die vielgestaltige Weisheit Gottes offenbart', der Inbegriff der ganzen theologischen Weisheit"[145].

4. Die Verbindung von Christus und Maria als Urbild der Verbindung von Christus und Kirche

Die Linien der Scheebenschen Theologie laufen zusammen in der Verknüpfung von Christologie und Mariologie. Daß Gnade Gemeinschaft mit dem dreifaltigen Gott ist und daß diese Gnade konkret stets Gnade Christi ist, d. h. Gemeinschaft mit Christus, dies kommt idealtypisch in der Mariologie zur Sprache: Maria ist Bild und Typus der Kirche und Bild und Typus der Gnade, beides darin und dadurch, daß Maria „in die innigste, allseitigste und stetigste Lebensgemeinschaft" mit dem Logos bzw. mit Christus aufgenommen worden ist[146]. Nur um diesen Gesichtspunkt der Scheebenschen

---

144 Mysterien, S. 669

145 Mysterien, S. 669 f – vgl. Dogmatik I, n 31 u. n 33. In diesen Überlegungen zur gottmenschlichen Weisheit in „Mysterien" § 110 könnte ein Hinweis auf die von Hoffmann gestellte Frage nach dem „Mehr" der durch die Gnade Christi getragenen visio stecken (vgl. o. Anm. 83). Man müßte die Überlegungen hier allerdings in den Kontext der gesamten theologischen Ästhetik Scheebens stellen, der es ja immer um das „harmonische Ganze" geht, welches in Christus und in der durch Christus grundgelegten Ordnung ihren Gipfelpunkt erreicht.
In der Dogmatik finden wir zum Thema u. a. diesen Hinweis:
„Wir können im Sinne der Heiligen Schrift sagen, die im Innern Gottes verborgenen und durch den Sohn Gottes und den Geist offenbarten Wahrheiten seien die Geheimnisse des *Schoßes Gottes* (die generatio aeterna) und des *Herzens Gottes* (der Heilige Geist in sich selbst und als Prinzip der übernatürlichen Mitteilungen Gottes an die Kreatur durch die Inkarnation und die Gnade der Glorie). In dieser Weise bilden alle einzelnen Geheimnisse ein großes Geheimnis als Gegenstand des *Evangeliums,* der frohen Botschaft vom Himmel, die als solche auch einen himmlischen Inhalt haben muß". (Dogmatik I, n 31). Es handelt sich um „die investigabiles divitiae Christi, Eph 3, 8, die durch Christus vermittelten und vom Heiligen Geiste geschenkten divitiae gratiae, Eph 1,9, und divitiae gloriae, Kol 1,27" (ebd.)

146 Dogmatik V, 2, n 1588

Mariologie geht es hier[147]. Man müßte im einzelnen die ungemein reiche, sakramentale Ekklesiologie der „Mysterien des Christentums“ mit der Mariologie der Dogmatik vergleichen. Hier können die Dinge nur in äußerster Vereinfachung wiedergegeben werden.

Zwei Grundgegebenheiten bestimmen die Ekklesiologie: Die Idee der Vemählung, das ist das erwähnte Ein-Leib- und Ein-Geist-Sein in und mit Christus, das im Glauben und in den Sakramenten, zumal in der Eucharistie, dem „sacramentum sacramentorum“, konstituiert und vollendet wird: „Glied der Kirche sein ist also dasselbe, wie ein wirkliches Glied am Leibe Christi sein ... Glaube und Taufe zusammen machen den Menschen zum Gliede Christi in dem von ihm selbst angeordneten Organismus der Kirche ... Es ist nur eine andere Form der Darstellung, wenn wir mit dem Apostel die Eingliederung aller Glieder der Kirche in Christus unter den Begriff einer *geheimnisvollen Vermählung* mit dem Gottmenschen fassen. Durch die Inkarnation hat Christus unsere eigene Natur angenommen, um sich in dieser mit uns zu vermählen. Die Inkarnation an sich wird schon von den heiligen Vätern als eine Vermählung mit dem Menschengeschlechte dargestellt ... Allein das in ihr grundgelegte Einheitsverhältns kommt erst in der Kirche zur Ausführung“ und zwar durch den Glauben, die Taufe, vor allen Dingen durch die Eucharistie. Glaube und Taufe bereiten darauf vor, „um in der Eucharistie durch reale Kommunion des Fleisches und Blutes den Menschen und den Gottmenschen zu Einem Fleisch zu verschmelzen ... Jede Seele wird somit durch ihren Eintritt in die Kirche eine wahre Braut des Sohnes Gottes ...“[148].

Und: „Ist so die Kirche in allen ihren Gliedern der Leib Christi und die Braut Christi, dann waltet auch in ihr in wunderbarer Weise *die Kraft ihres göttlichen Hauptes, der Geist ihres göttlichen Bräutigams*. Sie ist dann auch in allen ihren Gliedern ein *Tempel des Heiligen Geistes,* der in ihr wohnt wie die Seele in ihrem eigenen Leibe, um seine göttliche und vergöttlichende Kraft in ihr zu offenbaren“[149].

Die Kirche ist aber ebenso bestimmt von der Idee der Mutterschaft, die „übernatürliche Mutterschaft ist das Zentralmysterium der Kirche als einer organisch gebildeten Gesellschaft“[150]. Scheeben entwickelt das gesamte „gnadenspendende“ und „den Gebrauch resp. den Erwerb der Gnaden leitende“ Wirken der Kirche aus dieser Grundidee[151]. Wieweit dieser Gedanke der Mutterschaft reicht, zeigt sich darin, daß Schee-

---

147 Es wird m. a. W. hier außer acht gelassen, wie Scheeben aus seinem „mariologischen Grundprinzip“ alle Vorzüge und Privilegien Marias herleitet

148 Mysterien, S. 446 f. – Bemerkenswert auch hier die eucharistische Konkretion der Ekklesiologie: „Die Berechtigung zur Teilnahme an der Eucharistie als Opfer und Sakrament bildet das Hauptmoment, welches die Mitgliedschaft der Kirche bestimmt“ (Mysterien, S. 446)

149 Mysterien, S. 447

150 Mysterien, S. 450

151 Mysterien, S. 452. – Zum ganzen Komplex des Verhältnisses von potestas ordinis und potestas iurisdictionis: Wilhelm Bartz, Der Lehrapostolat der Kirche in seinem Wesensverhältnis zu der Weihe- und Leitungshierarchie. Eine ekklesiologische Konzeption M. J. Scheebens, in: Trierer Theologische Zeitschrift 60 (1951), S. 167–177, u. ders., Die lehrende Kirche (s. o. Anm. 113)

ben den Heiligen Geist sowohl als „jungfräulich-bräutlichen Mitgenossen" von Vater und Sohn wie auch zugleich als Urbild und Ursprung der „gratia mater" bzw. „maternitas gratiae" sieht[152].

Dies alles wird in der Dogmatik in die engstens auf die Christologie bezogene Mariologie gewissermaßen zusammengezogen, konkret auf das gesamte Geheimnis der Gemeinschaft mit Christus, das in der trinitarischen Lebensmitteilung Gottes sein Urbild, in der Erschaffung des Menschen als Mann und Frau und in der ehelichen Verbindung beider sein Vorbild hat. Die Gemeinschaft von Christus und Maria, in welcher die Verbindung von Christus und Kirche ihr Ideal und ihre „Wurzel" hat, liegt also im Schnittpunkt von Trinität und der Lehre vom Menschen, der Anthropologie. Damit hat der gesamte „nexus mysteriorum" von Trinität, Inkarnation und Gnade, welcher abstrakt als „Vermählung von Natur und Gnade" formuliert werden kann, seine konkrete realsymbolische Wirklichkeit in der Verbindung von Christus und Maria[153]. Alles, was über die bräutliche und leibliche Einheit mit Christus als Ort der Gemeinschaft mit dem dreifaltigen Gott ausgesagt werden kann, ist hier, im connubium Christi et Mariae, wie in ein „Gesamtbild" zusammengefügt. Alles, was sich über das Wesen der Kirche als Braut des Sohnes und zugleich als Mutter – Mutter, weil Tempel und Organ des Heiligen Geistes – sagen läßt, ist ebenfalls hier konzentriert[154].

152 Dogmatik VI, n 27 f über die Abhängigkeit der „inhärenten Faktoren des Gnadenlebens" vom Heiligen Geist: Es sei „eine Beziehung, welche ebenso innig und noch inniger ist wie die des leiblichen Lebens eines Kindes, das unter dem Herzen der *Mutter* getragen wird ... Sehr bezeichnend ist daher für die dem Hl. Geiste zukommende Stellung zum Gnadenleben der auf Weish 16,25 ... anspielende Ausdruck ‚*gratia mater*', quae omnes in unam parit infantiam... Denn dieser Ausdruck bezeichnet, im Anschluß an das Symbol der vom Himmel herabsteigenden Taube, einerseits den Hl. Geist als eine sowohl von Gott als Vater und von der begnadigten Kreatur als Kind verschiedene Person und anderseits die innigste Beziehung, in welcher er als Repräsentant und Vermittler der Liebe und des Lebens zu beiden steht... Denn die maternitas *gratiae,* d. h. caritatis vivificae Dei, ist eben eine Mutterschaft, welche in idealster Weise dem Begriffe entspricht, von dem die erste menschliche Mutter ihren Namen Eva, d. h. vita, vis vivifica, genauer Hauch, Lebenshauch, erhielt, welche folglich auch den Charakter einer wahren Lebens*quelle,* und zwar einer *innerlich das Belebte durchwallenden und durchwaltenden Lebensquelle* hat. Als von Gott ausgehender Lebenshauch aber erscheint der Hl. Geist zugleich unter dem Gesichtspunkt des osculum Verbi, welches die Seele als eine sponsa Verbi durch das in ihr Angesicht eingehauchte spiraculum vitae belebt, und als semen Dei Patris, welches der Seele als einem Kinde Gottes eingepflanzt wird." – Die maternitas gratiae ist also gewissermaßen integrierender Bezugspunkt für durch Zeugung vermittelte Kindschaft (filia patris) und Vermählung (sponsa Verbi).

153 Realsymbol wird im Sinn Karl Rahners verstanden als Wirklichkeit, die enthält bzw. wirkt, was sie bezeichnet und ausdrückt: Karl Rahner, Zur Theologie des Symbols, Schriften zur Theologie IV, Einsiedeln 1962, S. 275–311, z. B. S. 300: „Denn das Zeichen kann schon vom ersten Ansatz an nicht vom Bezeichneten getrennt werden, da es a priori als ‚Realsymbol' erfaßt wird, das sich das Bezeichnete erwirkt, um selbst anwesend zu sein". – Das Geheimnis der Kirche wird durch Maria nicht bloß versinnbildet, es ist in ihr verwirklicht

154 Scheeben schiebt die Idee der Gottesmutterschaft und die der Brautschaft so eng ineinander, daß daraus:
a) eine wechselseitige Durchdringung beider Gesichtspunkte wird;
b) die die Stellung der Kirche präfigurierende Stellung Marias resultiert.

Zusammenfassung

Eine der zentralen Zielsetzungen des I. Vatikanischen Konzils war, die Eigenständigkeit der übernatürlichen Offenbarung gegen den Alleinvertretungsanspruch autonomer Vernunft zu schützen. In diesem Zusammenhang kann man auch die ekklesiologischen Entscheidungen des Konzils wissenssoziologisch formuliert als Sicherung jenes Ortes ansehen, an welchem das „Wissen" von den „Mysteria" aufbewahrt und

---

Ad a) Der Gottesmutterschaft Marias liegt eine einzigartige Verbindung von Logos und Maria als konstituierendes Element zugrunde:
„Dasjenige Moment, welches in der göttlichen Mutterschaft recht eigentlich den *Personalcharakter* bildet und recht eigentlich die *Gnade der göttlichen Mutterschaft* darstellt, ist eine *durch den Willen und die Macht Gottes bewirkte übernatürliche, geistige Vereinigung der Person Mariens mit der göttlichen Person ihres Sohnes,* welche der mütterlichen Tätigkeit Mariens gegenüber der Menschheit ihres Sohnes zugrunde liegt und ihre leibliche Verbindung mit demselben ergänzt und vollendet. Diese übernatürliche geistige Vereinigung mit der göttlichen Person läßt sich (vgl. oben n 759 ff.) nicht einfacher, schärfer und naturgemäßer bezeichnen als mit dem Namen *matrimonium divinum* oder *connubium Verbi* im strengsten Sinne des Wortes, d.h. als ein Verhältnis, welches in bezug auf Gott ebenso die denkbar höchste und allseitigste Assoziation einer geschaffenen Person mit ihm darstellt, wie die menschliche Ehe die höchste und allseitigste Verbindung zweier menschlicher Personen ist, und welches demnach ebenso das vollkommenste Abbild der hypostatischen Union einer geschaffenen Natur mit Gott bildet, wie die menschliche Ehe Abbild der Union des Leibes mit der geistigen Seele ist. So gefaßt, involviert dann jene Vereinigung, der Natur der Ehe entsprechend, eine Zusammengehörigkeit beider Personen in *einem* organischen Ganzen, in welchem sie miteinander verwachsen sind, und eine wechselseitige Angehörigkeit und Investierung beider, worin Maria als dem Logos angegliedert von ihm ganz in Besitz genommen ist, der Logos aber als ihr eingegossen und eingepflanzt sich ihr schenkt und sie als Genossin und Gehilfin in die innigste, allseitigste und stetigste Lebensgemeinsschaft zu sich aufnimmt." (Dogmatik V, 2, n 1588).
Ad b) Daraus resultiert „die *gliedliche Einheit Mariens mit Christus*", die anzusehen ist *„nach Maßgabe des Verhältnisses des Herzens zum Haupte"* (Dogmatik V, 2, n 1591).
Und weil die Kirche nicht unmittelbar „durch den Geist, d.h. das Geistwesen des Logos selbst, sondern durch den Hl. Geist als den von diesem Geiste ausgehenden und über den Leib sich verbreitenden Lebensodem belebt und beseelt" wird, „muß auch Maria als Glied des mystischen Leibes Christi und als caro coassumpta et conrepleta a Verbo speziell vom Hl. Geiste und nicht vom Logos beseelt gedacht werden. Weil sie jedoch näherhin als Hauptglied des Leibes zum Haupte wie zu den übrigen Gliedern sich ähnlich verhält wie das Herz ..., das Herz aber im menschlichen Organismus ebenso Träger, Organ und Repräsentant der seelischen wie das Haupt der geistigen Funktionen und Einflüsse der geistigen Seele ist, so muß Maria unter dem gegenwärtigen Gesichtspunkte erst recht als Trägerin, Organ und Repräsentantin des vom Logos ausgehenden Hl. Geistes betrachtet werden" (Dogmatik V, 2, n 1613). – Ähnlich: „Wie nämlich zwischen Maria und Christus dasselbe organische Wechselverhältnis besteht wie zwischen Herz und Haupt..., erscheint Maria in der Eigenschaft des Herzens des mystischen Leibes Christi als der bevorzugte Sitz des vom Haupte zur Beseelung des ganzen Leibes ausgehenden Heiligen Geistes, als dasjenige Glied, worin sich das ganze Leben des Hauptes am vollkommensten reflektiert und dessen Funktionen in mannifacher Weise den Einfluß des Hauptes auf die übrigen Glieder bedingen und unterstützen" (Dogmatik V, 2, n 1628)
Das Verhältnis Christus – Herz/Geist – Maria ist also ein das Verhältnis Christus – Herz/Geist – Kirche präfigurierendes Ein-Leib/Ein-Geist-Sein per excellentiam (Vgl. Anm. 132)

vor Verfälschung geschützt wird[155]. Scheebens Theologie ist vor diesem Horizont entworfen, sie bewegt sich auf dem Boden dieser Vorgabe (samt einigen daraus resultierenden Einseitigkeiten)[156].

Scheeben transzendiert das ihm Vorgegebene in doppelter Hinsicht auf einen umfassenderen Zusammenhang hin, der in den Texten des II. Vatikanischen Konzils wiederhergestellt wird, besonders in dessen großen Konstitutionen[157].

1. Der Gedanke vom „nexus mysteriorum" wird aufgegriffen und auf die Verknüpfung von Trinität, Christologie und Gnade hin konzentriert: Gott offenbart und schenkt sich selbst, und dieses Geheimnis des dreifaltigen Gottes erschließt sich uns „in Christus" und „im Geist". Durch die Gabe des Heiligen Geistes, der als vergöttlichendes Pneuma in uns wohnt als seinem Tempel, kommt die Eingliederung in Christus und die Vermählung mit ihm zustande, und in dieser „Gemeinschaft des Heiligen Geistes" (2 Kor 13,13) und diesem „Ein-Geist-Sein" mit dem Herrn (1 Kor 6,17) schenkt sich Gott als Vater. Das Zentrum, der Schnittpunkt der Selbstmitteilung Gottes ist Christus, ist „in Christus"[158].
2. Kirche ist dann aber mehr als institutionelle Repräsentanz und Sicherstellung der übernatürlichen Offenbarung Gottes und der Gnadenvermittlung, das ist sie auch, aber sie ist es, indem sie und weil sie die Gegenwart der „Gemeinschaft des Heiligen Geistes" und des „Ein-Geist-Sein" mit Christus und darin Gottes des Vaters ist.

---

155 Dies setzt an beim Verhältnis Kirche – Autorität – Übernatur, wie es bei Scheeben sich findet. Die ekklesiologischen Entwicklungen des 19. Jahrhunderts und ihre Folgen untersucht aus der Sicht des Soziologen Franz-Xaver Kaufmann, in: Kirche begreifen. Analysen und Thesen zur gesellschaftlichen Verfassung des Christentums, Freiburg 1978. Er schreibt dort u.a.: „Erst die Infragestellung der kirchlich repräsentierten Sinnwelt führt zur Urgierung der geistlichen Herrschaft im 19. Jahrhundert, die ihren Höhepunkt in der Infallibilitätserklärung von 1870 fand. Das sich sakralisierende Kirchenbild erhielt nun sein eigenes soziales Substrat in der Form der sich von der herrschenden Kultur abgrenzenden katholischen Teilgesellschaft..." (a.a.O. S. 51)
Solche auch stark ideologiekritisch orientierte Betrachtung bedarf freilich der theologischen und pastoralen Rückkopplung. Für das Verhältnis Papst–Episkopat ist theologisch inzwischen einiges aufgearbeitet; die allgemeinen Fragen werden aber heute, angesichts der Problematik der Weitergabe des Glaubens an die nächste Generation, wieder heftig diskutiert, etwa unter den teils korrelativ, teils alternativ gesehenen Stichworten Identität – Relevanz

156 Die Einseitigkeiten – zumindest partielle Isolierung des Petrusamtes, einseitiges Urgieren des Autoritätsprinzips, Antiliberalismus – sind im obigen Beitrag, Das Wirken Scheebens als Priester und Theologe, angedeutet, (vgl. oben S. 235 ff.)

157 Gemeint sind: Liturgiekonstitution (SC), Kirchenkonstitution (LG), Offenbarungskonstitution (DV) und Pastoralkonstitution (GS), die die Außerordentliche Bischofssynode 1985 als hermeneutischen Schlüssel zur Rezeption der Texte des II. Vatikanischen Konzils herausgestellt hat; Schlußdokument der Außerordentlichen Bischofssynode 1985 und Botschaft an die Christen der Welt, in: Verlautbarungen des Apostolischen Stuhls 68, hrsg. vom Sekretariat der Deutschen Bischofskonferenz, Kaiserstr. 163, 5300 Bonn 1. – Dies wird schon deutlich im Untertitel des „Schlußdokument": Kirche – unter dem Wort Gottes – feiert die Geheimnisse Christi – zum Heil der Welt. Vgl. auch Botschaft III.

158 Vgl. das o. S. 271 zum Stichwort „Grundprozeß in der Trinität" Gesagte: In Christus teilt sich der dreifaltige Gott mit

Bekenntnis und Verkündigung der Kirche und die Gnadenvermittlung in den Sakramenten sind also auf etwas gerichtet, was „sakramental“ in der Kirche selbst gegenwärtig ist, was ihr innerstes Wesen ausmacht. In den Worten, mit denen nach dem Kreuzzeichen und dem damit verbundenen trinitarischen Bekenntnis die Meßfeier begonnen wird: „Die Gnade unseres Herrn Jesus Christus, die Liebe Gottes des Vaters und die Gemeinschaft des Heiligen Geistes sei mit euch“ (2 Kor 13,13)[159].

Die Linie, die – sehr verkürzt – von einem an Satzwahrheiten orientierten Offenbarungs- und Glaubensverständnis zu einer personalen Sicht führt, welche im trinitarischen Bekenntnis, immanent wie untrennbar ökonomisch, vergegenwärtigt und ausgelegt wird – Offenbarung und Glaube sind dann beide etwas Personales, Stiftung von Gemeinschaft –, ist zentral für die Entwicklung vom I. zum II. Vatikanischen Konzil[160]; ebenso die Linie vom dominant institutionellen Kirchenverständnis zum sakramentalen, worin das Institutionelle integriert ist wie in der personalen Wahrheit die im Satz formulierte Glaubenswahrheit[161].

Dem, der die „Mysterien des Christentums“ gelesen hat, wer sich mit großer Mühe durch die Dogmatik oder zumindest Teile davon förmlich durchgeschlagen hat, mag die vorgeschlagene und bei Scheeben vielfach bestätigte Reduktion auf einen so kleinen Vers, wie es 1 Kor 6,17 ist, vielleicht zunächst als ungebührliche Vereinfachung erscheinen. Jedoch hat Scheeben, dessen Dogmatik im letzten Auslegung des Symbolum ist, jene Christologie, wie sie Eph und Kol in ihren Hymnen ausbreiten, vor Augen, wenn er das Sein „in Christus“, die Einheit mit und in ihm als Ort der Gemeinschaft mit dem dreifaltigen Gott darstellt: „Er ist das Ebenbild des unsichtbaren Gottes, der Erstgeborene der ganzen Schöpfung. Denn in ihm wurde alles erschaffen, im Himmel und auf Erden ... Er ist das Haupt des Leibes, der Leib aber ist die Kirche ... Denn Gott wollte mit seiner ganzen Fülle in ihm wohnen, um durch ihn alles zu versöhnen. Alles im Himmel und auf Erden wollte er zu Christus führen, der Frieden gestiftet hat am Kreuz durch sein Blut“ (Kol 1,15 f. 18 f.)[162].

---

159 Das Pendant zu communio im Griechischen ist κοινωνία (bzw. κοινωνός sowohl in 2 Kor 13,13 wie in 2 Petr 1,4. Scheeben gelingt es, eine christologisch zentrierte und pneumatologisch fundierte communio- bzw. κοινωνία-Ekklesiologie zu begründen und sie sakramental zu konkretisieren

160 Vgl. das in Anm. 125 zu „Dei Verbum“ Ausgeführte

161 Es geht nicht um ein Entweder-Oder, sondern um die Zuordnung und Integration: Des Institutionellen in die mysterium- sacramentum – Ekklesiologie und des satzhaft Kognitiven ins umfassend Personale. Dies ist Scheeben gelungen

162 Die Aussage: „Denn Gott wollte mit seiner ganzen Fülle in ihm wohnen“ ist der Angelpunkt der gesamten Christologie Scheebens und macht sie zum „Umschlagplatz“ seiner gesamten Verklärungs-/Vergöttlichungs-Gnadenlehre

IV. Ein Leib und ein Geist in Christus

Zur Eucharistielehre bei Matthias Joseph Scheeben

Von Franz-Josef Bode

In der neuerlichen Diskussion um die Eucharistie geht es um Grundgestalt und Grundsinn der Eucharistie, nachdem man sich in vergangenen Jahren mit Einzelproblemen und Fragen der Gestaltung der Eucharistie stärker befaßt hat. Eine Betrachtung dieses Sakramentes aus der Gesamtdynamik des Heilgeschehens heraus tut heute besonders not[1].

In dieser Diskussion kann der Kölner Theologe Matthias Joseph Scheeben mit seiner erstaunlich breiten Kenntnis der griechischen und lateinischen Tradition eine Hilfe geben, das „Geheimnis des Glaubens" EUCHARISTIE als „Brennpunkt" zu verstehen, in dem sich die großen Linien des Heilsgeschehens bündeln[2]. In Einzelantworten auf eucharistietheologische Fragen mag die Forschung Scheeben überholt haben, doch in der Schau der Gesamtgestalt kann er uns Korrektiv und Perspektive zugleich bieten.

Scheeben selbst hat keinen eigentlichen Traktat über die Eucharistie mehr in seinem reifsten Werk, dem „Handbuch der katholischen Dogmatik" schreiben können, doch aus der Entfaltung des vorhergehenden Werkes lassen sich Konturen seiner Eucharistieauffassung ablesen. Einer der wichtigsten Abschnitte dieser Entfaltung ist das Hauptstück über die Eucharistie in den „Mysterien des Christentums" von 1865[3], aber auch die übrigen Elemente, besonders die bisher wenig beachteten „Studien über den Meßkanon"[4] müssen herangezogen werden.

---

[1] Darauf hat Walter Kasper hingewiesen in seinem Artikel: Einheit und Vielfalt der Aspekte der Eucharistie. Zur neuerlichen Diskussion um Grundgestalt und Grundsinn der Eucharistie, in: Internationale katholische Zeitschrift 14 (1985), S. 196–215, hier: S. 215: „Ist das trinitarische Bekenntnis die dogmatische, so ist die Eucharistie die sakramentale Zusammenfassung des gesamten Heilsmysteriums"

[2] Ich habe das ausführlich dargelegt in meiner Dissertation: Gemeinschaft mit dem lebendigen Gott (Communicatio Vitae Trinitatis). Die Lehre von der Eucharistie bei Matthias Joseph Scheeben, Paderborn 1986 (künftig: Bode, Gemeinschaft)

[3] Matthias Joseph Scheeben, Die Mysterien des Christentums (=Gesammelte Schriften, hrsg. v. Josef Höfer, Bd. 2), Freiburg[3] 1958, S. 385–441 (künftig: Scheeben, Mysterien)

[4] Matthias Joseph Scheeben, Studien über den Meßkanon im Anschluß an das Werk von Dr. Hoppe über die Epiklesis, in: Katholik 46 (1866), Bd. 2, S. 526–558 u. 679–715 (künftig: Scheeben, Studien I u. II)

1. Zur Eigenart der Theologie Scheebens

Bevor wir uns auf diese Entfaltung näher einlassen, seien einige Vorbemerkungen zur Eigenart der Theologie Scheebens gemacht[5]. Sein Werk stellt sich nach Denk-weg und Denk-form dar als Umriß und Begründung einer „Theologischen Ästhetik“[6].

Scheeben sieht sein Theologisieren als „Morgenrot des Lichtes der Anschauung“[7], d. h. es bezieht sich auf die „Lichtseite“ des Mysteriums, die sich uns durch das „sakramentale Gestaltgeheimnis“ des inkarnierten Wortes vermittelt[8]. Dabei verbietet sich dem Theologen eine teilnahmslose Betrachtung eines nur Objektiven der Heilswahrheit; vielmehr geht es um einen einzigen Vorgang des Glaubens und Schauens[9], der seine Begründung in dem ‚locus classicus‘ dieser theologischen Ästhetik bei Paulus 2 Kor 3,18 hat: „Wir alle spiegeln mit enthülltem Angesicht die Herrlichkeit des Herrn wider und werden so in sein eigenes Bild verwandelt, von Herrlichkeit zu Herrlichkeit, durch den Geist des Herrn.“

Solche Theologie ist auch als „theologische Mystik“ zu bezeichnen. Denn die Betrachtungen Scheebens gehen von einer theologischen Grundintuition aus, deren Fundament das trinitarische Geheimnis selbst ist. Die Grundbegriffe seiner Theologie „Zeugung“, „Verklärung“ und „Vermählung“ zielen auf mystische ‚participatio‘, ‚transformatio‘ und ‚unio‘. Die Vergöttlichung des Menschen, der Besitz der ungeschaffenen Gnade wird in einer Weise von Scheeben herausgestellt, die auf eine ihm eigene tiefempfundene „Wahr-nehmung“ des Göttlichen schließen läßt[10].

Formal entspricht dem so skizzierten Bild der Scheebenschen Theologie eine Weise des Theologisierens, die wir als „theologische Organo-logik“ und „theologische Analogik“ kennzeichnen möchten. Denn die Kategorie des Organischen bestimmt diese Theologie auf vielfache Weise: Als Vermittlung zweier „Faktoren“ (ontologisch) oder zweier „Positionen“ (gnoseologisch)[11], die in einer Synthese organisch verbunden

---

[5] Ausführlicher sind sie dargelegt in Bode, Gemeinschaft, S. 31–47

[6] Dazu in glänzender Zusammenfassung des Scheebenschen theologischen Werkes: Hans Urs von Balthasar, Herrlichkeit. Eine theologische Ästhetik, Bd. 1: Schau der Gestalt, Einsiedeln ²1973, S. 98–110, hier: S. 98 (künftig: Balthasar, Herrlichkeit)

[7] Scheeben, Mysterien, S. 654

[8] Balthasar, Herrlichkeit, S. 113

[9] Vgl. Scheeben, Mysterien, S. 653: „Der in der Liebe lebendige Glaube“ vermittelt uns „eine so lebendige Auffassung derselben (Wahrheiten), daß wir sie fast zu schauen glauben“.

[10] Balthasar, Herrlichkeit, S. 112 – Vgl. Scheeben, Mysterien, S. 3 f.: „Wenn uns solche Wahrheiten, die uns ganz und gar unzugänglich waren, offenbart werden, wenn Gott es uns durch seine Gnade möglich macht, auch nur von ferne einen ahnungsvollen Blick in ihre Tiefen zu werfen, dann dämmert es in unserm Innern wunderbar, die Morgenröte einer himmlischen Welt geht uns auf, und obgleich wir in diesem Zustande erst recht der Dunkelheit, die uns umgab und noch umgibt, bewußt werden, so ist doch ein einziger Strahl des uns aufleuchtenden höheren Lichtes mächtig genug, um uns mit namenlosem Entzücken zu erfüllen“

[11] Als Beispiel: Gnadenlehre – Vgl. Eugen Paul, Denkweg und Denkform der Theologie von Matthias Joseph Scheeben, München 1970, Seite 167 – Zur „Verbindung zweier Faktoren“: Paul, Denkweg, S. 192

werden, darin in einem „Dritten" „aufgehoben" werden, auch wenn die konkrete Artikulation sich dabei oft sehr schwertut. Dann zeigt sie sich in der „Ent-faltung" des oben skizzierten Denkweges selbst und in der „Ent-faltung" der einzelnen theologischen Wahrheit in sich. Schließlich tritt sie hervor in der Verbindung der Mysterien zu einem Mysterien-Kosmos (‚nexus mysteriorum'), zu einem Organismus, in dem sie sich gegenseitig erhellen und erklären.

Entfaltung solcher Theologie ist nicht so sehr ein linearer Vorgang, sondern eher eine (spiralförmig) kreisende Denkbewegung, die ihren Gegenstand auf verschiedenen Ebenen „umschreibt", dadurch viele „Wiederholungen" aufweist, oder anders ausgedrückt: sich wachsend verzweigt, Blüte und Frucht treibt, die jeweils die Struktur und Signatur der Wurzel, des Stammes, oder besser des gesamten Baumes enthalten. Theologie ist dann ein entfaltendes Nachdenken der innertrinitarischen, lebendig-dynamischen Fruchtbarkeit und ihres Mitteilungsdrangs „ad extra". „Die Folge ist eine Dynamisierung dieser Theologie; sie nimmt ‚jene eigenartig kreiselnde und schwingende Gestalt an, in der jeder neue Gedanke als ein neuer Anlauf zum je selben und immer schon mitgemeinten erscheint'"[12].

Dieser Theologie ist es eigen, die Analogie als Grundlage ihres Denkens anzunehmen. Die ontologische Immanenz von Natur und Übernatur bedingt eine logische, deren Durchführung „Analogik" genannt werden kann. Bilder und Gleichnisse der Offenbarung sind für Scheeben nicht nur „vorwissenschaftliches Material ..., das von der Theologie überholt werden müßte"[13], sondern verhelfen zu einer klareren Schau der Gestalt, wobei Scheeben sich durchaus der Grenzen der Verwendung von Bildern bewußt ist[14]. Diese Art der Theologie gründet sich auf der „Verklärung der Begriffe": „Soll der übernatürliche und deshalb übervernünftige Charakter der Glaubensobjekte gewahrt bleiben, dann müssen die Vernunftbegriffe selbst gehoben, verklärt, umgeformt werden, nach Maßgabe der durch die Offenbarung gemachten Vorlage"[15].

---

[12] Karl-Heinz Minz, Pleroma Trinitatis. Die Trinitätstheologie bei Matthias Joseph Scheeben, Frankfurt-Bern 1982, S. 185

[13] Anton Schlembach, Mysterienwissenschaft. Untersuchung des Theologiebegriffs bei M. J. Scheeben, Aschaffenburg 1964 (Exc. Diss. PUG), S. 44

[14] Vgl. Matthias Joseph Scheeben, Handbuch der katholischen Dogmatik. Drittes Buch, hrsg. v. Wilhelm Breuning, Freiburg 1961 (Dogmatik III), hier S. XII (Antwort auf die Kritik Hurterfs): „Gewiß muß man die Bilder als bloße Bilder behandeln und sie auf ihren relativen Wert zurückführen. Aber eben dies glauben wir eben niemals unterlassen zu haben, wie wir uns auch mehr, als es gewöhnlich geschieht, darauf verlegt haben, die in der Bildersprache der heiligen Schrift und der Väter verborgenen Schätze zu heben"

[15] Scheeben, Mysterien, S. 635 – Scheeben weist auf die Anwendung dieser Methode bei Trinität, Inkarnation und *Eucharistie* selbst hin (S. 636 – er meint den Opferbegriff). Vgl. Scheeben, Mysterien, S. 266 und zur „Verklärung" auch ebd. S. 544 (2 Kor 3, 18!)

2. Zur Entfaltung der Gedanken Scheebens: Eucharistie als cibus, als incorporatio und als communio

Im Frühwerk Scheebens wird Eucharistie deutlich mehr als Gnadenmittel bzw. Gnadennahrung gesehen auf dem Hintergrund des Schemas: Natur-Übernatur, welche ziemlich statisch voneinander abgesetzt sind. Doch von Anfang an tut sich dabei eine Spannung auf: diese formal-abstrakte Trennung von Natur und Gnade drängt nach einer lebendigen Synthese, die letztlich nur christologisch zu lösen ist[16]. So kommt auch schon im frühesten Werk die Grundintuition Scheebens zum Ausdruck: Mitteilung des trinitarischen Lebens durch den inkarnierten Logos an die Menschen und darin die „Vermählung" von Natur und Übernatur, wenn auch die christologische Perspektive noch nicht voll gewonnen ist.

Die „Mysterien" bringen dann eine deutliche „Christozentrierung", indem Scheeben dort von der Eucharistie als „reale und universale Fortführung und Erweiterung des Mysteriums der Inkarnation"[17] spricht, jedoch nicht in christozentrischer Vereinseitigung, sondern – zumindest ansatzhaft – in der Fülle pneumatologischer und trinitarischer Verbindung[18]. Letzteres unterstreichen auch die „Studien", die sich mit dem epikletischen Charakter des Eucharistiegeschehens befassen.

Der Zentralbegriff ist die „Inkorporation in Christus"[19]. Es scheint fast, als hätte die durch vertiefte Studien der Väter bewirkte Änderung der Sicht bezüglich der Einwohnung des Heiligen Geistes auch die entsprechende Vertiefung der Auffassung von der eucharistischen Christusbeziehung hervorgerufen. Die substantiale, lebendige Vereinigung mit Christus ist die „res" der Eucharistie als zutiefst personales Geschehen.

Das „Handbuch der katholischen Dogmatik" (1875–1887)[20] bietet dann noch einmal Gelegenheit, Eucharistie christologisch und soteriologisch einzuwurzeln[21]. Es bildet sich eine aus griechischem Denken gespeiste Sicht der hypostatischen Union als „Salbung" und ‚informatio' im eminenten Sinn, als ‚unio subsistentialis', die „nach oben" in Analogie zu den innertrinitarischen Lebensbeziehungen, „nach unten" zur Leib-Seele-Einheit steht, als „salbende Einmischung" (ἀνάκρασις)[22]. Diese Sicht bil-

---

[16] Dazu: Bode, Gemeinschaft, S. 49–64

[17] Scheeben, Mysterien, S. 399

[18] Zu Trinität-Inkarnation-Eucharistie: Scheeben, Mysterien, S. 393: „Alle drei (Mysterien) zeigen uns *denselben Sohn Gottes,* das erste *im Schoße seines ewigen Vaters,* wie er durch denselben sein Dasein erhält, das zweite *im Schoße der Jungfrau,* wie er durch denselben in die Welt eintritt, das dritte *im Schoße der Kirche,* wie er durch eine immerwährende universale Gegenwart unter den Menschen verweilt und sich mit ihnen vereinigt"

[19] Scheeben, Mysterien, S. 396 ff.

[20] Matthias Joseph Scheeben, Handbuch der katholischen Dogmatik, hier besonders: Fünftes Buch, 1. Halbband, hrsg. v. Carl Feckes (= Gesammelte Schriften, Bd. VI/1), Freiburg 1954, und Fünftes Buch, 2. Halbband, hrsg. v. Carl Feckes (= Gesammelte Schriften, Bd. VI/2). Freiburg 1954 (künftig: Scheeben, Dogmatik V, 1 und V, 2, nach Nummern, nicht nach Seiten zitiert)

[21] Dazu ausführlicher: Bode, Gemeinschaft, S. 179–215, besonders: S. 179–190

[22] Vgl. Scheeben, Dogmatik V, 1, n. 400 f.

det die Voraussetzung für eine christologisch-pneumatologisch geprägte Eucharistieauffassung, deren wichtigster Begrifff dann die „communio“ (κοινωνία) ist[23]. Ihre Durchführung war Scheeben nicht mehr vergönnt.

3. Das trinitarisch-doxologische „Konstruktionsprinzip“ der Eucharistieauffassung Scheebens

Da die Trinität als „Konstruktionsprinzip“ der gesamten Theologie Scheebens gelten kann[24] und er nicht müde wird, die Eucharistie als Mitteilung des trinitarischen Lebens an den Menschen darzustellen, liegt es nahe, auch für die Eucharistielehre speziell das trinitarische Grundkonzept zu Grunde zu legen. Denn der *Ursprung* der eucharistischen Bewegung ist die überströmend-sich mitteilende fruchtbare Liebe des Vaters, wie sie sich innertrinitarisch und heilsökonomisch kundtut. Sie ist gleichzeitig auch das *Ziel* dieser Bewegung in der Verherrlichung, die der Selbstmitteilung Gottes respondiert.

Die *Mitte,* das Zentrum dieser Bewegung ist Jesus Christus als der Gott-Mensch; die *Kraft,* die Dynamis, in der sie sich vollzieht und wirksam wird, ist der Heilige Geist. Die Liturgie der Eucharistie macht diese Grundstuktur am deutlichsten in der Struktur des Hochgebetes, in dem die wandelnde Kraft des Geistes das Christusgeheimnis selbst sakramental gegenwärtig setzt als Gabe des Vaters und als „eucharistia“ des Sohnes an den Vater. Noch einmal verdichtet innerhalb des Hochgebets tritt das hervor in der allen Hochgebeten gemeinsamen Schlußdoxologie, die als „Grundprogramm“ Scheebenscher Eucharistieauffassung gelten kann[25]: „Durch ihn und mit ihm und in ihm ist dir, Gott, allmächtiger Vater, in der Einheit des Heiligen Geistes alle Herrlichkeit und Ehre jetzt und in Ewigkeit. Amen.“

In diesem Horizont läßt sich die Eucharistieauffassung Scheebens nun systematisch zusammenfassen:

4. Die „Kernthese“: Eucharistie als umfassende κοινωνία

In der eucharistischen Hingabe der Menschheit Jesu ist der Punkt erreicht, wo durch dieses Fleisch der dreieinige Gott dem Menschen in einer letzten Bereitschaft zum Einverleibtwerden verfügbar wird[26]. Die innertrinitarische Lebensbewegung, die in der gesamten Heilsökonomie ihre Fruchtbarkeit nach außen erweist, öffnet sich hier dem Menschen auf sakramentale Weise, so wie sie in Maria auf prototypisch-heilsge-

---

23 Schon in Scheeben, Mysterien, S. 404 genannt: ‚communio ... per exellentiam‘

24 Vgl. Scheeben, Mysterien, S. 111; dazu auch die schon genannte Arbeit von Minz, Pleroma Trinitatis

25 Vgl. etwa Scheeben, Studien II, S. 702; dazu Bode, Gemeinschaft, S. 276–291

26 Vgl. Balthasar, Herrlichkeit, S. 550

schichtliche Weise angekommen ist. Dieses Kommunikationsgeschehen erreicht in der Eucharistie so den einzelnen Menschen, daß er darin zugleich in die Kommunikation mit allen, die die Eucharistie empfangen, ja mit der ganzen Menschheit und der Welt eintritt. Insofern bildet diese sakramentale Kommunikation selbst auch den sozialen Ort des Geschehens: die Kirche. Deshalb ist aller Selbstvollzug kirchlicher Wirklichkeit im letzten ein sakramentales Realisieren der schon grundsätzlich in Inkarnation, Kreuz, Auferstehung und Geistsendung Jesu Christi durchgeführen Lebensbewegung durch alle Zeiten bis zur vollendeten Hineinnahme des Menschen in das trinitarische Leben Gottes in der visio beatifica. Kurz gesagt: In der Eucharistie wird die innergöttliche Kommunikation als κοινωνία und δόξα in eucharistische Kommunikation verwandelt[27] in der Kraft des Heiligen Geistes und damit die trinitarische Lebensbewegung „existentialisiert"[28].

5. Die Auswirkungen der Kernthese in der Eucharistietheologie

5.1 Die Eucharistie als Opfer

Der genannten „Kernthese" der eucharistischen Theologie Scheebens entspricht die ihm eigene Opfertheologie, sowohl in der Frage nach dem Opfer Christi am Kreuz als auch in der Frage nach dem Meßopfer. Die „ausgesprochen eigenen Züge" des christlichen Opfers, durch die es „von einem übergeordneten Allgemeinbegriff her nicht subsumiert werden kann", wie Helmut Moll es formuliert hat, sind von Scheeben herausgestellt worden. „Hiermit wird der ständig lauernden Versuchung von vornherein gewehrt, einen aus der allgemeinen Religionsgeschichte deduzierten Priester- und Opferbegriff in die urchristliche Vorstellungswelt einzutragen, der notwendigerweise zur Verdunklung führen muß"[29]. Scheeben nennt zwar auch generalisierende Merkmale des Opfers überhaupt; sie sind aber von vornherein christologisch und trinitarisch rückgebunden (so in den „Mysterien"[30]); in der „Dogmatik" wird die Opfertheologie sehr stark auf dem Hintergrund der alttestamentlichen Heilsgeschichte, also im Lichte der ganzen Offenbarungswirklichkeit entwickelt[31]. Wenn auch Anfragen im einzelnen an dieses Vorgehen zu stellen sind, so bleibt doch der genuin theologische Weg, den Scheeben wie auch sonst hier geht, für das richtige Verständnis des christlichen Opfers wesentlich.

Auf diesem Hintergrund sind fünf Aspekte für die Opfertheologie entscheidend:
- Der Primat des Latreutischen

---

[27] Hans Urs von Balthasar, Neue Klarstellungen, Einsiedeln 1979, S. 73

[28] Minz, Pleroma Trinitatis, S. 211

[29] Alle Zitate: Helmut Moll, Die Lehre von der Eucharistie als Opfer. Eine dogmengeschichtliche Untersuchung vom Neuen Testament bis Irenäus, Köln – Bonn 1975, S. 17

[30] Vgl. Scheeben, Mysterien, § 65, S. 356 ff.

[31] Vgl. Scheeben, Dogmatik V, 2, nn. 1405–1512

- Das Opfergeschehen als Verklärung
- Das Opfer als trinitarisches Geschehen
- Das Opfer als ekklesiales Geschehen
- Die Einheit von „spirituellem" und „rituellem" Opfer

Alle diese Aspekte gelten vom Opfer des Gottmenschen, das in der Inkarnation inauguriert und im Kreuz und in der Erhöhung seine Vollendung findet. Sie gelten dann aber auch – sakramentaliter – vom Opfer der Eucharistie als Fortsetzung der Inkarnation, wie sie sich im Kreuzes- und Erhöhungsgeschehen vollendet.

a) Der Primat des Latreutischen

Von der christologischen Dimension des Opfers her wird besonders der Primat des Latreutischen (vor dem Propitiatorischen) betont. Der innertrinitarischen und heilsökonomischen Kommunikation (Selbstmitteilung) entspricht eine innertrinitarische und heilsökonomische (Selbst)-Verherrlichung, so daß alle Aspekte des Opfers sich den Grundbegriffen κοινωνία und δόζα zuordnen lassen. Dadurch ist das Opfer die höchste Form der Anerkennung, des Dankes, der Anbetung und des Lobes und zielt darin auf die Vereinigung mit Gott durch Verklärung, durch „Aufgehen" ins Leben Gottes (deificatio). Die Relation Geschöpf-Schöpfer wird dabei aufgenommen: „transformiert" in die neue und entscheidende Relation Sohn–Vater: „... die Verherrlichung, die der Mensch Gott darzubringen hat, (ist) eine Fortsetzung und Ausbreitung jener unendlichen Verherrlichung ..., die Gott nicht als Schöpfer, sondern als *Vater* in seinem Schoße von dem ihm wesensgleichen Sohn empfängt. Deshalb ist eben die eucharistische Gegenwart und Vereinigung des Gottmenschen mit uns einzig und allein die Grundlage und Bedingung des Kultus und der Verherrlichung, die Gott von uns erwartet und verlangt"[32]. Diese Sicht des Opfers entspricht der, die Joseph Ratzinger einmal auf gute Weise so dargestellt hat: „Das Kreuzesgeschehen ist deshalb Brot des Lebens ‚für die Vielen' (Lk 22,19), weil der Gekreuzigte den Leib der Menschheit ins JA der Anbetung umgeschmolzen hat. Es ist deshalb ganz ‚anthropozentrisch', ganz menschbezogen, weil es radikale Theozentrik, Auslieferung des Ich und darin des Wesens Mensch an Gott war... Aber damit ist zugleich deutlich, daß dies Element des Schmerzhaften das Sekundäre ist, das sich aus einem vorausgehenden Primären ergibt und nur von ihm her seinen Sinn hat. *Das konstitutive Prinzip des Opfers ist nicht die Zerstörung, sondern die Liebe*[33].

Dieser latreutische Charakter des Opfers Christi, der auch das eucharistische Opfer primär ein ‚sacrificium laudis' sein läßt, entspricht biblisch vor allem der johanneischen Theologie, die in der „Erhöhung" Kreuz *und* Auferstehung (ja sogar Heimkehr zum Vater und Geistsendung), „Aufbrechen" (Durchbohrung) um der Verherrlichung

[32] Scheeben, Mysterien, S. 407

[33] Joseph Ratzinger, Einführung in das Christentum, München [6]1968, S. 238 – Den Hintergrund bildet eine Synthese (in Polarität) von Inkarnations- und Kreuzestheologie; vgl. dazu S. 184 ff.

willen, Anbetung als Letzthingabe (παράδοσις) *und* erhöhende Annahme durch den Vater sieht[34]. Da in diese Erhöhungsbewegung die sündige Menschheit miteinbezogen ist, ja dieses Heilsgeschehen FÜR diese Menschheit vollzogen wird, hat es innerhalb des latreutischen auch sühnenden Charakter, ist der Prozeß der „Umschmelzung des Leibes der Menschheit in das Ja der Anbetung“ ein Prozeß des Leidens und des Schmerzes, der Prozeß einer „Destruktion“, die aber eben um der „Verklärung“ willen geschieht.

b) Das Opfergeschehen als Verklärung

Daher kann die konstituierende Opferhandlung sowohl im Kreuzesgeschehen als auch in der Eucharistie für Scheeben nur eine ‚immutatio (ad perfectum)‘ sein, die zuinnerst eine „transformatio (ad melius)“ ist[35]. Für die Eucharistie gilt daher sogar: „Da die Opferhandlung hier in einer Immutation liegt, wodurch das Niedere in ein Höheres übergeht, so hat sie in ihrem Wesen mehr Analogie mit der Vollziehung der hypostatischen Union und der Auferstehung des Leibes Christi als mit der Immolation desselben am Kreuze“[36]. Das „Medium“ dieser Verklärung, in der die Destruktion nur ein inneres Moment ist, ist das Opferfeuer, die sich hingebende Liebe, im Opfer Christi der Heilige Geist, in dem sich Christus in seiner Hingabe verzehrt für Gott und für die Menschen, durch den in der Eucharistie die irdischen Gaben umgeschmolzen und verklärt werden zum Leib und Blut Christi (Epiklese). So ist der Geist im Opfer Christi der ‚amor sacerdos‘[37] und daraus folgend in der Eucharistie der συλλείτουργος[38], dessen Feuer aus dem Herzen des Vaters hervorgeht[39] als Hingabe des Sohnes (gen. obi.) an die Welt und gleichzeitig das Opfer (als „Opferduft“) vor den Vater bringt als Hingabe des Sohnes (gen. subi.) an den Vater für die Welt.

c) Das Opfer als trinitarisches Geschehen

„Die Idee des Opfers Christi treibt also ihre tiefsten Wurzeln bis in die Abgründe der Trinität hinein“[40]. Denn das Opfer Christi ist als der „vollendete Erguß und die erhabenste äußere Darstellung der ewigen Liebe, welche Christus als Sohn Gottes zum Vater trägt“, zu betrachten. Darüber hinaus ist es „in der Form der vollständigsten Blutvergießung“ als „*höchster Ausdruck der trinitarischen Verhältnisse* und das schönste Vehikel ihrer Ausdehnung nach außen“ darzustellen. Die Ausgießung seines Blutes ist nämlich „das reale Sakrament“ der Ausgießung des Heiligen Geistes. „Und so ist denn

[34] Vgl. dazu Scheeben, Mysterien, S. 360f.
[35] Vgl. Scheeben, Mysterien, S. 358f.; Scheeben, Dogmatik V,2 nn. 1405–1512
[36] Scheeben, Mysterien, S. 421
[37] Scheeben, Mysterien, S. 367
[38] Scheeben, Studien I, S. 539
[39] Vgl. Scheeben, Mysterien, S. 423
[40] Scheeben, Mysterien, S. 368 – Vgl. Paul Claudel: Der Lanzenstich bohrt sich „hinab bis in den Knoten der Trinität“ (zit. bei Norbert Hoffmann, Kreuz und Trinität. Zur Theologie der Sühne, Einsiedeln 1982, S. 60)

zuletzt das Herzblut Christi das Band zwischen Gott und der Welt, in welchem Himmel und Erde zusammenfließen, wie in der Trinität der Heilige Geist, als Ausfluß der Wechselhingabe des Vaters und des Sohnes, das ewige Band ist, welches diese beiden Personen untereinander und mit der Kreatur verknüpft ... Wie die Menschwerdung selbst die Fortsetzung und Weiterführung der ewigen Zeugung sein sollte ..., so sollte die opfernde Hingabe des Gottmenschen der vollkommenste Ausdruck jener göttlichen Liebe sein, die er als Gott in der Spiration und Ausgießung des heiligen Geistes betätigt"[41].

Eben diese Aussagen bilden den Hintergrund für das trinitarische Verständnis des eucharistischen Opfers: „Es ist ein Brandopfer der edelsten und erhabensten Art, in welchem das aus dem Herzen Gottes selbst ausströmende Feuer die Opfergabe verzehrt und die in derselben repräsentierten Kirche mit dem ewigen Brandopfer des Lammes verschmelzt."[42] Durch die beiden Analogien Geist - Feuer und Geist - Blut[43] wird die trinitarische Eingebundenheit des eucharistischen Opfers verdeutlicht, indem die Gestalten von Brot und Wein als durch die Kraft des Heiligen Geistes in den Leib und das Blut Christi verwandelte die beiden Sendungen des Sohnes und des Geistes darstellen[44]. So werden in der trinitarisch verwurzelten Sicht des Opfers die beiden grundlegenden Wahrheiten der „Verherrlichung" (primär christologisch bezogen) und der „Verklärung" (primär pneumatologisch bezogen) einander vermittelt und geben der Auffassung Scheebens den betont positiven und genuin theologischen Charakter.

---

[41] Alle Zitate in Scheeben, Mysterien, S. 367f. - Auch der ekklesiologische Gedanke ist hier eingebunden: „Und wird nicht auch aus dem Herzblut Christi durch die Kraft des in ihm wohnenden Heiligen Geistes der mystische *Leib* und die leibliche *Braut des Gottmenschen* gebildet, wie aus dem göttlichen Herzen des Vaters und des Sohnnes ihr *Geist* und *bräutlicher Mitgenosse* hervorsproßt" (Ebd., S. 368) Die Konsistenz dieses Gedankens bei Scheeben zeigt sich in Dogmatik V,2 n. 1384

[42] Scheeben, Mysterien, S. 422f.

[43] Vgl. Ebd., S. 436 und 327; vgl. Brot - durch Feuer geröstet; Wein - Blut der Trauben

[44] Matthias Joseph Scheeben, Handbuch der katholischen Dogmatik. Zweites Buch, hrsg. von Michael Schmaus, Freiburg [3]1948, n. 1004 und 1008 - Zum trinitarischen Charakter des Kreuzesgeschehens s. auch Hoffmann, Kreuz und Trinität (vgl. oben Anm. 40): „Christus (= die persongewordene Sühne) ist die Weise der in einer sündigen Welt existenten ewigen Sohnschaft, oder „Kreuz" ist die harmatiologisch bedingte trinitätsökonomische Modalität der trinitätsimmanenten Zeugung des Logos" (Ebd., S. 66) - „Man kann auch sagen, das ‚pro nobis' des Kreuzes sei nichts anderes als die harmatiologisch bedingte geschichtliche Transfiguration des ewigen trinitarisch wesenden ‚Für' in Gott" (Ebd., S. 69). Solche „Transfiguration" geschieht im Heiligen Geist (wie bei Scheeben). Denn: „Der Heilige Geist", der ‚die unendliche Differenz von Vater und Sohn bezeugt, offenhält, befeuert, um innerhalb der Differenz nicht nur Voraussetzung, sondern schon die Einigung der nicht überholbaren Liebe zu sein' (Balthasar, Theodramatik III, S. 303), der Heilige Geist als ‚apex Trinitatis', als personale Überhöhung und Besiegelung des innergöttlichen Überschwangs ist zugleich der Exponent absoluter göttlicher Freiheit" und damit „der transzendentale Grund für die Möglichkeit, den innergöttlichen Selbstüberschritt des Vaters zum Sohn ins Außergöttliche hin auszudehnen" (Ebd., S. 56), so daß Hoffmann von der „ontologischen, im Heiligen Geist sich übergipfelnden Hyper-Mächtigkeit des Gott-Seins" sprechen kann (S. 57). - Für das eucharistische Opfer vgl. dazu Scheeben, Mysterien, S. 422f.

d) Das Opfer als ekklesiales Geschehen

Christologisch-pneumatologisch begründet ist auch die wesentliche Ekklesialität des Opfers in der Eucharistie, sowohl durch den Grundton dieses Geschehens, der Inkorporation, als auch durch die communio-stiftende Funktion des Geistes. „Damit nun dieses so im Heiligen Geiste vollzogene Opfer *der Kirche und die Kirche ihm* einverleibt werde, wird durch die Kraft desselben Heiligen Geistes, durch eine Erneuerung und Fortsetzung des Mysteriums der Inkarnation das Brot und der Wein in das Fleisch und Blut des bereits immolierten und als ewiges vollendetes Brandopfer existierenden Lammes verwandelt, Christus somit als der durch seinen Tod und seine Auferstehung bereits Hindurchgegangene *aus dem Schoße der Kirche als ihr Opfer* Gott dargebracht"[45]. Genauso wesentlich wie die Darstellung der Opferhandlung durch die verschiedenen Spezies als Trennung von Leib und Blut „ist die Darstellung der Vereinigung der Kirche mit dem Opfer Christi und des Übergangs dieses Opfers in das seine, welche nach den heiligen Vätern in der durch sinnliches Feuer resp. die Gärung erfolgende Zusammenschmelzung der Weizen- resp. der Traubenkörner zu einem Ganzen und in ihrer Umschmelzung in ein höheres Wesen gegeben ist"[46].

Diese beiden Zitate geben dem Ausdruck „Opfer der Kirche" seine doppelte Wahrheit: Von der Kirche als ‚genitivus obiectivus' her: sie ist mit Christus Opfergabe, weil die Verklärung den Christus totus ergreift in der augustinisch verstandenen Einheit des „Leibes Christi"[47]. Zugleich von der Kirche als ‚genitivus subiectivus' her: Die Kirche selbst ist insofern Mit-subjekt der Handlung, Mit-opfernde[48], als ihr das Opfer in der Kraft des Heiligen Geistes so geschenkt wird, daß sie ganz Empfangende und doch aktiv Empfangende ist. Letzteres machen besonders die „Studien" deutlich, wo Scheeben die Epiklese als deprekatives Komplement zum indikativischen Einsetzungsbericht darstellt, worin die Braut-Kirche als Dienerin und Stellvertreterin Christi[49] (im „mit" und „gegenüber") auftritt, so daß ihr „einfaches passives Empfangen zum lebendigen Ergreifen"[50] wird.

Dadurch wird die besondere Weise der „Zueignung" des Opfers an die Kirche deutlich, wie Wilhelm Breuning es ausdrückt. Seiner Erklärung der Zueignung entspricht auch der Gedankengang Scheebens. „Bei der Eucharistie erfolgt die Zueignung Christi aber in einer Handlung und durch eine Handlung, die die Kirche vollzieht... Es handelt sich ... um das typische Verhältnis zwischen Christus und der Kirche, das ein personales Verhältnis eigener Art ist. Es ist eine Aktivität, die ganz von Christus geschenkt ist, die also von der Kirche aus gesehen ganz empfangen ist. Dabei ist der Kern dieser Aktivität selbst wieder eben dieses Empfangen ... Die actio der Kirche

45 Scheeben, Mysterien, S. 422 f.

46 Scheeben, Mysterien, S. 423 – vgl. auch Dogmatik V,2 n. 1459 (4), S. 275 f.

47 Vgl. Scheeben, Mysterien, S. 363

48 Vgl. Scheeben, Dogmatik V, 2, n. 1481: „Nicht minder aber repräsentiert Christus, indem er sich selbst opfert, eben dadurch als Opfer und Opferbringer das Volk, dergestalt daß dieses in ihm und durch ihn geopfert wird und opfert" – (hier also ganz christologisch begründet!)

49 Vgl. Scheeben, Studien I, S. 544 f.

50 Scheeben, Studien I, S. 553, auch II, S. 680 f.

besteht also in einem geschenkten Empfangen ... in empfangenem Empfangen. Dieses Verhältnis ... ist selbst wieder ein heilsgeschichtliches Abbild des Verhältnisses, das zwischen dem Wort und dem Vater – und auf einer neuen Ebene zwischen dem inkarnierten Christus und dem Vater besteht. Gerade in Gott ist das Empfangen nicht weniger als das Geben"[51].

Auf etwas andere Weise sucht Hans Urs v. Balthasar das „Eingelassenwerden der Kirche und der Glaubenden in ein Mitopfer dieses Opfers" zu erhellen[52]. Er liegt damit durchaus in der Richtung, die Scheeben besonders in den „Studien" aufgewiesen hat[53], vertieft und präzisiert aber auch gleichzeitig diese Gedankengänge. Gegenüber dem inner-neutestamentlichen Weg Odo Casels mit seinen religionsgeschichtlichen Voraussetzungen und dem gesamtbiblischen Weg Max Thurians und Louis Bouyers will er einen johanneischen Weg gehen:[54] „die spezifisch johanneische Voraussetzung", von der er auf diesem Weg ausgeht, ist die, „daß es für den wahrhaft Liebenden nichts Schwereres gibt, als den Geliebten leiden zu lassen, ihm zu „erlauben", den selbstgewählten Weg in Leiden, Gottverlassenheit, Tod, Hölle zu gehen"[55]. Das „Bejahen des Opfers Christi tritt ... bei Johannes als der Beitrag der Kirche zum alleinigen Erlösungsopfer hervor"[56]. Die „einzige, einsame Bewegung Christi" vom Tod in die Herrlichkeit will begleitet sein „durch das Einverständnis der erlösten Liebenden: personam Ecclesiae gerens"[57]. Das bedeutet für das Abendmahl, „mit dem die Selbsthingabe des Sohnes anhebt", daß die Gemeinsamkeit des Sohnes und der Kirche im Opfer (in actu primo) „krud gesagt" darin liegt, „daß wer sich von den Menschen ‚verzehren' lassen will, eines Mundes bedarf, der ihn ißt und trinkt. Die Jüngergemeinde, dann die Ekklesia, muß ihm diesen Dienst tun. Und zwar nicht vor allem als Repräsentantin der schlachtenden Sünder, sondern im dienenden Einverstandensein mit seiner Hingabe. Darin ist der verzehrende Mund Wesensbestandteil des Opfers des

---

51 Wilhelm Breuning, Die Eucharistie in Dogma und Kerygma, in: Communio Christi. Zur Einheit von Christologie und Ekklesiologie, hrsg. v. Josef Herberg, Düsseldorf 1980, S. 215–236, hier: S. 224

52 Hans Urs von Balthasar, Die Messe – ein Opfer der Kirche?, in: Spiritus Creator. Skizzen zur Theologie III, Einsiedeln 1967, S. 166–217, hier: S. 167

53 Besonders: Scheeben, Studien II. S. 681 ff.

54 Balthasar, Messe (vgl. oben Anm. 52), S. 192 f.

55 Ebd. S. 194

56 Balthasar, Messe, S. 200 – Vgl. dazu auch Scheebens Aussagen in der Mariologie zur Frage, ob Maria auch corredemptrix sei (für Scheeben nur restriktiv „in gewissem Sinn" zu benutzender Ausdruck) – Dogmatik V, 2, n. 1775: Marias *„bräutliche Mitwirkung"* ist so charakterisiert, daß in ihr „zugleich mit der gänzlichen Unterordnung und Abhängigkeit die innigste Gemeinschaft Mariens mit dem Erlöser dargestellt wird". Sie wirkt mit *„durch ihre Einwilligung als tradens in mortem"* oder durch einen *„consensus sententiae et sensus"*, „daß das Leiden Christi in vollsten Sinn des Wortes auch ihr Leiden war" (n. 1796). Daher kann man Maria *„im Opfer der Kirche als die Diakonin beim priesterlichen Opfer Christi bezeichnen"* (n. 1798). – Vgl. auch Balthasar, Theodramatik III: Die Handlung, Einsiedeln 1980, S. 369: „Marias Geschehenlassen des Kreuzes ist das archetypische Geschehenlassen in allem kirchlichen Glauben, gerade auch im Ereignis der Eucharistie, die existentiell vollkommene und urbildliche Haltung, die der Kirche eingestifet und durch alle Jahrhunderte weitergegeben wird".

57 Balthasar, Messe, S. 202

Herrn. Er handelt im Abendmahlssaal nicht als Solist vor einem zuhörenden Auditorium, als ein Schauspieler auf der Bühne vor Zuschauern im Parkett. Er handelt immer auch so, daß er die Seinen in sein Tun einbezieht ... Aber die Einheit erfolgt in und durch radikale Abscheidung, so radikal, daß die Gegensätzlichkeit der Geschlechtsfunktionen (sc. männlich-weiblich; Bräutigam-Braut) dafür nur ein Sinnbild ist, das hoch überspielt werden muß durch die Gegensätzlichkeit zwischen Gott und Geschöpf"[58]. Da sich in der Selbsthingabe der Wille des Vaters vollzieht, geht das „Opfer" der Kirche durch und mit Christus zum Vater. Die Kirche gibt Christus zum Vater hin frei. „Hier fassen wir den theologisch tiefsten Sinn des ‚offerimus tibi, clementissime Pater, hostiam immaculatam, iube haec perferri in sublime altare tuum ...', fassen wir also, was für die Kirche Eucharistia heißt: Danksagung an den Vater für den Hingang des Sohnes, und dafür, daß wir ihn hingehen lassen dürfen. Sein Hingang ist seine Eucharistie, und wir benedeien den Vater für diese seine Eucharistie"[59].

Die Einheit im Gegenüber zwischen Christus und der Kirche im Opfer und das ‚perferre' zum Vater kann letztlich nur als Wirken des Heiligen Geistes verstanden werden. „Christus und Kirche sind ein Geist im Geheimnis der Eucharistie. Der Leib des Herrn ist das, was der Geist uns gibt, um uns den Geist des Herrn einzuflößen; und er ist das, war wir zurückgeben, um des Geistes des Herrn, der ein Geist der Hingabe zum Vater ist, teilhaft zu werden. „Wer dem Herrn anhängt, ist ein Geist mit ihm" (1 Kor 6,17), aber durch den Leib und im Leib, sofern er Werkzeug und Gabe des Geistes geworden ist"[60]. Das verweist auf eine Reihe von Aussagen in Scheebens „Studien", so etwa: „Von Gott selbst, vom Himmel her, aus dem Schoße Gottes, erwartet sie (die Kirche) tiefgebeugt, wie Elias, das geistige Feuer, von dem ihre Gaben verzehrt und in den Leib und das Blut Christi umgeschmolzen, mit dessen eigener Süßigkeit durchwürzt, in lieblichem Wohlgeruch zum Himmel aufsteigen sollen; dieses Feuer aber ist nichts anderes als die göttliche und vergöttlichende Glut des Heiligen Geistes"[61]. Der Geist ist gesandt, um das Opfer der Braut mit dem ihres Bräutigams zu einigen, zu verschmelzen und dadurch es vor das Angesicht des Vaters zu bringen[62].

e) Die Einheit von „spirituellem" und „rituellem" Opfer

Ein weiterer entscheidender Gesichtspunkt in der Opferlehre Scheebens ist die Einheit von „geistlichem" und „rituellem" Opfer, d.h. die Untrennbarkeit von innerer Opfergesinnung und äußerer Opferhandlung, wofür Joh. 10,17f, Hebr. 9,14 auf seiten Christi und Röm 12,1 auf seiten der Menschen „Schlüsselstellen' bilden[63]. Als drittes Opfermerkmal hatte Scheeben in den „Mysterien" herausgestellt: *„Die ‚hostia' muß*

58 Balthasar, Messe S. 209f.
59 Ebd., S. 212
60 Ebd., S. 215
61 Scheeben, Studien II, S. 681f.
62 Vgl. Scheeben, Studien II, S. 684
63 Vgl. Scheeben, Dogmatik V, 2, n. 1470ff. (1475); Mysterien, S. 359

dem Opfernden gehören, muß eins mit ihm sein, sowohl um durch diese Einheit geadelt zu werden, als auch um dem Opfernden eine reale Hingabe seiner selbst zu ermöglichen. Wo die Idee des Opfers vollkommen realisiert wird, muß die ‚hostia' und der ‚offerens' in einer Person vereinigt sein, so daß ein und derselbe nach der einen Seite durch seine geistige Gesinnung der ‚offerens' und durch denjenigen Teil seines Wesens, welcher wirklich immoliert wird, die ‚hostia' ist... Darum ist es (das Opfer) *nicht bloßes Sinnbild, bloßer Reflex der inneren Opfergesinnung, sondern die möglichst reale und konkrete Vollziehung und Durchführung des innern Opfers*"[64]. Diese Grundaussage wird entfaltet und vollendet durchgeführt in der „Dogmatik"[65]. Dieser „sakramentale Aspekt"[66] – so Bernhard Fraigneau-Julien – des Opfers Christi weist zurück auf Augustinus und auf de Condren (Ecole Française), ist aber von Scheeben erweitert worden durch den ausdrücklichen Bezug auf die Auferstehung und Verherrlichung Christi als Vollendung seines Opfers, d. h. durch die Identifikation der Vollendung des Opfers Christi mit der Opferimmutation[67].

Dieser „sakramentale Aspekt" des Opfers Christi ist die Ermöglichung der eucharistischen Hingabe des Herrn in ihrer unlöslichen Beziehung zum Kreuzesopfer. Denn „die Hingabe in den animalischen Tod von seiten des Willens Christi hat gerade die Tendenz und Wirkung, daß sein Leib und sein Blut zur vollen Entfaltung der Kraft des „ewigen Geistes" an ihnen und durch sie vorbereitet werden sollen. So hat die sakrifikale Tätigkeit Christi in seinem blutigen Opfer den Charakter einer *von innen durch übernatürliche Macht vollzogenen Auflösung des animalischen Lebens seines Leibes, wodurch die demselben einwohnende göttliche Lebenskraft gleichsam flüssig gemacht wird, indem der Leib zur Speise des ewigen Lebens hergerichtet und das Blut als belebender Trank ausgegossen wird*"[68]. Allerdings wird dieser Ansatz nicht so weit von Scheeben durchgeführt, daß er die Beziehung des eucharistischen Opfers zum Kreuzesopfer in einer *gänzlich* sakramentalen Weise ausdrückte[69], sondern er gebraucht für die Vermittlung des „Ein-für-alle-Mal" des Opfers Christi und der immer neuen Repräsentation im Meßopfer „eine *neue lebendige Darbringung* des Kreuzesopfers im Himmel" bzw. eine „*stete lebendige Rekapitulation*"[70] desselben, obwohl er ein *eigentliches* himmlisches Opfer verneint[71], wie es de Condren noch angenommen hat. Wenn Scheeben dadurch auch (noch) nicht den Vollbegriff des sakramentalen Opfers[72] hervorbringt, so ist doch die unmittelbare Nähe zu dieser Auffassung nicht zu leugnen, da des öfteren die Einheit von

64 Scheeben, Mysterien, S. 359

65 Scheeben, Dogmatik V,2, n. 1470 ff.

66 „Sakramental", da das „Äußere" Realsymbol des „Inneren" ist.

67 Bernhard Fraigneau-Julien, Le sacrifice du Christ et le sacrifice de l'Humanité selon M. J. Scheeben, in: Recherches de science religieuse 45 (1957), S. 361–395, hier: S. 385

68 Scheeben, Dogmatik V, 2, n. 1475

69 Fraigneau-Julien, Sacrifice (vgl. oben Anm. 67), S. 387

70 Scheeben, Dogmatik V, 2, n. 1497

71 Ebd.: ... und es kann daher, im Sinne einer Wiederholung oder auch nur einer Fortsetzung des Kreuzesopfers, durchaus *nicht* von einer im Himmel stattfindenden eigentlichen *sakrifikalen Opferhandlung* die Rede sein".

72 Wie etwa Ansgar Vonier und Gottlieb Söhngen

Sakrament und Opfer durchscheint, wie etwa in der Aussage, daß „sein einmaliges blutiges Opfer unblutig durch *symbolische Repräsentation* desselben“[73] in der Eucharistie dargestellt werde.

Der tiefere Grund für diese Tendenz zur sakramentalen Sicht des Opfers der Eucharistie liegt in der gegenseitigen Durchdringung der geistig-geistlichen, „pneumatischen“ Realität des Opfers Christi im „ewigen Geist“ und der „inkarnatorischen“ in der blutigen Kreuzigung, so daß Scheeben die Blutvergießung als Realsymbol der Geistsendung verstehen kann[74]. Dafür bildet wiederum das Ur-Leben der Trinität selbst mit den beiden Sendungen nach außen (Geistsendung und Inkarnation) den Hintergrund. Von daher gesehen ist die Brechung und Verteilung, das Essen und Trinken der Eucharistie das (unblutige) Realsymbol (= Sakrament) der einmal geschehenen und bleibenden Hingabe des Sohnes durch den Vater an die Menschen. Das Opfer der Eucharistie ist somit ganz geistig und ganz konkret. Die „Bleibendheit“ der Hingabe als Akt Christi (und des Vaters) (*ein* für *alle* Mal in der „steten Rekapitulation“ im Himmel) ist für Scheeben der Ermöglichungsgrund für die sakramentale Hingabe in der Eucharistie.

Damit geht er nicht „den Umweg über das himmlische Opfer Christi“[75], wie P. Weigl etwas vereinfachend sagt, um die Gegenwärtigsetzung des Urmysteriums deutlich zu machen, läßt aber auch nicht die Liturgie den pneumatischen Urgehalt des Mysteriums *als solchen* heraufführen, wie die spätere Laacher Schule es sieht[76], sondern geht von der *„neuen lebendigen Darbringung* des Kreuzesopfers im Himmel“ aus, die nicht mit einer „eigentlichen *sakrifikalen Opferhandlung*“ verwechselt werden darf[77]. Da die Seins- und Gegenwartsweise des eucharistischen Geschehens in der pneumatischen Opferpräsentation des verklärten Herrn vor dem Vater ihren Ermöglichungsgrund hat, könnte man hier von *„eschatologischer Ontologie“* in der Eucharistie sprechen, die Scheeben im traditionellen Begriff vom himmlischen Opfer artikuliert[78].

5.2 Die Gegenwartsweise Christi in der Eucharistie

a) Transsubstantion als Verklärung

Die Folgen der umfassenden trinitarischen Sicht Scheebens von der Eucharistie für die *Transsubstantion* und die *Gegenwartsweise* des Herrn in der Eucharistie sind nun noch kurz dazustellen. Die „Wandlung“ (im Sinne einer „Reproduktion“ des Leibes

---

[73] Scheeben, Mysterien, S. 418

[74] Vgl. Scheeben, Mysterien, S. 368 und Dogmatik V, 2, n. 1384

[75] Wie Peter Weigl, Scheebens „Mysterien des Christentums“ und die liturgische Theologie (in: Liturgisches Leben 5 (1938), S. 273–288), etwas vereinfachend sagt (S. 288).

[76] Vgl. Weigl, ebd.

[77] Scheeben, Dogmatik V,2, n. 1497; darin ist das Kreuzesopfer „in ewiger Erinnerung Gott dargestellt“ (Mysterien, S. 421) – Vgl. dazu auch Balthasar, Theodramatik III, S. 366 f.

[78] Den Ausdruck „eschatologische Ontologie“ verdanke ich einem Gespräch mit meinem Lehrer Prof. Wilhelm Breuning

Christi aus dem Brote) ist ein strikt übernatürlicher Vorgang, an dem alle philosophischen Denkmodelle ihre Grenze erfahren. Die Analogizität alles Redens über diesen Vorgang muß bewußt bleiben[79]. Sosehr nun die Transsubstantiation nicht „Umbildung", sondern wirkliches Auflösen der Existenz des Brotes und Weines nach Form und Materie ist, möchte Scheeben nicht so sehr von dieser „Vernichtung" ausgehen, sondern von einer *Verwandlung*, die in sich *analogielos* ist, nämlich der Umwandlung des Brotes, das Jesus in seinem irdischen Leben aß. Der Geist Christi, der Heilige Geist ist als ‚calor Verbi' die Umwandlungskraft, wie sie auch in der Inkarnation wirksam ist. Dieser Umschmelzungsprozeß im Feuer des Heiligen Geistes ergreift die Brot- und Weinsubstanz nach Form und Materie. Nur wenn er so ins tiefste Wesen der Elemente eingreift, ist eine echte Inkorporation (sowohl von uns in Christus als auch Christi in uns) möglich[80]. Transsubstantiation (und damit Opfer als Immutation) wird sofort auf die Kommunikation in der „effektiven Inkorporation" der Kommunion hin gedacht, die hier virtuell bereits beginnt[81]. Die Grund-Denkfiguren „Vermählung" und „Verklärung" erweisen hier ihre Konsistenz im Denken Scheebens bis in die Frage der Transsubstantiation hinein. Denn der inneren Zielrichtung der Inkarnation und der eucharistischen Inkorporation als der „Vollendung des organischen Bandes, das uns an ihn fesseln soll", entspricht eine ‚trans-substantiatio', um „sich in uns, oder vielmehr uns in sich hineinzupflanzen, uns in sich selbst Wurzel schlagen zu lassen"[82]. Nur eine solche Verwandlung im Vollsinne entspricht dem letzten (physisch-moralischen) Kommunikationswillen Gottes mit dem Menschen, wie er sich in Inkarnation und Eucharistie kundtut. Nur durch sie ist auch die andere Intention dieser Mysterien zu erfüllen, nämlich Christus und die Seinen zu *einem* Verherrlichungsopfer zu vereinigen. Diesem christologischen Argument korrespondiert ein ekklesiologisches. Die Transsubstantiation dient der Vollendung der Kommunikation mit Christus und läßt gleichzeitig seine Opfertat ein Opfer der Kirche werden (gen. obi. *und* subi.)[83]. Darüber hinaus entspricht dem Gnadengeschehen als deificatio des Menschen der tiefe Umwandlungsprozeß der Transsubstantiation, wenn auch unsere Umwandlung nicht eine Vernichtung unserer geistigen Substanz ist, sondern eine Verklärung (transformatio) gemäß 2 Kor 3,18. Die Transsubstantiation zeigt aber, wie tief diese Verwandlung als Verklärung durch das Feuer des Heiligen Geistes reicht. „Hier sollen wir sehen, wie mächtig, wie tief und unumschränkt die göttliche Liebe in den Kreis ihrer Geschöpfe eingreift, um sie aus ihrer Niedrigkeit zu erheben und sie ganz in ihrem innersten Wesen durch ihr göttliches Feuer gleichsam zu verzehren. Denn die ganze geschaffene Natur, die geistige wie die materielle, seufzt, wie der Apostel sagt, nach ihrer Erlösung und Verklärung, und die begnadigten, von Gott als Kinder angenommenen Menschen namentlich sollen mit Seele und Leib, von göttlichem Feuer durchdrungen, wie ein Tropfen Wasser in einem Strome Weines ganz in Gott aufgenom-

---

[79] Vgl. Scheeben, Mysterien, S. 411
[80] Vgl. Scheeben, Mysterien, S. 412
[81] Ebd., S. 413
[82] Ebd.
[83] Vgl. Scheeben, Mysterien, S. 420f.

men, all ihre natürliche Schwäche und Niedrigkeit soll, nach den Worten desselben Apostels, absorbiert werden, auf daß Gott alles in allem sei"[84]. Deshalb kann (muß) der Gedanke der Vernichtung der Substanz in der Transsubstantiation (wie im Opfer) zurücktreten vor (bzw. eingebunden bleiben in) dem Gedanken der tiefgreifenden (substantiellen) Verklärung[85]; man könnte sagen: die Kategorie des ‚trans' und nicht des ‚de' ist entscheidend!

Diese organische Einbindung der Transsubstantiation in Christologie, Pneumatologie, Ekklesiologie und Gnadenlehre gibt ihr den eigentlichen Rang[86]. Hier wirkt sich letztlich aus, was in den christologischen (und anthropologischen) Ausführungen den Substanzbegriff prägte[87]. Die rein formalontologische Auffassung von Substanz und Akzidens zeigt hier ihre Grenzen, so daß dieses Kapitel Scheebenscher Eucharistielehre durchaus ein Beispiel für seine „Verklärung der Begriffe" ist, die einerseits der inneren Fülle des Geschehens besser gerecht wird, aber andererseits so nicht immer der genauen begrifflichen Klarheit genügt, wie Scheeben selbst zugibt[88].

b) Personal-essentielle Präsenz Christi

Die bisher dargestellten Aspekte der Eucharistieauffassung Scheebens machen deutlich, daß es ihm – ganz im Sinne der Kirchenväter – um mehr geht als um die „Realpräsenz" des Leibes und Blutes Christi und deren Wirkung auf den Empfänger: In dem Kommunikationsgeschehen der Eucharistie soll ja die Lebensbewegung des dreifaltigen Gottes im Innersten des Menschen „ankommen" und dieser so in das Leben Gottes selbst hineingezogen werden, entsprechend der Selbstmitteilung Gottes im Gnadengeschehen, wie sie in Scheebens inhabitatio-Lehre zum Ausdruck kommt. Dieses Geschehen schließt eine relationale Gegenwart des Herrn ein, die in ihrer personalontischen Struktur über eine bloße Vorhandenheit weit hinaus geht. Insofern muß hier das, was Johannes Betz prinzipale und kommemorative Aktual-

---

84 Ebd., S. 415

85 Ebd., S. 414 f.

86 Die Vorteile der griechischen Wandlungslehre kommen hier zum Tragen, wie Johannes Betz, Eucharistie als zentrales Mysterim (MySal IV, 2, Einsiedeln 1973, S. 185–313), S. 302 sie herausstellt (theozentrisch; sakramental-inkarnatorisch; organisch). Hier kommt Scheeben ein Verdienst zu, das Hans Jorissen neueren Versuchen zum Problem der Transsubstantiation zuspricht: „Bemühen um eine organische Einordnung der eucharistischen Wandlung und Realpräsenz in das Ganze der Christologie, der Ekklesiologie und damit in den Rahmen der allgemeinen Sakramentalität der Gnade" sowie „stärkere Akzentuierung der personalen und ekklesialen Dimension des eucharistischen Geschehens: Eucharistische Realpräsenz als die auf einmalige Art intensivierte Weise der allgemeinen Realpräsenz Christi in seiner Kirche" (Die Diskussion um die eucharistische Realpräsenz und die Transsubstantiation in der neueren Theologie, in: Beiträge zur Diskussion um das Eucharistieverständnis, hrsg. v. Collegium Albertinum, Bonn 1970, S. 30–57, hier: S. 56 f.)

87 In seiner Offenheit für die Durchdringung durch Höheres im Sinne einer eminenten „informatio", wie sie in der Christologie und in der Anthropologie (Leib-Seele-Verhältnis) bei Scheeben herausgearbeitet wird

88 Vgl. etwa Scheeben, Mysterien, S. 368

präsenz genannt hat, mitgesehen werden, um der umfassenden Bedeutung der praesentia Christi in der Eucharistie gerecht zu werden[89]. Die Eucharistie als Fortsetzung der incarn*atio,* beschrieben in der Analogie der ehelichen consumm*atio*[90], ist als solche sakramentaler *Vollzug* und *Geschehen* der Vereinigung Gottes mit dem Menschen und der Verherrlichung Gottes, die aber bleibend die Gestalten von Brot und Wein prägen („charakterisieren"), umschmelzen, informieren, transsubstantiieren, verklären, so daß „Ereignis" und „Zustand" in eins fallen, so wie der Begriff der „communio" des „Ereignis" „communicatio" bzw. „unio" und den „Zustand" „communitas" bzw. „unitas" zugleich ausdrückt. Dadurch wird die einseitige Sicht der Eucharistie als Gnaden*mittel*, Gnaden*nahrung* überwunden, bzw. wieder in größeren Zusammenhang gestellt, weil ihr eine wesenhaft aktuale und relationale Qualität zukommt[91], indem sie vom trinitarischen Lebensvollzug selbst her gedacht ist[92].

Unter solchem Gesichtswinkel bleiben Mahl und Opfer der Eucharistie eine untrennbare Einheit, da sich in dieser zwei-einen Gestalt die zwei-eine Bewegung der Kommunikation und der Verherrlichung, das FÜR Gottes für die Menschen und das FÜR der Menschen für Gott und darin das FÜReinander in der gottmenschlichen Hingabe Christi darstellen. „Wandlung" als Verklärung zielt in sich auf „communio" (und damit auf „Kommunion")[93], da sie nur dazu da ist, den Menschen hineinzuziehen in die communio mit Gott, auch wenn sie nicht allein durch das leibliche Empfangen des Leibes und Blutes Christi („effektive Inkorporation") zu geschehen hat, sondern auch in einer „geistigen Kommunion". Gerade die Analogie des matrimonium (consummatum; bzw. connubium) erfordert die innere Einheit von „Wandlung" und „Kommunion", von Opfer und Mahl, von Hingabe und Gemeinschaft. Die „Vermittlung" sowohl von „Ereignis" und „Zustand", Opferakt und Opfergabe, Akt und Sein, Person und Sache einerseits wie auch von Opfer und Mahl, Wandlung und Kommunion andererseits geschieht „im Feuer des Heiligen Geistes"[94] d. h. im epikle-

---

89 Zur Begrifflichkeit bei Betz: „prinzipale Aktualpräsenz" – „kommemorative Aktualpräsenz" – „somatische bzw. substantiale Realpräsenz" s. Lothar Lies, Verbalpräsenz – Aktualpräsenz – Realpräsenz. Versuch einer systematischen Begriffsbestimmung, in: Praesentia Christi, Düsseldorf 1984, S. 79–100. Darin macht Lies auf die Grenze der Unterscheidung zwischen Substanz und Akzidenz innerhalb der Eucharistie aufmerksam (Gegenwart der Person – substantiell; Gegenwart der actio – akzidentell?), da in Christus Person und Werk identisch sind (vgl. S. 90 f.) – Vgl. auch Scheeben, Mysterien, S. 393

90 „-atio" im Lateinischen als Bezeichnung eines Vorgangs, nicht so sehr eines Zustands. – Wichtig für die personal-ontische Gegenwartsweise ist auch die Analogie der Vermählung (vgl. auch Paul, Denkweg, S. 192)

91 Vgl. dazu Theodor Schneider, Zeichen der Nähe Gottes, Grundriß der Sakramententheologie, Mainz 1979, S. 162 f.

92 Vgl. zum Ganzen die Ausführungen Scheebens über die „göttliche Existenzweise" des Leibes Christi in der Eucharistie: Mysterien, S. 391 ff. und die Aussagen über die „übernatürliche Metaphysik" (Ebd., S. 393), aber auch Ebd., S. 423 ff., besonders: S. 427

93 Vgl. dazu etwa Scheeben, Studien II, S. 706: „Die ganze Opferhandlung ist eine Vorbereitung auf die Kommunion, und die Kommunion als Teilnahme am Opferlamme, der Abschluß der Opferhandlung"

94 Vgl. die Analogie des Speiseopfers u. d. Schaubrote: Scheeben, Dogmatik V, 2, n. 1451 (S. 269) –

tisch-pneumatologischen Charakter der Eucharistie, den wir nun noch näher zu betrachten haben.

5.3 Die pneumatologische Dimension der Eucharistie im Verständnis der Epiklese

Scheebens trinitarische Konzeption der gesamten Theologie wirkt sich innerhalb der dogmatischen Auffassung von Eucharistie besonders in deren *pneumatologischer* Einbindung aus, eucharistie-liturgisch in der Frage der Wertigkeit der *Epiklese*. Die in den „Mysterien" schon grundgelegte pneumatologische Komponente verstärkt sich innerhalb der Opferlehre der „Dogmatik" aufgrund des vertieften Studiums der griechischen Väter. In der Frage der Epiklese haben allerdings die „Studien" schon entscheidende Aussagen gebracht.

Zweck und Wirkung der Eucharistie ist die Gemeinschaft des Heiligen Geistes, als Gemeinschaft mit ihm und untereinander. Verschmelzung zu einem Leibe bedeutet auch Verschmelzung zu einem Geist. „Ein Leib mit Christus – ein Geist mit Gott" ist die Formel, die dieses Verhältnis zusammenfaßt[95].

Der § 75 der *„Mysterien"* entwickelt in besonderer Weise die Sendung des Heiligen Geistes in der Eucharistie in ihrem Verhältnis zur Sendung des Sohnes. Sowohl als Geist des Sohnes („... saugen wir den Heiligen Geist gleichsam aus der Brust, aus dem Herzen des Logos, aus dem er entspringt ...") als auch als „Konduktor, wodurch der Sohn in uns eingeführt wird"[96], begegnet uns der Heilige Geist in der Eucharistie. „Nach der hypostatischen Union und der Wandlung wohnt er alsdann mit seiner Glut und Lebenskraft, als vom Sohne hervorquellend in dessen Fleisch und Blut, es mit seinem Wesen erfüllend, um es zu heiligen und zu verklären. In der Eucharistie namentlich verklärt und vergeistigt er es wie eine glühende Kohle, daß es in sich selbst lauteres Feuer, reiner Geist zu sein scheint. Sofort bedient er sich seiner als eines Werkzeuges, um seine heiligende und verklärende Kraft an allen zu offenbaren, die mit ihm in Berührung kommen, und als eines Konduktors, um sich allen denen mitzuteilen, die es in sich aufnehmen und genießen"[97]. Daraus ergibt sich die „Formel", daß der Leib Christi *„entsprungen"* sei aus dem Hl. Geist, *„durchdrungen und umgeben"* und *„überfließend"* vom Hl. Geist[98].

In der *„Dogmatik"* erfährt die pneumatologische Seite der Eucharistie ihre tiefere Begründung in der Lehre vom Opfer und Priestertum Christi, wo das „im ewigen Geist" (Hebr. 9,14) für die innere Dimension des Opfers Christi ausgewertet und das gesamte Erhöhungsgeschehen als Opferimmutation im Feuer des Geistes dargestellt wird[99].

Dieser Vermittlung entsprechen die Kategorien der „Durchdringung" u. „Umschmelzung"
95 Scheeben, Mysterien, S. 401 und 440
96 Ebd., S. 436
97 Ebd., S. 437
98 Ebd. – Als Hautpzeuge wird Cyrill von Alexandrien herangezogen; Mysterien, S. 438 f.
99 Vgl. Scheeben, Dogmatik V, 2, n. 1476 ff.; ebenso etwa Dogmatik V, 1, n. 205 ff., 381 ff., 389 und Dogmatik II, n. 1006 ff., 1024

Wichtig ist in diesem Zusammenhang auch die Wertung der *Epiklese.*

Die „Studien", die die Oration „Supplices" als nachkonsekratorische Epiklese werten, stellen die Verbindung der Epiklese mit dem Opfercharakter her. Für Scheeben fordert gerade die ekklesiale Seite des Opfers die enge Verbindung der Konsekration durch die Einsetzungsworte mit der Epiklese[100]. Das Verhältnis des Tuns Christi und des „Tuns" der Kirche muß pneumatologisch vermittelt werden. „Wenn nämlich die Kirche hier nicht bloß als einfaches Organ Christi, sondern auch selbständig als seine Dienerin und Braut opfern soll, dann muß ihre Oblation ganz von dem in der Epiklese angesprochenen Geiste durchdrungen sein"[101]. Die Kirche kann nichts anbieten als Opfer, es sei denn verbunden *mit*, hineingenommen *in* das Opfer Christi, das das einzige vor dem Vater gültige ist. Diese Hineinnahme („Übertragung" = perferre, im Ggs. zu offerre) kann nur durch Gott selbst geschehen, und zwar durch die vermittelnde Kraft des Geistes[102].

So verbindet die Epiklese (vor- und nachkonsekratorisch) das Offertorium, die Konsekration und die folgenden Teile des Hochgebets zu einer organischen Einheit, weil nur dadurch klar bleibt, daß die Kirche nicht einfach Brot und Wein opfert und auch nicht den Leib Christi *als solchen* (denn ersteres kann sie nicht opfern, letzteres ist schon geopfert!), sondern consecratio und perlatio sich auf *„das unter den Gestalten Enthaltene"*[103] beziehen. „Als das für Gott bestimmte Produkt geht der Leib Christi aus der Konsekration hervor, um identisch zu sein mit sich selbst auf dem himmlischen Altare. So sendet also die Kirche durch die Konsekration ihre Oblation zum Himmel hinauf, das Brot durch Wandlung in den Leib Christi, den Leib Christi als das Produkt dieser Wandlung in seiner Einheit mit sich selbst im Himmel, und nach der Wandlung drückt sie das liturgisch aus, indem sie tief gebeugt dem Heiligen Geiste als dem Gesandten Gottes und ihrem Gesandten die Ausführung jener Emporsendung anvertraut oder vielmehr ihn bittet, die durch seine Vermittlung emporgesandte Gabe auf dem himmlischen Altare zur Annahme für die Kirche zu präsentieren. Der Konsekrationsgedanke wird bei dieser Erklärung immer gewahrt; aber er tritt nicht so schroff auf wie in den orientalischen Liturgien ..."[104], die die Konsekration *allein* in der Epiklese sehen. Der Geist ist der Garant der Einheit zwischen dem irdischen und dem

---

100 Scheeben, Studien I, S. 543 ff.; Studien II, S. 679 – Dadurch werden Transsubstantiation und Opfer besser in den Kontext des gesamten Hochgebets eingebunden als in den „Mysterien"

101 Scheeben, Studien II, S. 681

102 Vgl. ebd. auch S. 682: Der „angelus" in „Supplices" ist „der Heilige Geist, welcher, von Christus nach seiner Himmelfahrt der Kirche gesandt, nicht nur, wie der Sohn, die Verbindung des Vaters mit uns, sondern auch ganz vorzüglich die Verbindung zwischen Christus in seinem himmlischen Hohepriestertum und seiner priesterlichen Braut hier auf Erden vermittelt ..." Im Bild des Ein- und Ausatmens, wie die hl. Hildegard es benutzt, sieht Scheeben eine Synthese von westlicher und östlicher Akzentuierung: vgl. S. 683, Anm. 3

103 Scheeben, Studien II, S. 685 f.

104 Ebd., S. 687

himmlischen Opfer, auf welcher „Grundidee“[105] die ganze Anschauung beruht. In der „Dogmatik“ ist das differenzierter entfaltet. Gleichzeitig ist aber auch der Leib Christi als ekklesialer „Leib“ (corpus Christi mysticum) in der nachkonsekratorischen Epiklese mitgedacht, wie es der Erklärung der Scholastik mehr entspricht, so daß der Geist auch der Garant der Hineinnahme der Kirche in das eucharistische Geschehen ist, nicht nur sofern er ihre Mit-subjektivität begründet, sondern auch ihre Mit-objektivität (Opfer der Kirche, gen. obi.)[106]. Der Konsekrationsgedanke in der Epiklese nach der Wandlung – der den lateinischen Liturgien bis zur Blüte der Scholastik bewußt war[107] –, schließt daher keineswegs die dann mehr aufkommende Sicht der Verbindung der Kirche mit dem objektiven Opfer aus, sondern ein.

Erst in der von der trinitarischen Dynamik getragenen Sicht des gesamten Organismus des Hochgebetes bleibt die rechte Spannung zwischen dem Handeln Gottes durch Christus im Heiligen Geist und dem Tun der Kirche als Braut Christi (Stellvertreterin *und* Dienerin) gewahrt[108]. Auch hier versucht Scheeben eine Vermittlung der alten Tradition (auch der griechischen Väter) und der im Westen durch die Scholastik einsetzenden, bei Ambrosius allerdings schon grundgelegten Suche nach dem eigentlich bewirkenden Moment des Sakramentes[109]. Bleibend gültig ist die Betrachtung des Gesamtorganismus, die im Osten wie im Westen die Liturgie als Feier des Mysteriums erkennt. „Sie geschieht durch das nicht voneinander trennbare Wirken des jetzt verherrlichten menschgewordenen Wortes, des eigentlichen Zelebranten unserer Liturgiefeiern, und seines Geistes, der uns als die Frucht seiner Taufe und seines Paschas mitgeteilt wird. Die ganze heilige Liturgie übersetzt und vollzieht so eine Bewegung Gottes zu uns und von uns zu Gott, eine Bewegung, die vom Vater durch den Sohn im Geiste ausgeht und im Geist durch den Sohn zur Herrlichkeit des Vatgers wiederaufsteigt, der uns als seine Kinder in seine Gemeinschaft aufnimmt“[110]. Mit diesen Worten Congars ist Scheebens Intention bestens ausgesagt. Angelehnt an ein Wort des Vaticanum II schreibt der französische Theologe etwas später einige Sätze, die Scheebens Ansicht gut zusammenfassen können: „Die Eucharistie enthält ja das Heilsgut der Kirche in seiner ganzen Fülle, Christus selbst, unser Osterlamm und das lebendige Brot. Durch sein Fleisch, das durch den Heiligen Geist lebt und Leben schafft, spendet er den Menschen das Leben.“ Was der Geist in Christus gewirkt hat, um ihn zum Haupte zu machen, muß er in uns wirken, um uns zu seinen Gliedern zu machen, um seinen Leib zu vollenden und zu heiligen. Dieser eine, gleiche Geist ist in den drei Realitäten am Werk, die als „Leib Christi“ bezeichnet werden und dynamisch miteinder verbunden sind: Jesus, der Sohn Marias, der gelitten hat, gestor-

---

105 Ebd., S. 687f.

106 Ebd., S. 688f. – Diesen Akzent trägt auch die heutige nachkonsekratorische „Kommunion-epiklese“

107 Vgl. Scheeben, Studien II, S. 691 – Vgl. dazu auch Yves Congar, Der Heilige Geist, Freiburg – Basel – Wien 1982, S. 474ff.

108 Vgl. Scheeben, Studien I, S. 550

109 Vgl. Scheeben, Studien II, S. 691

110 Congar, Der Heilige Geist, S. 474

ben ist, auferweckt und verherrlicht worden ist; die zur Eucharistie gewordenen Gestalten von Brot und Wein; der gemeinschaftliche Leib, dessen Glieder wir sind. Es gibt nur eine einzige Gnadenökonomie, worin ein und derselbe Geist den Leib Christi wirkt in dessen drei unterschiedlichen und zugleich dynamisch miteinander verbundenen Gestalten zur Ehre Gottes des Vaters"[111].

5.4 Die ekklesiale Dimension: Kirche von der Eucharistie her

Alle bisherigen Überlegungen zum Opfer, zur Gegenwartsweise und zur Wirksamkeit des Pneuma in der Eucharistie wären nicht vollständig ohne ihre innere Beziehung zur Größe: *Kirche.* Deshalb ist der ekklesiale Charakter der Eucharistie in der Theologie Scheebens noch einmal eigens zu bedenken. Schon die Stellung des Hauptstücks über die Eucharistie in den „Mysterien" läßt die Eucharistie als „Klammer" zwischen Christus und Kirche erscheinen.

Ausgangspunkt dieser Überlegungen Scheebens ist die aus der patristischen Tradition geschöpfte Einsicht, daß „in der Eucharistie das mystische Wesen der Kirche, als der Gemeinschaft der Kirche mit dem Gottmenschen, gipfelt und seinen vollendeten Ausdruck erhält"[112]. Da die Eucharistie so das „Herz" der Kirche bildet, stellt sich die kirchliche Gemeinschaft durch Teilnahme an Opfer und Kommunion vollendet dar. „So gruppiert sich um das große Mysterium des eucharistischen Christus die wunderbare reale, wunderbare erhabene Gemeinschaft der Gläubigen Christi, welche wir die Kirche nennen, die darum auch in sich selbst ein großes Mysterium ist ... "[113].

Dieser Zusammenhang wird - wie wir sahen - in allen Aspekten des eucharistischen Geschehens durchgehalten.

Indem sich das Prinzip der Inkarnation in ihrer Fortsetzung, der Eucharistie, am tiefsten und intensivsten in das Prinzip des Sakramentalen „übersetzt", indem die gesamte Bewegung Christi von der Inkarnation bis zum Kreuz und zur Verherrlichung sakramental in der eucharistischen Bewegung gegenwärtig wird, wird die Kirche, deren „Herz" die Eucharistie ist, selbst zum *„sakramentalen Mysterium"*, zum „großen Sakrament"[114], so daß alle Momente des eucharistischen Geschehens durch Christus im Heiligen Geist sich als ekklesiale vollziehen. Mit Wolfgang Beinert läßt sich sagen: „Die Eucharistie erweist sich als Konstitutivum der Sakramentalität der Kirche überhaupt und als Zentrum des sakramentalen Organismus innerhalb des Ganzsakramentes Kirche"[115].

Dadurch wird die Kirche bei Scheeben nicht so sehr als direkte „Fortsetzung der Inkarnation" gesehen[116], sondern als sakramental durch die Eucharistie „vermittelte",

---

111 Congar, Der Heilige Geist, S. 487f. zitiert Vaticanum II, Presbyterorum ordinis 5

112 Scheeben, Mysterien, S. 446

113 Ebd., S. 448

114 Ebd., S. 461

115 Wolfgang Beinert, Eucharistie als Sakrament der Einheit, in: Catholica 36 (1982), S. 234–256, hier: S. 244

116 Diese Sicht legt sich vom späten Möhler her nahe; vgl. Bode, Gemeinschaft, S. 268

so daß die einzigartige physisch-moralische Verbindung zu Christus gewahrt bleibt in gleichzeitigem Gegenüber von ihm, was im epikletischen Charakter der Eucharistie zum Ausdruck kommt. Zugleich ist damit ausgesagt, daß die sakramental-eucharistische Verbindung mit Christus nie dem einzelnen Menschen als einzelnem zukommt, sondern nur eingebunden in die Kommunikation Christi mit seiner Braut, der Kirche.

Das Ineinander und Gegenüber Christi und seiner Kirche wurzelt letztlich in der trinitarischen Einheit und Gemeinschaft selbst, in der die Fruchtbarkeit der Liebe zwischen Vater und Sohn sich im Heiligen Geist darstellt und gleichzeitig das Prinzip der fruchtbaren Kommunikation im Eucharistiegeschehen bildet. Die Gnadenformel „Filia Patris – Sponsa Filii – Templum Spiritus Sancti" meint daher keine abgesondert individuell-persönliche („private") Beziehung zwischen dem trinitarischen Gott und dem Menschen, sondern eine Beziehung *in* der Kirche, die selbst filia, sponsa und templum ist. Alle Heilszuwendung, besonders aber die eucharistische, hat also von ihrem Ursprung her einen „sozialen Ort"[117], einen „Raum" der Kommunikation: die Kirche.

Daß in der eucharistisch verankerten Ekklesiologie Scheebens die „organologische" Vorstellung vom „Corpus Christi Mysticum" wirksam ist, kann man nicht von der Hand weisen. Eine zu einseitig von den „Mysterien" ausgehende Betrachtung verkennt jedoch, daß sich die christozentrische („Leib") und die pneumatozentrische („Braut") Schau der Kirche in einer heilsökonomisch-trinitarischen Sicht verbinden[118], wie sie durchaus schon in den „Mysterien" angelegt ist[119].

Gerade die trinitarische Einordnung des Eucharistiegeschehens und ihr damit betont epikletischer Charakter geben der Ekklesiologie Scheebens ihre mystische (nicht mystizistische) Tiefe und ihr ausgewogen christo-pneumatologisches Gepräge, das sich in der sakramentalen Sicht der Kirche widerspiegelt.

Die Aussagen des Vaticanum II[120] haben die bleibende Bedeutung der Scheebenschen Aussagen zu Eucharistie und Kirche unterstrichen. Jedenfalls ist Walter Kasper zuzustimmen, wenn er schreibt: „Die Erneuerung der sakramentalen Sicht der Kirche bei den Kirchenvätern wurde bereits im 19. Jahrhundert durch die Romantik, besonders durch die Tübinger Schule, *vorbereitet* und durch Matthias Joseph Scheeben und Johannes Heinrich Oswald *eingeleitet*"[121].

Die in neuerer Zeit einsetzende Bemühung, die Ekklesiologie mehr als bisher im Kontext der Pneumatologie anzusiedeln, in dem sie auch im Glaubensbekenntnis

---

[117] Eugen Paul, Matthias Joseph Scheeben, in: Katholische Theologen Deutschlands, Bd. 2, München 1975, S. 386–408, hier: S. 400

[118] Paul, Denkweg, S. 217 – Dazu auch: Balthasar, Theodramatik III, S. 379: Christus-Kirche als Bräutigam-Braut *und* als Haupt-Leib: „kein Aspekt darf dem andern geopfert werden"

[119] Vgl. etwa Scheeben, Mysterien, S. 454

[120] Dazu: Joseph Ratzinger, Theologische Prinzipienlehre. Bausteine zur Fundamentaltheologie, München 1982, S. 45 ff.

[121] Walter Kasper, Kirche als universales Sakrament des Heiles, in: Glaube im Prozeß, Festschrift für Karl Rahner, hrsg. v. Elmar Klinger und Klaus Wittstadt, Freiburg 1984, S. 221–239, hier: S. 224

verankert ist, führte zur Sicht der Kirche als „Sakrament des Geistes“[122]. Die immer wieder bei Scheeben hervorleuchtenden pneumatologischen Beziehungen innerhalb des eucharistischen Geschehens, letztlich die trinitarische Rückbindung bis hin zu der gewagten Aussage von der Kirche „als einer Art Inkarnation des Heiligen Geistes“[123] darf ebenfalls als entfernte Wegbereitung solcher heutigen Gedankengänge verstanden werden.

5.5 Die kosmische Dimension

Ein letzter Gesichtspunkt der umfassenden Sicht bleibt kurz zu betrachten: Die organische Denkweise Scheebens kann die sakramentale Struktur der Eucharistie nicht a-natural und a-kosmisch denken. Die vielen „physischen“ Elemente seiner Sichtweise (mit ihren vegetativen und „technischen“ Analogien einerseits und die Dimension der Ganzheit des Kosmos etwa in einem Kapitel wie: „Die Stellung des Gottmenschen im göttlichen Weltplan“ andererseits)[124] verweisen uns deutlich auf die kosmische Dimension der Eucharistie. Gerade als Korrektur einer personalistisch überzogenen Abwertung des „Unterpersonalen“ mit ihrer Gefahr der Natur- und Kosmosvergessenheit ist solche Sicht heute besonders notwendig, ohne in das andere Extrem einer neuen Divinisierung der Natur zu verfallen.

Mit einem Satz von Edward Schillebeeckx läßt sich in guter Weise Scheebens Einordnung des Kosmos ins eucharistische Geschehen ausdrücken: „In einem kosmischen Stück Brot werde ich von Christus in der Eucharistie begnadet ... Die weltliche Welt selbst wird innerlich in diese Selbstschenkung Christi einbezogen und nimmt dadurch ... schon teil an der eschatologischen Situation der verherrlichten Leiblichkeit, die entitativ vergöttlicht sein wird“[125].

Auch Wolfgang Beinert stellt in seinem Aufsatz „Eucharistie als Sakrament der Einheit“ die kosmische Dimension heraus: „Brot und Wein sind Dinge dieser Welt, ein Stück des Kosmos, das zu seiner Form durch menschliches Kulturschaffen gebracht worden ist (Gabenbereitungsformel!). Indem sie durch Konsekration in Leib und Blut des Herrn gewandelt werden, wird ein Stück dieser Menschenwelt in eine neue end-

---

[122] Walter Kasper, Die Kirche als Sakrament des Geistes, in: Walter Kasper – Gerhard Sauter, Kirche – Ort des Geistes, Freiburg 1976, S. 13–55, hier: S. 41 – Zu beachten ist auch Kaspers Kritik an der Lehre vom Corpus Christi Mysticum, in der der Heilige Geist als die „Seele“ der Kirche angesehen wird, als „geschlossene Konzeption“ (S. 43 f.). Auf Scheeben trifft sicher diese Kritik auch zu, dennoch weitet sich bei ihm die Blickrichtung durch den trinitarischen Ansatz und die pneumatologische Linie in der Eucharistieauffassung

[123] Scheeben, Dogmatik V, 2, n. 1612

[124] Scheeben, Dogmatik V, 2, nn. 1364–1385, vgl. auch Mysterien, S. 366

[125] Edward Schillebeeckx, Die eucharistische Gegenwart. Zur Diskussion über die Realpräsenz, Düsseldorf ^{2}1968, S. 54 f. – Vgl. auch Scheeben, Mysterien, S. 462: „Nicht bloß die geistige, sondern auch die materielle Natur wollte er zu einem Tempel machen ...“ – Beziehungen zwischen den Sichten von Scheeben und Teilhard de Chardin behandelt Bode, Gemeinschaft, S. 320 f.

gültige Realität umgewandelt." Diese consecratio mundi ist „eine Prolepse der eschatologischen Neuschöpfung"[126].

Dadurch, daß nach Scheeben „das Christentum in seiner Grundlage *durch und durch sakramental* ist", "ließ sich die vergöttlichende übernatürliche Kraft des Gottmenschen, welche den Geist des Menschen und den Leib desselben erheben und verklären sollte, *bis in die Tiefe der leiblichen, materiellen Natur herab,* um gerade von dort aus den Geist, wie von beiden Seiten, von oben und von unten, ihn umspannend, zu durchdringen und zu verklären"[127].

Denn „nicht bloß die geistige, sondern auch die *materielle Natur* wollte er zu einem Tempel machen und diesen Tempel durch den Heiligen Geist einer übernatürlichen Heiligkeit und Herrlichkeit teilhaft machen"[128].

Damit erweist sich die Eucharistie als ein Konvergenzpunkt von Schöpfungs- und Erlösungsordnung, wie das Sakramentale überhaupt.

6. Eucharistie als „communio per excellentiam"

Der „Fluchtpunkt" all dieser Überlegungen zur eucharistischen Wirklichkeit – damit kehren wir zur „Kernthese" zurück – ist die κοινωνία, die in gewissem Sinn auch die „Funktion einer hermeneutischen Mitte"[129] ausübt. In ihr haben bei Scheeben „Zeugung", „Vermählung" und „Verklärung" ihren Integrationspunkt so wie auch die verschiedenen Aspekte des eucharistischen Geschehens. Κοινωνία-communio umgreift den Vorgang der „Verwandlung innergöttlicher Kommunikation in eucharistische Kommunion"[130]. „Die Eucharistie selbst heißt deshalb auch „communio", die *Gemeinschaft* „per excellentiam", weil sie durch sich selbst das innigste und realste Band, welches den Menschen mit Christus, und in Christus einerseits mit der Trinität, andererseits mit allen die Eucharistie genießenden Menschen verbindet"[131].

Die sakramental verwirklichte „communio per excellentiam" in der Eucharistie ist also bei Scheeben das genuin christo-pneumatologisch ausgelegte consortium divinae naturae, das in seinem unum corpus cum Christo und unus spiritus cum Deo (= communicatio Spiritus Sancti) eine participatio existentialis am pleroma Christi und darin am pleroma Trinitatis bildet. In ihrer organischen physisch-moralischen Doppelstruktur bildet diese communio einen platonischen μεθεξις und ἕνωσις umfassenden Begriff, der zugleich aristotelisch-scholastische „informatio" mit einbegreift

126 Beinert, Eucharistie, S. 244 f.

127 Scheeben, Mysterien, S. 265

128 Ebd., S. 462

129 Alexandre Ganoczy, Einführung in die katholische Sakramentenlehre, Darmstadt 1979, S. 74

130 Balthasar, Neue Klarstellungen, S. 72 f.

131 Scheeben, Mysterien, S. 404 – Vgl. dazu auch Joseph Ratzinger, Kommunion – Kommunität – Sendung. Über den Zusammenhang von Eucharistie, Gemeinschaft (Gemeinde) und Sendung in der Kirche, in: Schauen auf den Durchbohrten, Einsiedeln 1984, S. 60–84. Vgl. auch noch einmal Beinert, Eucharistie, S. 244 f.

(im Sinne einer Umsubstanziierung eines schon Formierten durch ein Höheres („Verklärung“).

In der Eucharistie verwirklicht sich sakramental, was nach der Aussage des Vat. II das Wegen der göttlichen Offenbarung überhaupt ausmacht (großartig komprimiert in DV 2)[132]:

„Placuit Deo in sua bonitate et sapientia *Seipsum* revelare et notum facere *sacramentum* Voluntatis Suae, quo homines per *Christum,* Verbum carnem factum, in *Spiritu Sancto* accessum habent *ad Patrem*

et divinae naturae consortes efficiuntur. Hac itaque revelatione Deus invisibilis *ex abundantia caritatis suae*

homines tamquam amicos alloquitur et *cum* eis *conversatur,*

ut eos ad *societatem secum* invitet in eamque *suscipiat*“

Diese „susceptio in societatem secum“ geschieht sakramental in „unio“ und „communio“ des eucharistischen Geschehens. Damit ist der Zielpunkt Scheebenscher Eucharistietheologie noch einmal formuliert.

Die Beschäftigung mit dieser aus dem großen Zusammenhang Trinität-Inkarnation-Gnade lebenden Eucharistielehre hat für den heutigen Leser zur Folge, daß er (bei allen Begrenzungen) einen umfassenden Blick bekommt in Fragen der Sakramententheologie, der liturgischen und auch der ökumenischen Theologie[133]. Eine vorschnelle Einordnung Scheebens als Neuscholastiker hat oft das außerordentliche Profil und den Perspektivenreichtum seiner Theologie auch in bezug auf heutiges Theologisieren vergessen lassen. Es lohnt sich für uns Heutige, sich um Scheebens Schau der Heilsmysterien zu bemühen (es ist oft eine Mühe!), wenn das Geheimnis der Eucharistie für uns das bleiben soll, was es nach dem Vaticanum II ist: fons et culmen totius vitae christianae[134].

---

[132] Vgl. auch den Kommentar v. Joseph Ratzinger, LThK, Ergänzungsband II, S. 506f.

[133] Vgl. dazu ausführlicher Bode, Gemeinschaft, S. 328–358

[134] Lumen Gentium 11

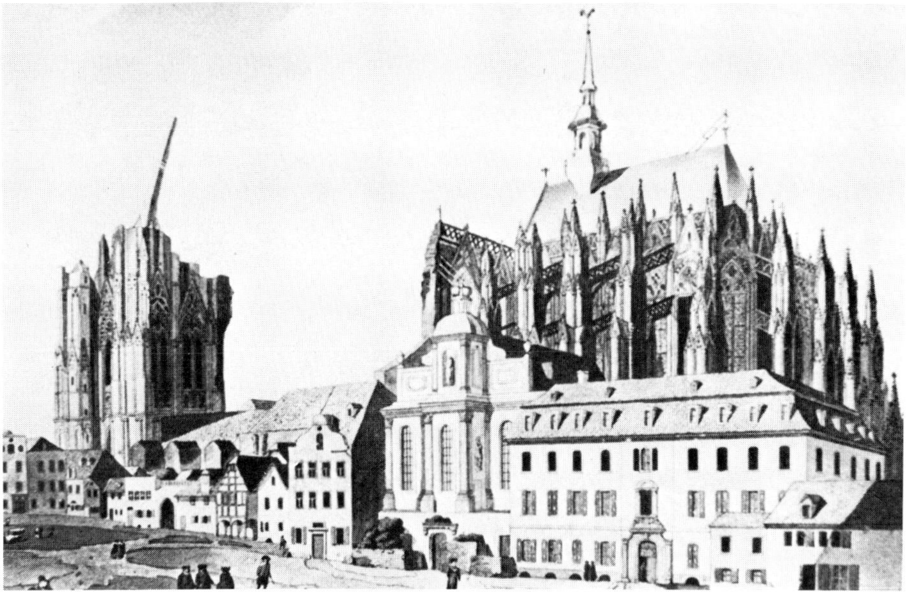

Abb. 1 Ansicht des Domhofes mit der Kirche St. Johann Evangelist und dem Seminargebäude (rechts). Kolorierter Kupferstich von Johann Ziegler nach einer Zeichnung von Lorenz Janscha, 1788. Das wohl am meisten verbreitete Blatt des unvollendeten Kölner Domes (S. 5).

Abb. 2 Ansicht des Domhofes. Photo von Joh. Franz Michiels (Dom-Album Bd. 1), 1855. Sie gehört zu den ersten photographischen Aufnahmen des Domes. Als letzter der den Dom umschließenden Bauten steht noch das ehem. Priesterseminar; an die Stelle der Johanniskirche ist der Reißboden der Dombauhütte getreten (S. 9).

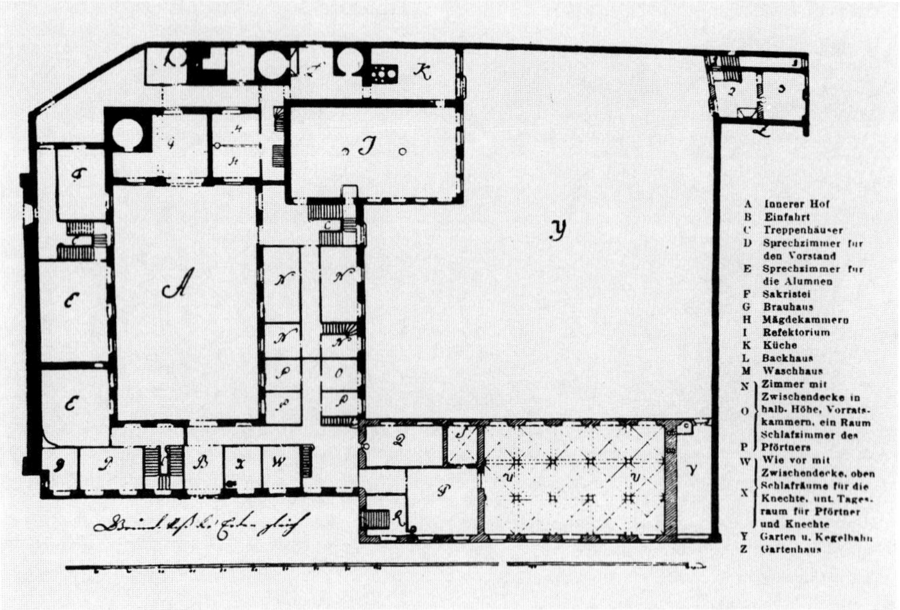

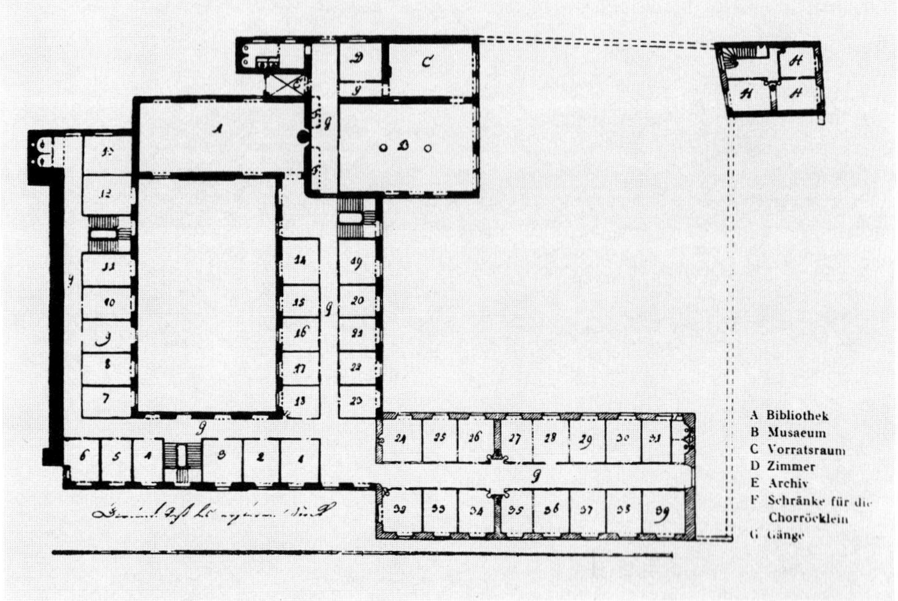

Abb. 3 u. 4 Grundriß vom Erd- und ersten Obergeschoß; angefertigt anläßlich einer projektierten, aber nicht ausgeführten Erweiterung. Der Bestand ist vollschwarz, das Projekt schraffiert wiedergegeben (S. 6).

Ehemaliges Jesuitenkolleg an der Marzellenstraße, seit 1827 Priesterseminar.

Abb. 5 Ansicht über die Gesamtanlage aus der Vogelschau. Stahlstich von 1897 (S. 10)

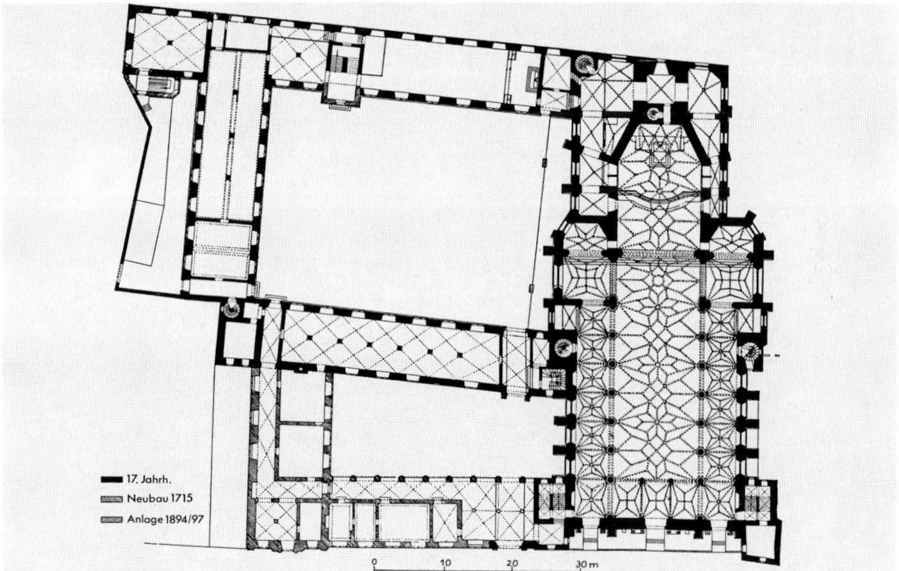

Abb. 6 Grundriß der Kirche St. Mariä Himmelfahrt und des ehem. Kollegs mit dem Neubau von 1715 und den Veränderungen von 1894/97. Im Mitteltrakt die Bibliothek, im hinteren linken Flügel das Refektorium.

Abb. 7 Refektorium. Reiche Kassettendecke aus Eichenholz mit Malereien (S. 11 f.)

Abb. 8 Bibliothek. Kostbare geschnitzte Einrichtung der Barockzeit; Stukkaturen aus der Umbauphase 1895/96 (S. 14)

Neubau des Priesterseminars in Bensberg

Abb. 9 Ansicht der Vorderfront, Photo 1929 (S. 16 f.).

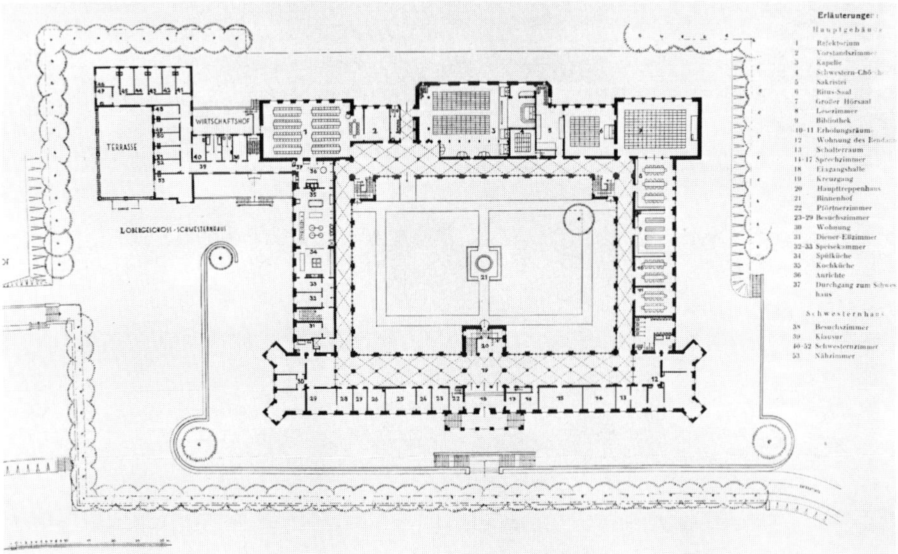

Abb. 10 Grundriß vom Erdgeschoß. Vier Flügel von unterschiedlicher Breite gruppieren sich um einen Innenhof. Im hinteren Trakt das Refektorium (1), die Kapelle (3) und der Große Hörsaal (7).

Abb. 11 Innenansicht der Kapelle mit der Ausstattung des Bonner Bildhauers Karl Menser, Zustand 1929 (S. 17).

Abb. 12 Kleiner Hörsaal im ersten Obergeschoß mit expressionistischer Gewölbeausbildung. Zustand 1929 (S. 18).

Abb. 13 Zimmer eines Alumnen. Einrichtung: eisernes Bettgestell, Schrank, Stehpult, Tisch und Stuhl, Zustand 1929.

Abb. 14 1930 für das Bensberger Seminar angeschafftes Zinngeschirr. Aufnahme 1987.

Tafel 8

Neues Seminargebäude an der Eintracht- (heute: Kardinal-Frings-)Straße

Abb. 15 Blick auf die Gesamtanlage von Erzbischöflichem Haus, Priesterseminar und Bibliothek mit Archiv. Die Seminarkirche ragt deutlich als Mittelpunkt der Gesamtarchitektur heraus.

Abb. 16 Portal der Seminarkirche mit den Patronen Petrus Canisius und Philippus Neri. Entwurf und Ausführung der geschnitzten Halbreliefs: Elmar Hillebrand unter Mitarbeit von Maria Hillebrand und Stephan Wolf.

Abb. 17 Blick vom Innenhof auf den Glockenturm mit dem Stiegenhaus, Zustand um 1960 (S. 20)

Abb. 18 Blick vom Innenhof mit den Brunnenanlagen in den offenen Kreuzgang. Zustand um 1960 (S. 20f.).

Abb. 19 Inneres der Seminarkirche. Den hohen Kirchenraum verbindet strenge Einfachheit mit lichter Hoheit. Zustand um 1960.

Abb. 20 Seminarbild „Der gebundene Christus". Öl auf Leinwand. Um 1455. Das Gemälde stammt vermutlich aus der Kölner Kartause und steht dem Meister der Darmstädter Wurzel Jesse nahe.

Abb. 21 Vortragekreuz. Vermutlich Köln, 1. H. 14. Jh. Die Kreuzarme enden in Lilien. Die Vorderseite mit ziselierten Ranken, die Rückseite mit einem blütengefüllten Rautenmuster. Die Lilienenden mit farbigen Steinen.

Abb. 22 Kelch (links unten). Silber vergoldet, gegossen, punziert. Köln, Werner Hermeling 1841. Unter dem Fuß lateinisches Widmungschronogramm. Johannes Lambert Severin Weitz, 1833–1851 Präses des Priesterseminars, erhielt ihn von 300 ehemaligen Seminaristen zum Geschenk.

Abb. 23 Kelch (rechts unten). Silber vergoldet; Email, Perlen, Halbedelsteine. Köln, Alois Kreiten 1909.
Nach Ausweis der Inschrift unter dem Fuß erhielt ihn der spätere Seminarpräses Prof. Dr. Christian Berrenrath zum silbernen Priesterjubiläum am 28. Okt. 1909 von dankbaren Schülern (discipuli) geschenkt.

Flügelaltar. Ehem. in der Kirche St. Maria ad Gradus. 1903 von Wilhelm Mengelberg unter Verwendung von süd-niederländischen Flügelbildern der Zeit um 1520 ausgeführt.

Abb. 24 Mittelteil mit einer geschnitzten Darstellung des Abendmahls von Mengelberg. Auf den Flügelinnenseiten links: Kreuztragung mit Veronika, rechts: Auferstehung Christi.

Abb. 25 Außenflügel links: Ecce homo-Szene, rechts: Handwaschung des Pilatus.

Abb. 26 Josef Kardinal Frings. 21. Seminarregens 1937–1942. Öl auf Leinwand, sign. Klemm 54/55. Halbfigurenporträt. Der Kardinal sitzt auf einem Sessel in Chorkleidung; am oberen Rand sein Wappen, im Rahmen sein Wahlspruch.

Abb. 27 Weihbischof DDr. Augustinus Frotz. 23. Seminarregens 1944–1963, Photographie als Domkapitular im Jahre 1960

Abb. 28 Matthias Joseph Scheeben (1835–1888), Photographie eines Ölgemäldes im Kölner Priesterseminar.

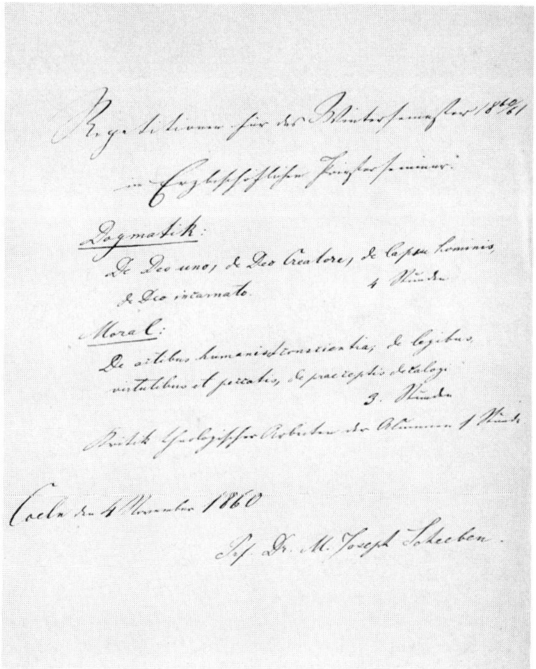

Repetitionen für das Wintersemester 1860/61
im Erzbischöflichen Priesterseminar.

Dogmatik:
De Deo uno, de Deo Creatore, de lapsu hominis,
de Deo incarnato. 4 Stunden

Moral:
De actibus humanis, conscientia, de legibus,
virtutibus et peccatis, de praeceptis decalogi
3. Stunden

Kritik theologischer Arbeiten der Alumnen 1 Stunde

Coeln den 4 November 1860
Prof. Dr. M. Joseph Scheeben.

Abb. 29 Erste Vorlesungsankündigung Scheebens für das Wintersemester 1860/61 in den erzbischöflichen Akten.

Abb. 30/31 Grabmal Matthias Joseph Scheebens auf dem Kölner Friedhof Melaten. 4,5 m hohe neugotische Stele von Otto Mengelberg. In der mittleren Nische eine Statue, den hl. Thomas von Aquin darstellend. Die Inschrift lautet: „A.D. 1888 die 21 Julii aetatis anno LIII obiit Matthias Joseph Scheeben integritate vitae, doctrina, scriptis eximius. R.I.P. Titulum posuerunt amici discipuli."

Abbildungsnachweis:

Rheinisches Amt für Denkmalpflege, Pulheim: 1, 3, 4, 5, 6, 7, 8 (Repros)

Rheinisches Bildarchiv, Köln: 2

Aus: Das neue Priesterseminar der Erzdiözese Köln in Bensberg. Zur Einweihung, Köln 1929: 9, 10, 11, 12, 13

Wolfgang Schmitz, Köln: Umschlag, 14, 30, 31

Erzbischöfliches Priesterseminar: 15, 28

Wim Cox, Köln: 16, 26, Frontispiz

Historisches Archiv des Erzbistums Köln: 17, 18, 19, 29 (HAEK-CR 8 A1.1,2)

Heinpeter Schreiber, Köln: 20, 21, 22, 23, 24, 25

Friedel Thörnig, Trier: 27

Orts- und Personenindex

Die biographisch bedeutsamen Stellen sind im folgenden *kursiv* gesetzt.

Verzeichnis der Mitarbeiter

Pfarrer Dr. Franz-Josef BODE
Auf dem Sodenkamp 16, 5758 Fröndenberg

Weihbischof em. DDr. Augustinus FROTZ,
Burgmauer 11, 5000 Köln 1

Dr. Hans GASPER,
Ernst-Wilhelm-Nay-Straße 11, 5000 Köln 41

Oberkonservator Dr. Gisbert KNOPP,
Rheinisches Amt für Denkmalpflege, Abtei Brauweiler, 5024 Pulheim 2

Dr. Karl-Heinz MINZ,
Paulsmühlenstraße 41, 4000 Düsseldorf 13

Professor Karl Heinz SCHMITT,
An St. Adelheid 5, 5000 Köln 91

Regens Professor Dr. Norbert TRIPPEN,
Kardinal-Frings-Straße 12, 5000 Köln 1